D1250141

La référence de la langue française

Bled
Tout-en-un

Édouard BLED
Odette BLED
Lauréats de l'Académie française

Nouvelle édition assurée par

Daniel BERLION
Inspecteur d'académie

hachette
ÉDUCATION

Conception graphique : Couverture : Stéphanie Benoit

Intérieur : Hachette Éducation –

Réalisation : Couverture : Stéphanie Benoit

Intérieur : Mediamax

hachette s'engage pour l'environnement en réduisant l'empreinte carbone de ses livres. Celle de cet exemplaire est de :
900 g éq. CO$_2$
Rendez-vous sur www.hachette-durable.fr

PAPIER À BASE DE FIBRES CERTIFIÉES

© HACHETTE LIVRE 2021, 58 rue Jean Bleuzen, CS 70007, 92178 Vanves Cedex.
ISBN 978-2-01-715104-3

www.parascolaire.hachette-education.com

Tous droits de traduction, de reproduction et d'adaptation réservés pour tous pays.
Le Code de la propriété intellectuelle n'autorisant, aux termes des articles L.122.4 et L.122.5, d'une part, que les « copies ou reproductions strictement réservées à l'usage privé du copiste et non destinées à une utilisation collective », et, d'autre part, que « les analyses et les courtes citations » dans un but d'exemple et d'illustration, « toute représentation ou reproduction intégrale ou partielle, faite sans le consentement de l'auteur ou de ses ayants droit ou ayants cause, est illicite ».
Cette représentation ou reproduction par quelque procédé que ce soit, sans autorisation de l'éditeur ou du Centre français de l'exploitation du droit de copie (20, rue des Grands-Augustins 75006 Paris), constituerait donc une contrefaçon sanctionnée par les articles 425 et suivants du Code pénal.

SOMMAIRE

Des signes orthographiques

L'écriture des sons

L'écriture des mots

Vocabulaire 145

AVANT-PROPOS

Il en est de l'orthographe, de la grammaire et de la conjugaison comme de bien d'autres apprentissages : pour atteindre l'objectif fixé, avec ce que cela implique d'efforts patients, persévérants et ordonnés, il faut procéder méthodiquement.

Cette démarche fut adoptée par Odette et Edouard Bled dans tous leurs ouvrages. Nous avons conservé la ligne de conduite qui a assuré le succès de la collection : la rigueur, l'exhaustivité, la clarté de la présentation. Tous les utilisateurs des Bled retrouveront ici ces qualités, gages de progrès.

▶ Une nouvelle édition modernisée en profondeur

Les recherches linguistiques ont mis en évidence certains faits qui permettent de mieux soutenir les efforts de ceux qui apprennent ; aussi avons-nous introduit une cohérence nouvelle, sans pour autant modifier un contenu qui demeure le socle essentiel de notre langue.

Par ailleurs, les transformations, voire les bouleversements de notre société sont tels que nous avons choisi d'introduire des verbes qu'un citoyen du XXIe siècle utilise désormais dans sa vie quotidienne.

▶ Un apprentissage progressif

L'orthographe grammaticale

Toutes les règles fondamentales font l'objet d'un exposé accompagné d'exemples. À partir de situations variées et soigneusement choisies, vous apprendrez à reconnaître la nature des mots pour appliquer correctement les règles des différents accords. Nous vous proposons également des procédés pour éviter les erreurs dues aux homonymies.

L'orthographe d'usage

Le classement des mots par analogie de sons, de terminaisons ou de difficultés orthographiques vous permettra de constituer des séries et de mémoriser progressivement les circonstances d'usage des différentes écritures.

Les notions grammaticales

Les notions grammaticales vous aideront à structurer vos écrits et à résoudre les problèmes que pose l'emploi de certains mots (paronymes, barbarismes, pléonasmes) ou de certaines tournures syntaxiques.

La conjugaison

Les différentes conjugaisons sont présentées selon un classement en trois groupes qui facilite la mémorisation des terminaisons ou des modifications du radical.

Les conjugaisons particulières, les temps et les modes les plus usuels font l'objet d'études détaillées. Pour les formes et terminaisons homophones, nous proposons des procédés simples de différenciation par substitution qui vous permettront de placer rapidement la terminaison correcte.

Le vocabulaire

Les notions lexicales que nous vous présentons apportent une structuration et un enrichissement du vocabulaire pour que vos écrits gagnent en précision.

▶ Une organisation claire en 145 leçons

Chacune des leçons traite une difficulté spécifique. Les principales règles, exposées clairement et simplement, sont suivies de remarques qui prolongent la réflexion. Règles et remarques sont accompagnées de nombreux exemples.

▶ Les 83 tableaux de conjugaison types et l'index de plus de 6 000 verbes

Pratiquement tous les verbes du français peuvent être rattachés à 83 séries types qui présentent les mêmes variations du radical et les mêmes terminaisons. Chacune de ces séries fait l'objet d'une présentation exhaustive des temps et des personnes dans des tableaux de lecture aisée. Ces 83 tableaux sont complétés de 3 fiches (84, 85 et 86) qui précisent les modalités de l'accord du participe passé des verbes pronominaux. Pour conjuguer un verbe, il vous suffira de le chercher dans l'index et de noter le numéro du modèle de conjugaison type. Vous y trouverez des renseignements complémentaires sur chaque verbe : transitif ou intransitif, auxiliaire utilisé aux temps composés.

▶ L'index des notions clés

Toutes les notions sont répertoriées dans l'index (pages 314 à 319) qui renvoie à la page où la difficulté est présentée.

Nous avons voulu offrir à la personne rencontrant des difficultés un ouvrage qui lui permette de reprendre confiance et de progresser à sa mesure ; quant au lecteur plus avancé dans la maîtrise de la langue, il trouvera dans ce livre matière à se perfectionner pour être toujours plus assuré dans ses écrits.

Daniel BERLION
Inspecteur d'académie

ORTHOGRAPHE

1 Les points

Les signes de ponctuation donnent des indications précieuses pour la lecture et la compréhension d'un texte. Ils marquent les pauses et les inflexions de la voix dans la lecture et fixent les rapports entre les propositions et les idées. Une ponctuation mal placée, ou omise, peut entraîner des contresens.

▶ Le point

Le point marque la fin d'une phrase dont le sens est complet. Il indique une pause très nette ; l'intonation est descendante.
L'architecte a conçu un immeuble fonctionnel**.**
Les locataires emménageront dans les prochains jours**.**

Remarque !

Une phrase nominale, ou sans verbe, se termine par un point, sauf s'il s'agit d'un titre d'œuvre.

À tout seigneur, tout honneur.
Léo fut surpris par l'accueil. Un vrai repas de fête.
Voyage au bout de la nuit (roman de Céline)

▶ Le point d'interrogation

Le point d'interrogation se place à la fin d'une phrase lorsqu'on pose une question ; l'intonation est montante.
Quelle est la capitale de la Mongolie **?**
Les navires sont-ils arrivés au port **?**

Remarques !

1 Lorsque l'interrogation est indirecte, on place simplement un point.

Dites-nous ce que vous ferez pendant les vacances**.**

2 Placé entre parenthèses, le point d'interrogation peut marquer le doute.

Clovis fut baptisé en 496 (**?**) à Reims.

▶ Le point d'exclamation

Le point d'exclamation se place à la fin d'une phrase ayant un sens injonctif ou exclamatif ; l'intonation est montante.
Vous devez immédiatement répondre à ce courrier **!**
Quel beau jardin que celui de Villandry **!**

Remarques !

1 Le point d'exclamation peut aussi être placé après une interjection. Dans ce cas, le mot suivant ne prend pas de majuscule et le point d'exclamation se répète à la fin de la phrase.

Attention **!** ce trottoir est glissant **!**

2 La phrase impérative se termine généralement par un point.

Emporte un anorak, des gants et un bonnet.

Mais pour marquer l'intention ou l'ordre, on place un point d'exclamation.

Viens ici immédiatement **!**

2 La virgule

La virgule marque une courte pause dans la lecture, sans que la voix baisse.

▶ L'emploi de la virgule

• **La virgule** sépare, dans une même phrase, les éléments semblables, c'est-à-dire de même nature ou de même fonction, qui ne sont pas unis par l'une des conjonctions de coordination *et, ou, ni*.
Voilà un spectacle magnifique, il faut le reconnaître.
• Lorsque, dans une succession d'éléments semblables, les conjonctions de coordination *et, ou, ni* sont utilisées plusieurs fois, il faut séparer ces éléments semblables par des virgules.
Dans ce désert, on ne trouve ni oasis, ni puits, ni abri, ni piste.
• Les conjonctions *mais, ou, donc, car* sont précédées d'une virgule.
L'eau est froide, mais nous nous baignons.
Nous nous baignons, car l'eau est chaude.

▶ Un élément de séparation

La virgule peut séparer :

• **les sujets d'un même verbe**
Les gazelles, les lions, les gnous, les éléphants peuplent ce parc naturel.

• **les épithètes ou les attributs d'un même nom ou d'un même pronom**
Une plainte lointaine, brève, pratiquement inaudible, perça le silence.
La statue était imposante, admirable, parfaitement ressemblante et bien éclairée.

• **les compléments d'un verbe, d'un nom, d'un adjectif**
Julien éplucha les courgettes, les aubergines, les tomates, les oignons.
L'expert détermine la valeur des timbres, des pièces, des cartes postales.
L'officier se présenta bardé de décorations, de médailles, de cocardes, d'écussons.

• **les verbes ayant un même sujet**
Le valet de chambre frappa, entra, se présenta et attendit les ordres.

• **les propositions de même nature, plutôt courtes**
Dehors, le vent soufflait, les volets claquaient, la pluie fouettait les murs.

• **les mots mis en apostrophe ou en apposition**
Moi, je ne partirai pas avant vingt heures.
L'avion, retardé par des vents contraires, n'atterrira qu'à dix heures.

• **les propositions incises**
Cette offre, je l'avoue, me tente.

• **les compléments circonstanciels ou les subordonnées placés en tête de phrase**
Devant la barrière de péage, les véhicules attendent.

Remarque :

On ne place pas de virgule entre les pronoms relatifs *qui, que* et leur antécédent, sauf pour isoler une proposition subordonnée explicative.

L'émission qui vient d'être diffusée n'a duré que vingt minutes.

L'émission, que chacun a pu apprécier, n'a duré que vingt minutes.

3 Le point-virgule – Les points de suspension

Le point-virgule s'emploie dans une phrase ; les points de suspension dans et en fin de phrase.

▶ Le point-virgule

Le point-virgule sépare des propositions ou des expressions qui ont un lien faible. Son emploi est délicat car il est proche du point ou de la virgule.
Les cultures manquent d'eau ; la récolte de maïs sera médiocre.

Remarques

1 On place un point-virgule lorsque la deuxième proposition commence par un adverbe.
Les travaux sont terminés ; désormais, la circulation est fluide.

2 Le point-virgule ne peut jamais terminer un texte et n'est jamais suivi d'une majuscule.

▶ Les points de suspension

• **Les points de suspension** (toujours trois) indiquent que la phrase est inachevée. Ils marquent une interruption causée par l'émotion, la surprise, l'hésitation ou un arrêt voulu dans le développement de la pensée pour mettre en relief certains éléments de la phrase.
Il était une fois une charmante princesse**...**
Un jour, je partirai à l'aventure**...**

• Ils peuvent également marquer la fin d'une énumération, peut-être incomplète. Dans ce cas, ils suivent directement le dernier mot.
L'alpiniste vérifie l'état de son piolet, la fixation de ses crampons, la fermeture de son sac, la présence de sa lampe frontale, le nombre de ses mousquetons**...**

Remarques

1 Les points de suspension ne peuvent jamais être placés après une virgule ou un point-virgule.

2 Les points de suspension placés entre crochets indiquent une coupure dans une citation.
De tous les bonheurs qui lentement m'abandonnent, le sommeil est l'un des plus précieux, des plus communs aussi. Un homme qui dort peu et mal [...] médite tout à loisir sur cette particulière volupté.
Marguerite Yourcenar, *Mémoires d'Hadrien*, Plon, 1953, Folio, Gallimard, 1977.

3 On emploie les points de suspension après l'initiale d'un nom que l'on ne veut pas citer.
J'ai rencontré monsieur K... dans l'escalier.

4 *Etc.* est une abréviation (latin : *et cætera*) qui signifie *et ainsi de suite*, soit l'équivalent de points de suspension. C'est pourquoi, elle n'est jamais suivie de points de suspension.
Au supermarché, on trouve de tout, des jouets, des aliments, des livres, des vêtements, **etc.**

4 Les deux-points – Les guillemets – Les parenthèses

Les deux-points **annoncent** un groupe de mots. Les guillemets et les parenthèses **isolent** un mot ou un groupe de mots.

▶ Les deux-points

On utilise **les deux-points** pour annoncer :
• **une énumération**
Tout le monde était là **:** les femmes, les hommes, les enfants.
• **une explication**
Vous ne pouvez pas entrer **:** la porte est fermée à clé.
• **une justification**
Je n'ai pas avalé ce sirop pour la toux **:** il est proprement imbuvable.
• **une citation**
Rimbaud a écrit **:** « Je est un autre. »
• **un discours direct**
Lorsqu'il vit le souterrain obstrué, Raphaël s'écria **:** « Me voilà pris au piège ! »

▶ Les guillemets

Les guillemets (créés par l'imprimeur Guillaume, dit Guillemet, en 1525) encadrent un discours direct. L'ouverture des guillemets est généralement précédée de deux-points.
La femme s'arrêta à ma hauteur et me demanda : « Avez-vous l'heure ? »

Remarques

1 Lors d'un dialogue, on place **un tiret** au début de chaque changement de prise de parole ; on n'en place pas pour la première personne qui parle.

Lorsque le client eut déposé ses achats sur le tapis, la caissière lui demanda :
« Comment réglez-vous ?
– Par carte bancaire.
– Alors, insérez-la ici. »

En fin de phrase ou de dialogue, le point (simple, d'interrogation, d'exclamation) est toujours placé à l'intérieur des guillemets.

2 Parfois, dans un dialogue, il faut indiquer la personne qui parle. Dans ce cas, on ne ferme pas les guillemets après ses paroles ; on place simplement une courte phrase entre deux virgules.

La caissière demanda poliment :
« Avez-vous une carte de fidélité ?
– Non, **répondit le client,** je ne viens qu'exceptionnellement dans ce magasin. »

Cette courte **proposition incise** n'est jamais précédée d'un point et ne commence jamais par une majuscule.

▶ Les parenthèses

Les parenthèses servent à isoler une idée, une réflexion qui pourraient être supprimées sans altérer le sens de la phrase.
Comme il est maître nageur (même s'il n'en a pas fait son métier), Jean-Paul a appris à nager à tous ses neveux.

5 Les majuscules

La lettre majuscule est aussi appelée lettre capitale.

▶ L'emploi de la majuscule

On met une majuscule :
- **au premier mot d'une phrase**
On a découvert une trace de dinosaure dans cette carrière.

- **aux noms propres, aux prénoms, aux surnoms, aux noms de famille**
Pasteur – Charles-Henri – Philippe le Bel – la famille Dupont

- **aux noms communs pris comme des noms propres**
un chien nommé Caramel
La Commune de Paris fut une date marquante de l'histoire de France.

- **aux noms ou aux titres des œuvres artistiques ou littéraires, des journaux, des magazines**
la Joconde de Léonard de Vinci   la Bible et le Coran
Le premier journal sportif fut l'Auto. Aujourd'hui, l'Équipe lui a succédé.

- **à certains termes de politesse**
Madame, Mademoiselle, Monsieur

- **aux noms qui marquent la nationalité**
Cette partie oppose les Anglais aux Gallois.

- **à certains termes historiques ou géographiques**
Richelieu – la Libération – Marseille – Jupiter – les Vosges

- **aux noms de bateaux, d'avions, de rues, d'édifices**
le Titanic – l'Airbus – l'avenue de la Gare – le musée du Louvre

- **aux noms d'institutions, de sociétés ou de distinctions**
le Conseil régional – l'Éducation nationale – Air France – la Légion d'honneur

- **aux premiers mots des vers de poèmes**
Ô temps, suspends ton vol ! et vous, heures propices,
Suspendez votre cours !   (Lamartine, *Méditations poétiques*)

▶ Cas particuliers

- Les noms de mois, de saisons, de dates s'écrivent avec des minuscules.
le premier mardi du mois de juillet – le début du printemps

- Les noms de fêtes prennent des majuscules.
La Toussaint – Noël – le Ramadan – Pâques – Yom Kippour

- Les points cardinaux, lorsqu'ils désignent un territoire, une région, un pays, prennent une majuscule.
les régions du Nord – les départements de l'Ouest – les peuples d'Orient
Mais s'ils désignent les points de l'horizon, ils prennent une minuscule.
le vent souffle du nord – aller en direction du sud-ouest

- Les noms déposés et les noms de marques prennent une majuscule.
boire un Martini – piloter un Jodel – réparer une Vespa

6 Le genre des noms

Les noms ont un genre – masculin ou féminin –, fixé par l'usage et repérable, le plus souvent, par le déterminant singulier qui les précède.

▶ Noms féminins sur lesquels on peut hésiter

une acné	une argile	une encaustique	une oasis
une acoustique	une artère	une éphéméride	une octave
une agrafe	une atmosphère	une épigramme	une omoplate
une alcôve	une attache	une épitaphe	une orbite
une alèse	une autoroute	une épithète	une oriflamme
une algèbre	une azalée	une épître	une primeur
une amnistie	une chrysalide	une espèce	une primevère
une amorce	une dynamo	une gaufre	une réglisse
une anagramme	une ébène	une gemme	une stalactite
une antilope	une ecchymose	une idole	une stalagmite
une apostrophe	une échappatoire	une idylle	une stèle
une apothéose	une écritoire	une mandibule	une vésicule
une arachide	une égide	une nacre	une vis

▶ Noms masculins sur lesquels on peut hésiter

un abîme	un armistice	un esclandre	un opercule
un ail	un arôme	un exode	un opuscule
un amalgame	un astérisque	un globule	un ovule
un ambre	un autographe	un haltère	un pétale
un amiante	un automate	un hémisphère	un pétiole
un anathème	un chrysanthème	un horoscope	un planisphère
un antidote	un edelweiss	un hymne	un pore
un antipode	un éloge	un indice	un poulpe
un antre	un emblème	un insigne	un rail
un aphte	un en-tête	un interclasse	un sépale
un apogée	un épiderme	un intermède	un tentacule
un appendice	un épilogue	un ivoire	un termite
un arcane	un équinoxe	un obélisque	un tubercule

Remarques

1 Tous les noms en -*e* ne sont pas féminins et tous les noms féminins ne se terminent pas par un -*e*.

le répertoire – un massage – un héroïsme – le souffle – le chêne – un parapluie...
la douleur – une pression – une loi – la vertu...

2 Certains noms changent de sens selon leur genre.

faire **un tour** – admirer **une tour**

3 Quelques noms ne s'emploient qu'au féminin, même s'ils désignent un homme ou un animal mâle !

une sentinelle – une idole – une victime – une vigie – une recrue – une bête...

4 Pour certains noms, les deux genres sont acceptés.

un (une) après-midi – un (une) alvéole – un (une) enzyme – un (une) HLM

7 Le féminin des noms

On forme généralement le féminin des noms des êtres animés en ajoutant un **-e** à la forme du nom masculin. Si le nom masculin se termine déjà par un **-e**, on place simplement un article féminin devant le nom.

un apprenti → une apprenti**e**
un journaliste → une journaliste

un marchand → une marchand**e**
un élève → une élève

▶ Terminaisons différentes au féminin

- Les noms masculins terminés par **-er** font leur féminin en **-ère**.
un écuyer → une écuy**ère**   un gaucher → une gauch**ère**
- Certains noms masculins doublent la consonne finale.
un paysan → une pays**anne**   un chat → une ch**atte**
- Les noms masculins terminés par **-eur** font souvent leur féminin en **-euse**.
un nageur → une nag**euse**   un coiffeur → une coiff**euse**
- Des noms masculins terminés par **-teur** font leur féminin en **-trice**.
un directeur → une direc**trice**   un éducateur → une éduca**trice**
- Certains noms masculins terminés par **-e** font leur féminin en **-esse**.
un prince → une princ**esse**   un âne → une ân**esse**
- Certains noms masculins changent la consonne finale.
un époux → une épo**use**   un veuf → une veu**ve**   un loup → une lou**ve**
- Quelques noms masculins sont légèrement modifiés au féminin.
un vieux → une vi**eille**   un fou → une f**olle**   un jumeau → une jum**elle**

▶ Autres cas

- Le nom masculin a un équivalent féminin différent.
un oncle → une tante   un coq → une poule
Attention à certaines confusions :
Le crapaud n'est pas l'équivalent masculin de la grenouille.
Le hibou n'est pas l'équivalent masculin de la chouette.

- Peu à peu, l'usage donne à tous les noms masculins (notamment les noms de métiers) un équivalent féminin.
un député → une député**e**   un professeur → une professeur**e**
Mais certains noms masculins n'ont toujours pas de féminin.
un bandit – un assassin – un bourreau – un cardinal – un forçat – un témoin...

Remarques

1 Le mot *enfant* a une forme unique.
un/une enfant

2 Les noms d'habitants prennent également la marque du féminin.
un Anglais → une Anglais**e**
un Italien → une Itali**enne**

3 Le féminin de certains noms peut avoir un sens tout à fait différent du nom masculin ; il ne désigne pas alors un être animé.
Le portier nous précède dans le hall.
Vous fermez la portière.

8 Le pluriel des noms

On forme généralement le pluriel des noms en ajoutant un **-s** au nom singulier.

▶ Règles générales

• Les noms terminés par **-au, -eau, -eu** prennent un **-x** au pluriel.
un tuyau → des tuyau**x**   un seau → des seau**x**   un cheveu → des cheveu**x**
Exceptions :
des landau**s** – des sarrau**s** – des pneu**s** – des bleu**s** – des émeu**s** (oiseaux australiens) – des lieu**s** (les poissons)

• Beaucoup de noms masculins terminés par **-al** font leur pluriel en **-aux**.
un animal → des anim**aux**   le général → les génér**aux**   un cheval → des chev**aux**
Exceptions :
des bal**s** – des chacal**s** – des carnaval**s** – des festival**s** – des récital**s** – des régal**s**...

• Une majorité de noms terminés par **-ail** au singulier font leur pluriel en **-ails**.
un rail → des rail**s**   un détail → des détail**s**   le portail → les portail**s**
Exceptions :
les cor**aux** – des ém**aux** – des soupir**aux** – des trav**aux** – des vitr**aux**...

• Les noms terminés par **-ou** prennent un **-s** au pluriel.
un trou → des trou**s**   le clou → les clou**s**   un cachou → des cachou**s**
Exceptions :
les bijou**x** – les caillou**x** – les chou**x** – les genou**x** – les hibou**x** – les joujou**x** – les pou**x**

• Les noms terminés par **-s, -x, -z** ne prennent pas la marque du pluriel.
le bois → les bois   une voix → des voix   un gaz → des gaz

▶ Cas particuliers

• Certains noms ont un pluriel particulier.
un monsieur → des **messieurs** ; un œil → des **yeux** ; un ail → des **aulx** (des **ails**)

• Certains noms ne s'emploient qu'au singulier ; d'autres seulement au pluriel.
Uniquement **au singulier** : le bétail – (faire) le guet – (joindre) l'utile à l'agréable
Uniquement **au pluriel** : les funérailles – les entrailles – les préparatifs – les mœurs – les ténèbres – les honoraires – aux confins – les vivres – les alentours – les décombres – les arrhes

Remarques

1 Au pluriel, certains noms ont un sens différent de celui du singulier.
faire sa **toilette** ≠ aller aux **toilettes**
Le film tire à sa **fin**. (il se termine) ≠ Amir arrive à ses **fins**. (il réussit)
prendre le **frais** (l'air) ≠ entraîner des **frais** (des dépenses)

2 Quand un nom sans article, précédé des mots à, de, en, sans, ni, pas de..., est complément d'un autre nom, il peut être au singulier ou au pluriel selon le sens.
des bracelets en or – une paire de chaussettes – des patins à roulettes – des jours sans soleil

9 Le pluriel des noms propres et des noms d'origine étrangère

Les noms propres et d'origine étrangère **peuvent parfois prendre la marque du pluriel.**

▶ Les noms propres

> **Les noms propres** ne prennent pas la marque du pluriel.
> Les sœurs **Ferlet** nous ont rendu visite.   Les magasins **Carrefour** soldent.
> Les nouvelles **Citroën** sont des voitures économiques.

Exceptions :
• les noms de population ou de lieux géographiques qui désignent un ensemble ;
les Toulousains – les Mexicains – les Péruviens – les Alpes – les Canaries – les Baléare**s**
Mais il n'y a pas de marque du pluriel si la pluralité n'est pas réelle.
Il n'existe pas deux **Rome** en Italie.

• certaines familles royales, princières ou illustres de très vieille noblesse.
les Horace**s** – les Capétiens – les Condés – les César**s**

Remarques

1 On admet deux orthographes pour :
   – des personnages illustres pris comme types ;
les Pasteur(**s**) – les Curie(**s**) – les Einstein(**s**)
   – des œuvres artistiques ou littéraires désignées par le nom de leur créateur.
des Picasso(**s**) – des Simenon(**s**)

2 Le nom propre, une fois considéré comme un nom commun, prend la marque du pluriel.

Les **harpagons** rendent leur famille malheureuse.

▶ Les noms d'origine étrangère

> **Les noms d'origine étrangère** peuvent :
> • prendre un **-s** au pluriel s'ils sont francisés depuis longtemps par l'usage ;
> un duo → des duo**s**   un album → des album**s**   un matador → des matador**s**
>
> • garder leur pluriel étranger ;
> une lady → des lad**ies**   un rugbyman → des rugby**men**
> un erratum → des errat**a**   un scénario → des scenar**ii**
>
> • avoir deux pluriels, indifféremment l'étranger et le français ;
> un sandwich → des sandwich**es**/des sandwich**s**
> un maximum → des maxim**a**/des maximum**s**
>
> • rester invariables pour certains noms d'origine latine.
> un extra → des extra   un credo → des credo

Remarque

Donner aux noms d'origine étrangère le pluriel de leur langue est une marque d'affectation. On francisera donc largement les pluriels des noms d'origine étrangère.
Quelquefois, la forme plurielle francisée s'est imposée aussi au singulier.
des confetti**s** → un confetti
(singulier italien : un confetto)
des touareg**s** → un touareg
(singulier arabe : un targui)

10 Le pluriel des noms composés

Les noms composés **sont** formés de deux ou trois mots unis par un ou des traits d'union.

▶ Les noms composés variables

> Dans les noms composés, seuls les noms et les adjectifs se mettent au pluriel.
> une basse-cour → des basse**s**-cour**s**   un rouge-gorge → des rouge**s**-gorge**s**

Remarques

1 Lorsque le nom composé est formé de deux noms unis par une préposition, en général, seul le premier nom s'accorde.

un chef-d'œuvre → des chef**s**-d'œuvre

2 Si l'adjectif a une valeur adverbiale, il reste invariable.

un haut-parleur → des haut-parleur**s**
un long-courrier → des long-courrier**s**

▶ Les noms composés invariables

> Dans les noms composés, les verbes, les adverbes, les prépositions sont toujours invariables.
> des pince-sans-rire – des laissez-passer – des quant-à-soi – des avant-toits

Remarque

Garde s'accorde quand il est employé comme nom ; il reste invariable s'il s'agit du verbe.

des garde**s**-chasse**s** – des garde**s**-malade**s**
des garde-manger – des garde-robe**s**

▶ Cas particuliers

> • Pour un nom composé singulier, le sens peut imposer le pluriel du second mot.
> un porte-bagage**s** → C'est un dispositif pour porter **les** bagages.
>
> • Pour un nom composé pluriel, le sens peut imposer le singulier du second mot.
> des timbres-poste → des timbres pour **la** poste
>
> • Quelquefois, le sens s'oppose à l'accord de certains noms composés.
> des pot-au-feu → de la viande et des légumes mis dans **un** pot sur **le** feu
>
> • Si le premier mot d'un nom composé est un élément terminé par la voyelle **-o**, il est invariable.
> des primo-arrivant**s** – des broncho-pneumonie**s** – des auto-écoles

Remarques

1 Les dictionnaires mentionnent souvent deux orthographes.

un essuie-main(**s**) – des grand(**s**)-mères

2 Certains noms composés sont formés de deux mots que l'usage a soudés.

Ils prennent normalement les marques du pluriel.

un portefeuille → des portefeuille**s**

Quelques noms qui se sont soudés ont conservé des pluriels particuliers.

madame → **mesdames**
un bonhomme → des **bonshommes**

11 Le féminin des adjectifs qualificatifs

Les adjectifs qualificatifs s'accordent en genre.

▶ Règles générales

- On forme généralement le féminin des adjectifs qualificatifs en ajoutant un **-e** à la forme du masculin.
un joli bouquet → une joli**e** fleur   un grand détour → une grand**e** traversée

- Les adjectifs qualificatifs terminés par **-e** au masculin ne changent pas de forme.
un ami fidèl**e** → une amie fidèl**e**   un lieu agréabl**e** → une région agréabl**e**

▶ Cas particuliers

- Les adjectifs qualificatifs terminés par **-er** au masculin font leur féminin en **-ère**.
un morceau enti**er** → une part enti**ère**

- Certains adjectifs qualificatifs doublent la consonne finale au féminin.
un meuble ba**s** → une table ba**sse**   un gentil garçon → une genti**lle** fille

- Les adjectifs qualificatifs terminés par **-et** au masculin doublent généralement le **t** au féminin.
un prix net → une ne**tte** différence   un ruban violet → une écharpe viole**tte**
Exceptions : *complet, concret, désuet, discret, inquiet, replet, secret* **se terminent par -ète au féminin.**
un tour compl**et** → une partie compl**ète**   un cri discr**et** → une joie discr**ète**

- Certains adjectifs qualificatifs modifient leur terminaison au féminin.
un objet précieu**x** → une pierre précieu**se** – un faux nom → une fau**sse** adresse
un pain fr**ais** → une boisson fra**îche** – un drap blan**c** → une chemise blan**che**
un parc publi**c** → une place publi**que** – un regard hâti**f** → une réponse hâti**ve**
un sourire dou**x** → une voix dou**ce** – un long parcours → une lon**gue** randonnée
un sourire malin → une mimique mali**gne** – un théâtre gre**c** → une statue gre**cque**

- Les adjectifs qualificatifs terminés par **-eur** au masculin font généralement leur féminin en **-euse**.
un fil balad**eur** → une lampe balad**euse**
Néanmoins, certains adjectifs qualificatifs masculins terminés par **-eur** font leur féminin en **-resse** ou en **-eure**.
un coup veng**eur** → une réplique venge**resse**
un espace intéri**eur** → une cour intéri**eure**

- Nombre d'adjectifs qualificatifs en **-teur** font leur féminin en **-trice**.
un projet nova**teur** → une idée nova**trice**

Remarque ⚡

Formes particulières au féminin :
un cri aigu → une plainte aig**uë**
un fromage mou → une pâte mo**lle**
un numéro favori → une carte favori**te**

un vieux livre → une vie**ille** revue
un beau visage → une be**lle** coiffure
un texte rigolo → une histoire rigolo**te**
le peuple hébreu → la langue hébra**ïque**

22

12 Le pluriel des adjectifs qualificatifs

Les adjectifs qualificatifs s'accordent en nombre.

▶ Règle générale

- On forme généralement le pluriel des adjectifs qualificatifs en ajoutant un **-s** à la forme du singulier.

des réglages parfait**s** – des travaux manuel**s** – des saules pleureur**s**

- C'est notamment le cas de tous les adjectifs qualificatifs féminins.

des salles bruyante**s** – des assiettes creuse**s** – des destinations lointaine**s**

▶ Cas particuliers

- Les adjectifs qualificatifs terminés par **-s** ou **-x** au singulier ne prennent pas de marque du pluriel.

un détail préci**s** → des détails préci**s**   un hôtel luxueu**x** → des hôtels luxueu**x**

- L'adjectif *bleu* prend un **-s** au pluriel.

un drap bleu → des draps bleu**s**   une eau bleue → des eaux bleue**s**

- Les quelques adjectifs qualificatifs terminés par **-eau** au singulier prennent un **-x** au pluriel.

un nouveau jeu → de nouveau**x** jeux   un beau bijou → de beau**x** bijoux

- Les adjectifs qualificatifs terminés par **-al** au singulier forment le plus souvent leur pluriel en **-aux**.

un site région**al** → des sites région**aux** un plan mondi**al** → des plans mondi**aux**

Exceptions :

bancal, fatal, final, natal, naval prennent simplement un **-s** au pluriel.

un lit bancal → des lits bancal**s**   un destin fatal → des destins fatal**s**

un point final → des points final**s**   un pays natal → des pays natal**s**

un chantier naval → des chantiers naval**s**

Remarques

1 *Banal* a un pluriel en **-aux** dans les termes de féodalité.

des fours ban**aux** – des moulins ban**aux** – des pressoirs ban**aux**

Dans les autres cas, au sens de *sans originalité*, son pluriel est en **-s**.

des propos banal**s** – des compliments banal**s**

2 Les adjectifs qualificatifs composés s'accordent lorsqu'ils sont formés de deux adjectifs.

des paroles aigre**s**-douce**s**
des personnes sourde**s**-muette**s**

Si l'un des deux termes de l'adjectif composé est un mot invariable (ou un adjectif pris adverbialement), ce terme reste invariable.

des petits pois extra-fin**s**
des veaux nouveau-né**s**
les accords franco-italien**s**

3 Avec l'expression *avoir l'air*, l'adjectif peut s'accorder avec *air* ou avec le sujet de *avoir l'air* lorsqu'il s'agit de personnes. S'il s'agit de choses, l'accord se fait avec le sujet.

Les fillettes ont l'air doux (ou dou**ces**).
Les voitures ont l'air neuv**es**.

13 Les participes passés employés comme adjectifs qualificatifs

La plupart des participes passés peuvent être employés comme des adjectifs qualificatifs. Ils s'accordent, en genre et en nombre, avec les noms auxquels ils se rapportent.

▶ Les verbes du 1er groupe

Les participes passés des **verbes du 1er groupe** (ainsi que *aller*) se terminent tous par **-é**.

saler → sal**é**   souder → soud**é**   entourer → entour**é**   aller → all**é**

Remarque !

On peut confondre le participe passé d'un verbe du 1er groupe avec son infinitif, car, à l'oral, les terminaisons sont semblables.

des sols nivel**és**
Cet engin permet de nivel**er** les sols.

Pour faire la distinction, on peut remplacer le verbe du 1er groupe par un verbe du 2e ou du 3e groupe ; on entend alors la différence.

des sols entreten**us**
Cet engin permet d'entreten**ir** les sols.

▶ Les verbes des 2e et 3e groupes

• Les participes passés des **verbes du 2e groupe** se terminent tous par **-i**.
remplir → rempl**i**   enfouir → enfou**i**   abolir → abol**i**

• Les participes passés des **verbes du 3e groupe** se terminent généralement par **-i** ou par **-u**.
servir → serv**i**   suivre → suiv**i**   vendre → vend**u**   taire → t**u**
Mais il peut exister des consonnes muettes en fin de participe passé ;
séduire → sédui**t**   surprendre → surpri**s**   éteindre → étein**t**
ou des formes particulières.
mourir → **mort**   naître → **né**   couvrir → **couvert**
Mettre ces participes au féminin permet de vérifier la présence, ou non, d'une consonne finale.
un public sédui**t** → une salle sédui**te**   un public surpri**s** → une salle surpri**se**
Sauf pour : *dissoudre* → du sucre disso**us** – une matière disso**ute**

Remarques !

1 Comme l'adjectif qualificatif, le participe passé peut se trouver séparé du nom auquel il se rapporte par un adverbe.

une fête très/plutôt/parfaitement réussie

2 Les participes passés *attendu, compris, non compris, y compris, entendu, excepté, passé, vu*, placés devant le nom, s'emploient comme des prépositions et restent invariables.

Vu les intempéries, les maçons ne travailleront pas aujourd'hui.
Passé les fêtes, les magasins sont déserts.

3 Certains participes passés peuvent être employés comme noms (plus rarement au féminin). Dans ce cas, ils s'accordent en genre et en nombre.

handicaper → un (des) handicapé(s)
inscrire → un (des) inscrit(s)

14 Les adjectifs qualificatifs et les participes passés épithètes ou attributs

Les adjectifs qualificatifs et les participes passés peuvent être épithètes ou attributs.

▶ Les épithètes

• Les adjectifs qualificatifs et les participes passés peuvent être employés comme **épithètes** des noms (ou pronoms) auxquels ils se rapportent ; ils appartiennent alors au groupe nominal et s'accordent avec le nom principal (ou pronom) de ce groupe.

L'épithète peut précéder ou suivre le nom et en être séparée par un adverbe.

• Pour trouver ce nom (ou pronom), il faut poser, devant l'adjectif qualificatif ou le participe passé, la question : « Qui est-ce qui est (sont) ? ».

Tu visites des **petits** édifices **romans** bien **restaurés**.
Qui est-ce qui sont **petits, romans, restaurés** ? **des édifices** → masculin pluriel

▶ Les attributs

• Lorsque les adjectifs qualificatifs et les participes passés sont séparés du nom sujet (ou pronom sujet) par un verbe, ils sont **attributs** du sujet de ce verbe (*être, demeurer, paraître, rester, sembler...*) avec lequel ils s'accordent en genre et en nombre.

L'émission fut **intéressante**.   M. Léonardi demeure **fidèle** à ses convictions.

• L'attribut se rapporte généralement au sujet du verbe, mais il peut également se rapporter au complément d'objet (souvent un pronom) avec lequel il s'accorde.

Les pâtes sont préparées avec passion par les cuisiniers italiens ; celui qui les déguste les trouve **délicieuses**.
Qui est-ce qui sont **délicieuses** ?   **les** (mis pour les pâtes) → féminin pluriel

Remarques

1 L'adjectif qualificatif et le participe passé, épithète ou attribut, peuvent eux-mêmes avoir des compléments.

Elle porte des vêtements **passés** de mode.
Ces portraits sont **célèbres** dans le monde entier.

2 Pour les 1ʳᵉ et 2ᵉ personnes du singulier et du pluriel, bien souvent seule la personne qui écrit sait quel accord il faut faire.

Je suis dynamique.
(un homme parle)
Nous sommes actives.
(des femmes parlent)

3 *Vous* peut désigner une seule personne (formule de politesse). Dans ce cas, l'adjectif qualificatif ou le participe passé qui s'y rapporte reste au singulier.

« Vous serez **satisfait(e)** », déclare le vendeur.

15 L'apposition

Les adjectifs qualificatifs et les participes passés peuvent être placés en apposition.

▶ Les adjectifs et les participes apposés

• Lorsqu'ils sont séparés du nom par une ou deux virgules, l'adjectif qualificatif et le participe passé sont mis en **apposition**.
Confortables, ces voitures séduisent de nombreux conducteurs.
Bien équipées, ces voitures séduisent de nombreux conducteurs.
Ces voitures, **confortables,** séduisent de nombreux conducteurs.
Ces voitures, **bien équipées,** séduisent de nombreux conducteurs.

• Plusieurs adjectifs qualificatifs ou participes passés peuvent être placés en **apposition**.
Confortables et économiques, ces voitures séduisent de nombreux conducteurs.
Ces voitures, **confortables et économiques,** séduisent de nombreux conducteurs.

Remarques

1 L'adjectif qualificatif et le participe passé mis en apposition sont souvent accompagnés d'un complément.
Différentes de leurs concurrentes, ces voitures séduisent de nombreux conducteurs.

2 On peut supprimer l'apposition sans rendre la phrase incorrecte ni en modifier le sens.
Ces voitures séduisent de nombreux conducteurs.

▶ Les autres formes de l'apposition

L'apposition, qui apporte un complément d'information dans un rapport d'équivalence, peut également être :

• **un nom (ou un groupe nominal)**
M. Leroux, **le boulanger,** cherche vainement un apprenti.
M. Leroux, **le seul boulanger du quartier,** cherche vainement un apprenti.

• **un pronom (ou un groupe pronominal)**
M. Leroux, **lui-même,** cherche vainement un apprenti.
M. Leroux, **celui que tout le monde connaît,** cherche vainement un apprenti.

• **un infinitif**
M. Leroux n'a qu'une idée en tête, **chercher un apprenti.**

• **une subordonnée relative**
M. Leroux, **qui tient boutique dans le quartier,** cherche vainement un apprenti.

• **une subordonnée conjonctive**
M. Leroux ne pense qu'à une chose : **qu'un apprenti se présente.**

Remarque

Il ne faut pas confondre l'apposition et le complément de nom.
L'apposition et le nom, auquel elle apporte un complément d'information, renvoient à la même réalité.

Le complément de nom concerne une réalité différente de celle du nom.

Apposition : la profession de boulanger

Complément de nom : la boulangerie de M. Leroux

16 Les particularités de l'accord des adjectifs qualificatifs

Les adjectifs qualificatifs et les participes passés s'accordent en genre et en nombre avec le nom auquel ils se rapportent. Néanmoins, certaines particularités sont à connaître.

▶ Règles générales

- Lorsque **l'adjectif qualificatif** (ou le participe passé) est employé avec deux noms singuliers, il s'écrit au pluriel.

Le parc et le jardin sont désert**s**.   La place et l'avenue sont désert**es**.

- Lorsque l'adjectif qualificatif (ou le participe passé) est employé avec des noms de genres différents, on l'accorde au masculin pluriel.

La place et le parc sont désert**s**.

▶ Cas particuliers

- Après *des plus, des moins, des mieux, des moindres,* l'adjectif (ou le participe passé) qui suit se met au pluriel et s'accorde en genre avec le nom.

Cette affaire est <u>des plus</u> délicate**s**.

Ce joueur n'est pas <u>des moins</u> assidu**s** à l'entraînement.

Néanmoins, lorsque le mot auquel se rapporte l'adjectif est un infinitif, une proposition ou un pronom neutre, il reste au masculin singulier.

Trouver un taxi ici est <u>des plus</u> difficile.

C'est <u>des plus</u> regrettable que de devoir attendre.

- L'adjectif *possible* s'accorde quand il se rapporte directement au nom.

J'ai essayé toutes les solutions possible**s**.

Mais employé avec *le plus de, le moins de, le mieux, possible* est adverbe, donc invariable.

J'ai essayé <u>le plus</u> de solutions possible.   Il a fait <u>le moins</u> d'efforts possible.

- Les adjectifs *nu* et *demi*, placés devant le nom, sont invariables et s'y ratta-chent par un trait d'union.

Tu marches **nu**-pieds.   Ils vont partir dans une **demi**-heure.

Placés après le nom, *nu* s'accorde en genre et en nombre, *demi* s'accorde en genre.

Tu marches pieds **nus**.   Ils vont partir dans deux heures et **demie**.

Remarques

1 *À nu* et *à demi* sont des adverbes, donc invariables.

avoir les épaules **à nu**
laisser une porte **à demi** fermée

Nu et *demi* peuvent être employés comme noms.

Cet artiste peint de beaux **nus**.
L'horloge sonne les **demies**.

2 *Semi* et *mi*, éléments invariables, sont suivis d'un trait d'union.

Le ministre est en visite **semi**-officielle.
L'eau arrive à **mi**-hauteur du bassin.

3 *Proche*, lorsqu'il signifie *à côté de* ou *qui est près d'arriver*, est variable.

Ces deux amies ont toujours été très proches.

L'expression *de proche en proche* est invariable.

Les eaux de la Saône s'étendaient **de proche en proche** au-delà des digues.

Les adjectifs qualificatifs de couleur

Les adjectifs qualificatifs de couleur obéissent à des règles d'accord particulières.

▶ Les adjectifs de couleur variables

Généralement, **les adjectifs qualificatifs de couleur** s'accordent lorsqu'il n'y a qu'un seul adjectif pour désigner la couleur.
un drapeau blanc / des draps blan**cs** – une feuille blan**che** / des robes blan**ches**

Remarque :

Traditionnellement, *châtain* ne s'emploie qu'au masculin. des cheveux **châtains** – une chevelure **châtain**	Aujourd'hui, il est possible d'accorder cet adjectif en genre. une chevelure **châtaine**

▶ Les adjectifs de couleur invariables

• Quand l'adjectif de couleur est accompagné d'un autre adjectif ou d'un nom, il n'y a pas d'accord.
des yeux **bleu pâle**   des uniformes **vert olive**
des fleurs **jaune d'or**   une décoration **rouge coquelicot**

• Lorsque chacun des deux éléments est un adjectif de couleur, il n'y a pas d'accord et on place un trait d'union.
des draperies **jaune-orangé**   des pierres **bleu-vert**

• Les noms (ou les groupes nominaux) utilisés comme adjectifs pour exprimer, par image, la couleur restent invariables.
des serviettes de bain **ivoire**   des draperies **sang-de-bœuf**
des tuyaux **vert-de-gris**   une figure **vermillon**
Exceptions :
Mauve, écarlate, incarnat, fauve, rose, pourpre, qui sont assimilés à de véritables adjectifs qualificatifs, s'accordent.
des rubans mauve**s**   des étoffes écarlate**s**   des façades rose**s**

Remarques :

1 Lorsque les adjectifs sont coordonnés, ils demeurent invariables si l'objet décrit est de deux couleurs.
Les voitures **rouge et bleu** ne prendront pas le départ. (→ les voitures bicolores)

En revanche, s'il y a des objets d'une couleur et d'autres d'une autre, on accorde les adjectifs.
Des voitures **rouges et bleues** s'alignent sur la ligne de départ. (→ des voitures rouges et des voitures bleues)

2 Lorsque l'adjectif est précédé du nom *couleur*, il reste invariable.
porter des vêtements couleur **bleu**
(→ de la couleur du bleu)

3 Lorsque la couleur est exprimée par un substantif, il n'y a pas d'accord.
des volets peints en **vert**
La veuve est habillée de **noir**.

18 Les adjectifs numéraux

Les adjectifs numéraux cardinaux indiquent le nombre ; les ordinaux l'ordre.

▶ Les adjectifs numéraux cardinaux

• **Les adjectifs numéraux cardinaux** (ou noms de nombre) se placent devant le nom pour indiquer une quantité précise. Ils sont invariables.
– Certains adjectifs numéraux cardinaux sont simples.
deux centimes – **cinq** doigts – **sept** jours – **vingt** euros – **cent** mètres
– D'autres sont formés par juxtaposition ou par coordination.
cinquante et une marches – **mille cinq cent trente** litres

• *Vingt* et *cent* s'accordent quand ils indiquent un nombre exact de vingtaines ou de centaines.
deux cent**s** lignes   **mais** deux cent quarante lignes
quatre-vingt**s** ans   **mais** quatre-vingt-trois ans

Remarques

1 On place un trait d'union entre les dizaines et les unités, sauf si elles sont unies par *et*.
quarante-trois kilomètres
soixante **et** un morceaux

2 *Mille* est toujours invariable.
dix-huit **mille** spectateurs

3 Devant *mille*, *cent* est invariable.
sept **cent** mille exemplaires

4 Entre *mille* et *deux mille*, on dit indifféremment :
onze cents **ou** mille cent

5 Il ne faut pas confondre les nombres avec les noms tels que *dizaine, centaine, millier, million, milliard,* qui s'accordent comme tous les noms.
deux douzaine**s** d'huîtres
trois centaine**s** de pommiers
cinq million**s** d'euros

6 *Zéro* est un nom, il prend donc un **-s** quand il est précédé d'un déterminant pluriel.
deux zéro**s** après la virgule
faire zéro faute
→ ne faire aucune faute

▶ Les adjectifs numéraux ordinaux

Les adjectifs numéraux ordinaux s'accordent en genre et en nombre.
les première**s** places   les seconde**s** classes   les dernier**s** instants
Mais les adjectifs numéraux cardinaux employés comme des adjectifs numéraux ordinaux sont invariables.
la page **quatre cent**   le numéro **vingt**

Remarques

1 Les noms désignant les parties d'un entier s'accordent avec les déterminants qui les précèdent.
deux moitié**s** – quatre quart**s** – cinq dixième**s**

2 *Second* s'emploie pour désigner un être ou une chose qui termine une série de deux.

Deuxième s'emploie pour désigner un être ou une chose qui prend place dans une série de plus de deux.

19 Les adjectifs indéfinis

Les adjectifs (ou déterminants) indéfinis **sont nombreux et difficiles à classer.**

▶ Les principaux adjectifs indéfinis

- **Chaque**, adjectif indéfini, marque le singulier, sans distinction de genre.
chaque jour   **chaque** nuit
- **Aucun** – souvent accompagné de la négation *ne* – s'emploie au singulier.
Il **ne** me laisse **aucun** répit.   Il **ne** laisse **aucune** trace.
Néanmoins, *aucun* s'emploie parfois au pluriel devant des noms qui n'ont pas de singulier ou qui prennent au pluriel un sens particulier.
La police **ne** constate **aucuns** agissements.
L'ennemi **n'**exerce **aucunes** représailles.
- **Pas un(e)** exprime une idée négative ; il est toujours singulier et peut être renforcé par *seul(e)*.
Pas une voiture de plus de quatre ans n'échappe au contrôle technique.
Pas une seule voix ne s'est élevée pour contredire l'orateur.
- **Nul, tel**, adjectifs indéfinis, s'accordent en genre, et parfois en nombre, avec le nom.
Nulle difficulté ne l'arrêtera.   **Nuls** préparatifs ne suffiront.
Pour confectionner cette robe, il faut **telle** longueur de tissu.
Que **tel** ou **tel** numéro soit tiré au sort, je ne gagnerai pas.
- **Maint**, adjectif indéfini qui exprime un grand nombre indéterminé, s'emploie parfois au singulier, mais surtout au pluriel.
Tu as vu ce film en **mainte** occasion. – Il nous a téléphoné à **maintes** reprises.
- **Différents, divers, plusieurs** devant des noms pluriels sont des adjectifs indéfinis qui indiquent un nombre relativement important. Seuls les deux premiers s'accordent en genre.
Il a parlé à **différentes/diverses** personnes. – Je resterai **plusieurs** semaines.

Remarques

1 Lorsqu'il est adjectif qualificatif (au sens de *sans valeur*), *nul* s'accorde normalement avec le nom.
Les risques sont **nuls**.
Entre ces deux produits, la différence de prix est **nulle**.

2 Lorsqu'il est adjectif qualificatif (au sens de *pareil, semblable, si grand...*), *tel* s'accorde normalement avec le nom.
Qui peut bien tenir de **tels** propos en de **telles** occasions ?

3 *Nul, tel* sont des pronoms indéfinis lorsqu'ils sont sujets singuliers.
Nul n'est censé ignorer la loi.
Tel est pris qui croyait prendre.

4 L'expression *tel quel* s'accorde avec le nom auquel elle se rapporte.
Je laisserai la maison **telle quelle**.

Il ne faut pas confondre l'expression *tel(les) quel(les)* avec *tel(les) qu'elle* que l'on peut remplacer par *tel qu'il*.
Elle laissera la maison telle qu'elle l'a trouvée.
→ ... l'appartement tel qu'il l'a trouvé.

20 Les accords dans le groupe nominal

Le groupe nominal (parfois appelé syntagme nominal) est un ensemble de mots organisé autour d'un nom principal (appelé parfois nom-noyau).

▶ Les déterminants du nom

Les mots qui accompagnent le plus souvent les noms sont **les déterminants** ; généralement ce sont eux qui indiquent le nombre et le genre du nom. Ce sont :

- **des articles**
le, la, l', les, un, une, des, au, du, de l', de la, aux
- **des adjectifs possessifs**
mon, ma, ton, ta, son, sa, notre, votre, leur, mes, tes, ses, nos, vos, leurs
- **des adjectifs démonstratifs**
ce, cet, cette, ces
- **des adjectifs interrogatifs et exclamatifs**
quel, quelle, quels, quelles
- **des adjectifs indéfinis**
nul, maint, tout, aucun, chaque, plusieurs, même, autre...
- **des adjectifs numéraux cardinaux**
deux, trois, cinq, quinze, trente, cent, mille...

Remarque !

Certains déterminants sont combinables.

les mêmes paroles   **les trois** coups   **tous vos** projets   **cet autre** parcours

▶ Les autres constituants du groupe nominal

Le nom peut être accompagné d'autres mots qui en précisent le sens :

- **des adjectifs qualificatifs**
des regards **indiscrets**   un abonnement **annuel**   de **belles** maisons
(Les adjectifs qualificatifs s'accordent toujours avec le nom principal.)
- **des compléments du nom** (compléments déterminatifs) toujours placés après le nom.
mes ours **en peluche**   un coffret **à bijoux**   des étés **sans soleil**
(Les compléments de nom ne s'accordent pas avec le nom principal.)
- **des propositions subordonnées relatives**
la montagne <u>dont</u> on aperçoit le sommet   la chaîne <u>qui</u> retransmet le tournoi
(Le pronom relatif qui introduit une subordonnée relative a pour antécédent le nom principal.)

Remarques !

1 L'apposition est une expansion du nom d'un type un peu particulier puisqu'elle est séparée du nom par des virgules (voir leçon 15).

2 Un mot peut être nominalisé s'il est précédé d'un article.

adjectifs : des **absents**
prépositions : des **pour** et des **contre**
verbes : les **devoirs** de français
adjectifs numéraux : des **mille** et des **cents**
adverbes : des petits **riens**
conjonctions : Il n'y a pas de « **mais** ».

21 L'accord du verbe

Le verbe s'accorde avec le sujet qui peut être un nom ou un pronom.

▶ Règle générale

> **Le verbe s'accorde en personne et en nombre avec son sujet** qu'on trouve en posant la question « Qui est-ce qui ? » (ou « Qu'est-ce qui ? ») devant le verbe.
> **Les élèves** quittent la salle.
> Qui est-ce qui quitte ? **les élèves** → 3ᵉ personne du pluriel
> Dans le groupe nominal sujet, il faut chercher **le nom** qui commande l'accord.
> **Les élèves** du premier rang quittent la salle.
> Qui est-ce qui quitte ? **les élèves** (du premier rang) → 3ᵉ personne du pluriel

▶ Les différents sujets du verbe

> Le sujet est le plus souvent un nom, mais ce peut être aussi :
>
> • **un pronom personnel**
> **Ils** quittent la salle.
>
> • **un pronom démonstratif**
> Les élèves du premier rang quittent rapidement la salle ; **ceux** du dernier rang restent en place.
> Les élèves du premier rang quittent la salle ; **cela** se passe dans le calme.
>
> • **un pronom possessif**
> Nos places sont attribuées ; **la mienne** se trouve au troisième rang.
>
> • **un pronom indéfini**
> Nos places sont attribuées ; **toutes** se trouvent au troisième rang.
>
> • **un pronom interrogatif**
> **Qui** quitte la salle ?
> Dans ce cas, le verbe est toujours à la 3ᵉ personne du singulier.
>
> • **une proposition subordonnée**
> **Que le professeur ait rendu les copies** a surpris les élèves.
> Dans ce cas, le verbe est toujours à la 3ᵉ personne du singulier.
>
> • **un verbe à l'infinitif**
> **Avoir** de bons résultats dans toutes les matières n'est pas facile.
> Dans ce cas, le verbe est toujours à la 3ᵉ personne du singulier.
>
> • **un pronom relatif** (voir leçon 22)
> C'est toi **qui** quitteras la salle le dernier.

Remarque !

On peut aussi trouver le sujet du verbe en l'encadrant avec « *C'est ... qui* » ou « *Ce sont ... qui* ».

Les élèves quittent la salle.
Ce sont <u>les élèves</u> **qui** quittent la salle.

22 Le sujet *tu* – le sujet *on* – le sujet *qui*

On observe certaines règles concernant les sujets *tu, on* et *qui* qu'il faut retenir.

▶ Le sujet *tu*

À tous les temps, à la 2ᵉ personne du singulier (sujet *tu*), le verbe se termine par **-s**.
Tu convaincs tes partenaires.   **Tu** refusas cette proposition.
Si **tu** te souvenais du couplet de cette chanson, **tu** le chanterais sans réticence.
Lorsque **tu** pénètreras dans ce local, **tu** constateras qu'il y fait très chaud.

Remarques

1 Au présent de l'indicatif, *vouloir, pouvoir, valoir* prennent un **-x**.

Tu veux un délai supplémentaire.
Tu peux rapporter ton achat.
Tu vaux largement ton adversaire.

2 À l'impératif, le sujet de la 2ᵉ personne du singulier n'est pas exprimé et les verbes du 1ᵉʳ groupe ne prennent pas de **-s**.

Respire calmement.   Range tes affaires.

▶ Le sujet *on*

On, pronom sujet, peut être remplacé par un autre pronom de la 3ᵉ personne du singulier (*il* ou *elle*) ou par un nom sujet singulier (*le joueur*).
On gagne à tous les coups.   Il/Elle/Le joueur gagne à tous les coups.

Remarque

L'adjectif qualificatif et le participe passé qui se rapportent au sujet *on* sont généralement au masculin singulier.

On est toujours plus **exigeant** avec les autres qu'avec soi-même.
On serait bien **avisé** de respecter les limitations de vitesse.

Si *on* désigne explicitement plusieurs personnes (l'équivalent de *nous*), l'adjectif qualificatif et le participe passé peuvent être accordés au pluriel.

On n'est pas sûr**s** de pouvoir entrer.
Nous ne sommes pas sûr**s** de pouvoir entrer.

▶ Le sujet *qui*

Lorsque le sujet du verbe est le pronom relatif *qui*, celui-ci ne marque pas la personne. Il faut donc chercher son antécédent qui donne la personne et permet l'accord du verbe.
Les cascadeurs **qui** règl**ent** la poursuite des voitures prennent des risques.
Je ne ferai pas équipe avec toi **qui** redout**es** les descentes dangereuses.
C'est moi **qui** contrôler**ai** la pression de mes pneus.

Remarque

Le pronom relatif *qui* peut également être complément du verbe de la subordonnée ; il est alors précédé d'une préposition (*à, de, pour*...).

La personne à **qui** vous destinez ce message ne répond pas.
Le candidat **pour qui** vous avez voté est élu facilement.

Le verbe s'accorde avec le sujet en personne et en nombre. Cependant, il existe certaines particularités qu'il faut connaître.

▶ Cas particuliers (1)

• **Inversion du sujet** : le sujet se trouve placé après le verbe.
Les convives apprécient les plats que prépare **ce célèbre chef**.
C'est aussi le cas à la forme interrogative quand le sujet est un pronom personnel.
Quand **arriverez-vous** à destination ?

• Quand le sujet du verbe est **un adverbe de quantité** (*beaucoup, peu, combien, trop, tant*), le verbe s'accorde avec le complément de cet adverbe.
Peu **de pays** autorisent la chasse à la baleine.
Beaucoup **de légumes** se consomment cuits à la vapeur.
Combien **de marins** souhaitent traverser seuls l'Atlantique ?
Trop **d'enfants** ne savent pas encore nager à l'âge de dix ans.
En Afrique, pourquoi tant **de personnes** meurent-elles encore du paludisme ?

• Quand un verbe a pour sujet **un collectif** (*un grand nombre de, un certain nombre de, une partie de, la majorité de, la minorité de, une foule de, la plupart de, une infinité de, une multitude, la totalité de...*) suivi de son complément, il s'accorde, selon le sens voulu par l'auteur, avec le collectif ou avec le complément. Il n'y a pas de règle précise.
Un banc de poissons s'approche du récif.
(le banc est considéré comme une seule entité)
Un banc de poissons s'approchent du récif.
(ce sont tous les poissons qui s'approchent)

• Lorsque le verbe dépend d'**une fraction au singulier** (*la moitié, un tiers, un quart...*) ou d'**un nom numéral au singulier** (*la douzaine, la vingtaine, la centaine...*) et s'il y a un complément au pluriel, l'accord se fait avec ce complément.
Le quart des pages de ce livre **étaient** illisibles.
Un millier de concurrents **prirent** le départ du triathlon de Sarlat.
Si l'auteur veut insister sur le terme quantitatif, le verbe reste au singulier.
Une douzaine d'huîtres **constituera** notre repas.

Remarques ❗

1 Dans une construction impersonnelle, le verbe s'accorde avec le sujet apparent (souvent *il*) mais pas avec le sujet réel qui, grammaticalement, est un COD.

Il	existe	deux issues.
sujet apparent		COD mais sujet réel
Il	manque	cinq euros.
sujet apparent		COD mais sujet réel

2 Le sujet peut être séparé du verbe par un groupe de mots ou par des pronoms compléments (voir leçon 25).

Les clientes, dans cette parfumerie, trouvent tous les produits nécessaires à leur maquillage.
Ce produit paraît miraculeux ; **les clients** le choisissent assez souvent.

24 L'accord du verbe : cas particuliers (2)

Le verbe s'accorde avec le sujet en personne et en nombre. Cependant, il existe certaines particularités qu'il faut connaître.

▶ Cas particuliers (2)

• Lorsqu'un verbe a deux sujets singuliers, il se met au pluriel.
La rivière et **le torrent**, grossis par les pluies, déval**ent** la colline.

• Il arrive que deux sujets soient des personnes différentes. Dans ce cas,
– la 1re personne l'emporte sur la 3e :
Sandra et moi recherch**ons** un appartement à louer.
– la 2e personne l'emporte sur la 3e :
Sandra et toi recherch**ez** un appartement à louer.
Pour éviter les confusions, il faut reprendre les sujets par le pronom personnel équivalent.
Sandra et moi, nous recherch**ons** un appartement à louer.

• Lorsque deux sujets sont joints *par ainsi que, aussi bien que, autant que, comme, de même que, pas plus que...*, le verbe s'accorde avec les deux sujets, sauf si l'un d'eux est dominant.
L'Argentine, ainsi que le Brésil, appartienn**ent** au continent sud-américain.
Mais : La fatigue, autant que l'ennui, entraîn**e** des bâillements.

• Lorsque plusieurs sujets singuliers de la 3e personne sont joints par *ou, ni... ni,* le verbe s'accorde avec l'ensemble des sujets si l'idée de conjonction domine.
La neige **ou** le froid perturb**ent** la circulation routière.
Ni un train **ni** un autobus ne desserv**ent** cette bourgade.
Mais le verbe s'accorde avec le sujet rapproché si l'idée de disjonction prévaut.
Une embauche **ou** un refus **attend** le postulant au poste de magasinier.
Ni Mme Thomas **ni** M. Gérard n'**obtient** assez de suffrages pour être élu.
Les sujets sont toujours disjoints lorsqu'ils sont unis par des locutions telles que *ou plutôt, ou même, ou pour mieux dire.*
Un verrou, **ou même** des verrous, **sécuriseront** cette maison.

• Lorsque deux sujets sont joints par *moins que, plus que, plutôt que, et non,* le verbe s'accorde avec le premier sujet.
La patience, et non la précipitation, **permettra** d'achever ce travail.
Un marteau, plutôt qu'un tournevis, **est** nécessaire pour planter le clou.
La satisfaction du devoir accompli, plus que les honneurs, **réjouit** l'élu municipal.

• Quand le verbe a pour sujet un pronom tel que *tout, rien, ce,* qui reprend plusieurs noms, il s'accorde avec ce pronom.
La musique, le théâtre, le cinéma, l'opéra, **tout plaît** à Jordi.
Une tarte, une glace, un gâteau au chocolat, un sorbet, **rien** ne **satisfait** Rachel.

• Après *plus d'un*, le verbe se met au singulier ; après *moins de deux*, il se met au pluriel.
Plus d'un mathématicien **a** tenté de résoudre la quadrature du cercle.
Moins de deux tentatives **ont** suffi pour arrimer la montgolfière.

Les pronoms personnels compléments

Les pronoms personnels compléments sont placés près du verbe. Mais quels que soient les mots qui le précèdent immédiatement, le verbe conjugué à un temps simple s'accorde toujours avec son sujet.

▶ Le, la, l', les

Les pronoms *le, la, l', les* placés devant le verbe sont des pronoms personnels de la 3e personne, généralement compléments d'objet direct du verbe.
Ce bijou, Loana **le** porte en sautoir.   Cette montre, tu **la** mets à l'heure.
Ce rubis, le bijoutier **l'**examine.   Ces bagues, vous **les** admirez.

Remarque !

À l'impératif affirmatif, le pronom complément est placé immédiatement après le verbe auquel il est relié par un trait d'union.

Ce document, signez-**le**.
Cette émission, regarde-**la**.
Ces disques, écoute-**les**.

▶ Me, te, se, nous, vous

Devant les verbes pronominaux, on trouve aussi des pronoms personnels qui représentent la même personne que le sujet. Ils ne perturbent pas l'accord du verbe avec son sujet.
Je ne **me** dérange pas pour rien.   Tu **t'**ennuies à mourir.
Vous **vous** égarez dans la forêt.   Elles **se** maquillent.

Remarque !

On rencontre également des pronoms personnels compléments du verbe.

Je **les** rejoins au stade.
Il **vous** retrouve au sous-sol.

▶ En, y

Les pronoms personnels *en* et *y* ne sont jamais sujets du verbe, mais compléments d'objet ou compléments de lieu du verbe.
De la salade, j'**en** mange souvent.   Ce pays, tu **y** vas souvent.

▶ Leur

Leur, placé près du verbe quand il est le pluriel de *lui*, est un pronom personnel complément qui demeure invariable.
Le moniteur de ski est prudent, on **lui** fait confiance.
Les moniteurs de ski sont prudents, on **leur** fait confiance.

Remarque !

Il ne faut pas confondre *leur* pronom personnel avec *leur(s)*, adjectif possessif.

Ils **leur** demandent **leurs** adresses.
pr. pers. compl.   adj. possessif

26 Nom ou verbe ?

Il ne faut pas confondre les noms avec les formes conjuguées d'un verbe. Ils peuvent être homophones, mais leur orthographe est très souvent différente.

On ne **met** pas tous ses œufs dans le même panier.
Le gastronome n'apprécie que les **mets** raffinés.

▶ Confusion due à la prononciation

Ces homonymes peuvent être :

• **un nom et une forme conjuguée au présent de l'indicatif**
Le maire **ceint** son écharpe tricolore.   donner le **sein** à un enfant
Ils **mentent** avec aplomb.   du sirop de **menthe**

• **un nom et une forme conjuguée à l'imparfait de l'indicatif**
Tu **laçais** tes chaussures.   les **lacets** de chaussures
Il **filait** à vive allure.   le **filet** à papillons

• **un nom et une forme conjuguée au passé simple**
Il **mit** trois minutes pour me rejoindre.   Aimez-vous la **mie** de pain ?
Nous **rîmes** aux éclats.   les **rimes** d'un poème

• **un nom et une forme conjuguée au futur simple**
Les cuisiniers **napperont** les gâteaux.   broder un **napperon**
Je **couperai** le pain.   le **couperet** de la guillotine

• **un nom et une forme conjuguée au présent du subjonctif**
Il faut que j'**aille** me laver.   une pointe d'**ail** dans le gigot
Je crains qu'il **faille** renoncer.   un relief de **failles**

• **un nom et le participe passé du verbe**
Je ne t'ai pas **cru**.   les **crues** de la Loire
Farid est **né** un mardi.   avoir le **nez** creux

Remarques

1 Certains noms ont pour homonymes des verbes à l'infinitif.

On verse du **chlore** dans l'eau de la piscine.
Il faut **clore** cette aventure.

2 Il existe quelques homographes que seul le sens permet de distinguer.

L'éleveur **trait** ses vaches deux fois par jour.
tracer un **trait** rouge

3 Quelquefois, c'est l'agglutination du verbe conjugué et du pronom qui le précède qui est homophone d'un nom.

Ce médicament, nous ne l'**avions** pas pris.
L'**avion** atterrit.
Cette photo, tu l'**affiches** sur tous les murs.
J'admire l'**affiche** du spectacle.
Ces deux objets métalliques s'**attirent**.
le **satyre** de la mythologie grecque

▶ Comment éviter toute confusion ?

Pour distinguer ces homonymes, il est possible de conjuguer le verbe.

Elles se **piquent** (se piquaient) parfois les doigts.   le **pic** du Midi
Il se peut qu'il **fasse** (que nous fassions) un détour.   jouer à pile ou **face**

27 Le participe passé employé avec l'auxiliaire *être*

Le participe passé employé avec l'auxiliaire *être* s'accorde en genre et en nombre avec le nom (ou le pronom) principal du groupe sujet du verbe.

▶ Conjugaison avec l'auxiliaire *être*

Se conjuguent avec l'auxiliaire *être* :
- **quelques verbes intransitifs** exprimant un mouvement ou un changement d'état *(aller, arriver, partir, rester, tomber, sortir, mourir, entrer, naître, retourner, venir, et ses dérivés, éclore, décéder)* ;
Les grêlons sont tombé**s** sur le verger. La caravane est enfin parti**e**.
- **les verbes à la voix passive** ;
La croissance est tiré**e** par la consommation.
Les copies sont corrigé**es** par les examinateurs.
- **les verbes pronominaux** (voir leçon 33).
Les deltaplanes se sont posé**s** en douceur. Mélodie s'est couché**e** tôt.

▶ Autres cas

- Quelques verbes, selon le sens (intransitif ou transitif), peuvent être conjugués avec l'auxiliaire *être* ou l'auxiliaire *avoir*.

Ils sont passé**s** nous voir. Ils ont passé leur permis.
Elle est rentré**e**. Elle a rentré sa voiture.

- Employé à un temps composé, le verbe *être* se conjugue avec l'auxiliaire *avoir* ; son participe passé est toujours invariable.
Ils ont **été** de bonne foi. Nous avons **été** en difficulté.

Remarques

1 Le participe passé employé avec *être*, qu'il soit à un temps simple ou à un temps composé, s'accorde toujours avec le sujet.

Arthur est prévenu par téléphone.
Arthur a été prévenu par téléphone.

Ninon est prévenue par téléphone.
Ninon a été prévenue par téléphone.
Les pompiers sont prévenus par téléphone.
Les pompiers ont été prévenus par téléphone.
Elles sont prévenues par téléphone.
Elles ont été prévenues par téléphone.

2 Pour les 1re et 2e personnes – singulier et pluriel –, seule la personne qui écrit sait quel est l'accord.
Je suis né en juillet.
→ C'est un homme qui parle.
Tu es née en juillet.
→ On parle à une femme.
Vous êtes né**s** en juillet.
→ On parle à des hommes.
Nous sommes né**es** en juillet.
→ Ce sont des femmes qui parlent.

3 Quand le sujet est le pronom *on*, on peut, ou non, accorder le participe passé (voir leçon 22).

28 Identifier le complément d'objet direct

Le complément d'objet direct (COD) représente l'être, la chose, l'idée, l'intention sur lesquels porte l'action exprimée par le verbe.

▶ Règles générales

• Le COD se rattache directement au verbe, sans préposition. Un verbe qui admet un COD est un verbe transitif (voir leçons 92 et 119).
Ophélie rencontre **ses amies**.   J'oublie **que j'ai un rendez-vous**.

• Pour trouver le COD, on pose la question « qui ? » ou « quoi ? » après le verbe.
Ophélie rencontre qui ?   **ses amies**   → COD
J'oublie quoi ?   **que j'ai un rendez-vous**   → COD
Pour ne pas confondre le COD avec l'attribut, il faut se souvenir que :
– le COD et le sujet évoquent des éléments distincts l'un de l'autre ;
Myriam renouvelle son abonnement. (son abonnement → COD)
– l'attribut du sujet et le sujet évoquent le même élément.
Myriam restera la dernière à sortir. (la dernière → attribut)
C'est pourquoi on ne trouve jamais de COD après les verbes d'état.
Exception : Pour les verbes de forme pronominale, le pronom personnel COD placé devant le verbe peut désigner la même personne.
Il se trompe. (Il trompe lui-même)

Remarques

1 Le COD est généralement placé après le verbe et il n'est pas déplaçable, sauf s'il est repris par un pronom.
Le chauffeur redoute **la nuit**.
La nuit, le chauffeur **la** redoute.

2 Le COD peut être placé avant le verbe :
– dans une phrase interrogative
Que voulez-vous ?
– dans une phrase exclamative
Quel beau tapis avez-vous !

3 En général, le COD ne peut être supprimé sans dénaturer le sens de la phrase. Mais, certains verbes peuvent être employés sans COD.
Il mange des tartines.   Il mange.

4 Le COD peut être précédé d'un article partitif (*du, de la, de l'*) qu'il ne faut pas confondre avec une préposition.
Il mange du foie.   Il souffre du foie.
On ne dit pas : « Il souffre le foie. »
→ *du foie* n'est pas COD dans ce cas.

▶ Les différents COD

• **un nom ou un groupe nominal**
Il cueille **les fleurs**.   Il cueille **les fleurs du jardin**.

• **un pronom** (personnel, démonstratif, possessif, indéfini, interrogatif, relatif)
Tu **le** prends.   Je prends **ceci**.   Je prends **le mien**.
Tu prends **tout**.   **Que** prends-tu ?   Voici le livre **que** tu prends.

• **une subordonnée** ou **un infinitif** (ou un groupe verbal à l'infinitif)
Je devine **que tu aimes la lecture**.   Nous voudrions **répondre**.

29 Identifier le complément d'objet indirect

Le complément d'objet indirect (COI) représente l'être, la chose, l'idée, l'intention vers lesquels se dirige l'action exprimée par le verbe.

▶ Règles générales

• Le COI se rattache au verbe par une préposition (à, aux ou de), sauf s'il s'agit d'un pronom.
Ce collectionneur s'intéresse **aux timbres**.
Ce collectionneur se soucie **de ses timbres**.

• Pour trouver le COI, on pose généralement les questions « à qui ? », « de qui ? », « à quoi ? », « de quoi ? » après le verbe.
Ce collectionneur s'intéresse à quoi ?   **aux timbres**   → COI
Ce collectionneur se soucie de quoi ?   **de ses timbres**   → COI

Remarques

1 Le COI est généralement placé après le verbe. Il n'est pas déplaçable, sauf s'il est repris par un pronom.
Le chauffeur résiste **à la fatigue**.
La fatigue, le chauffeur **lui** résiste.

2 En général, le COI ne peut être supprimé sans dénaturer le sens de la phrase ou la rendre incompréhensible. Cependant, certains verbes peuvent être employés sans COI.
Il joue **du violon**.   Il joue.

3 Lorsque le verbe se construit avec un COD et un COI, le COI est appelé complément d'objet second (COS) ou complément d'attribution.

Le Père Noël distribue **des jouets** (COD) **aux enfants** (COS).

Lorsque le verbe se construit avec deux COI, celui introduit par de est appelé COI et celui introduit par à COS.

Le Père Noël s'occupe **de la distribution des jouets** (COI) **aux enfants** (COS).

4 Il ne faut pas confondre le COI, précédé d'une préposition, avec le COD précédé d'un article partitif (du, de la, de l').
Il mange **de la viande**. (COD)
Il souffre **de l'estomac**. (COI)

▶ Les différents COI

• **un nom ou un groupe nominal**
Le géologue s'attend **à une éruption**.
Le géologue se préoccupe **de l'état du volcan**.

• **un pronom** (personnel, démonstratif, possessif, indéfini, interrogatif, relatif)
Je **lui** parle.   J'**en** parle.   Je parle **de cela**.   Je parle **des miens**.
Tu parles **aux autres**.   **À qui** parles-tu ?   Voici ce **dont** tu parles.

• **un infinitif** (ou un groupe verbal à l'infinitif)
Vous nous aidez **à déplacer ce meuble**.

• **une proposition subordonnée**
Le géologue se doutait **qu'il s'agissait d'une éruption**.

30 Le participe passé employé avec l'auxiliaire *avoir*

Le participe passé employé avec l'auxiliaire *avoir* ne s'accorde jamais avec le sujet du verbe.

Ce pull en coton a rétréci au lavage.   Ces chaussettes rayées ont rétréci au lavage.

▶ L'accord du participe passé avec l'auxiliaire *avoir*

Le participe passé employé avec l'auxiliaire *avoir* s'accorde avec le complément d'objet direct (COD) du verbe, seulement si celui-ci est placé avant le participe passé.
Pour trouver le COD, on pose la question « qui ? » ou « quoi ? » après le verbe.

Au concert, Grégory a retrouvé ses amis.
Grégory a retrouvé qui ?   **ses amis**
Comme le COD est placé après le verbe, il n'y a pas d'accord.

Ses amis, Grégory les a retrouvés au concert.
Grégory a retrouvé qui ?   **les** (mis pour **ses amis**)
COD placé avant le verbe → accord

Remarques

1 Si, dans une question, le COD est placé avant le participe passé, il s'accorde.

Quelles contraintes avez-vous rencontr**ées** ?
COD → quelles contraintes
Combien de kilomètres as-tu parcour**us** ?
COD → combien de kilomètres

2 Il ne faut pas confondre le complément d'objet indirect (COI), qui peut être placé avant le participe passé, avec le COD.

Les spectateurs ont applaudi ; la pièce leur a pl**u**.
La pièce a plu à qui ? à **leur**
(mis pour **les spectateurs**) → COI

▶ Les pronoms COD

Placé devant le participe passé, le COD est le plus souvent un pronom qui ne nous renseigne pas toujours sur le genre ou le nombre.
Il faut donc chercher le nom que remplace le pronom pour bien accorder le participe passé.

• **pronom personnel**
Les chevrons, les charpentiers **les** ont pos**és**.
COD **les** (mis pour **les chevrons**) → accord au masculin pluriel
La poutre, les charpentiers **l'**ont pos**ée**.
COD **l'** (mis pour **la poutre**) → accord au féminin singulier

• **pronom relatif**
Les chevrons **que** les charpentiers ont pos**és** sont en chêne.
COD **que** (mis pour **les chevrons**) → accord au masculin pluriel
La poutre **que** les charpentiers ont pos**ée** est en chêne.
COD **que** (mis pour **la poutre**) → accord au féminin singulier

Le participe passé suivi d'un infinitif

Le participe passé suivi d'un infinitif **obéit à certaines règles d'accord qu'il faut connaître.**

▶ Règles générales

Le participe passé, employé avec l'auxiliaire *avoir*, ne s'accorde que si le COD, placé avant le participe passé, fait l'action exprimée par l'infinitif.

Les acteurs **que** j'ai vu**s** jouer formaient une troupe parfaitement homogène.
Recherche du COD → J'ai vu quoi ?   **que** (mis pour **les acteurs**)
Recherche de l'auteur de l'action de l'infinitif → Ce sont **les acteurs** qui jouent.
Comme le COD, placé avant le participe passé, fait l'action exprimée par l'infinitif, on accorde le participe passé avec ce COD.

La pièce **que** j'ai vu jouer a beaucoup ému le public.
Recherche du COD → J'ai vu quoi ?   **que** (mis pour **la pièce**)
Recherche de l'auteur de l'action de l'infinitif → Ce n'est pas **la pièce** qui joue.
Comme le COD, placé avant le participe passé, ne fait pas l'action exprimée par l'infinitif, on n'accorde pas le participe passé avec ce COD.

Remarques !

1 Si l'infinitif peut être suivi d'un complément d'agent introduit par la préposition *par*, le participe passé reste invariable.

La pièce que j'ai vu jouer **par les acteurs** a beaucoup ému le public.

2 Si l'infinitif a un COD, on accorde le participe passé.

Ce sont ces acteurs que j'ai vu**s** jouer **une pièce de Tchekhov.**

▶ Autres cas

• Le participe passé *fait* suivi d'un infinitif est toujours **invariable**.
Sa moto, Martin l'a fait réparer.   Ses articles, le journaliste les a fait relire.
En effet, le participe passé *fait*, suivi d'un infinitif, fait corps avec cet infinitif qui est considéré comme le COD de *fait*.
D'ailleurs, on peut toujours placer un complément d'agent :
Sa moto, Martin l'a fait réparer par le mécanicien du quartier.
Ses articles, le journaliste les a fait relire par un correcteur professionnel.

• Le participe passé *laissé* suivi d'un infinitif peut s'accorder si le COD, placé avant le participe passé, fait l'action exprimée par l'infinitif.
Voici les canaris que William a laissé**s** s'envoler.
Les canaris font bien l'action de s'envoler.
→ accord de *laissé* avec le COD
Voici les canaris que William a laissé élever par son oncle.
Ce ne sont pas les canaris qui élèvent, mais l'oncle.
→ pas d'accord de *laissé* avec le COD

Remarque !

L'usage autorise désormais qu'on applique à *laissé* la même règle qu'à *fait*, c'est-à-dire de le considérer comme toujours invariable.

32 Le participe passé précédé de *en* et particularités

Les participes passés **obéissent à certaines règles d'accord qu'il faut connaître.**

▶ Le participe passé précédé de *en*

> Lorsque le COD du verbe est le pronom *en*, le participe passé reste invariable.
> J'ai apporté des gâteaux et nous **en** avons mangé.

Remarque :

Le verbe précédé de *en* peut avoir un COD placé avant lui. Le participe passé s'accorde alors avec ce COD.

Olivier est allé au Mexique ; je conserve les statuettes **qu'**il m'en a rapporté**es**.
il a rapporté quoi ?
qu' (mis pour **les statuettes**)
→ accord au féminin pluriel

▶ Autres cas

• Le participe passé des verbes impersonnels, ou employés à la forme impersonnelle, reste invariable.
La somme qu'il a manqué à Jordi n'était pas très importante.
Cette protection, il l'aurait fallu plus étanche.

• Avec certains verbes (*courir, coûter, dormir, peser, régner, valoir, durer, vivre*), le participe passé s'accorde avec le pronom relatif *que* si ce pronom est bien COD.
Les compliments que son attitude courageuse lui a valu**s** étaient mérités.
Il ne s'accorde pas si *que* est complément circonstanciel de valeur, de prix, de durée, de poids... .
Les six mille euros que cette moto vous a coûté me paraissent bien exagérés.

• Les participes passés *dû, cru, pu, voulu* sont invariables quand ils ont pour COD un infinitif sous-entendu.
M. Louis n'a pas réalisé toutes les démarches qu'il aurait dû.
(COD sous-entendu : **effectuer**)
Mais on écrira :
M. Louis s'est entièrement libéré des sommes qu'il a due**s**.
Il a dû quoi ? COD → **qu'** (mis pour **des sommes**) → accord au féminin pluriel

• Lorsque le COD, placé devant le participe passé, est un collectif suivi de son complément, l'accord se fait soit avec le collectif, soit avec le complément, selon le sens voulu par l'auteur.
Si l'auteur veut insister sur le flot, véritable marée humaine, il écrira :
C'est un véritable flot de visiteurs que les gardiens du musée ont accueilli.
S'il veut insister sur les visiteurs, il écrira :
C'est un véritable flot de visiteurs que les gardiens du musée ont accueilli**s**.

• Le participe passé suivi d'un attribut d'objet direct s'accorde avec cet objet si celui-ci précède le participe passé.
La femme enfermée dans la malle du magicien, tout le public l'a cru**e** découpée en morceaux !
Ces escaliers, je les aurais voulu**s** moins raides.

33 Le participe passé des verbes pronominaux

Le participe passé d'un verbe pronominal **obéit à certaines règles d'accord.**

▶ Règles générales

Le participe passé d'un verbe employé à la forme pronominale s'accorde en genre et en nombre avec le COD quand celui-ci est placé avant le participe passé.

• Souvent, ce COD est un pronom personnel de la même personne que le sujet ; on peut alors dire que le participe passé s'accorde avec le sujet du verbe.
Ces blessés **se** sont vite rétabli**s**.   Rose s'est brûl**ée** légèrement.

• Mais le verbe peut avoir un COD et le pronom réfléchi peut être complément d'attribution. Le participe s'accorde alors avec le COD placé avant lui.
Younès s'est brûlé **les mains**.   Ce sont les mains que Younès s'est brûl**ées**.

Remarques

1 Le participe passé employé dans la conjugaison d'un verbe essentiellement pronominal s'accorde en genre et en nombre avec le sujet.
Les preuves se sont évanou**ies**.
Les perdreaux se sont envol**és**.

2 Le participe passé du verbe *s'arroger* ne s'accorde jamais avec le sujet. Il s'accorde avec le COD lorsque celui-ci est placé avant lui.
Elles s'étaient arrog**é** des titres.
Ce sont les titres qu'elles s'étaient arrog**és**.

▶ Autres cas

• Lorsque le participe passé d'un verbe pronominal est suivi d'un infinitif, on applique les mêmes règles que pour le participe passé employé avec l'auxiliaire *avoir* suivi d'un infinitif (voir leçon 31).
Elles se sont fait faire un brushing.
Ils se sont laiss**és** retomber.   Ils se sont laissé coiffer.

• Le participe passé employé dans la conjugaison d'un verbe pronominal à sens réciproque s'accorde avec le sujet du verbe si le pronom personnel réfléchi a valeur de COD.
Les boxeurs **se** sont affront**és**.   Les bouchers **se** sont serv**is** de couteaux.

• Le participe passé employé dans la conjugaison d'un verbe pronominal à sens passif s'accorde toujours avec le sujet du verbe.
Les robes soldées se sont arrach**ées**.

Remarque

Si le pronom personnel réfléchi a valeur de COI, on distingue trois cas :
– Il n'y a pas de COD → le participe passé reste invariable
Les événements se sont succédé.

Principaux verbes suivant cette règle :
se succéder, se parler, se plaire, se nuire, se ressembler, se suffire, s'en vouloir, se convenir, se mentir...

– Il y a un COD placé après le participe → le participe passé reste invariable
Les adversaires se sont reproché leurs erreurs.

– Il y a un COD placé avant le participe → le participe passé s'accorde avec le COD
Voici les erreurs que les adversaires se sont reprochées.

34 Formes verbales en -é, -er ou -ez

On peut hésiter entre les formes verbales aux terminaisons homophones en [e].

▶ Confusion due à la prononciation

Lorsqu'on entend le son [e] à la fin d'un verbe du 1er groupe, plusieurs terminaisons sont possibles :

- **-er** si le verbe est à l'infinitif ;
Nous allons **fermer** la porte.   Pour **fermer** la porte, pousse le verrou.

- **-é** s'il s'agit du participe passé ;
Nous avons **fermé** la porte.   La porte **fermée**, tu peux être tranquille.

- **-ez** s'il s'agit de la terminaison de la 2e personne du pluriel du présent de l'indicatif ou de l'impératif.
Vous **fermez** la porte brusquement.   **Fermez** la porte.

Remarque !

Le participe passé terminé par **-é** peut s'accorder, s'il est employé :
– comme adjectif épithète
garder les volets ferm**és**
– comme adjectif attribut
Les volets sont ferm**és**.
– comme adjectif placé en apposition
Ferm**ée**, la porte ne claque pas.

– avec l'auxiliaire *être*
Les fenêtres seront ferm**ées** par le vent.
– avec l'auxiliaire *avoir* et si le COD est placé avant le participe passé
Les fenêtres, les as-tu bien ferm**ées** ?

▶ Comment éviter toute confusion ?

Pour distinguer les diverses terminaisons des verbes du 1er groupe, on peut remplacer la forme pour laquelle on hésite par un verbe du 2e ou du 3e groupe ; on entend alors la différence.

- **infinitif**
Nous allons **fermer** la porte. → Nous allons **ouvrir** la porte.
Pour **fermer** la porte, pousse le verrou.
→ Pour **ouvrir** la porte, pousse le verrou.

- **participe passé**
Nous avons **fermé** la porte. → Nous avons **ouvert** la porte.
La porte **fermée**, tu peux être tranquille.
→ La porte **ouverte**, tu peux être tranquille.

- **2e personne du pluriel**
Vous **fermez** la porte brusquement. → Vous **ouvrez** la porte brusquement.

Remarques !

1 Même si le sens n'est pas toujours respecté, il est préférable, par souci d'efficacité, de choisir toujours le même verbe pour effectuer cette substitution.

2 Lorsque les verbes *aller, devoir, pouvoir, falloir* sont suivis d'un verbe, celui-ci est toujours à l'infinitif.
Il va/doit/peut/faut **fermer** la porte.

35 Participe passé ou verbe conjugué ?

À l'oral ou à l'écrit, il n'est pas rare d'hésiter entre le participe passé et le verbe conjugué. Il faut donc savoir distinguer ces formes.

▶ Confusion due à la prononciation

Lorsqu'on entend le son [i] ou le son [y] à la fin d'une forme verbale, il peut s'agir :

• du verbe conjugué qui prend alors les terminaisons de son temps ;
présent de l'indicatif
finir → Je fin**is** mon travail.   *sourire* → Je sour**is** aux anges.
passé simple
courir → Je cour**us** lentement.   *partir* → Je part**is** à l'aube.

• du participe passé terminé par **-i** ou **-u**.
finir → J'ai fin**i** mon travail.   *sourire* → J'ai sour**i** aux anges.
courir → J'ai cour**u** lentement.   *partir* → Je suis part**i** à l'aube.

Remarque

| Le participe passé peut éventuellement s'accorder. | des travaux fin**is** Une récompense est attend**ue**. |

▶ Comment éviter toute confusion ?

Pour distinguer ces formes, on peut les remplacer par une autre forme verbale.

• Si c'est possible, il s'agit alors d'un verbe conjugué :
Alban **dormit** sur ses deux oreilles.   → Alban **dormait** sur ses deux oreilles.
Jules César **connut** la gloire.   → Jules César **connaissait** la gloire.

• Dans le cas contraire, il s'agit du participe passé en **-i** ou en **-u**.

Remarques

1 Certains participes passés se terminent par **-is** ou **-it** au masculin singulier.

un candidat admi**s**
un château maudi**t**

Pour ne pas se tromper, on remplace par un nom féminin et on fait l'accord ; on entend alors la lettre finale.

une candidate admi**se**
une région maudi**te**

2 Les participes passés *dû, mû, crû* (verbe *croître*), *recrû* (verbe *recroître*) ne prennent un accent circonflexe qu'au masculin singulier.

Ayant perdu sa boussole, l'explorateur a **dû** rebrousser chemin.
Ce moulin fonctionne **mû** par la force du vent.
Les arbres ont **crû** rapidement.

3 Les participes passés *cru* (verbe *croire*), *recru* (*harassé*), *accru* (verbe *accroître*), *décru* (verbe *décroître*) ne prennent jamais d'accent circonflexe.

Il a **cru** voir la terre.
Il est **recru** de fatigue.
Ce commerçant a **accru** son bénéfice.
Le niveau des eaux a **décru** rapidement.

36 Est – es – et – ai – aie – aies – ait – aient / a – as – à

Plusieurs formes des verbes *avoir* et *être* sont homophones. Il faut savoir les distinguer.

▶ est – es – et – ai – aie – aies – ait – aient

Il ne faut pas confondre :

• **est, es** : formes des 3ᵉ et 2ᵉ personnes du singulier de l'auxiliaire *être* au présent de l'indicatif.

On écrit *est, es* quand on peut les remplacer par les formes d'un autre temps simple de l'indicatif.

José **est** courageux.　　　→ José **était** courageux.

Tu **es** courageux.　　　→ Tu **étais** courageux.

La présence du pronom personnel de la 2ᵉ personne du singulier indique la terminaison.

• **et** : conjonction de coordination reliant deux groupes de mots ou deux parties d'une phrase.

On peut remplacer la conjonction *et* par *et puis*.

José est courageux **et** intrépide.　→ José est courageux **et puis** intrépide.

• **ai** : 1ʳᵉ personne du singulier au présent de l'indicatif de l'auxiliaire *avoir*.

On écrit *ai* quand on peut remplacer par une autre personne du présent de l'indicatif.

J'**ai** du courage.　　　　　→ Nous **avons** du courage.

• **aie, aies, ait, aient** : formes du verbe *avoir* au présent du subjonctif.

Pour éviter toute confusion, il faut d'abord identifier le mode subjonctif. Pour cela, il suffit de changer de personne.

Il faut que j'**aie** du courage. → Il faut que nous **ayons** du courage.

Il faut que tu **aies** du courage. → Il faut que nous **ayons** du courage.

Il faut que le pompier **ait** du courage. → Il faut que vous **ayez** du courage.

Il faut que les pompiers **aient** du courage. → Il faut que vous **ayez** du courage.

Il faut ensuite bien distinguer les différentes personnes en repérant les pronoms ou les noms sujets.

▶ a – as – à

Il ne faut pas confondre :

• **a, as** : formes des 3ᵉ et 2ᵉ personnes du singulier de l'auxiliaire *avoir* au présent de l'indicatif.

On écrit *a, as* quand on peut les remplacer par les formes d'un autre temps simple de l'indicatif.

Élodie **a** froid.　→ Élodie **avait** froid.

Tu **as** froid.　→ Tu **avais** froid.

La présence du pronom personnel de la 2ᵉ personne du singulier indique la terminaison.

• **à** : préposition.

Élodie va **à** la piscine.　　　　Élodie est **à** l'heure.

Élodie utilise une machine **à** calculer.　　Élodie parle **à** Naïma.

37 Tout – tous – toute – toutes

Tout peut prendre différentes formes qu'il faut reconnaître pour effectuer correctement les accords.

▶ Confusion due à la prononciation

Il ne faut pas confondre :

• *tout* : déterminant indéfini quand il se rapporte à un nom auquel il s'accorde en genre et en nombre. Il est généralement suivi d'un second déterminant.

tout le jour   **toute** cette journée   **tous** les mois   **toutes** les semaines

• *tout* : pronom indéfini quand il remplace un nom. Il est alors sujet ou complément du verbe.

Au singulier, *tout*, pronom, est employé seulement au masculin.

Au pluriel, *tout* devient *tous* ou *toutes* (on entend la différence entre ces deux formes).

Tout devrait être terminé à vingt heures.

Tous veulent assister au concert. → Ces chansons, je les connais **toutes**.

• *tout* : adverbe, le plus souvent invariable, quand il est placé devant un adjectif qualificatif ou un autre adverbe. On peut alors le remplacer par *tout à fait*.

Les spectateurs sont **tout** étonnés.   → Les spectateurs sont **tout à fait** étonnés.

La salle est **tout** étonnée.   → La salle est **tout à fait** étonnée.

L'orchestre joue **tout** doucement.   → L'orchestre joue **tout à fait** doucement.

• *tout* : peut être un nom précédé d'un déterminant.

Le jeu de ces musiciens forme un **tout** agréable.

Remarques

1 Quand on hésite entre le singulier et le pluriel pour certaines expressions, on place un déterminant entre *tout* et le nom.

rouler **tous** feux éteints
rouler **tous** les feux éteints
aimer de **tout** cœur
de **tout** son cœur

2 Quand *tout* adverbe est placé devant un adjectif qualificatif féminin commençant par une consonne (en particulier un *h* aspiré), il s'accorde par euphonie, c'est-à-dire pour que la prononciation soit plus facile.

La brioche est **toute** froide.
Les spectatrices sont **toutes** surprises.

Les adjectifs commençant par un *h* aspiré sont peu nombreux : *hardie, honteuse, hagarde, hérissée, hachée...*

3 Pour certaines phrases, il faut bien étudier le sens pour reconnaître la nature de *tout*.

En remplaçant *tout* par *tout à fait*, on peut souvent faire la distinction :

– **entre le pronom et l'adverbe ;**

Ces étudiants sont **tout** attentifs.

(*tout à fait* attentifs → adverbe)

Ces étudiants sont **tous** attentifs.

(*tous* sont attentifs → pronom)

– **entre l'adverbe et le déterminant.**

Nous avons fait un **tout** autre choix.

(*tout à fait* autre → adverbe)

À **toute** autre ville, je préfère Paris.

(*à n'importe quelle* ville → déterminant)

38 Même – mêmes

Même peut prendre différentes formes qu'il faut savoir reconnaître.

▶ Confusion due à la prononciation

Il ne faut pas confondre :

• *même* : adjectif ou déterminant indéfini quand il se rapporte à un nom (ou un pronom) avec lequel il s'accorde en nombre. Il a alors le sens de *pareil, semblable.*
Ces deux tables ont les **mêmes** pieds ; elles sont de la **même** époque.
Ces deux mélodies commencent par les **mêmes** notes.
Lorsque *même* se rapporte à un pronom, il lui est relié par un trait d'union.
M. Chevrier prépare lui-**même** ses confitures.
Nous tapisserons nous-**mêmes** les murs de notre appartement.
Les informaticiens eux-**mêmes** ne purent détruire ce virus.

• *même* : adverbe invariable, quand il modifie le sens :
– d'un verbe ;
Les vrais collectionneurs achètent **même** les tableaux de peintres inconnus.
– d'un adjectif ;
Ce produit fait disparaître les taches, **même** les plus importantes.
– ou quand il est placé devant le nom précédé de l'article.
Même les navires de fort tonnage ne se risquent pas en mer aujourd'hui.
Dans ces cas, on peut remplacer *même* par un autre adverbe : *également, aussi, y compris, exactement...*

• *même* : pronom quand il est précédé d'un article et qu'il remplace un nom.
Ton jean me plaît, je veux le **même**. Ta veste me plaît, je veux la **même**.
Tes pulls me plaisent, je veux les **mêmes**. Tes bottes me plaisent, je veux les **mêmes**.

Remarques

1 *Vous-même* s'écrit avec ou sans **-s** selon que cette expression désigne plusieurs personnes ou une seule personne (singulier de politesse).
Marie et toi avez fait vous-**mêmes** toutes les démarches.
Avez-vous vous-**même** vérifié ce travail ?

2 *Même* est également adverbe dans certaines expressions : *à même, tout de même, de même, même si, quand même...*
Personne n'est **à même** de donner la bonne réponse.
Malgré les incertitudes, nous partirons **tout de même**.
Même si vous rencontrez des obstacles, vous franchirez cette barre rocheuse.

3 **Il ne faut pas confondre :**
– *même*, adverbe invariable, placé après un nom ;
Les maîtres nageurs **même** ne se baignent pas dans cette mer démontée.
(On peut dire : **Même** les maîtres nageurs ne se baignent pas.)

– *même*, adjectif placé également après le nom avec lequel il s'accorde.
Les maîtres nageurs **mêmes** sont à leur poste.
(*Même* a alors le sens de *identique à*)
Cet emploi est très rare.

39 Quel(s) – quelle(s) – qu'elle(s)

Quel peut prendre différentes formes qu'il faut reconnaître pour effectuer correctement les accords.

▶ Confusion due à la prononciation

Il ne faut pas confondre :

• *quel* : adjectif interrogatif, qui s'accorde avec le nom qu'il accompagne.
Il peut être épithète :
De **quel** quartier êtes-vous originaire ?
De **quelle** ville êtes-vous originaire ?
Quels livres avez-vous lus récemment ?
Quelles revues avez-vous lues récemment ?
ou attribut :
Quel est ce bruit ?   **Quelle** est cette mélodie ?
Quels sont ces bruits ?   **Quelles** sont ces mélodies ?

• *quel* : adjectif exclamatif, qui s'accorde avec le nom qu'il accompagne.
Il peut être épithète :
Quel bel immeuble !   **Quelle** belle maison !
Quels beaux immeubles !   **Quelles** belles maisons !
ou attribut :
Quel fut ton étonnement !   **Quelle** fut ta surprise !
Quels furent vos applaudissements !   **Quelles** furent vos émotions !

• *qu'elle(s)* : contraction de *que elle(s)*, pronom relatif ou conjonction de subordination suivi d'un pronom personnel féminin.
– pronom relatif
La cliente est décidée, voici le modèle **qu'elle** a choisi.
Les clientes sont décidées, voici le modèle **qu'elles** ont choisi.
– conjonction de subordination
La limite, il est probable **qu'elle** a été franchie.
Les limites, il est probable **qu'elles** ont été franchies.
En remplaçant le pronom personnel féminin *elle* par le pronom personnel masculin *il*, on entend alors la différence.
Le client est décidé, voici le modèle **qu'il** a choisi.
Les clients sont décidés, voici le modèle **qu'ils** ont choisi.
Le repère, il est probable **qu'il a** été franchi.
Les repères, il est probable **qu'ils** ont été franchis.

Remarque !

Le pronom relatif *lequel* s'accorde lui aussi en genre et en nombre avec son antécédent.
Voici le plat dans **lequel** le cuisinier servira les hors-d'œuvre.

Voici l'assiette dans **laquelle** le cuisinier servira les hors-d'œuvre.
Voici les ramequins dans **lesquels** le cuisinier servira les hors-d'œuvre.
Voici les coupelles dans **lesquelles** le cuisinier servira les hors-d'œuvre.

40 Se (s') – ce (c') – ceux / sont – son

Il existe des formes homophones *(se – ce – ceux* ou *sont – son)* qu'il faut distinguer.

▶ se (s') – ce (c') – ceux

Il ne faut pas confondre :

• **se (s')** : pronom personnel réfléchi de la 3ᵉ personne qui fait partie d'un verbe pronominal.
On peut le remplacer par un autre pronom personnel réfléchi : *me* ou *te* en conjuguant le verbe.
Paquita **se** couche tôt. → Je **me** couche tôt.

• **ce** : déterminant démonstratif placé devant un nom ou un adjectif.
On peut le remplacer par un autre déterminant démonstratif si on change le genre ou le nombre du nom.
ce mouvement   → **cette** impulsion   → **ces** mouvements
Un adjectif qualificatif peut parfois s'intercaler entre le déterminant et le nom.
ce brusque mouvement → **cette** brusque impulsion

• **ce (c')** : pronom démonstratif, souvent placé devant le verbe *être* (ou *devoir, pouvoir*) ou un pronom relatif.
C'est à Tours que Balzac est né.   **Ce** sont des tapis persans.
Ce devait être une grande aventure.   **Ce** peut être un nouvel épisode.
J'ai dormi un peu, **ce** qui m'a reposé. Dormir, voici **ce** dont j'ai le plus besoin.

• **ceux** : pronom démonstratif, représente un nom masculin pluriel.
On peut le remplacer par *celui* en mettant le nom au singulier.
Les kiwis sont **ceux** que je préfère. → Le kiwi est **celui** que je préfère.

Remarque
Devant une voyelle ou un *h* muet, *ce* et *se* s'écrivent *c'* et *s'*.

▶ sont – son

Il ne faut pas confondre :

• **sont** : forme conjuguée de l'auxiliaire *être* à la 3ᵉ personne du pluriel du présent de l'indicatif.
On écrit *sont* quand on peut le remplacer par une autre forme conjuguée de l'auxiliaire *être* à la 3ᵉ personne du pluriel : *étaient, seront, furent...*
Tous les espoirs **sont** permis.   → Tous les espoirs **étaient** permis.

• **son** : déterminant possessif singulier.
Il peut être remplacé par un autre déterminant possessif. Il est placé devant un nom ou un adjectif et indique l'appartenance.
Son espoir est déçu.   → **Ton** espoir est déçu.   → **Le sien** est déçu.

Remarque
Son, déterminant possessif masculin, peut être placé devant des noms (ou des adjectifs) féminins commençant par une voyelle ou un *h* muet.

son arrivée
son habitude
son abondante chevelure
son heureuse décision

41 Ces – ses / c'est – s'est – sait – sais

Il existe des formes homophones comme *ces – ses* ou *c'est – s'est – sait – sais* qu'il faut savoir distinguer.

▶ ces – ses

Il ne faut pas confondre :

• **ces** : déterminant démonstratif, placé devant un nom ou un adjectif.
Il peut être remplacé par un autre déterminant démonstratif si on met le nom au singulier.

On admire **ces** vitrines.   → On admire **cette** vitrine.
On admire **ces** modèles.   → On admire **ce** modèle.

• **ses** : déterminant possessif, placé devant un nom ou un adjectif.
Il peut être remplacé par un autre déterminant possessif si on met le nom au singulier.

Benoît range **ses** vêtements.   → Benoît range **son** vêtement.
Hugo range **ses** chemises.   → Hugo range **sa** chemise.

Remarque !

Pour choisir entre le déterminant possessif *ses* ou le déterminant démonstratif *ces*, il faut bien examiner le sens de la phrase.
Martin feuillette **ses** (**ces**) livres.

S'il s'agit de livres qui lui appartiennent, on écrit :
Martin feuillette **ses** livres.
S'il s'agit de livres qui sont disposés sur les rayons de la librairie, on écrit :
Martin feuillette **ces** livres.

▶ c'est – s'est – sait – sais

Il ne faut pas confondre :

• **c'est** : auxiliaire *être* précédé du pronom démonstratif élidé *c'* (*ce*).
Il peut souvent être remplacé par l'expression *cela est*.
Marcher sans chaussures sur le corail, **c'est** (**cela est**) dangereux.

• **s'est** : auxiliaire *être* précédé du pronom personnel réfléchi élidé *s'* (*se*).
Il peut être remplacé par *me suis* ou *se sont* en conjuguant l'auxiliaire *être*.
Tristan **s'est** baigné dans un lagon bleu. → Je **me suis** baigné dans un lagon bleu.

• **sait** (**sais**) : formes conjuguées du verbe *savoir* aux personnes du singulier du présent de l'indicatif.
Elles peuvent être remplacées par d'autres formes conjuguées de ce verbe.
Mélodie **sait** nager. → Mélodie **saura** nager.
Je **sais** nager. → Je **savais** nager.   Tu **sais** nager. → Tu **as su** nager.

Remarque !

Pour ne pas confondre *ses* ou *ces* avec *c'est* ou *s'est*, on peut remplacer par *c'était* ou *s'était*.

C'est (C'était) un film à succès.
Benoît **s'est** (s'était) perdu.

42 Ont – on – on n'

Il existe des formes homophones comme *ont – on – on n'* qu'il faut savoir distinguer.

▶ Confusion due à la prononciation

Il ne faut pas confondre :

• *ont* : forme conjuguée de l'auxiliaire *avoir* à la 3e personne du pluriel au présent de l'indicatif.
On écrit *ont* quand on peut le remplacer par une autre forme de l'auxiliaire *avoir* à la 3e personne du pluriel : *avaient, auront, eurent...*
Les canards **ont** les pattes palmées. → Les canards **avaient** les pattes palmées.

• *on* : pronom personnel indéfini de la 3e personne du singulier, toujours sujet d'un verbe.
On écrit *on* quand on peut le remplacer par un autre pronom personnel de la 3e personne du singulier ou un nom sujet singulier.
On voit un vol de canards. → **Il/Elle/Le naturaliste** voit un vol de canards.

• *on n'* : quand *on* est placé devant un verbe commençant par une voyelle ou un *h* muet, on n'entend pas la différence entre la forme affirmative et la forme négative.
À la forme affirmative, on fait la liaison à l'oral :
On (n)aperçoit des canards.   **On** (n)héberge des canards.
À la forme négative, la première partie de la négation est élidée.
On n'aperçoit pas de canards.   **On n'**héberge pas de canards.
Si on remplace *on* par un autre pronom personnel, on entend alors la différence (*ne* → *n'*).
Il aperçoit des canards.   **Il** héberge des canards.
Il n'aperçoit pas de canards.   **Il n'**héberge pas de canards.

Remarques

1 *Ont* est aussi la forme de l'auxiliaire *avoir* lorsqu'un verbe est conjugué à la 3e personne du pluriel au passé composé.

Les canards **ont** pris leur envol.
Les canards **avaient** pris leur envol.

2 Le pronom personnel indéfini *on* est souvent employé à la place du pronom personnel *nous*, surtout à l'oral.

On sort vite. **Nous** sortons vite.
Dans ce cas, si *on* désigne plusieurs personnes, il entraîne néanmoins un accord du verbe au singulier.

Dans un souci de cohérence grammaticale, il est préférable de ne pas accorder le participe passé lorsque le sujet est *on*, même si l'accord est parfois toléré.

On est sorti vite. **Nous** sommes sorti(e)s vite.

Dans un même texte, on n'emploiera pas à la fois *on* et *nous*.

3 On écrit :

des on-dit et le qu'en dira-t-on.

C'est – ce sont / c'était – c'étaient / soi – soit – sois

Il existe plusieurs formes du verbe *être* qu'il faut savoir distinguer.

▶ c'est – ce sont / c'était – c'étaient / ce fut – ce furent

- Les verbes *être*, *devoir être*, *pouvoir être*, précédés de *ce* (*c'*), se mettent au pluriel s'ils sont suivis d'un sujet réel à la 3ᵉ personne du pluriel ou d'une énumération ; sinon ils sont au singulier.

Max, **c'est** un bon joueur. Max et Luc, **ce sont** de bons joueurs.
C'était encore un chanteur inconnu. **C'étaient** encore des chanteurs inconnus.
Ce fut une victoire facile. **Ce furent** des victoires faciles.
Erwan joue de trois instruments : **ce sont** la guitare, le banjo et la contrebasse.
Max, **ce doit être** un bon joueur. Max et Luc, **ce doivent être** de bons joueurs.
Max, **ce peut être** un bon joueur. Max et Luc, **ce peuvent être** de bons joueurs.
Dans une langue moins soutenue, on admet l'accord au pluriel ou au singulier.

- Lorsque le pronom qui suit *c'est* est *nous* ou *vous*, le verbe *être* reste au singulier.

C'est nous qui allons repeindre les portes et les fenêtres.
C'est vous que le directeur a retenu pour aller travailler en Italie.

- Si le nom qui suit *c'est* est précédé d'une préposition, le verbe *être* reste au singulier.

C'est de ces projets que je veux vous entretenir.

▶ soi – soit – sois

Il ne faut pas confondre :

- *soi* : pronom personnel réfléchi de la 3ᵉ personne du singulier qui ne marque ni le genre ni le nombre. Il se rapporte à un sujet singulier indéterminé.

Pour réussir, il faut faire preuve de confiance en **soi**.
Lorsque le sujet est précis, on emploie *lui*.
M. Walter fait preuve de confiance en **lui**.

- *soit* : conjonction de coordination marquant l'alternative.

Ce soir, il prendra **soit** le métro, **soit** l'autobus pour rentrer chez lui.
On peut toujours remplacer *soit* par *ou bien*.
Ce soir, il prendra **ou bien** le métro, **ou bien** l'autobus pour rentrer chez lui.

- *soit*, *sois* : formes du singulier du présent du subjonctif du verbe *être*.

Il faut que je **sois** à l'abri. Il faut que tu **sois** à l'abri. Il faut que Léa **soit** à l'abri.

Remarques

1 *Soi* est souvent renforcé par *même*.

Il faut respecter les autres comme **soi-même**.
On peut le remplacer par un autre pronom personnel réfléchi en modifiant la phrase.

Nous respectons les autres comme nous-mêmes.

2 *Soi-disant* est toujours invariable, même employé comme adjectif.

Ils sont venus **soi-disant** pour nous parler.
Les **soi-disant** déménageurs ont abîmé les meubles.

44 *Si – s'y / ni – n'y*

Il existe des formes homophones comme *si – s'y / ni – n'y* qu'il faut savoir distinguer.

▶ *si – s'y*

Il ne faut pas confondre :

• *si* : adverbe ou conjonction de subordination, qui peut être remplacé par un autre adverbe ou une autre conjonction.
La température est **si** basse que l'eau gèle.
→ La température est **tellement** basse que l'eau gèle.
Nous sortirons **si** la sirène retentit.
→ Nous sortirons **parce que** la sirène retentit.

• *s'y* : qui peut se décomposer en *se y* (on place l'apostrophe par euphonie). Il est toujours placé devant un verbe, car le **s'** fait partie d'un verbe pronominal. Le **y** est pronom adverbial ou personnel.
Dans ce lac, on **s'y** baigne volontiers.
Au bureau, Gabriel **s'y** rend à pied.
On peut remplacer *s'y* par *m'y* ou *t'y* en conjuguant le verbe.
Dans ce lac, tu **t'y** baignes volontiers.
Au bureau, je **m'y** rends à pied.

▶ *ni – n'y*

Il ne faut pas confondre :

• *ni* : conjonction négative qui relie deux éléments (noms ou propositions).
M. Bourdon ne sait **ni** ce qui s'est passé **ni** qui a appelé les pompiers.
La poule n'a **ni** dents **ni** oreilles.
On peut parfois remplacer *ni* par *et :*
M. Bourdon ne sait **ni** ce qui s'est passé **et** qui a appelé les pompiers.
ou par *pas :*
La poule n'a **pas** de dents et **pas** d'oreilles.

• *n'y* : qui peut se décomposer en *ne y* (on place l'apostrophe par euphonie). Le **n'** est la première partie d'une négation dont on peut trouver la deuxième partie dans la suite de la phrase. Le **y** est pronom adverbial ou personnel.
Sur les routes verglacées, les conducteurs **n'y** roulent que très lentement.
Sans ses lunettes, grand-père **n'y** voit rien.

Remarque :

Parfois, la première conjonction *ni* est remplacée par une autre conjonction négative.
Cette chanson n'est **ni** originale **ni** mélodieuse.

Cette chanson n'a **rien** d'original **ni** de mélodieux.

Je n'irai **ni** sur la Lune **ni** sur Mars.
Je n'irai **jamais** sur la Lune **ni** sur Mars.

45 · Sans – sent – s'en – c'en / dans – d'en

Il existe des formes homophones qu'il faut savoir distinguer.

▶ sans – sent – sens – s'en – c'en

Il ne faut pas confondre :

• **sans** : préposition qui marque l'absence, le manque. Elle est souvent le contraire de la préposition *avec*.

C'est un immeuble **sans** ascenseur. Gérald sort de l'eau **sans** trembler.

On écrit *sans* quand on peut remplacer par *avec*, ou par *sinon, pour, en* dans certaines expressions.

C'est un immeuble **avec** ascenseur. Gérald sort de l'eau **en** tremblant.

• **sent**, **sens** : formes du verbe *sentir* aux trois personnes du singulier du présent de l'indicatif.

Ce lutteur ne **sent** plus sa force. Je ne **sens** plus ma force.

On écrit *sent* ou *sens* quand on peut remplacer par une autre forme du verbe *sentir* : *sentait, sentais, sentira, sentirai, sentiras, sentent...*

Ce lutteur ne **sent** plus sa force. → Ce lutteur ne **sentait** plus sa force.

Je ne **sens** plus ma force. → Je ne **sentirai** plus ma force.

• **s'en** : contraction de *se en*. *S'* est la forme élidée du pronom personnel réfléchi *se*, et *en* un pronom adverbial.

Ce lutteur est très fort et il ne **s'en** aperçoit pas.

On écrit *s'en* quand on peut remplacer par *m'en, t'en* en conjuguant le verbe.

Je suis fort et je ne **m'en** aperçois pas. Tu es fort et tu ne **t'en** aperçois pas.

• **c'en** : contraction de *ce en*.

C' est la forme élidée du pronom démonstratif *ce*, et *en* un pronom adverbial.

Vous faites du bruit, **c'en** est trop. Du foie gras ? **c'en** est, bien sûr.

Remarque :

Après *sans*, le nom est généralement au pluriel.

Admirez ce ciel **sans** nuages. → S'il y en avait, il n'y aurait pas qu'un seul nuage.

Sinon, on écrit le nom au singulier.

Voilà une bien triste journée **sans** soleil. → Il ne peut y avoir qu'un soleil.

▶ dans – d'en

Il ne faut pas confondre :

• **dans** : préposition qui peut être remplacée par une autre préposition : *à l'intérieur de, parmi, chez...*

Je m'entraîne **dans** un gymnase. → Je m'entraîne **à l'intérieur** d'un gymnase.

• **d'en** : contraction de *de en*. *D'* est la forme élidée de la préposition *de*, et *en* un pronom personnel (ou premier terme d'une locution prépositive : *en face, en haut, en bas...*). Elle est généralement placée devant un verbe à l'infinitif.

Du pain, je viens **d'en** couper deux tranches.

Le code de la route, il convient **d'en** respecter les règles.

46 Quelque(s) – quel(s) que – quelle(s) que

Il existe des formes homophones comme *quelque(s)* – *quel(s) que* – *quelle(s) que* qu'il faut savoir distinguer.

▶ Confusion due à la prononciation

Il ne faut pas confondre :

• ***quelque(s)*** : déterminant indéfini qui s'écrit en un seul mot et qui s'accorde en nombre.

Il arrivera dans **quelque** temps.   Il arrivera dans **quelques** heures.

Quelques exemplaires de cet album sont encore disponibles.

Il faut retenir l'orthographe de quelques expressions :

en quelque sorte – quelque part – quelque chose – quelque peine à – quelque peu

• ***quel(les) que*** : regroupement de deux mots, un adjectif indéfini attribut et une conjonction de subordination.

Quel que soit le parcours, tu l'accompliras.

Dans ce cas, *quel* s'accorde avec le sujet qui se trouve après le verbe *être* (ou *devoir être, pouvoir être*) au présent du subjonctif.

Quel que soit <u>ton projet</u>, nous le respecterons.

Quelle que soit <u>ta décision</u>, nous la respecterons.

Quels que doivent être <u>tes projets</u>, nous les respecterons.

Quelles que puissent être <u>tes intentions</u>, nous les respecterons.

• ***quelque*** : adverbe lorsqu'il se trouve placé devant un adjectif ; il est alors invariable.

Quelque mouillés que soient ces vêtements, il faudra les enfiler.

Quelque appétissants que soient ces gâteaux, je n'en reprendrai pas.

On peut le remplacer par un autre adverbe.

Aussi mouillés que soient ces vêtements, il faudra les enfiler.

Aussi appétissants que soient ces gâteaux, je n'en reprendrai pas.

Remarques

1 On peut parfois confondre l'adverbe et le déterminant placé devant un adjectif suivi d'un nom.

Quelques bons élèves devront passer cet examen.
Quelque bons élèves que soient ces étudiants, ils devront passer cet examen.

On supprime l'adjectif. Si cette suppression est possible, *quelque* est en rapport avec le nom, donc il s'accorde.

Quelques élèves devront passer l'examen terminal.

Si c'est impossible, *quelque* est adverbe et reste invariable.

On n'écrit pas : « Quelque élèves que soient ces étudiants, ils devront passer l'examen terminal. »

2 *Quelques-uns* et *quelques-unes* sont des pronoms indéfinis pluriels ; les pronoms singuliers étant *quelqu'un* et *quelqu'une* (plus rare).

3 Lorsqu'il a le sens de *parfois*, *quelquefois* s'écrit en un seul mot.

M. Marrou va **quelquefois** à la pêche.

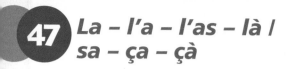

Il existe des formes homophones comme *la – l'a – l'as – là* ou *sa – ça – çà* qu'il faut savoir distinguer.

▶ la – l'a – l'as – là

Il ne faut pas confondre :

• *la* : article ou pronom personnel complément, qui peut être remplacé par *une, le* ou *les*.
La piscine, Alice **la** fréquente chaque semaine.
→ **Le** stade, Alice **le** fréquente chaque semaine.

• *l'a* : contraction de *la a* ou de *le a*, qui peut être remplacée par *l'avait, l'aura*.
La piscine, Alice **l'a** fréquentée pendant un an.
→ La piscine, Alice **l'avait** fréquentée pendant un an.

• *l'as* : contraction de *la as* ou de *le as*, qui peut être remplacée par *l'avais, l'auras*.
La piscine, tu **l'as** fréquentée pendant un an.
→ La piscine, tu **l'avais** fréquentée pendant un an.

• *là* : adverbe de lieu, qui peut souvent être remplacé par *ici* ou *-ci*.
C'est **là** que j'ai appris à nager.
→ C'est **ici** que j'ai appris à nager.
Là est parfois accolé à un pronom démonstratif ou à un nom.
Ce bassin est profond ; dans celui-**là** on a pied.
→ Ce bassin est profond ; dans celui-**ci** on a pied.
Cet objet-**là** possède une valeur inestimable.
→ Cet objet-**ci** possède une valeur inestimable.

▶ sa – ça – çà

Il ne faut pas confondre :

• *sa* : déterminant possessif de la 3e personne du singulier, qui peut être remplacé par un autre déterminant *son, ses...*
Un bon chasseur ne sort pas sans **sa** chienne.
→ Un bon chasseur ne sort pas sans **son** chien.

• *ça* : pronom démonstratif, qui peut souvent être remplacé par *cela* ou *ceci*.
J'ai regardé la série, mais je n'ai pas trouvé **ça** passionnant.
→ J'ai regardé la série, mais je n'ai pas trouvé **cela** passionnant.

• *çà* : adverbe de lieu, qui ne se rencontre que dans l'expression *çà et là* où il signifie *ici*.
On observe, **çà** et là, quelques affiches.
→ On observe, **ici** et là, quelques affiches.

48 Prêt(s) – près / plus tôt – plutôt

Il existe des formes homophones comme *prêt(s)* – *près* ou *plus tôt* – *plutôt* qu'il faut savoir distinguer.

▶ *prêt(s)* – *près*

Il ne faut pas confondre :

• *prêt (prêts)* : adjectif qualificatif, qui s'accorde avec le nom qu'il accompagne. Si on substitue au nom masculin un nom féminin, il peut être remplacé par la forme du féminin, *prête (prêtes)*.
Le chat est **prêt** à bondir sur la petite balle rouge.
Les chats sont **prêts** à bondir sur la petite balle rouge.
→ La chatte est **prête** à bondir sur la petite balle rouge.
→ Les chattes sont **prêtes** à bondir sur la petite balle rouge.
Prêt(s) est généralement suivi par la préposition *à* (parfois *au*, *pour*).
Tu es **prêt** à nous suivre.
Le parachutiste est **prêt** au grand saut.
Les parachutistes sont **prêts** pour le grand saut.

• *près* : préposition ou adverbe de lieu, qui peut souvent être remplacé par une autre préposition ou un autre adverbe de lieu, *à côté* ou *loin*.
Les alpinistes sont **près** du sommet ; encore un petit effort !
→ Les alpinistes sont **à côté** du sommet ; encore un petit effort !
→ Les alpinistes sont **loin** du sommet ; encore un petit effort !
Près est souvent suivi par la préposition *de* (*du*, *d'*).
La mairie est située **près de** la poste.
La mairie est située **près du** bureau de poste.

Remarque !

Il existe un autre homonyme, le nom *prêt* (action de *prêter*). Il est généralement précédé d'un déterminant.

Pour acheter une nouvelle voiture, M. Sarda sollicite un **prêt**.

▶ *plus tôt* – *plutôt*

Il ne faut pas confondre :

• *plus tôt* : locution adverbiale qui exprime une idée de temps et qui est le contraire de *plus tard*.
Le dimanche, la boulangerie ouvre **plus tôt** que d'habitude.
Le dimanche, la boulangerie ouvre **plus tard** que d'habitude.

• *plutôt* : adverbe qui signifie *de préférence, encore, très*. Il peut être remplacé par un autre adverbe.
Ces vignes seront vendangées à la main **plutôt** qu'à la machine.
→ Ces vignes seront vendangées à la main **de préférence** à la machine.
Dans ce quartier la vie est **plutôt** agréable.
→ Dans ce quartier la vie est **assez** agréable.

Il existe des formes homophones comme *peut – peux – peu* qu'il faut savoir distinguer.

▶ Confusion due à la prononciation

Il ne faut pas confondre :

• *peut* : forme conjuguée du verbe *pouvoir* à la 3ᵉ personne du singulier du présent de l'indicatif.
On écrit *peut* quand on peut le remplacer par une autre forme conjuguée du verbe *pouvoir* à la même personne (*pouvait, pourra, a pu...*).
Coline **peut** télécharger des fichiers. → Coline **pouvait** télécharger des fichiers.

• *peux* : forme conjuguée du verbe *pouvoir* à la 1ʳᵉ ou 2ᵉ personne du singulier du présent de l'indicatif.
On écrit *peux* quand on peut le remplacer par une autre forme conjuguée du verbe *pouvoir* à la même personne (*pouvais, pourrai, ai pu...*).
Je **peux** télécharger des fichiers. → Je **pouvais** télécharger des fichiers.
Seul le sujet permet de distinguer *peut* et *peux*.

• *peu* : adverbe de quantité, donc invariable.
On écrit *peu* quand on peut le remplacer par *beaucoup* (ou quelquefois par *très* devant un adjectif).
Coline a téléchargé **peu** de fichiers. → Coline a téléchargé **beaucoup** de fichiers.
Coline est **peu** expérimentée. → Coline est **très** expérimentée.
Lorsque *peu* est précédé de *un*, c'est l'ensemble *un peu* qui se remplace par *beaucoup* ou *très*.
Coline est **un peu** expérimentée. → Coline est **très** expérimentée.

Remarques

1 *Peu* est parfois employé comme nom (il signifie alors *une petite quantité*).
Coline grave le **peu** de CD qu'elle possède.

2 Il ne faut pas confondre l'adverbe *peut-être* (qui s'écrit avec un trait d'union) et le groupe formé du verbe *pouvoir* conjugué et de l'infinitif *être* (qui ne prend pas de trait d'union). Pour éviter toute confusion, on essaie de remplacer par *pouvait être*.
Coline gravera **peut-être** des CD.
Ce CD **peut être** gravé en quelques minutes.
→ Ce CD **pouvait être** gravé en quelques minutes.

3 Il faut retenir l'orthographe de quelques expressions.
Peu s'en faut que l'orage n'éclate.
Ce banc est **un tant soit peu** bancal.
Il faut **faire peu de cas** des calomnies.
Cet immeuble compte **à peu près** dix étages.
Il faut aider les malheureux, **si peu que ce soit**.
Cette moquette est **quelque peu** usée.
Tous ces enfants se ressemblent **peu ou prou**.
Jouer aux cartes ou aux dominos, **peu importe**.
La côte est rude, **ce n'est pas peu dire** !

50 Quand – quant – qu'en / ou – où

Il existe des formes homophones qu'il faut savoir distinguer.

▶ quand – quant – qu'en

Il ne faut pas confondre :

• *quand* : conjonction de subordination, qui peut être remplacée par *lorsque*.
Quand nous aurons un moment de libre, nous classerons nos photographies.
→ **Lorsque** nous aurons un moment de libre, nous classerons nos photographies.

• *quand* : adverbe, qui peut être remplacé par *à quel moment*.
Quand serez-vous en vacances ? → **À quel moment** serez-vous en vacances ?

• *quant* : préposition, qui peut être remplacée par *en ce qui concerne, pour (ma) part*.
L'autobus arrivera à dix heures ; **quant au** train, je l'ignore.
→ L'autobus arrivera à dix heures ; **en ce qui concerne** le train, je l'ignore.
Philippe parle l'espagnol, **quant à** moi, j'essaie d'apprendre l'allemand.
→ Philippe parle l'espagnol, **pour ma part**, j'essaie d'apprendre l'allemand.

• *qu'en* : peut se décomposer en *que en* (on place l'apostrophe par euphonie).
Le plombier pensait **qu'en** une heure il aurait terminé.
Les historiens consultent des documents ; **qu'en** dégagent-ils comme conclusion ?
Ce problème n'est simple **qu'en** apparence.
Ce n'est **qu'en** travaillant qu'on devient virtuose du piano.

Remarques :

1 Pour choisir entre *quand* et *quant*, la liaison induit en erreur.

En effet, avec *quand* suivi d'une voyelle, la liaison est également en *t*.

Quand (t)il court, Richard penche la tête.
Quant (t)à Richard, il penche la tête.

Il faut se souvenir que *quant* est toujours suivi d'une autre préposition : *à, au, aux*.

2 Le nom *camp* est aussi un homonyme qui se distingue assez facilement car il est souvent précédé d'un déterminant.

Les joueurs se replient dans leur **camp**.

3 Il faut retenir l'orthographe de ces noms composés.

Hautain, il est resté sur son **quant-à-soi**.
Elle ne se soucie pas des **qu'en-dira-t-on**.

▶ ou – où

Il ne faut pas confondre :

• *ou* : conjonction de coordination, qui peut être remplacée par *ou bien*.
Pour trouver ce mot, utilise un dictionnaire **ou** (**ou bien**) un lexique.

• *où* : pronom ou adverbe, qui indique le lieu, le temps, la situation.
On peut parfois le remplacer par *dans lequel, à quel endroit, à laquelle*.
Voici un étui **où** il y a deux stylos. → Voici un étui **dans lequel** il y a deux stylos.
Où habitez-vous ? → **Dans quel endroit** habitez-vous ?

Quoique – quoi que / parce que par ce que / pourquoi – pour quoi

Il existe des formes homophones qu'il faut savoir distinguer.

▶ quoique – quoi que

Il ne faut pas confondre :

• **quoique** : conjonction de subordination, qui peut toujours être remplacée par *bien que*.
Quoique les fenêtres restent fermées, il fait froid dans ce bureau.
→ **Bien que** les fenêtres restent fermées, il fait froid dans ce bureau.

• **quoi que** : pronom relatif composé qui a le sens de *quelle que soit la chose que* ou de *quelque chose que*.
Quoi que vous décidiez, prévenez-nous.

Remarques

1 Le verbe qui suit *quoique* ou *quoi que* est toujours au mode subjonctif.

Quoi qu'il dise, personne n'écoute.
Quoiqu'il réponde, personne ne l'écoute.

2 Dans l'expression *quoi qu'il en soit*, *quoi qu'* s'écrit en deux mots.

Je maintiens ma position, quoi qu'il en soit.

▶ parce que – par ce que

Il ne faut pas confondre :

• **parce que** : locution conjonctive de subordination qui introduit un complément circonstanciel de cause et qui peut être remplacée par *car*.
Mme Thierry achète ses fromages à la ferme **parce qu'**ils y sont plus frais.
→ Mme Thierry achète ses fromages à la ferme **car** ils y sont plus frais.

• **par ce que** : expression formée d'une préposition, d'un pronom démonstratif neutre et d'un pronom relatif et qui a le sens de *par la chose que*.
Par ce que vous avancez comme motif, vous ne serez pas cru.
C'est une expression peu employée.

▶ pourquoi – pour quoi

Il ne faut pas confondre :

• **pourquoi** : adverbe ou conjonction, qui peut être remplacé par *pour quelle raison* ou *dans quelle intention*.
Le menuisier ne comprend pas **pourquoi** ce bois est aussi tendre.
→ Le menuisier ne comprend pas **pour quelle raison** ce bois est aussi tendre.

• **pour quoi** : pronom relatif ou interrogatif précédé de la préposition *pour* a le sens de *pour cela*.
Cet homme, on le condamne **pour quoi** (pour cela).

Remarque

Pourquoi peut aussi être un nom invariable, synonyme de *motif*.

Je ne m'explique pas le **pourquoi** (le motif) de cette affaire.

52 Le participe présent et l'adjectif verbal

Il faut savoir distinguer les formes en **-ant** comme le participe présent et l'adjectif verbal.

▶ Le participe présent

Le participe présent, **invariable**, est une forme verbale terminée par **-ant**.
Goûtez-moi ce biscuit craqu**ant** sous la dent.
Goûtez-moi cette biscotte craqu**ant** sous la dent.

▶ L'adjectif verbal

• L'adjectif verbal, terminé lui aussi par **-ant**, s'accorde avec le nom (ou le pronom) auquel il se rapporte.
goûter un biscuit craquant   goûter une biscotte craquant**e**
• L'adjectif verbal, comme l'adjectif qualificatif, peut être épithète ou attribut.
Vous tenez des propos **amusants**.   Vos propos sont **amusants**.

Remarques

1 Il ne faut pas confondre les adjectifs verbaux terminés par **-ant** avec les adverbes terminés par **-ent** ou **-ant**.

Cette actrice est souv**ent** éblouissante.
Auparav**ant** ces locaux étaient bruyants.

2 Certains adjectifs verbaux sont employés comme des noms.

Les gagn**ants** se partageront le gros lot ; les perd**ants** espèrent que le sort leur sera favorable la prochaine fois.

▶ Comment éviter toute confusion ?

Il est parfois difficile de distinguer le participe présent de l'adjectif verbal.
On peut remplacer le nom masculin par un nom féminin ; oralement, on entend la différence.
Voici l'entrée des joueurs remplaçants.
Voici l'entrée des joueuses remplaçant**es**.   → adjectif verbal
Les joueurs remplaçant leurs partenaires sont là.
Les joueuses remplaçant leurs partenaires sont là.   → participe présent

Remarques

1 Des participes présents et des adjectifs verbaux peuvent avoir des orthographes différentes.

en communi**qu**ant par signes
          les vases communi**c**ants
en provo**qu**ant une émeute
          une tenue provo**c**ante
en diffé**r**ant la réponse
          une réponse diffé**r**ente
en navi**gu**ant dans le golfe
          le personnel navi**g**ant

en conver**ge**ant vers la sortie
          des réponses conver**ge**ntes
en précéd**ant** le cortège
          le numéro précéd**ent**
en fati**gu**ant son entourage
          une marche fati**g**ante

2 Même quand il est adjectif, *soi-disant* est toujours invariable.

Cette **soi-disant** solution échoua.

53 Les accents

Les accents **sont des signes placés sur les voyelles pour, le plus souvent, en modifier la prononciation. Un texte où les accents sont absents est beaucoup plus difficile à lire.**

▶ Les différents accents

• L'accent aigu (´) se place uniquement sur la lettre *e* qui se prononce alors [e].
Jérémie est désespéré car il a perdu sa précieuse clé USB.

• L'accent grave (`) se place souvent sur la lettre *e* qui se prononce alors [ɛ].
Cet athlète possède une bonne hygiène de vie.

On trouve parfois un accent grave sur les lettres *a* et *u*.
Où se trouve l'Espagne ? Au-delà des Pyrénées, à deux heures de Paris en avion.

• L'accent circonflexe (^) se place sur la lettre *e* qui se prononce alors [ɛ].
Le joueur se jette tête baissée dans la mêlée.

Remarques

1 On trouve aussi un accent circonflexe sur les autres voyelles (sauf *y*).

un gâteau – une traîne – un cône – la flûte

Les accents circonflexes sur les lettres *i* et *u* ne modifient pas leur prononciation.

2 L'accent circonflexe peut être le témoin d'une lettre disparue que l'on retrouve dans des mots de la même famille.

l'hôpital – hospitalisé – l'hospice
la croûte – croustillant

3 L'accent circonflexe permet aussi de distinguer des mots homonymes.

L'abricot est mûr.
un mur de brique

une tache de graisse
une rude tâche

respecter le jeûne du ramadan
parler à un jeune enfant

gravir la côte
surveiller la cote d'alerte

▶ Cas particuliers

• Lorsque le *e* se trouve entre deux consonnes au milieu d'une syllabe, il ne prend pas d'accent, même s'il est prononcé [ɛ].
ne jamais perdre la technique de la lecture
Exceptions :
en fin de mot : le progrès – le succès – près – l'arrêt – la forêt

• On ne double pas la consonne qui suit une voyelle accentuée.
l'intérieur mais un terrain   bâtir mais battre
Exceptions : un châssis – une châsse – enchâsser – l'enchâssement

• Devant la lettre *-x*, le *e* n'a jamais d'accent.
Il nous explique la solution d'un exercice complexe.

Remarque

Selon les régions, la prononciation des lettres accentuées peut varier, mais l'orthographe demeure la même.

54 La cédille – Le tréma – Le trait d'union – L'apostrophe

Il existe d'autres signes écrits qu'il faut connaître.

▶ La cédille

Pour conserver le son [s], on place **une cédille** sous la lettre **c** devant les voyelles **a, o, u**.
la leçon – menaçant – un reçu

▶ Le tréma

Le tréma, généralement placé sur la lettre **i**, indique que l'on doit prononcer séparément la voyelle qui le précède immédiatement.
être naïf – faire preuve d'héroïsme – un plat en faïence

Remarque

Placé sur le **e** qui suit un **u**, le tréma indique que le **u** doit être prononcé.
ciguë – aiguë – ambiguë – contiguë

Le tréma peut aussi avoir la valeur d'un **é**.
un canoë

▶ Le trait d'union

Le trait d'union sert à lier plusieurs mots. On le place :
• entre les différents éléments de beaucoup de mots composés ;
sur-le-champ – un sapeur-pompier – un non-lieu – un arc-en-ciel
• entre le verbe et le pronom personnel sujet antéposé (ainsi que *ce*) ;
Pourquoi ne dis-tu pas la vérité ?   Est-ce la vérité ?   Sait-on la vérité ?
• entre le verbe à l'impératif et le(s) pronom(s) personnel(s) complément(s) ;
Lève-toi !   Parlons-en.   Faites-le-moi savoir.
• dans certaines locutions adverbiales ;
pêle-mêle   avant-hier   au-dessus   par-delà
• dans les déterminants numéraux inférieurs à *cent* ;
trente-quatre   quatre-vingt-dix-huit
• devant les particules -*ci* et -*là* ;
celui-ci   cette maison-là   ces immeubles-là
• entre le pronom personnel et l'adjectif *même* ;
lui-même   elle-même   eux-mêmes
• dans certaines expressions.
là-haut   jusque-là   ci-joint de-ci   de-là

▶ L'apostrophe

L'apostrophe (') se place en haut et à droite d'une lettre pour marquer l'élision de **a, e, i** ou devant un mot commençant par une voyelle ou un **h** muet.
l'arrivée   s'asseoir   lorsqu'il   quelqu'un   parce qu'on   s'il pleut

Les abréviations –
Les sigles – Les symboles

Le langage courant fonctionne de plus en plus avec des abréviations, des sigles et des symboles ; il faut savoir les déchiffrer.

▶ Les abréviations

• Parfois, c'est une ou plusieurs syllabes qui sont retranchées du mot par apocope (la fin du mot) :
la photographie → la photo   sympathique → sympa   un professeur → un prof
ou plus rarement par aphérèse (le début du mot).
l'autobus → le bus   un blue-jean → un jean

• Quelquefois, le mot d'origine est légèrement modifié.
être régulier → être réglo   un réfrigérateur → un frigo

• Dans d'autres cas, on forme une abréviation en ne conservant que la première lettre (minuscule ou majuscule) suivie d'un point. Pour éviter les ambiguïtés, on conserve parfois plusieurs lettres, suivies ou non d'un point.
nom → n.   page → p.   adjectif → adj.
monsieur → M.   mademoiselle → Mlle

Remarque !
Ces mots ainsi abrégés prennent normalement la marque du pluriel.

les mathématiques → les maths
les informations → les infos

▶ Les sigles

• De très nombreux groupes de mots sont réduits à leur sigle. On ne retient que les initiales (en majuscules) de chacun des mots essentiels qui composent l'expression. La présence de points entre les lettres tend à disparaître.
CNRS → centre national de la recherche scientifique
un P.V. → un procès-verbal

• Lorsqu'on les lit, on énonce chaque lettre, mais si des voyelles sont incluses dans le sigle, on peut le prononcer comme un mot ordinaire.
un OVNI → un objet volant non identifié

Remarque !
Certains sigles, très courants, sont devenus des noms communs.

le sida → le syndrome d'immunodéficience acquise
un radar → un Radio Detecting And Ranging

▶ Les symboles

Dans les domaines mathématique, scientifique et technique, on utilise des symboles qui ont l'avantage d'être communs à presque toutes les langues. Les plus courants symbolisent principalement les unités de mesures.
seconde → s   kilogramme → kg   centimètre → cm   hectolitre → hL
ampère → A   mètre cube → m^3 paragraphe → §   arobase → @

56 Les écritures des sons [s] et [z]

Les sons [s] et [z] peuvent s'écrire de plusieurs manières.

▶ Les différentes graphies du son [s]

- **s**
la salade – sauter – solide – la réponse – le sucre

- **ss**
la crevasse – la graisse – une assiette – pousser

- **c** seulement devant les voyelles *e*, *i* et *y*
un cerceau – l'urgence – un citron – un cygne

- **ç** devant les voyelles *a*, *o* et *u*
une façade – un glaçon – un reçu

- **t** seulement devant la lettre *i*, à l'intérieur ou en fin de mot
la condition – la sélection – un quotient – la gentiane

Beaucoup de ces noms se terminent par **-tion**, mais tous les noms terminés par ce son ne s'écrivent pas **-tion** ; il y a d'autres graphies.
la passion – la pension – la suspicion

- **sc** dans quelques mots
la science – la discipline – la scierie

Remarques

1 Il ne faut pas oublier que la lettre **s** marque le pluriel de beaucoup de noms et d'adjectifs ; dans ce cas, elle est muette.

2 Dans les nombres *dix* et *six* (et leurs dérivés), le **x** se prononce [s].

▶ Les différentes graphies du son [z]

- **z**
un zéro – le gazon – bizarre – la luzerne

- **s** lorsque celui-ci est placé entre deux voyelles
le musée – le visage – le poison

Remarque

Comme entre deux voyelles, la lettre **s** se prononce [z], pour obtenir le son [s], il faut donc doubler le **s**.

déjouer une ruse
parler le russe
téléphoner à son cousin
s'asseoir sur un coussin

Néanmoins, dans les noms composés de deux mots qui sont soudés et dans ceux dont le préfixe précède la lettre **s**, le son [s] peut s'écrire avec un seul **s**.

un parasol – un tournesol – un contresens – vraisemblable – la préséance – un ultrason – le cosinus – extrasensible – la photosynthèse

Le son [k] peut s'écrire de plusieurs manières.

▶ Les différentes graphies du son [k]

• **c** devant les voyelles **a**, **o** ou **u** et devant les consonnes
un **c**achet – une **c**olline – ré**c**upérer – un tra**c**teur – l'a**c**né
Un certain nombre de mots s'écrivent avec deux **c**.
une o**cc**asion – a**cc**ompagner – une a**cc**usation – a**cc**lamer

• **qu**
quatre – une **qu**ille – un **qu**otient – un mas**qu**e

• **k**
un **k**angourou – an**k**ylosé – le par**k**ing
Dans deux mots, le **k** est doublé :
le dra**kk**ar – le tre**kk**ing

• **ch**
la **ch**orale – la **ch**lorophylle – la psy**ch**ologie
Dans quelques mots, le son [k] final s'écrit **ch**.
un almana**ch** – des auro**chs** – le vare**ch** – un ma**ch** (unité de mesure de vitesse supersonique)

• **ck**
un jo**ck**ey – le ra**ck**et – un te**ck**el
Ces mots sont très souvent d'origine étrangère.

• **cqu** dans quelques mots
a**cqu**itter – Ja**cqu**es – Ja**cqu**eline – le jeu de ja**cqu**et

Comme le choix entre ces écritures est difficile, il faut apprendre par cœur l'orthographe des mots les plus courants et consulter un dictionnaire en cas de doute.

Remarques

1 Devant les voyelles **e**, **i** et **y**, le son [k] ne s'écrit jamais avec un **c**. (Sinon, nous aurions le son [s].)
une **k**ermesse – un **k**ilo – un **k**yste
la **qu**estion – **qu**itter – lors**qu**e
le ho**ck**ey – l'or**ch**estre – une or**ch**idée

Mais on peut trouver deux **c** pour obtenir le son [ks].
un a**cc**ident – une **c**o**cc**inelle – a**cc**élérer

2 Les lettres **qua** peuvent se prononcer [kwa] dans les mots d'origine latine.
un a**qua**rium – l'é**qua**teur – l'a**qua**relle

3 Il faut retenir l'orthographe du nom *piqûre*, alors que *piquer* ne prend pas d'accent circonflexe.

58 Les écritures du son [ã]

Le son [ã] peut s'écrire de plusieurs manières.

▶ Les différentes graphies du son [ã]

• **an**
l'**an**goisse – la b**an**que – tr**an**quille – un volc**an**
On rencontre cette graphie dans la terminaison des participes présents et de nombreux adjectifs verbaux (voir leçon 52).
en march**ant** – être viv**ant** – les toits ouvr**ants**

• **en**
la c**en**dre – la dép**en**se – le cal**en**drier – **en**nuyer – la lég**en**de

– Sans lettre muette, cette graphie n'apparaît jamais en position finale.

– On rencontre cette graphie dans le suffixe **-ent** qui permet de former de nombreux noms et adverbes (voir leçon 90).
un alim**ent** – un serm**ent** – un torr**ent** – rapidem**ent** – couramm**ent**

– De nombreux verbes du 3e groupe se terminent par **-endre**.
desc**endre** – appr**endre** – v**endre** – att**endre**
Exceptions qui se terminent par **-andre** :
rép**andre** – ép**andre**

– Devant les lettres **b**, **m** et **p**, on écrit **am-** au lieu de **an-** et **em-** au lieu de **en-**.
une **am**bulance – un cr**am**pon – la j**am**be – t**am**ponner
le t**em**ps – **em**barrasser – **em**mener – **em**porter
Exceptions :
né**an**moins et quelques noms propres : Gut**en**berg, Istanbul...

Comme le choix entre ces écritures est difficile, il faut apprendre par cœur l'orthographe des mots les plus courants et consulter un dictionnaire en cas de doute.

Remarques

1 Le préfixe **en-** (**em-**) qui signifie souvent « à l'intérieur » permet de former de nombreux verbes :
embarquer – encaisser – enfermer – enfoncer – emprisonner – empaqueter

2 Il faut retenir la graphie de quelques préfixes :
anti- : de l'antigel – un antibiotique – des antibrouillards
entre- : une entrevue – entreposer – une entreprise

amph- : un amphithéâtre – amphibie – les amphibiens
anthropo- : un anthropophage – l'anthropologie – l'anthropomorphisme

3 Il faut retenir quelques graphies plus rares du son [ã].
-aen : la ville de Caen
-aon : un faon, un paon, un taon, la ville de Laon
-am : la pomme d'Adam
-ean : Jean

59 Les écritures du son [ɛ̃]

Le son [ɛ̃] peut s'écrire de plusieurs manières.

▶ Les différentes graphies du son [ɛ̃]

- **in**
un lap**in** – le d**in**don – m**in**ce
Variante : im devant b, m, p.
un t**im**bre – **im**pair – **im**mangeable
En début de mot, on écrit généralement **in-** ou **im-**.
interdire – **in**filtrer – **im**portant – **im**buvable
Exception : a**in**si

- **yn**
le s**yn**dicat – une s**yn**thèse – une s**yn**cope
Variante : ym devant b, p ;
une c**ym**bale – une s**ym**phonie
et dans le nom de la plante aromatique : le th**ym**.

- **ain**
un cop**ain** – la pl**ain**te – le proch**ain**
Retenons l'orthographe des noms :
le d**aim** – la f**aim** (affamer) – un ess**aim** (essaimer)

- **ein**
un r**ein** – un fr**ein** – la c**ein**ture
Retenons l'orthographe de la ville de R**ein**ms.

- **en** notamment en fin de mot après **i, é, y**
un gardi**en** – un lycé**en** – moy**en** – il revi**en**t
Exception : un exam**en**
Mais on trouve également la graphie **-en-** à l'intérieur de quelques mots.
un ag**en**da – un référ**en**dum – un p**en**tagone

Remarques

1 Les verbes du 3e groupe terminés par [ɛ̃dʀ] à l'infinitif s'écrivent **-eindre** :
att**eindre** – ét**eindre** – p**eindre**
Exceptions : cr**aindre** – pl**aindre** – contr**aindre** (et leurs dérivés)

2 On peut parfois s'appuyer sur un mot de la même famille pour trouver la bonne graphie.
pl**ein** → la pl**é**nitude
urb**ain** → l'urb**a**nisme
un bur**in** → bur**i**ner

3 L'opposition orale entre le son [ɛ̃] de « un **brin** de muguet » et le son [œ̃] de « un manteau **brun** » est loin d'être réalisée par tous les francophones. De par leur diffusion nationale, les différents médias accentuent l'alignement du [ɛ̃] sur le [œ̃]. Heureusement, les mots dans lesquels le son [œ̃] s'écrit **un** ou **um** sont peu nombreux et d'usage courant.
auc**un** – chac**un** – br**un** – h**um**ble – le parf**um** – comm**un** – l**un**di – empr**un**ter – déf**un**t – un import**un**...

60 Les écritures du son [f]

Le son [f] peut s'écrire de plusieurs manières.

▶ Les différentes graphies du son [f]

- **f**
une fraise – enfin – la définition – sacrifier

- **ff**
suffire – souffler – le coffre – siffler

- **ph**
la phrase – la physique – la catastrophe – un éléphant
– La graphie **ph** ne se trouve en finale que dans le prénom Joseph.

– Quelques préfixes et suffixes, d'origine grecque, s'écrivent avec **ph**.
-graphe (qui écrit) → l'orthographe – le paragraphe – le télégraphe
-phone (son) → le mégaphone – un interphone – aphone
-phage (qui mange) → un sarcophage – un œsophage – un anthropophage
photo- (lumière) → la photographie – la photocopie – photogénique
morpho- (autour) → la morphologie – une métamorphose
Les mots ainsi formés sont souvent difficiles à orthographier.

▶ Les mots terminés par le son [f]

- On peut trouver la lettre **f** en fin de mot.
le chef – vif – actif – un canif – un tarif
Mais pour les mots se terminant par le son [f], il existe d'autres terminaisons :
la coiffe – la greffe – la girafe – un biographe

- La lettre **f**, en finale, n'est pas toujours prononcée.
la clef – le nerf – le cerf
Ainsi que dans le pluriel de deux noms :
les œufs – les bœufs
Alors que le **f** se prononce dans le singulier :
l'œuf – le bœuf

Comme le choix entre ces écritures est difficile, il faut apprendre par cœur l'orthographe des mots les plus courants et consulter un dictionnaire en cas de doute.

Remarques

1 Les mots commençant par **aff-**, **eff-**, **off-** s'écrivent tous avec deux **f**.
Exceptions : afin – l'Afrique – africain

2 En liaison, **f** s'assimile parfois au **v** devant une voyelle.
neuf (v)ans – neuf (v)heures

Mais il reste également en [f] dans d'autres liaisons.
neuf (f)enfants – un vif (f)attrait

3 En fin de mots d'origine russe, on trouve un **v** prononcé [f].
un cocktail Molotov
le théâtre de Tchékhov

61 Les écritures du son [j]

Le son [j] peut s'écrire de plusieurs manières.

▶ Les différentes graphies du son [j]

• *y*
la bruyère – essuyer – une rayure – prévoyant
Mais la lettre *y* peut aussi se prononcer [i].
un paysan – une abbaye – le lycée – le gymnase
Dans les noms, la lettre *y* n'est jamais suivie d'un *i* (sauf dans un essayiste).

• *ill*
une douille – le réveillon – le poulailler – la cuillère
Dans ce cas, la lettre *i* est inséparable des deux *l* et ne se prononce pas avec la voyelle qui la précède.

• *ll,* seulement après la voyelle *i* qui termine une syllabe
griller – la chenille – une bille – croustiller
Mais les deux *l* se prononcent [l] dans :
la ville – un bacille – tranquille – un village – un million (**et ses dérivés**)

Remarques

1 Lorsque le son [j] suit une consonne, il s'écrit généralement *i* ; dans ce cas, il se confond avec le son [i].

un panier – curieux – le diable – rien

2 Il existe quelques graphies plus rares :
les yeux – le yaourt – le yoga – une hyène
la faïence – la pagaïe (le désordre) – un aïeul
un quincaillier – un médaillier – un groseillier
cueillir – l'orgueil – le recueil

▶ Les noms terminés par le son [j]

• Les noms féminins terminés par le son [j] s'écrivent tous en *-ille*.
la muraille – la bouteille – la feuille – la rouille – la famille

• Les noms masculins terminés par le son [j] s'écrivent en *-il*.
du corail – le recueil – le fauteuil – le fenouil
Exceptions :
– les noms composés masculins formés avec le nom féminin *feuille*.
un portefeuille – un millefeuille – le chèvrefeuille
Mais il faut écrire le cerfeuil.

– les noms masculins terminés par le son [ij]
le gorille – un quadrille – un joyeux drille – un pupille

Remarque

Il ne faut pas confondre les noms masculins terminés par *-il* avec les verbes conjugués de la même famille.

le travail / il travaille
le réveil / elle se réveille
le détail / il détaille
l'émail / il émaille

62 Les écritures des sons [g] et [ʒ]

Les sons [g] et [ʒ] peuvent s'écrire de plusieurs manières.

▶ Les différentes graphies du son [g]

- **g** devant les voyelles **a**, **o** et **u**
le garage – un ragoût – la figure
- **gu** devant les voyelles **e**, **i** et **y**
la vague – une guirlande – **Gu**y

Remarques

1 Les verbes terminés par **-guer** à l'infinitif conservent le **u** dans toute leur conjugaison.

nous navig**u**ons – en navig**u**ant – il navig**u**ait

2 En lettre finale, le **g** est parfois prononcé.

un ga**g** – un gro**g** – un gan**g** – un gon**g** – un zigza**g** – un iceber**g** – le campin**g**

3 Il existe quelques graphies plus rares.

la se**c**onde – le zin**c** – l'e**c**zéma
le tobo**gg**an – a**gg**raver – a**gg**lomérer
des spa**gh**ettis – le **gh**etto
une **g**eisha

▶ Les différentes graphies du son [ʒ]

- **g** devant les voyelles **i** et **y**
un gitan – agiter – la gymnastique – digitale
- **j** ou **g** devant la voyelle **e**
jeune – un jeton – rejeter – le sujet – majeur
le genou – la sagesse – génial – général – légère
- **j** devant la voyelle **u**
une jupe – juteux – une injure

Devant les voyelles **a** et **o**, le son [ʒ] s'écrit assez souvent **j**.
jaune – joli – ajouter – japper – la jambe – jongler

- **ge** à la fin d'un mot
le linge – rouge – un ange – une orange – un mariage
- **ge** devant les voyelles **a** et **o**
la vengeance – en voyageant – un plongeon – la rougeole – un cageot

Remarque

On trouve la lettre **j** dans un certain nombre de noms d'origine étrangère ; la prononciation étrangère est souvent conservée.

le jazz – un jean – le djebel – un fjord – un job – une jeep...

63 Les écritures des sons [ə], [œ], [ø]

Les sons [ə], [œ] et [ø] peuvent s'écrire de plusieurs manières.

▶ Les différentes graphies du son [ə]

- **e**
demain – cela – une mesure

- **on**
monsieur

- **ai**
un faisan – faisander
nous faisons – je/tu faisais – il/elle faisait – nous faisions –
vous faisiez – ils/elles faisaient – en faisant
Mais, au futur simple et au présent du conditionnel, les formes du verbe *faire*
s'écrivent avec un **e** :
il fera – vous feriez – je ferais – nous ferions

Remarque :
Le son [ə], contrairement aux sons [œ] et [ø], n'est pas toujours prononcé.
bouleverser – envelopper – le boulevard

▶ Les différentes graphies du son [œ]

- **eu**
un adieu – jeudi – le beurre

- **œu**
le cœur – un vœu – le bœuf

- **œ**
un œil – une œillade – le fœhn

- **ue**
un recueil – l'orgueil – accueillir

- **e, u, i**
Dans des mots empruntés à l'anglais : un skipper – le club – un tee-shirt

▶ Les différentes graphies du son [ø]

- **eu**
le feu – un bleuet – ceux

- **eû**
le jeûne – jeûner
Mais on écrit : déjeuner – le petit-déjeuner
à jeun se prononce [aʒœ̃]
gageure se prononce [gaʒyʀ]

64 Le son [ɔ̃] – les finales sonores [ɔm], [om], [ɛn] et [am]

Le son [ɔ̃] et les finales sonores [ɔm], [om], [ɛn] et [am] peuvent s'écrire de plusieurs manières.

▶ Les différentes graphies du son [ɔ̃]

• Le son [ɔ̃] s'écrit toujours **on**.
un p**on**ton – ils v**on**t – une br**on**chite – une mais**on**

• Devant **b** et **p**, on écrit **om**.
p**om**per – t**om**ber – un vr**om**bissement
Exceptions :
de l'emb**on**point – un b**on**b**on** – une b**on**b**on**ne – une b**on**b**on**nière

Remarque

Il faut retenir l'orthographe de quelques noms où l'on entend le son [ɔ̃].

le comte (titre de noblesse) – un nom – un prénom – un pronom – le renom l'acupuncture – un lumbago – du punch (prononcé [ɔ̃] lorsqu'il s'agit de la boisson)

▶ Les finales sonores [ɔm], [om], [ɛn] et [am]

• Les mots terminés par le son [ɔm] s'écrivent :
-um : un référend**um** – un musé**um** – un pens**um**
-omme : une p**omme** – il se surn**omme** – un h**omme**
-om : le slal**om**
-ome : un gastron**ome** – auton**ome** – un agron**ome**

• Les mots terminés par le son [om] s'écrivent :
-ôme : un ar**ôme** – un dipl**ôme** – un fant**ôme**
-aume : un b**aume** – la p**aume** – il emb**aume**
-ome : un at**ome** – le chr**ome** – un aérodr**ome**
-om : un pogr**om** – un **ohm**

• Les mots terminés par le son [ɛn] s'écrivent :
-en : le lich**en** – le poll**en** – l'abdom**en**
-ène : il ram**ène** – la sc**ène**
-eine : la p**eine** – une bal**eine** – ser**eine**
-aine : la g**aine** – la porcel**aine** – une aub**aine**
-aîne : une tr**aîne** – il entr**aîne** – la ch**aîne**
-enne : une chi**enne** – europé**enne** – une ant**enne**
-êne : la g**êne** – une al**êne** (de cordonnier) – un ch**êne**

• Les mots terminés par le son [am] s'écrivent :
-am : un tr**am** – l'isl**am** – le macad**am**
-ame : un dr**ame** – une r**ame** – il décl**ame**
-amme : la fl**amme** – un gr**amme** – la g**amme**
-âme : un bl**âme** – il se p**âme** – inf**âme**
-emme : une f**emme**

65 Les consonnes doubles

On trouve généralement les consonnes doubles à l'intérieur des mots.

▶ Règles générales

- **Une consonne peut être doublée :**
  – entre deux voyelles ;
  un ballon – différent – la pomme – une serviette – la pierre – une panne
  – entre une voyelle et la consonne *l* ;
  siffler – le supplice – acclamer
  – entre une voyelle et la consonne *r*.
  admettre – approcher – la souffrance

- Précédée d'une autre consonne, une consonne n'est **jamais doublée.**
  parler – un pompier – un verger – une armée – la pente

Remarques

1 Neuf consonnes sont assez souvent doublées :

c – f – l – m – n – p – r – s – t

Cinq ne sont que rarement doublées :

k – b – d – g – z

Six consonnes ne sont jamais doublées :

h – j – q – v – w – x

2 On peut trouver une double consonne à la fin de certains noms d'origine étrangère :

le bluff – un pull – un djinn (un génie ou démon) – une miss – un watt – le jazz

3 Certains homonymes se distinguent par la présence ou non d'une consonne double.

une serviette sale   une salle à manger
une date historique   manger une datte

▶ Accentuation et prononciation

- La consonne qui suit une voyelle accentuée n'est jamais doublée.
  une étrenne, mais une sirène   un parterre, mais un caractère
  Exception : le châssis (et les mots de la même famille).
  Inversement, lorsqu'une consonne est doublée, il n'y a jamais d'accent sur la voyelle qui précède.
  une vignette, mais la planète   une rondelle, mais un modèle

- Entre deux voyelles, si la lettre *s* est doublée, elle se prononce [s].
  le poisson – basse – la casse – un russe
  Entre deux voyelles, si la lettre *s* est simple, elle se prononce [z].
  le poison – la base – la case – une ruse

- Dans la conjugaison de beaucoup de verbes en *-eler* et *-eter*, le *l* et le *t* sont doublés devant un *e* muet. La prononciation est alors modifiée.
  appeler : il appelle – nous appellerons   *jeter* : je jette – ils jetteront
  Mais, pour quelques verbes, la consonne n'est pas doublée et on place un accent grave pour obtenir le son [ɛ] (voir leçon 109).
  geler : il gèle – il gèlera   *acheter* : j'achète – vous achèterez

66 Les consonnes doubles après une voyelle initiale

Les consonnes doubles peuvent suivre une voyelle initiale.

▶ Les différents cas

• Les mots commençant par **ab-**, **ad-** et **am-** ne doublent jamais le **b**, le **d** et le **m**.
l'abandon – aboyer – un abus – d'abord
adieu – adapter – adroit – un adulte
l'amitié – amer – amortir – amusant
Exceptions :
un abbé – une abbaye – une abbesse – abbatial
une addition – additionner – l'adduction
l'ammoniaque – une ammonite

• Les mots commençant par **app-** prennent souvent deux **p**.
appeler – approcher – l'apparence – applaudir – appuyer – l'appétit
Exceptions :
l'apéritif – apercevoir – apaiser – après – s'apitoyer – aplatir – l'apostrophe – un apôtre – l'apothéose

• Les mots commençant par **acc-**, dans lesquels on entend le son [k], prennent le plus souvent deux **c**.
accompagner – l'accident – accrocher – acclamer
Exceptions :
l'acrobate – l'académie – l'acacia – l'acompte – l'acajou – acoustique – acquitter – âcre

• Les mots commençant par **aff-**, **eff-** et **off-** prennent deux **f**.
l'affaire – un effort – l'officier
Exceptions :
afin – l'Afrique – africain

• Les mots commençant par **ag-** ne prennent qu'un seul **g**.
agressif – agréable – agrandir – un agriculteur
Exceptions :
aggloméré – agglutiner – aggraver

• Les mots commençant par **att-** prennent le plus souvent deux **t**.
attacher – l'attaque – attraper – attendre
Exceptions :
l'atelier – l'athlète – l'atlas – l'atmosphère – l'atome – l'atout – atroce – atrophié – l'athéisme – un atoll

• Les mots commençant par **am-** et **an-** ne prennent qu'un seul **m** et qu'un seul **n**.
un amiral – une amazone – une amorce – analphabète – l'anatomie – anonyme
Exceptions :
l'ammoniac – une année – annexer – annoncer – annuler – annoter

• Les mots commençant par **il-**, **ir-** et **im-** doublent la consonne après le **i**.
une illusion – illustre – irrégulier – l'irruption – immédiat – immense
Exceptions :
une île – un os iliaque – irascible – un iris – l'ironie – une image – imiter

Les noms en [œR] : *-eur, -eure, -eurt, -eurre* – Les noms en [waR] : *-oir, -oire*

Les noms en [œR] et en [waR] ont différentes finales sonores homophones qu'il faut savoir distinguer.

▶ Les noms terminés par [œR]

- La grande majorité des noms, masculins et féminins, terminés par [œR] s'écrivent *-eur*.
le chauff**eur** – un balad**eur** – un ascens**eur** – la douc**eur** – la longu**eur**
Exceptions :
le b**eurre** – la dem**eure** – l'h**eure** – un h**eurt** (heurter) – un l**eurre** (leurrer)

- Certains noms terminés par [œR] s'écrivent avec un **o** et un **e** liés.
le c**œur** – la s**œur** – la ranc**œur** – un ch**œur**

- Quelques adjectifs qualificatifs masculins se terminent également par *-eur*.
le meill**eur** résultat – un classement flatt**eur** – le règlement intéri**eur**

Remarque :

Quelques noms empruntés à des langues étrangères se terminent par le son [œR], mais ils gardent leur orthographe d'origine.

un leader – un speaker – un flipper – un dealer – un manager* – un cutter*

* Certains peuvent aussi se prononcer [ɛR].

▶ Les noms terminés par [waR]

- Les noms féminins terminés par [waR] s'écrivent tous *-oire*.
une hist**oire** – la gl**oire** – une baign**oire**

- Les noms masculins terminés par [waR] s'écrivent généralement *-oir*.
un trott**oir** – le désesp**oir** – le pouv**oir** – le dev**oir**
Exceptions :
le laborat**oire** – le répert**oire** – un interrogat**oire** – un observat**oire**...
Il faut retenir l'orthographe du nom d'origine anglaise *un square* (un petit jardin public).

- Les adjectifs masculins terminés par [waR] s'écrivent tous *-oire*.
un emploi provis**oire** – un prix déris**oire** – un effort mérit**oire**
Exception : un tableau n**oir**

Remarque :

On hésite souvent sur le genre de quelques noms terminés par [waR].
– noms masculins :
un iv**oire** – un access**oire**
– noms féminins :
une écrit**oire** – une échappat**oire**

Le nom *mémoire* peut être féminin (*avoir une bonne mémoire*) ou masculin (*rédiger un mémoire sur les insectes*).

68 Les noms terminés par le son [o]

Les noms terminés par le son [o] ont différentes finales sonores homophones qu'il faut savoir distinguer.

▶ Confusion due à la prononciation

Les noms terminés par le son [o] peuvent s'écrire :

• **-eau**
un tonn**eau** – le cerv**eau** – un chât**eau**
Beaucoup de noms terminés par le son [o] s'écrivent ainsi.
Seuls deux noms terminés par **-eau** sont du genre féminin :
la p**eau** – l'**eau**

• **-au**
le pré**au** – le tuy**au** – le boy**au**

• **-o**
un lavab**o** – un pian**o** – le lot**o**
Il faut retenir l'orthographe d'un nom commun terminé par **-oo** : un z**oo**.

• **-ôt**
un imp**ôt** – le dép**ôt** – un entrep**ôt**

• **-op**
le gal**op** – un sir**op**

▶ Autres cas

• À la fin des noms terminés par **-o** ou **-au**, on trouve souvent une lettre muette.
un lo**t** – le repo**s** – le galo**p** – un escro**c** – un assau**t** – le réchau**d** – le tau**x**

• Il est parfois possible de trouver la consonne finale d'un nom terminé par **-au** ou **-o** avec un mot de la même famille dans lequel on entend la consonne.
un abrico**t** → un abrico**t**ier   le repo**s** → se repo**s**er
Mais il y a des exceptions (le numéro → numéroter), aussi est-il plus prudent de consulter un dictionnaire en cas de doute.

• Les noms pluriels en [o] s'écrivent **-aux** (sans **e**) lorsque le nom singulier se termine par **-al** ou **-ail**.
un cheval → des chev**aux**   un travail → des trav**aux**

Remarques

1 Beaucoup de noms terminés par **-o** sont des noms formés en raccourcissant d'autres noms (voir leçon 55).

la photographie → la phot**o**
un microphone → un micr**o**
une automobile → une aut**o**

2 Il n'y a jamais de lettre muette après la terminaison **-eau**, sauf lorsque le nom est au pluriel.

des pinc**eaux** – des bur**eaux** – des chap**eaux**

69 Les noms terminés par le son [ɛ]

Les noms terminés par le son [ɛ] ont différentes finales sonores homophones qu'il faut savoir distinguer.

▶Règle générale

> Les noms masculins terminés par le son [ɛ] s'écrivent le plus souvent **-et**.
> le fil**et** – un bill**et** – le parqu**et** – le budg**et**

Remarque

Un mets et *un entremets* prennent un **-s** même au singulier.

▶Autres cas

> Il y a d'autres terminaisons qu'il faut bien connaître :
> * **-ai** : le miner**ai** – le dél**ai** – le qu**ai**
> * **-ait** : le forf**ait** – le retr**ait** – le portr**ait**
> * **-ais** : le pal**ais** – un harn**ais** – le mar**ais**
> * **-ès** : l'acc**ès** – le congr**ès** – le progr**ès**
> * **-êt** : un arr**êt** – un pr**êt** – le gen**êt**
> * **-ect** : le resp**ect** – l'asp**ect** – un susp**ect**
> * **-ey** : le voll**ey** – un pon**ey** – un b**ey**
> * **-ay** : le tramw**ay**
> Ces noms sont des emprunts aux langues étrangères (sauf *le gamay*, nom d'un cépage).

Remarques

1 On peut parfois trouver la lettre muette finale des noms terminés par le son [ɛ] avec un mot de la même famille dans lequel cette lettre est prononcée.

le regret → regretter
l'excès → excessif
le lait → la laiterie
l'engrais → engraisser
le crêt → la crête
le suspect → suspecter

2 Les noms féminins terminés par le son [ɛ] s'écrivent **-aie**.

la plaie – la baie – la craie
Exceptions : la paix – la forêt

3 Beaucoup de noms d'habitants se terminent par **-ais**.

les Lyonnais – les Anglais – les Libanais

4 Beaucoup de lieux plantés d'arbres (ou d'arbustes) sont des noms féminins terminés par **-aie**.

la roseraie – la palmeraie – l'orangeraie

5 La graphie **-ay** termine de nombreux noms propres.

Bombay – l'Uruguay – le Paraguay – Joachim Du Bellay – Épernay – Annonay

70 Les noms terminés par le son [e]

Les noms terminés par le son [e] ont différentes finales sonores homophones qu'il faut savoir distinguer.

▶ Les noms féminins

- **Les noms féminins** terminés par le son [e] s'écrivent **-ée**.
une allée – la cheminée – la veillée – la bouée
Exceptions :
la clé (qui peut aussi s'écrire la clef) – l'acné – une psyché (un grand miroir)
- Les noms féminins terminés par **-té** ou **-tié** s'écrivent **-é**.
la bonté – la liberté – la santé – l'amitié
Exceptions :
la dictée – la montée – la remontée – la jetée – la portée – la butée – la pâtée
Ainsi que les noms qui indiquent un contenu.
une brouettée de sable – une potée aux choux – une nuitée d'hôtel

▶ Les noms masculins

- Beaucoup de **noms masculins** terminés par le son [e] s'écrivent **-er**.
le papier – le danger – l'épervier – un loyer

Ce sont assez souvent :
– des **noms de métiers ;**
un boucher – un pompier – un routier – un serrurier
– des **noms d'arbres ou d'arbustes ;**
un framboisier – un cerisier – un rosier – un olivier
– des **noms formés sur des infinitifs** de verbes du 1er groupe.
le dîner – le souper – le déjeuner – le goûter

- Un certain nombre de noms masculins terminés par le son [e] s'écrivent **-é**.
le blé – le bébé – le degré – le café

- Quelques noms masculins terminés par le son [e] s'écrivent **-ée**.
le lycée – le musée – le scarabée – un mausolée – un trophée – un rez-de-chaussée

Remarques

1 Certains participes passés de verbes du 1er groupe sont employés comme noms.
un corrigé – un énoncé – un soufflé – un traité

Certains sont employés au masculin ou au féminin dont ils prennent la marque.
un(e) réfugié(e) – un(e) employé(e) – un(e) accusé(e) – un(e) invité(e)

2 Il ne faut pas confondre *la pâtée* du chien (nom féminin) qui fait exception à la règle des noms féminins en **-té** ou **-tié**, et *le pâté* (nom masculin).

3 Quelques noms masculins ont des terminaisons particulières :
le pied – le marchepied – le nez

Les noms terminés par les sons [i] et [y]

Les noms terminés par les sons [i] et [y] **ont différentes finales sonores homophones qu'il faut savoir distinguer.**

▶ Les noms terminés par le son [i]

• **Les noms féminins** terminés par le son [i] s'écrivent **-ie**.
la parod**ie** – l'autops**ie** – l'éclairc**ie**
Exceptions :
la sour**is** – la breb**is** – la perdr**ix** – la fourm**i** – la nu**it**

• **Les noms masculins** terminés par le son [i] peuvent s'écrire :
– **-i**
un cr**i** – un ennem**i** – un confett**i**
– **-ie**
un incend**ie** – un gén**ie** – un paraplu**ie**
– **-is**
un rad**is** – le maqu**is** – le parv**is**
– **-it**
le bru**it** – le créd**it** – l'appét**it**
Il existe quelques terminaisons plus rares :

-il : le pers**il** – un out**il**	**-ix** : le pr**ix** – un crucif**ix**	**-iz** : le r**iz**
-id : le n**id**	**-ye** : le rall**ye**	**-y** : le jur**y**

Remarque

Merci, toujours écrit avec un *i* final, peut être un nom masculin :
Mon ami m'adresse un grand merci.

ou un nom féminin :
Ce pilote est à la merci d'un incident mécanique.

▶ Les noms terminés par le son [y]

• **Les noms féminins** terminés par le son [y] s'écrivent **-ue**.
la gr**ue** – la coh**ue** – la verr**ue**
Exceptions :
la trib**u** – la vert**u** – la br**u** – la gl**u**

• **Les noms masculins** terminés par le son [y] peuvent s'écrire :
– **-u**
un aperç**u** – un tiss**u** – un éc**u**
– **-us**
un surpl**us** – un intr**us** – un ob**us**
– **-ut**
un b**ut** – un sal**ut** – le chal**ut**
– **-ux**
le refl**ux** – l'affl**ux**
– **-ût**
à l'aff**ût** – un f**ût**

Pour les noms masculins, il est prudent de consulter un dictionnaire en cas de doute.

72 Les noms terminés par les sons [u] et [wa]

Les noms terminés par les sons [u] et [wa] ont différentes finales sonores homophones qu'il faut savoir distinguer.

▶ Les noms terminés par le son [u]

- **Les noms féminins** terminés par le son [u] s'écrivent *-oue*.
la j**oue** – la r**oue** – la pr**oue**
Exception : la t**oux**
- **Les noms masculins** terminés par le son [u] peuvent s'écrire :
– *-ou*
le gen**ou** – le p**ou** – le tr**ou**
– *-out* ou *-oût*
un aj**out** – un ég**out** – le g**oût**
– *-ous*
un rem**ous** – le dess**ous**
– *-oux*
un jal**oux** – le h**oux**
- Il existe quelques terminaisons plus rares :
le caoutch**ouc** – le j**oug** – le l**oup** – le p**ouls** – boire tout son s**aoul** (son s**oûl**)

▶ Les noms terminés par le son [wa]

- **Les noms féminins** terminés par le son [wa] s'écrivent :
– *-oie*
la j**oie** – la courr**oie** – la s**oie**
– *-oi*
la f**oi** – la l**oi** – une par**oi**
– *-oix*
la p**oix** – la cr**oix** – la n**oix** – la v**oix**
- **Les noms masculins** terminés par le son [wa] s'écrivent :
– *-oi*
un empl**oi** – un conv**oi** – l'ém**oi**
– *-ois*
un m**ois** – un b**ois** – un cham**ois**
– *-oit*
un endr**oit** – un t**oit** – le dr**oit**
- Il existe quelques terminaisons plus rares :
un ch**oix** – le f**oie** – le p**oids** – le d**oigt** – le fr**oid**

Pour tous ces noms, il est prudent de consulter un dictionnaire en cas de doute.

Remarque !

Un certain nombre de noms d'habitants se terminent par *-ois*.

les Lill**ois** – les Dan**ois** – les Chin**ois** – les Iroqu**ois** – les Bavar**ois**

73 Les noms terminés par le son [l]

Les noms terminés par le son [l] ont **différentes finales sonores homophones**.

▶ Les noms terminés par le son [al]

- **Les noms masculins** terminés par le son [al] s'écrivent :
  - **-al** : un métal – un animal – un piédestal
  - **-âle** : un râle – un mâle – un châle

  Exceptions : un scandale – un vandale – un dédale – un pétale – un cannibale – un intervalle

- **Les noms féminins** terminés par le son [al] s'écrivent :
  - **-ale** : une sandale – une escale – une rafale
  - **-alle** : une dalle – une malle – une salle

▶ Les noms terminés par le son [εl]

- **Les noms masculins** terminés par le son [εl] s'écrivent :
  - **-el** : le tunnel – un hôtel – le miel

  Exceptions : le zèle – un parallèle – un polichinelle – un vermicelle – un rebelle – un cocktail

- **Les noms féminins** terminés par le son [εl] s'écrivent :
  - **-elle** : une mamelle – une pelle – une selle

  Exceptions : la clientèle – une parallèle – la grêle – une stèle – une aile

▶ Les noms terminés par le son [il]

Les noms **masculins et féminins** terminés par le son [il] s'écrivent :
- **-il** : le fil – un profil – un civil
- **-ile** : l'argile – un reptile – une file

Exceptions : la ville – le bacille – un mille – un vaudeville la chlorophylle – une idylle – le crésyl – le phényle

▶ Les noms terminés par les sons [ɔl] et [ol]

- Les noms masculins et féminins terminés par les sons [ɔl] et [ol] s'écrivent :
  - **-ol** : le sol – un envol – un bol (seulement des noms masculins)
  - **-ole** : une gondole – un symbole – une casserole
  - **-olle** : la colle – une corolle – une fumerolle
  - **-ôle** : le rôle – un contrôle – la tôle

- **Graphies plus rares** :
  le saule – une gaule – un hall – un goal – le crawl – le football – un atoll

▶ Les noms terminés par le son [yl]

Les noms **masculins et féminins** terminés par le son [yl] s'écrivent :
- **-ule** : un véhicule – la mandibule – un tentacule

Exceptions : le calcul – le recul – le consul – le cumul – la bulle – le tulle

74 Les noms terminés par le son [ʀ]

Les noms terminés par le son [ʀ] ont différentes finales sonores homophones.

▶ Les noms terminés par le son [aʀ]

• **Les noms masculins** terminés par le son [aʀ] s'écrivent :
– **-ard** : un billard – le hasard – un placard
– **-ar** : un cauchemar – un nénuphar – le dollar
– **-art** : un écart – un rempart – un quart
– **-are** : un phare – un hectare – un cigare
• Graphies plus rares : un tintamarre – des arrhes – un jars
• **Les noms féminins** terminés par le son [aʀ] s'écrivent :
– **-arre** : la bagarre – une jarre – une amarre
– **-are** : la mare – la fanfare – la gare
Exceptions : la part – la plupart

▶ Les noms terminés par le son [ɛʀ]

• **Les noms masculins et féminins** terminés par le son [ɛʀ] s'écrivent :
– **-aire** : l'anniversaire – un itinéraire – un missionnaire
– **-er** : un bulldozer – un reporter – un ver (de terre)
– **-erre** : une équerre – le tonnerre – une serre
– **-ert** : le couvert – le dessert – un expert
• Graphies plus rares : le revers – l'univers – le nerf – le flair – un clerc

▶ Les noms terminés par le son [iʀ]

• **Les noms masculins et féminins** terminés par le son [iʀ] s'écrivent :
– **-ir** : le tir – l'avenir – un saphir
– **-ire** : un vampire – la cire – une tirelire
• Graphies plus rares : le martyr(e) – une lyre – le zéphyr – la myrrhe

▶ Les noms terminés par le son [ɔʀ]

• **Les noms masculins et féminins** terminés par le son [ɔʀ] s'écrivent :
– **-or** : le cor de chasse – le trésor – un ténor (seulement des noms masculins)
– **-ore** : une flore – une métaphore – un météore
– **-ort** : un effort – le ressort – un transport
– **-ord** : le bord – un raccord – à tribord
• Graphies plus rares : le porc – le minotaure – le corps – le mors – le remords

▶ Les noms terminés par le son [yʀ]

Les noms masculins et féminins terminés par le son [yʀ] s'écrivent :
– **-ure** : une manucure – la toiture – le carbure
Exceptions : le fémur – le mur – l'azur – le futur

Les noms terminés par le son [ɑ̃s]

Les noms terminés par le son [ɑ̃s], qui sont le plus souvent des noms féminins, s'écrivent généralement avec deux terminaisons différentes, aussi fréquentes l'une que l'autre.

▶ Les noms terminés par -ance

la bal**ance** – les vac**ances** – la nu**ance** – la venge**ance** – la Fr**ance**

Beaucoup de ces noms sont des substantifs d'adjectifs qualificatifs (ou d'adjectifs verbaux) terminés par **-ant**.

des soldats vaillants → la vaill**ance** des soldats
une importante décision → l'import**ance** d'une décision
une croyance survivante → la surviv**ance** d'une croyance
des câbles résistants → la résist**ance** des câbles

▶ Les noms terminés par -ence

l'ag**ence** – la cad**ence** – la sem**ence** – la lic**ence** – la faï**ence**

Beaucoup de ces noms sont des substantifs d'adjectifs qualificatifs terminés par **-ent**.

une pensée cohérente → la cohér**ence** d'une pensée
des hommes corpulents → la corpul**ence** de ces hommes
des propos véhéments → la véhém**ence** des propos
une proposition indigente → l'indig**ence** d'une proposition

Il faut retenir deux exceptions à la règle de formation de ces noms.

un père exigeant → l'exig**ence** d'un père
un journal existant → l'exist**ence** d'un journal

Remarques

1 Quelques noms ont des terminaisons particulières.

– **-anse**

la danse – une ganse – l'anse – la panse – la transe

– **-ense**

la défense – l'offense – la dépense – la dispense – la récompense

2 Seul un nom en [ɑ̃s] est masculin :
le silence

3 On peut parfois retrouver la terminaison correcte à l'aide d'un mot de la même famille que l'on sait orthographier.

l'enfant → l'enfance
avancer → l'avance
un affluent → l'affluence
absent → l'absence

4 En anglais, le nom *danse* s'écrit *dance* !

76 Les consonnes finales muettes

Il y a une ou des consonnes muettes à la fin de :

– certains noms ;

le plom**b** – le flan**c** – ron**d** – du persi**l** – un ner**f** – le san**g** – un ta**s** – une croi**x** – un poi**ds** – un manuscri**t** – le ri**z**

– certains adjectifs.

gri**s** – vivan**t** – heureu**x** – ba**s** – ron**d**

▶ Comment retrouver les consonnes finales muettes ?

- Pour entendre la consonne finale, on peut :

– **essayer de former le féminin ;**

un ballon ron**d** → une table ron**de**

un organisme vivan**t** → une scène vivan**te**

un ciel gri**s** → une journée gri**se**

– **chercher un mot de la même famille ;**

le plom**b** → le plom**b**ier   l'outi**l** → l'outi**ll**age

le flan**c** → flan**c**her   un ta**s** → ta**s**ser

– **s'appuyer sur la liaison.**

renvoyer les personnes do**s** (z)à dos

- On peut identifier la consonne finale -**x** lorsqu'elle se transforme en -**s**- dans des mots féminins, ou de même famille.

heureu**x** → heureu**se**   une croi**x** → croi**se**r

- Il n'est pas toujours possible d'utiliser ces procédés :

le homar**d** – le croqui**s** – un haren**g** – le parcour**s** – monsieu**r**

Ou bien ils peuvent entraîner une erreur.

s'abriter, mais un abri   juteux, mais le jus   un bijoutier, mais un bijou

Lorsqu'un doute subsiste, il faut chercher l'orthographe des mots dans un dictionnaire.

Remarques

1 La plupart des noms terminés par une consonne muette sont masculins. Seule une trentaine de noms féminins ont une consonne finale muette.

2 Sur les vingt consonnes de l'alphabet, treize peuvent être muettes à la fin d'un mot :

b – c – d – f – g – h – l – p – r – s – t – x – z

3 Dans certains noms, ces mêmes consonnes sont sonores.

un ours – le thorax – un bouc – un poil – un test – le bled – un veuf – le contact

4 Lorsqu'on accorde les mots ou lorsqu'on conjugue les verbes, on place aussi des lettres muettes.

des rues étroites – de nouveaux journaux tu bouges – tu peux – ils cherchent – elle pâlit – il sort

Comme la lettre *h* ne se prononce pas, il est souvent difficile de savoir s'il faut la placer en début de mot.

▶ Le *h* aspiré

> Lorsqu'un mot commence par un *h* aspiré, on ne place pas d'apostrophe et la liaison avec le mot qui précède est impossible.
> Le **h**ameau a gardé tout son charme.
> Les / **h**ameaux ont gardé tout leur charme.
> L'alpiniste se **h**isse au sommet.
> Les alpinistes se sont / **h**issés au sommet.

Remarque

Pour quelques mots (heureusement peu nombreux), l'élision et la liaison sont impossibles bien qu'il n'y ait pas présence d'un *h* initial.

les yaourts – le yoga – les yachts – les yacks – le yen – les yoles – les yourtes les onze premiers – la ouate

▶ Le *h* muet

> • Lorsqu'un mot commence par un *h* muet, on place l'apostrophe au singulier et on fait la liaison au pluriel. Le pronom personnel *se* s'élide en *s'*.
> L'**h**élice du navire est faussée.
> Les (z)**h**élices du navire sont faussées.
> Il fait froid ; les gens s'**h**abillent chaudement.
> Cet instrument produit des sons très (z)**h**armonieux.
> Dans ce cas, seule la mémorisation des mots ou la consultation d'un dictionnaire permettent de savoir s'il y a un *h* initial.
>
> • Le *h* est muet dans beaucoup de mots qui commencent par un préfixe d'origine grecque.
> l'**h**écatombe – l'**h**ellénisme – l'**h**éliotropisme – l'**h**émisphère – l'**h**émorragie – l'**h**étérogénéité – un **h**ippodrome – l'**h**omonyme – l'**h**oroscope – l'**h**ydrogène – l'**h**ypnose – l'**h**ypoglycémie

Remarques

1 On trouve la lettre *h* combinée avec d'autres lettres pour former des sons consonnes.

ch : la **ch**asse – un mat**ch**
ph : un **ph**oque – une **ph**rase
sh : le **sh**ort – le **sh**érif
sch : le **sch**éma – le kir**sch**
ch (prononcé [k]) : la **ch**lorophylle – le **ch**rome – une **ch**ronique

2 On trouve parfois la lettre *h* à la fin de quelques mots ou interjections.

oh – eh – un mammou**th** – l'anet**h** – la casba**h** – le copra**h**

78 Les lettres muettes intercalées

À l'intérieur des mots, on peut trouver des lettres muettes intercalées comme le *h* ou le *e*.

▶ La lettre *h* intercalée

authentique – une panthère – le thermalisme – un dahlia – une inhalation – l'éther – l'adhésion – exhorter

• Le *h* peut séparer deux voyelles et tenir le rôle d'un tréma, empêchant qu'elles forment un seul son.
ahuri – brouhaha – un cahot – une cohorte – un véhicule – ahurissant

• On trouve un *h* dans de nombreux préfixes et suffixes, d'origine grecque.
thermo- : un thermomètre – le thermostat
chrono- : un chronomètre – la chronologie
-graphe : un géographe – le photographe
-thèque : la bibliothèque – la discothèque
rhin- : un rhinocéros – une rhinite
thérap- : une thérapie – un radiothérapeute

• Dans des mots d'origine étrangère, la lettre *h*, placée après un *g*, permet de prononcer le *g* [g].
un ghetto – des spaghettis

▶ La lettre *e* intercalée

• Au futur simple de l'indicatif et au présent du conditionnel, pour les verbes du 1er groupe en *-ier*, *-ouer*, *-uer*, *-yer*, il ne faut pas oublier de placer le *e* de l'infinitif qui reste muet.
remercier → je remercierai – nous remercierions
renflouer → nous renflouerons – je renflouerais
éternuer → il éternuera – elles éternueraient
tutoyer → tu tutoieras – vous tutoieriez

• La plupart des noms dérivant de ces verbes gardent le *e* de l'infinitif.
remercier → le remerciement
renflouer → le renflouement
éternuer → l'éternuement
tutoyer → le tutoiement
Exceptions :
châtier → le châtiment   arguer → l'argument   agréer → l'agrément

Remarque

D'autres lettres peuvent être muettes à l'intérieur des mots.

– la lettre *m*
l'automne – condamner
– la lettre *p*
septième – le baptême – le compteur

– la lettre *g*
la sangsue – les amygdales
– la lettre *o*
l'alcool
– la lettre *a*
la Saône – un toast

La lettre *x* peut être sonore (et se prononcer de plusieurs façons) ou muette.

▶ La lettre *x* : consonne sonore

• La lettre *x* se prononce :
– [ks]
l'explication – une galaxie – l'expiration – un élixir
– [gz] dans les mots commençant par **ex-**, si le *x* est suivi d'une voyelle ou d'un *h*.
exagérer – un examen – l'exécution – une existence – l'exhibition
• Suivie d'un *c*, la lettre *x* a la valeur d'un [k] dans les mots commençant par **ex-**.
exciter – l'excédent – excentrique – excellent
• En fin de mot, le son [ks] peut s'écrire **-x** ou **-xe**.
le silex – le larynx – une taxe – l'annexe

Remarques

1 Comme elle équivaut à deux consonnes, la lettre *x* n'est jamais précédée d'un *e* accentué.

2 La lettre *x* peut éventuellement se prononcer [s] ou [z].
[s] : dix – six – soixante – Bruxelles – Auxerre
[z] : deuxième – sixième – dixième

3 Très peu de mots commencent par la lettre *x*.
un xylophone – la xénophobie – le vin de Xérès – Xavier

4 Il arrive que le son [ks] soit transcrit par :
– deux *c* devant *e* ou *i* ;
le succès – accepter – l'occident – la succession
– **-ct-** devant le suffixe **-ion**.
l'action – la direction – la fonction
Exceptions :
la connexion – la réflexion – la flexion

5 Il faut retenir ces deux orthographes :
le tocsin : sonnerie de cloche pour donner l'alarme
l'eczéma : rougeurs sur la peau

▶ La lettre *x* : consonne muette

La lettre *x* est muette :
• quand elle marque le pluriel de certains noms et adjectifs ;
les bateaux – les aveux – les bijoux – des journaux locaux
• à la fin de certains mots, même au singulier.
la croix – le houx – deux – roux

80 Les suffixes et les préfixes

Le suffixe se place à la fin du radical pour former un mot nouveau ; le préfixe au début du radical. Différents suffixes ou préfixes ont des formes homophones.

▶ Des suffixes

• Les noms et adjectifs terminés par [sjɛl] s'écrivent **-ciel** ou **-tiel**.
un logi**ciel** – superfi**ciel**   un poten**tiel** – torren**tiel**
Les adjectifs féminins doublent le **l**.
une idée superfi**cielle**   une pluie torren**tielle**

• Les noms et adjectifs terminés par [sjal] s'écrivent **-cial** ou **-tial**.
commer**cial** – ra**cial**   par**tial** – spa**tial**
Exception : paroi**ssial**
Les adjectifs féminins ne doublent pas le **l**.
une branche commer**ciale**   une navette spa**tiale**
Les adjectifs masculins pluriels se terminent généralement par **-aux**.
des centres commer**ciaux** – des préjugés ra**ciaux**

• Les adjectifs terminés par [sjø] s'écrivent le plus souvent **-cieux**.
gra**cieux** – spa**cieux** – pré**cieux** – mali**cieux**
Quelques-uns s'écrivent **-tieux**.
préten**tieux** – minu**tieux** – infec**tieux**

• Les noms terminés par [sjɔ̃] s'écrivent le plus souvent **-tion**.
la posi**tion** – la por**tion** – la nata**tion** – l'éduca**tion**
Quelques-uns s'écrivent :
-sion : la ver**sion** – l'excur**sion**   **-ssion** : la pa**ssion** – la mi**ssion** – l'obse**ssion**
-xion : l'anne**xion** – la réfle**xion**   **-cion** : la suspi**cion**

Remarque !
Les verbes du 1er groupe terminés par **-onner** s'écrivent avec deux **n**.
savo**nner** – tâto**nner** – actio**nner**

Exceptions : télépho**ner** – s'époumo**ner** – ramo**ner** – trô**ner**

▶ Des préfixes

• Les mots formés avec les préfixes **il-**, **im-**, **in-**, **ir-** doublent la consonne quand le radical commence par **l, m, n, r**.
il-limité – **im**-mangeable – l'**in**-novation – **ir**-réel
Exceptions : imaginer – l'île – l'iris – inamical (radical : ami)
Comme il n'est pas toujours possible de retrouver le radical (souvent un mot latin aujourd'hui inusité), il faut vérifier dans un dictionnaire en cas de doute.

• Pour bien orthographier un mot formé à l'aide de préfixes comme **dé-**, **dés-**, **en-**, **em-**, **r(e)-**, il faut penser au radical.
emménager est formé sur le radical *ménager* et le préfixe **em-** → deux **m**
enivrer est formé sur le radical *ivre* et le préfixe **en-**   → un seul **n**

Les homonymes **sont des mots dont la prononciation est identique mais qui ont des orthographes différentes**. Seuls le contexte ou la consultation d'un dictionnaire permettent de lever les ambiguïtés.

l'épreuve de **saut** en hauteur   Il n'y a pas de **sot** métier.
porter un **seau** d'eau   parler sous le **sceau** du secret

▶ Comment les distinguer ?

- Certains homonymes ne se distinguent que par **la présence d'un accent**.
Ce fruit est **mûr**.   Il s'appuie contre le **mur**.
avoir une **tâche** difficile   effacer une **tache** d'encre
ouvrir une **boîte** de chocolat   Ce vieillard **boite** légèrement.

- Les homonymes peuvent être **de natures grammaticales différentes**.
L'infirmière fait une prise de **sang** au malade.   → nom
Il ne faut jamais rouler **sans** boucler sa ceinture de sécurité.   → préposition
Ce radiateur électrique vaut **cent** euros.   → déterminant numéral
Ce bouquet de fleurs **sent** bon.   → verbe conjugué

Remarques

1 Des mots de la même famille permettent quelquefois de trouver l'orthographe correcte.

avoir faim → souffrir de la famine
attendre la fin → cela va bientôt finir

2 Quelques mots sont homophones mais difficiles à distinguer car ils appartiennent à la même famille. Il est préférable de consulter un dictionnaire.

souffrir le **martyre** – canoniser un **martyr**
des adjectifs **numéraux** – les **numéros** gagnants

3 Certains éléments de la phrase sont parfois homonymes. Le sens permet de les distinguer assez facilement.

Je l'**ai fait** volontiers.
l'**effet** de surprise

Voici **des filets** de pêcheur.
Les images **défilaient** rapidement.

Ce pantalon, tu l'**as mis** souvent.
Dans le pain, je préfère **la mie**.

▶ Cas particulier

Lorsque des homonymes se prononcent et s'écrivent de la même manière, on dit qu'ils sont **homographes**. Il peut s'agir de :

- deux noms de genres différents ;
le **tour** de France   la **tour** du château

- d'un nom et d'un verbe.
la **voie** de chemin de fer   Il faut que je te **voie**.

82 Les mots d'origine étrangère

Certains mots, souvent utilisés, sont empruntés à d'autres langues que le français.

▶ Les différentes langues d'emprunt

- **l'anglais** : le camping – un puzzle – le stress – un sprint – un pickpocket – un clown – le record
- **l'italien** : un confetti – l'opéra – un imprésario – le carpaccio – un dilettante
- **l'espagnol** : un toréador – la paella – un rodéo – le cacao – l'embargo – la cédille – la pacotille
- **le portugais** : un autodafé
- **l'allemand** : un bivouac – un blockhaus – un leitmotiv – un hamster – un edelweiss – un putsch
- **le japonais** : le karaté – un bonze – une geisha – un kamikaze – hara-kiri – le tatami – le samouraï
- **l'arabe** : le bazar – le pacha – le muezzin – la razzia – l'alcool – la baraka – l'élixir – un gourbi
- **le russe** : le mazout – un cosaque – une datcha – la steppe – une isba – la vodka – la toundra – la troïka
- **les langues nordiques** : un fjord – un drakkar – un geyser – un homard – le ski – un troll – le fartage – une saga – le sauna
- **les langues africaines** : le baobab – le chimpanzé – la banane – le zèbre

Remarques ▪

1 Les noms d'origine étrangère peuvent conserver le pluriel de leur langue, mais le pluriel du français s'impose le plus souvent.

un rugbyman / des rugbymen
                     des rugbymans
un box / des boxes
           des box
un sandwich / des sandwiches
                     des sandwichs
un concerto / des concerti
                     des concertos

2 Pour les noms composés d'origine anglaise, seul le second mot prend la marque du pluriel.

des week-ends   des skate-boards

3 À l'écrit, il faut penser qu'il existe peut-être un mot français avant d'utiliser certains mots anglo-saxons. Il est préférable d'écrire :

baladeur **plutôt que** walkman
présentateur **plutôt que** speaker

▶ Les mots hérités du latin

Certains mots ou expressions latines sont encore employés aujourd'hui. Ils sont **parfois légèrement déformés** ; par exemple, ils peuvent prendre des accents alors qu'il n'y en a pas en latin.

le minimum   un spécimen   un référendum   un junior   un mémento

Mais le plus souvent, ils ont été **adoptés sans aucune modification**.

un alter ego : un autre moi-même.
un casus belli : un acte susceptible d'entraîner une guerre.
un modus vivendi : un accord entre deux parties opposées.

Les paronymes –
Les barbarismes – Les pléonasmes

La langue française recèle des pièges qu'il faut savoir éviter.

▶ Les paronymes

• Certains mots ont des formes et des prononciations proches, ce sont **des paronymes**.
Pour choisir le terme correct, il faut bien examiner le sens de la phrase.
écouter les **prévisions** météorologiques   faire des **provisions** de nourriture

• La phrase peut être incorrecte ou incompréhensible lorsqu'on emploie un mot pour un autre.
Il ne faut pas écrire : Les syndicats agitent le **sceptre** du chômage.
Mais : Les syndicats agitent le **spectre** du chômage.

Remarque :

Les humoristes utilisent parfois délibérément les paronymes pour nous faire sourire.

Il était fier comme un bar-tabac.
(au lieu de comme Artaban)

Je vous le donne Émile.
(au lieu de je vous le donne en mille)
avoir des papiers en bonne et difforme
(au lieu de en bonne et due forme)
un ingénieur à Grenoble
(au lieu d'un ingénieur agronome)

▶ Les barbarismes

Quand on déforme un mot, on commet **un barbarisme**.
avoir des problèmes **pécuniaires**
Et non : avoir des problèmes **pécuniers** (même si l'on dit des problèmes financiers)

Remarque :

L'origine du mot *barbarisme* est grecque. Dans la Grèce antique, un barbare était un étranger

qui déformait la langue de la cité lorsqu'il s'exprimait.

▶ Les pléonasmes

Lorsqu'on emploie consécutivement deux mots qui signifient la même chose, on commet **un pléonasme**.
Avant de partir en promenade, j'ai **ajouté en plus** des vêtements chauds.
(Lorsqu'on ajoute quelque chose, c'est évidemment en plus.)
Quand mes camarades sont sortis, je les **ai suivis derrière**.
(Si l'on suit quelqu'un, on se trouve derrière lui.)
Béatrice nous présente une **double alternative**.
(Une alternative, c'est déjà un choix entre deux possibilités.)

Remarque :

L'expression *au jour d'aujourd'hui* est incorrecte : c'est un pléonasme.

84 Des anomalies orthographiques

Pour trouver l'orthographe d'un mot, on peut s'aider d'un mot de la même famille.

▶ Les mots qui ont le même radical

Les mots, qui ont le même radical et un rapport de sens, appartiennent à **la même famille**.
l'exist**en**ce → exister → le son [ã] s'écrit avec un **e**
imm**en**se → mesure → s'écrit avec un **e** et un **s**
le pou**ls** → pulsation → s'écrit avec un **l** et un **s**

▶ Les noms dérivés de verbes

• Les noms dérivés des verbes en **-guer** et **-quer**, formés avec les suffixes en **-a** (**-age, -ation, -aison, -abilité, -ateur**…) ou **-o** (**-on**) perdent le **u** après le **g** et transforment, le plus souvent, le **qu** en **c**.
fatiguer → la fati**g**abilité   évoquer → l'évo**c**ation
Exceptions : le pi**qu**age – un atta**qu**ant – un trafi**qu**ant – un prati**qu**ant

• Pour les noms formés avec le suffixe **-eur**, le radical est conservé.
fuguer → un fu**gu**eur   marquer → un mar**qu**eur

▶ Cas particuliers

Dans une même famille :
• des mots contiennent une consonne double et d'autres une consonne simple ;
la so**nn**erie / la so**n**orisation   l'ho**nn**eur / ho**n**orer   no**mm**er / no**m**inal
la cha**rr**ue / le cha**r**iot   une mo**nn**aie / mo**n**étaire   ba**tt**re / comba**t**if

• on peut trouver des modifications d'accents ;
la grâce / gracieux   le séchage / la sècheresse   extrême / l'extrémité

• on peut trouver des anomalies.
ceindre → la ceinture / un cintre   le vent → venté / un vantail

Mots dont la prononciation n'est pas strictement conforme à l'orthographe.

la **fem**me	l'**aqu**arelle	un **squa**re	un alb**um**
solennel	l'**aqu**arium	le poêle	un géreni**um**
la solennité	**aqu**atique	la poêle	un muséu**m**
solennellement	l'**équ**ateur	poêler	du rh**um**
l'auto**m**ne	**équ**atorial	un **fa**on	un séru**m**
conda**m**ner	l'**équ**ation	un **pa**on	le référ**en**dum
second	**qu**adragénaire	un **ta**on	le faisan
la seconde	**qu**adriennal	**monsieur**	faisandé
secondaire	**qu**aternaire	mess**ieu**rs	faisable
seconder	**équ**ilatéral	un gars	la ville
un paras**ol**	un **qu**adrilatère	un exam**en**	tranquille
un tournes**ol**	un **qu**adrupède	un poll**en**	le bacille
vraisemblable	des **qu**adruplés	un ag**en**da	le million
la vraisemblance	un **qu**atuor	un p**en**tagone	le milliard

GRAMMAIRE

85 Les prépositions – Les conjonctions de coordination – Les interjections

Les prépositions, les conjonctions de coordination et les interjections **sont des mots invariables.**

▶ Les prépositions

Les prépositions introduisent des mots (ou des groupes de mots) qui ont la fonction de compléments.
Il s'arrête **devant** une affiche.   Il peint **à la manière** de Georges Braque.
Les prépositions sont des **mots simples** (*de – à – avant – après – avec – chez – pour – par – dans – sous...*) ou des **locutions prépositives** (*à travers – afin de – au-dessous de – à côté de – au cours de – à condition que...*).

Remarques

1 Certains participes présents et participes passés (*attendu que, étant donné, eu égard à, y compris, concernant, vu, excepté...*) peuvent être employés comme des prépositions.

Concernant notre itinéraire, il faudra l'étudier à l'aide d'une carte routière.
Dans le prix de ce canapé, tout est inclus, **y compris** le transport.

2 Si certains verbes se construisent indifféremment avec **à** ou **de** devant un infinitif complément, d'autres marquent un sens différent selon la proposition.

Le bois continue **à** brûler.
= Le bois continue **de** brûler.

Adam parle **à** ses amis.
≠ Adam parle **de** ses amis.

▶ Les conjonctions de coordination

Les conjonctions de coordination relient deux mots, deux groupes de mots ou deux propositions de même nature. Il existe :
• sept **conjonctions de coordination simples** : *mais – ou – et – donc – or – ni – car*
• des **mots ou locutions conjonctives** (surtout des adverbes) : *aussi – en revanche – néanmoins – alors – d'ailleurs – en outre – en effet...*
L'île de Ré **et** le continent sont reliés par un pont.
La péniche arrive en vue de l'écluse, **mais** l'éclusier n'est pas à son poste.

▶ Les interjections

Les interjections traduisent l'attitude affective, la réaction, le sentiment de celui qui parle ou écrit.
Les interjections ne jouent aucun rôle grammatical ; elles viennent enrichir la phrase et sont généralement suivies d'un point d'exclamation.
Courage ! Le sommet est en vue.
Eh bien ! Cela n'a pas été une partie de plaisir.
Les interjections peuvent être employées seules.
Attention !   **Bravo !**   **Debout !**   **Chut !**   **Chiche !**
Un certain nombre d'interjections sont des onomatopées, c'est-à-dire des mots qui imitent un bruit.
Pan ! la balle s'écrasa contre le mur.   **Miaou !** le chaton est là.

86 Les propositions indépendantes, juxtaposées et coordonnées

Une phrase peut être formée d'une proposition (phrase simple), voire de deux ou plusieurs propositions (phrase complexe).

▶ Les propositions indépendantes

Une proposition indépendante comporte un seul verbe conjugué ; elle ne dépend d'aucune autre proposition et aucune autre ne dépend d'elle.
On a souvent besoin d'un plus petit que soi.
De nombreux sous-traitants travaillent pour cette usine automobile.

▶ Les propositions juxtaposées et coordonnées

• **Les propositions juxtaposées** sont reliées par une virgule, un point-virgule ou deux-points.
Mikaël attend devant la barrière**,** il n'y a plus de place au parking.
Le parking est complet **;** est-ce habituel ?
Le tarif de ce parking est élevé **:** beaucoup renoncent à le fréquenter.

• **Les propositions coordonnées** sont reliées par une conjonction de coordination, une locution conjonctive ou un adverbe de liaison.
Mikaël attend devant la barrière, **car** il n'y a plus de place au parking.
Le parking est complet **et** ce n'est pas habituel.
Le tarif de ce parking est élevé, **donc** beaucoup renoncent à le fréquenter.
Dans certains cas, la conjonction de coordination est précédée d'une virgule.

• Le rapport de sens entre les propositions juxtaposées est souvent moins fort que celui entre les propositions coordonnées. Les conjonctions de coordination peuvent exprimer :
la cause → Jacqueline est déçue, car toutes ses plantes perdent leurs feuilles.
la conséquence → Cette viande est trop grasse, donc je ne l'achèterai pas.
l'opposition → Ils voulaient faire du canotage, mais la barque prend l'eau.

Remarques

1 Dans une même phrase, il est possible de rencontrer des propositions juxtaposées et des propositions coordonnées.

Tu suis le couloir, tu pousses la porte et
prop. juxtaposée   prop. juxtaposée
tu entres car c'est le lieu du rendez-vous.
prop. coordonnée   prop. coordonnée

2 Dans les propositions coordonnées et juxtaposées, le groupe sujet ou le verbe peuvent ne pas être exprimés. Ce sont **des propositions elliptiques**.

L'agriculteur laboure son champ, le herse, puis sème du tournesol.
Oriane part en vacances aux Canaries, Roxane en Irlande.

3 Certaines phrases n'ont pas de verbe ; ce sont **des phrases nominales**. Elles sont le plus souvent indépendantes, mais peuvent être juxtaposées ou coordonnées.

Beaucoup de bruit pour rien !
De bonnes intentions, mais sans résultat.

Dans une phrase complexe, la proposition principale peut avoir une ou plusieurs propositions subordonnées relatives sous sa dépendance.

▶ Les subordonnées relatives

• **La proposition subordonnée relative** permet de compléter un nom ou un pronom appartenant à la proposition principale.
Portez à la déchetterie ces objets / **qui** sont encombrants.
proposition principale   proposition subordonnée relative

• La proposition subordonnée relative peut être enchâssée dans la proposition principale.
Ces objets,   **qui** sont encombrants,   portez-les à la déchetterie.
prop. principale   prop. subordonnée relative   prop. principale

▶ Les pronoms relatifs

• **Un pronom relatif** unit une proposition subordonnée à un nom (ou pronom) placé dans la proposition principale.
L'artisan **qui** vient de s'installer embauchera bientôt un apprenti.
Le film **dont** vous m'avez parlé n'est pas programmé dans mon quartier.

• Les pronoms relatifs peuvent être :
– de **formes simples** : *qui – que – quoi – dont – où* ;
– de **formes composées** : *lequel – laquelle – lesquels – lesquelles*.
Ces formes composées sont parfois construites avec les prépositions **à** et **de** :
à laquelle – auquel – auxquels – duquel – desquels...

• Le nom, le groupe nominal, le pronom ou la proposition, remplacés par le pronom relatif, sont ses **antécédents**. Le pronom relatif s'accorde avec son antécédent.
La voiture de sport **que** je lave appartient à mon oncle.
Celles **qui** gênent la circulation devront être déplacées.
Les personnes **auxquelles** je pense auront un avertissement.

• Dans la subordonnée relative, le pronom relatif a diverses fonctions :
– **sujet :** Tu as parié sur le cheval **qui** a remporté la course du quinté.
– **COD :** Louise apprécie le bijou **que** son mari lui a offert.
– **COI :** La séance de cinéma **à laquelle** j'ai assisté commençait à seize heures.
– **complément du nom :** L'outil **dont** tu aiguises la lame est dangereux.

Remarque !

Il existe des **adjectifs relatifs** qui ne sont que très rarement employés.
Il se peut que le bureau des renseignements soit fermé, **auquel** cas tu chercheras sur Internet.

Les manifestants défilent boulevard Saint-Michel, **lesquels** manifestants brandissent d'immenses banderoles.

Les subordonnées conjonctives
Les conjonctions de subordination

Dans une phrase complexe, la proposition principale peut avoir une ou plusieurs propositions subordonnées conjonctives **sous sa dépendance.**

▶ Les subordonnées conjonctives

• **Les propositions subordonnées conjonctives** complètent le verbe de la proposition principale ou expriment une circonstance de l'action de la principale.
Le stade de France permet **que** 80 000 spectateurs assistent aux compétitions.
Je téléphone **pour que** tu n'oublies pas ton rendez-vous.

• **Les subordonnées complétives** – introduites par *que* – sont le plus souvent compléments d'objet du verbe de la principale et ne peuvent être ni déplacées ni supprimées sans modifier le sens de la phrase.
M. Ayraud attend **que** les pompiers interviennent.   → COD
M. Ayraud s'étonne **que** les pompiers soient déjà là.   → COI
Le mode – indicatif ou subjonctif – du verbe de la subordonnée complétive dépend du verbe de la principale ou de la forme de ce verbe.
Je pense que tu viendras. → indicatif   Je doute que tu viennes. → subjonctif

• **Les subordonnées circonstancielles** précisent les circonstances de l'action de la proposition principale.
Quand on détecte un incendie, on appelle les pompiers. → compl. circ. de temps
Les subordonnées circonstancielles peuvent suivre, précéder ou être insérées dans la proposition principale.
Bien qu'il ait rempli tous les formulaires, M. Dumontel n'a pas obtenu de réponse.
M. Dumontel n'a pas obtenu de réponse **bien qu'**il ait rempli tous les formulaires.
M. Dumontel, **bien qu'**il ait rempli tous les formulaires, n'a pas obtenu de réponse.

Remarques

1 Il est possible qu'une proposition subordonnée dépend d'une autre proposition subordonnée et non de la proposition principale.

Il se peut   / que l'orage ait éclaté
prop. principale   prop. subordonnée

/ pendant que nous dormions.
        prop. subordonnée

2 Il ne faut pas confondre la proposition subordonnée conjonctive introduite par **que** avec la proposition subordonnée relative également introduite par **que**.

Il m'apporte la lettre **que** j'attends.
→ relative
J'attends **qu'**il m'apporte la lettre.
→ conjonctive

▶ Les conjonctions de subordination

Une proposition conjonctive commence toujours par :
• **une conjonction de subordination** (*que – quand – si – lorsque – puisque – comme – quoique – sinon...*)

• ou **une locution conjonctive**, assez souvent formée sur la conjonction *que* (*afin que – parce que – depuis que – aussitôt que – en sorte que – sans quoi – au cas où – dès que – en attendant que...*).

Les adverbes sont des mots invariables.

▶Règles générales

• Les adverbes modifient le sens :
– d'un **verbe** ;
Axel aide **volontiers** ses camarades.   Axel aide **souvent** ses camarades.
Axel aide **parfois** ses camarades.   Axel aide **rarement** ses camarades.

– d'un **adjectif** ;
Ce café est **très** chaud.   Ce café est **assez** chaud.
Ce café est **plutôt** chaud.   Ce café est **extrêmement** chaud.

– d'un **autre adverbe**.
Ces vêtements coûtent **trop** cher. Ces vêtements coûtent **finalement** cher.

• Il existe des adverbes de manière (*plutôt – mieux – bien...*), de lieu (*ici – partout – ailleurs...*), de temps (*jamais – tard – autrefois...*), de quantité (*assez – encore – trop...*), d'affirmation (*vraiment – bien sûr – sans doute...*), de négation (*ne ... guère – ne ... pas – ne ... point*).

Remarques

1 Les adverbes placés avant les adjectifs qualificatifs ne s'accordent pas.

une ligne **bien** droite – des traits **bien** droits

2 Certains adverbes (*jamais – toujours – volontiers – ailleurs – auprès – dehors – dessus – dessous...*) sont terminés par un *-s* muet.

3 Les adverbes *debout, ensemble, pêle-mêle, à demi* sont invariables.

Les spectateurs sont restés **debout**.
Les joueurs sont restés **ensemble**.
Les pièces du puzzle s'étalent **pêle-mêle** sur la table.
La statue est à **demi** recouverte d'un voile blanc.

▶Cas particuliers

• **Les locutions adverbiales** sont des groupes de mots équivalant à des adverbes.
Ce café est assez chaud.   Ce café est **à peu près** chaud.
Axel aide parfois ses camarades.   Axel aide de **temps en temps** ses camarades.
Ces vêtements coûtent trop cher.   Ces vêtements coûtent **sans doute** cher.

• **Certains adjectifs** sont employés comme des adverbes ; ils sont alors invariables.
Ce monsieur est fort (musclé).   Ces messieurs sont forts (musclés).
Ce monsieur parle **fort** (beaucoup). Ces messieurs parlent **fort** (beaucoup).

• L'adverbe peut parfois jouer le rôle d'un **déterminant**.
Avec *un peu*, l'accord du verbe se fait au singulier :
Un peu de repos vous ferait du bien.
Avec *beaucoup de*, il se fait au pluriel :
Beaucoup de personnes habitent la région parisienne.

90 Les adverbes de manière en *-ment*

Les adverbes de manière en *-ment* sont formés à partir d'un adjectif qualificatif, généralement féminin.

brave – brave	→ brave**ment**		brutal – brutale	→	brutale**ment**
doux – douce	→ douce**ment**		naturel – naturelle	→	naturelle**ment**
dur – dure	→ dure**ment**		curieux – curieuse	→	curieuse**ment**

▶ Comment orthographier les adverbes en *-ment* ?

- Dans certains cas, on place un accent sur le *e* qui précède la terminaison *-ment*.

confus – confuse → conf**usé**ment   énorme – énorme → énorm**é**ment

- Les adverbes correspondant à des adjectifs terminés au masculin par *-é, -ai, -i, -u* sont formés à partir de l'adjectif masculin.

aisé → **aisé**ment   vrai → **vrai**ment
infini → **infini**ment   résolu → **résolu**ment

On ajoute quelquefois un accent circonflexe sur le *u*.

assidu → assid**û**ment   cru → cr**û**ment

- Les adverbes formés à partir d'adjectifs terminés par le son [ã] s'écrivent : *-emment*, s'ils sont formés à partir d'adjectifs terminés par *-ent* ;

impati**ent** → impati**emment**   prud**ent** → prud**emment**

-amment, s'ils sont formés à partir d'adjectifs terminés par *-ant*.

suffis**ant** → suffis**amment**   brill**ant** → brill**amment**

Remarques

1 Pour ne pas confondre les adverbes, les noms et les adjectifs terminés par le son [ã], on remplace :

– l'adverbe (invariable) par l'expression *de manière...* ;

Les savants sont **généralement** des personnes modestes.
Les savants sont **de manière générale** des personnes modestes.

– le nom (variable) par un autre nom ;

Ces savants étudient les **glissements** de terrains.
Ces savants étudient les **modifications** de terrains.

– l'adjectif (variable) par un autre adjectif.

Ces rues portent les noms de savants **éminents**.
Ces rues portent les noms de savants **célèbres**.

2 On ne peut pas former des adverbes de manière avec tous les adjectifs qualificatifs (*immobile, content, familial, fameux, aigu, lointain...*). Au lieu de l'adverbe, il faut alors employer une périphrase.

Les enfants ouvrent leurs cadeaux **en famille**.
Les enfants ouvrent leurs cadeaux **d'un air content**.

Les pronoms possessifs, démonstratifs, indéfinis

Les pronoms remplacent généralement un groupe nominal déjà mentionné afin d'éviter une répétition.

▶ Les pronoms possessifs

• **Le pronom possessif** remplace un groupe nominal dont le déterminant peut être adjectif possessif.
Gloria enfile son pull ; **le mien** est introuvable.
Ces meubles sont en merisier ; **les nôtres** sont en acajou.

• Les pronoms possessifs des première et deuxième personnes du pluriel prennent **un accent circonflexe** ; les adjectifs possessifs n'en ont pas.
Notre appartement domine le parc municipal ; **le vôtre** donne sur le gymnase.

singulier			pluriel		
1re personne	**2e personne**	**3e personne**	**1re personne**	**2e personne**	**3e personne**
le mien	le tien	le sien	le nôtre	le vôtre	le leur
la mienne	la tienne	la sienne	la nôtre	la vôtre	la leur
les miens	les tiens	les siens			
les miennes	les tiennes	les siennes	les nôtres	les vôtres	les leurs

▶ Les pronoms démonstratifs

• **Le pronom démonstratif** remplace un groupe nominal dont le déterminant peut être un adjectif démonstratif.
Je suis devant les boutiques ; enfin **celles** qui sont ouvertes !

• Le pronom démonstratif **ce** subit l'élision devant toute forme du verbe *être* commençant par une voyelle, ainsi que devant le pronom personnel *en*.
C'est le début du printemps. **C'**était un jour de fête. **C'**en est fini de ce travail.

			masculin	féminin	neutre
formes simples		**sing.**	celui	celle	ce
		plur.	ceux	celles	
formes composées	**démonstratifs proches**	**sing.**	celui-ci	celle-ci	ceci
		plur.	ceux-ci	celles-ci	
	démonstratifs lointains	**sing.**	celui-là	celle-là	cela – ça
		plur.	ceux-là	celles-là	

▶ Les pronoms indéfinis

Le pronom indéfini remplace un groupe nominal dont le déterminant peut être un adjectif indéfini.
Tout le nécessaire manque.   → **Tout** manque.
Les pronoms indéfinis sont nombreux : *aucun – autre(s) – autrui – chacun(e) – certains – personne – nul – plusieurs – quiconque – tout, tous – la plupart...*

92 La voix passive – Le complément d'agent

La voix passive présente la même action que la voix active, mais de façon différente.

Voix active : le sujet fait l'action.

Une bâche protège le tas de bois.

Voix passive : le sujet subit l'action.

Le tas de bois est protégé par une bâche.

▶ La voix passive

• Le COD du verbe actif devient le sujet du verbe passif et le sujet du verbe actif devient le complément d'agent du verbe passif.

Une bâche protège le tas de bois.   Le tas de bois est protégé par une bâche.

    sujet   COD   sujet   compl. d'agent

• En général, il n'y a que les verbes transitifs directs qui peuvent être employés à la voix passive puisque c'est le COD qui devient sujet.

• Au passif, tous les verbes sont conjugués avec *être* qui porte la marque du temps.

présent de l'indicatif :

Les cheveux de Léa **sont** retenus par un ruban.

présent du conditionnel :

Les cheveux de Léa **seraient** retenus par un ruban.

présent du subjonctif :

Il faut que les cheveux de Léa **soient** retenus par un ruban.

Remarques !

1 Les verbes comme *arriver, tomber, entrer, partir,* etc. dont la conjugaison se fait toujours avec l'auxiliaire *être*, ne sont jamais à la voix passive.

2 Un verbe pronominal peut avoir un sens passif.

Ces appartements se sont loués en quelques jours.

▶ Le complément d'agent

• Le complément d'agent est souvent introduit par les prépositions *par* et *de*.

L'Étranger a été écrit **par** Albert Camus. → Albert Camus a écrit *L'Étranger*.

L'Étranger est connu **de** beaucoup de lecteurs. → Beaucoup de lecteurs connaissent *L'Étranger*.

• Il est possible que le complément d'agent soit sous-entendu.

L'immeuble a été bâti en peu de temps.

Le passage à l'actif se fait avec le pronom sujet *on*.

On a bâti l'immeuble en peu de temps.

Quand le complément d'agent est sous-entendu, il n'est pas toujours aisé de distinguer le verbe passif et le verbe *être* suivi d'un participe passé employé comme adjectif.

Le parking est occupé par des véhicules. → passif

Le parking est occupé. Le parking est vide.

→ *occupé* et *vide* sont attributs du sujet

Une phrase peut prendre différentes formes, voire combiner ces formes.

▶ Les formes affirmative et négative

- **La forme négative** s'oppose à la forme affirmative.

Lucas part en avance.   Lucas **ne** part **pas** en avance.

- Le verbe est le seul élément de la phrase qui puisse être encadré par une locution négative. Aux temps composés, la négation encadre l'auxiliaire (ou parfois le verbe et un adverbe).

Lucas **n'**est **pas** parti en avance.   Lucas **n'**est vraiment **pas** parti en avance.

- Il existe **plusieurs locutions négatives** : ne ... pas – ne ... rien – ne ... plus – ne ... jamais – ne ... guère – ne ... que – ne ... ni ... ni – ne ... point.

Parfois, le second terme de la négation est placé avant ne.

Aucun ne connaît la réponse.   **Personne** ne connaît la réponse.

Lorsque le verbe est à l'infinitif, la locution négative est placée avant lui.

Vous devez apprendre à **ne pas** mentir.

Remarques

1 La locution ne ... que signifie généralement seulement.

Tu **ne** possèdes **que** vingt euros.

2 Parfois la négation est réduite au seul premier terme ne.

On **ne** peut laisser circuler de fausses nouvelles.
Obtenir un prix ? Samir **n'**ose y croire.

3 Pour exprimer la négation, on peut également utiliser un mot de sens contraire (un antonyme).

Gabriel part en retard.

▶ La forme interrogative

- Lorsque le sujet du verbe est un pronom, il se place après le verbe ou après l'auxiliaire pour les temps composés. Dans ce cas, on lie le verbe au pronom par un trait d'union.

Réaliseras-**tu** ton projet ?   Avez-**vous** versé un acompte ?

- Pour formuler une interrogation, on peut également (surtout si le pronom sujet est je) faire précéder le verbe de l'expression Est-ce que... .

Est-ce que le vent souffle ?   **Est-ce que** je t'accompagne ?

Remarques

1 Pour éviter la rencontre de deux voyelles, on place un **t** euphonique entre les terminaisons **a** et **e** des verbes et les pronoms de la 3ᵉ personne du singulier.

Compare-**t-il** ces produits ?
Acheta-**t-elle** ces produits ?
Échange-**t-on** nos places ?

2 Lorsque le sujet du verbe est un nom, on place, après le verbe, un pronom personnel (dit de reprise) de la 3ᵉ personne.

Le score est-**il** définitif ?
Les joueurs quitteront-**ils** le terrain ?

3 L'interrogation peut aussi être marquée par des mots interrogatifs.

Qui est là ? **Où** es-tu ? **Quelle** heure est-il ?

Les formes impersonnelle, pronominale et emphatique

Une phrase peut prendre différentes formes, voire combiner ces formes.

▶ La forme impersonnelle

• Un verbe à la **forme impersonnelle** est un verbe dont le sujet ne représente ni une personne, ni un animal, ni une chose définie.
Les verbes impersonnels ne se conjuguent qu'à la 3ᵉ personne du singulier avec le sujet *il* (parfois *ce, ça* ou *cela*), du genre neutre.
Il ne vous arrive que des ennuis.
Ça déborde de bons sentiments dans ce mélo !

• Il existe des verbes qui ne peuvent être employés qu'à la forme impersonnelle ; à part le verbe *falloir*, ils expriment tous des phénomènes naturels.
Il **faut** écouter les conseils. – Il **a neigé** une grande partie de la nuit.
Il **a plu** des cordes. – Il **tonnera** probablement avant la fin de la journée.
Le participe passé des verbes impersonnels est toujours invariable.

• Dans une tournure impersonnelle, *il* est le **sujet apparent**, celui avec lequel le verbe s'accorde. Le complément d'objet est le **sujet réel**, celui avec lequel le verbe ne s'accorde pas.

  Il <u>se passe</u> de <u>curieux événements</u> dans ce hameau.
  ↑   COD
  sujet
  apparent
De fait, le COD est le véritable agent de l'action exprimée par le verbe.
De curieux événements <u>se passent</u> dans ce hameau.

• Retenons certaines tournures présentatives dont le sujet *il* est neutre.
Il était une fois...   **Il** est trois heures.   **Il** y a...

Remarque

Certains verbes peuvent être exceptionnellement à la forme impersonnelle.

Des encombrements <u>se forment</u> à la sortie du tunnel. → forme personnelle
Il <u>se forme</u> des encombrements à la sortie du tunnel. → forme impersonnelle

▶ La forme pronominale

• Un verbe à **la forme pronominale** est conjugué avec **un pronom personnel réfléchi**.
Je **me** repose un peu.   Tu **te** lances à l'aventure.   Les villages **s'**embellissent.

• Les temps composés d'un verbe à la forme pronominale se construisent avec l'auxiliaire *être*.
Je **me** suis reposée un peu.   Les villages **se** sont embellis.

▶ La forme emphatique

La forme emphatique met en relief certains mots en utilisant des présentatifs ou le déplacement de groupes de mots avec reprise par un pronom.
C'est le modèle que je préfère. → Le modèle que je préfère, c'est celui-ci.

À l'oral comme à l'écrit, de nombreuses erreurs de sens peuvent être évitées.

▶ Les contresens

• Se tromper sur l'interprétation d'un mot ou d'une expression, c'est commettre un contresens.
Ne pas avoir un sou vaillant.
→ ne pas avoir un sou qui vaille (qui vaut quelque chose), et non avoir un sou courageux

• Assez souvent, le contresens provient d'un mot pris au sens propre et non au sens figuré.
Être dans ses petits souliers.
→ être mal à l'aise, et non porter des souliers trop petits

▶ Les erreurs les plus fréquentes (1)

• *Amener* s'emploie plutôt pour des êtres.
Maxime **amène** ses enfants à l'école.
Apporter s'emploie plutôt pour des choses.
Maxime **apporte** le goûter à ses enfants.

• On ne dit pas : Vous n'êtes pas sans ignorer que la Thaïlande se trouve en Asie.
Mais : Vous **n'êtes pas sans savoir** que la Thaïlande se trouve en Asie.
ou : Vous **n'ignorez pas** que la Thaïlande se trouve en Asie.

• Il faut éviter de terminer une phrase par la préposition *avec*.
On ne dit pas : Le journal proposait un supplément gratuit ; je l'ai pris avec.
Mais : J'ai pris le supplément gratuit offert **avec** le journal.

• On ne dit pas : Malgré qu'il soit fatigué, il termine son travail.
Mais : **Bien qu'**il soit fatigué, il termine son travail.

• On n'emploie jamais *car* et *en effet* ensemble.
On ne dit pas : Rentrons, car en effet la nuit tombe.
Mais : Rentrons, **car** la nuit tombe.   Rentrons, **en effet** la nuit tombe.

• On ne dit pas *de façon à ce que* ou *de manière à ce que* ; on dit :
Il dispose les objets **de façon qu'**il puisse les atteindre facilement.
Il dispose les objets **de manière qu'**il puisse les atteindre facilement.

• Lorsque le verbe est suivi de deux pronoms compléments, le COD se place le plus près du verbe.
Rendez-**les**-moi.   Tenez-**le**-vous pour dit.

• On ne peut rentrer quelque part que si l'on en est sorti.
On dit : Après mon travail, je **rentre** chez moi.
Et : J'**entre** à la mairie.

• On n'est pas furieux après quelqu'un, mais **furieux contre** quelqu'un.

Grammaire

▶ Les erreurs les plus fréquentes (2)

• De nombreuses erreurs sont commises dans la conjugaison des verbes. Il faut éviter ces incorrections en identifiant d'abord le groupe auquel les verbes appartiennent, puis en consultant les tableaux de conjugaison correspondants. Par exemple : le verbe *mourir* appartient au 3e groupe ; à l'imparfait de l'indicatif, on ne place pas l'élément *-ss-* caractéristique des verbes du 2e groupe.
On ne dit pas : il mourrissait   Mais : il mourait

• Il existe des verbes proches qui appartiennent à des groupes différents.
ressortir de, 3e groupe : Les spectateurs **ressortent** enchantés **de** ce concert.
ressortir à, 2e groupe : Ces procès **ressortissent au** tribunal correctionnel.

• Le nom qui marque la nationalité ou qui désigne les habitants d'un lieu est un nom propre ; il prend une majuscule.
Les Français et les Italiens sont des Latins.
Je savoure un fromage de Roquefort.
Le nom qui désigne une langue, un produit d'origine, ainsi que l'adjectif qualificatif, s'écrivent sans majuscule.
Le français et l'italien sont des langues latines.
N'abusez pas du beaujolais nouveau.

• Il ne faut pas confondre l'emploi des deux adverbes *jadis* et *naguère*.
Jadis signifie : « *Il y a fort longtemps* » et *naguère* : « *Il n'y a guère de temps.* »
Jadis, les serfs étaient malheureux.
Ces rues, **naguère** fréquentées, sont maintenant désertes.

• Comme *pallier* est un verbe transitif, on ne dit pas :
L'éleveur pallie au manque de foin en donnant de la paille à ses bêtes.
Mais : L'éleveur **pallie** le manque de foin en donnant de la paille à ses bêtes.

• Ne pas confondre l'adverbe *voire*, qui a le sens de *même*, et l'infinitif *voir*.
Ce champignon est comestible, **voire** savoureux.
Je vais **voir** si ce champignon est comestible.

• Ne pas confondre la locution adverbiale *à l'envi*, qui a le sens de *à qui mieux mieux*, et le nom *l'envie*.
Les hyènes se disputaient **à l'envi** la carcasse du gnou.
Cette femme enceinte a **une envie** de fraises.

• Le participe passé du verbe *dire – dit –* se soude avec l'article défini et avec l'adverbe *sus* dans des expressions pour rappeler qu'il a déjà été question des personnes ou des choses.
Je suis certain que **ladite** signature est une imitation grossière.
Mon adresse **susdite** est celle de mon lieu de vacances.
Mais les deux mots sont distincts lorsque *le* est un pronom personnel précédant le verbe au présent de l'indicatif.
Il ne viendra pas ; il me **le dit** calmement.

CONJUGAISON

97 Les verbes

Un verbe est un mot qui indique ce que fait, ce qu'est ou ce que pense une personne, un animal ou une chose.

▶ L'infinitif

- On dit qu'un verbe est **conjugué** lorsque son écriture change selon le sujet du verbe ou le temps de la phrase.

- Lorsqu'il n'est pas conjugué, le verbe se présente sous une forme neutre : **l'infinitif**. C'est ainsi qu'il figure dans un dictionnaire.

parler – marcher – réunir – découvrir – faire – croire – venir – pouvoir

▶ Le radical et la terminaison d'un verbe

Un verbe se compose d'un **radical** et d'une **terminaison** (ou désinence).

cherch-**er**   réun-**ir**   voul-**oir**   descend-**re**

radical   terminaison

(Dans les exemples ci-dessus, les terminaisons sont celles de l'infinitif.)

Remarque

Pour certains verbes, le radical reste le même dans toutes les formes verbales.

je **ris** – nous **riions** – ils **riront** –
il faut qu'elle **rie** – **ris** – j'ai **ri**

Pour d'autres verbes, le radical peut varier d'une forme verbale à l'autre.

je **vais** – nous **allons** – elle **ira** –
il faut que tu **ailles**

▶ Les trois groupes de verbes

- **Le 1er groupe :** tous les verbes dont l'infinitif se termine par **-er** (sauf *aller*).
cherch**er** – trouv**er** – parl**er** – appel**er**

- **Le 2e groupe :** les verbes dont l'infinitif se termine par **-ir** et qui intercalent l'élément **-ss-** entre le radical et la terminaison, aux personnes du pluriel du présent de l'indicatif.
réunir (nous réuni**ss**ons) – agir (vous agi**ss**ez)

- **Le 3e groupe :** tous les autres verbes.
perdre – apparaître – vivre – courir (on ne dit pas « nous courissons »)

Les verbes *avoir* et *être* n'appartiennent à aucun groupe. Ils s'emploient comme les autres verbes, mais aussi comme **auxiliaires** aux temps composés (voir leçon 98).

▶ Les verbes pronominaux

On appelle **verbes pronominaux** les verbes qui sont accompagnés d'un pronom personnel de la même personne que le sujet. À l'infinitif, c'est le pronom de la 3e personne : *se*.
se laver – **se** tenir – **se** nourrir – **s'**asseoir – **se** pincer – **se** poser
Je **me** lave. – Tu **te** tenais. – Il **se** nourrit. – Nous **nous** asseyons. –
Vous **vous** pincez. – Ils **se** posent.

Les temps – les modes – les personnes

La conjugaison est composée de séries verbales appelées « temps », elles-mêmes réunies en séries appelées « modes ».

▶ Les temps

- **Le temps** du verbe permet de se situer (action / parole) sur un axe temporel (passé, présent, futur). La terminaison d'un verbe varie selon **le temps**.
hier → je march**ais**   aujourd'hui → je march**e**   demain → je march**erai**
- **Temps simples** : formes sans auxiliaire.
je marche – nous marchions – vous marcheriez
- **Temps composés** : auxiliaire *être* ou *avoir* + participe passé du verbe.
j'ai marché – nous avions marché – ils seront partis

▶ Les modes

- **L'indicatif** : action dans sa réalité.
Il **lit** ce roman.
- **L'impératif** : action sous forme d'ordre, de conseil, de recommandation.
Lis ce roman !
- **Le subjonctif** : action envisagée ou hypothétique.
Il faut qu'il **lise** ce roman.
- **Le conditionnel** : action éventuelle, qui dépend d'une condition.
S'il en avait le temps, il **lirait** ce roman.

▶ Les personnes

- La terminaison d'un verbe varie selon **la personne**.
je, tu, il, elle, on, nous, vous, ils, elles sont des **pronoms de conjugaison**.
- Il y a trois personnes du singulier et trois personnes du pluriel.

je marche	→ c'est moi qui fais l'action	1re pers. du singulier
tu marches	→ c'est toi qui fais l'action	2^e pers. du singulier
il/elle/on marche	→ c'est lui (elle) qui fait l'action	3e pers. du singulier
nous marchons	→ c'est nous qui faisons l'action	1re pers. du pluriel
vous marchez	→ c'est vous qui faites l'action	2e pers. du pluriel
ils/elles marchent	→ ce sont eux (elles) qui font l'action	3e pers. du pluriel

Remarques

1 Dans la langue courante, il est devenu fréquent d'employer le pronom *on* à la place du pronom *nous*.
Nous marchons vite.
On marche vite.

2 Le *vous* de politesse s'emploie quand on ne veut pas tutoyer son unique interlocuteur : la terminaison du verbe est celle de la 2e personne du pluriel. Mais on ne s'adresse qu'à une seule personne.

Conjugaison

Le présent de l'indicatif indique généralement le moment actuel, mais il a aussi d'autres valeurs.

▶ Les valeurs du présent de l'indicatif

• Le présent indique une action qui se déroule au moment où l'on parle.
Tu **regardes** la télévision.

• Il peut exprimer une habitude, une action ou un fait souvent répété.
Ce magasin **ouvre** tous les jours à 9 heures.

• Il peut présenter une vérité générale, un fait permanent.
Qui ne **risque** rien n'**a** rien.

• Il exprime des actions passées que l'on place dans le présent pour les rendre plus vivantes (présent de narration).
En 1492, Christophe Colomb **découvre** l'Amérique.

• Il peut avoir une valeur de passé récent ou de futur très proche.
Je **viens** juste de lui téléphoner.   Demain, j'**arrive** vers 15 heures.

▶ Tableaux de conjugaison

auxiliaires		1er groupe
avoir	**être**	**parler**
j' ai	je suis	je parle
tu as	tu es	tu parles
il/elle a	il/elle est	il/elle parle
nous avons	nous sommes	nous parlons
vous avez	vous êtes	vous parlez
ils/elles ont	ils/elles sont	ils/elles parlent

Remarques

1 Certaines formes des auxiliaires sont homophones (elles ont la même prononciation).

Tu [ε] frileux.   2^e pers. sing.   → **es** *(être)*
Il [ε] frileux.   3^e pers. sing.   → **est** *(être)*
J'[ε] froid.   1re pers. sing.   → **ai** *(avoir)*
Tu [a] froid.   2e pers. sing.   → **as** *(avoir)*
Elle [a] froid.   3e pers. sing.   → **a** *(avoir)*

2 Pour les verbes du 1er groupe, quatre terminaisons sont muettes :

je parl**e** – tu parl**es** – il parl**e** – elles parl**ent**
Il faut donc bien chercher la personne à laquelle le verbe est conjugué pour placer la terminaison correcte.

3 Le pronom personnel précédant le verbe n'est pas obligatoirement le sujet du verbe : ce peut être un pronom personnel complément.

Tu *me* donn**es** un as. → Tu donn**es** un as.

4 Les verbes du 3e groupe comme *ouvrir, couvrir, découvrir, recouvrir, entrouvrir, offrir, souffrir, cueillir, recueillir, saillir, défaillir, assaillir, tressaillir* se conjuguent comme les verbes du 1er groupe au présent de l'indicatif.

j'ouvre – tu découvres – il souffre – nous cueillons – vous défaillez – elles tressaillent

Le présent de l'indicatif : 2ᵉ et 3ᵉ groupes

Au présent de l'indicatif, **les terminaisons des verbes des 2ᵉ et 3ᵉ groupes sont identiques.**

▶ Tableaux de conjugaison

2ᵉ groupe	3ᵉ groupe	
réussir	courir	rompre
je réussi**s**	je cour**s**	je romp**s**
tu réussi**s**	tu cour**s**	tu romp**s**
il/elle réussi**t**	il/elle cour**t**	il/elle romp**t**
nous réussi**ss**on**s**	nous cour**ons**	nous romp**ons**
vous réussi**ss**e**z**	vous cour**ez**	vous romp**ez**
ils/elles réussi**ss**ent	ils/elles cour**ent**	ils/elles romp**ent**

Remarques

1 Certains verbes du 3ᵉ groupe (et leurs dérivés) perdent la dernière lettre de leur radical aux personnes du singulier.

vivre	je vi**s**	tu vi**s**	on vi**t**
mettre	je met**s**	tu met**s**	il met
battre	je bat**s**	tu bat**s**	elle bat
dormir	je dor**s**	tu dor**s**	il dor**t**
sentir	je sen**s**	tu sen**s**	on sen**t**
partir	je par**s**	tu par**s**	elle par**t**
sortir	je sor**s**	tu sor**s**	il sor**t**
mentir	je men**s**	tu men**s**	elle men**t**
paraître	je parai**s**	tu parai**s**	il paraî**t***

* Pour les verbes terminés par **-aître** à l'infinitif – ainsi que *plaire* –, on conserve l'accent circonflexe quand le *i* du radical est suivi d'un **t**.

2 Il existe plusieurs formes homophones. Pour éviter les erreurs, il faut chercher le verbe, le groupe et la personne avant de placer la terminaison.

réussir → je réussi**s** – tu réussi**s** – il réussi**t**
courir → je cour**s** – tu cour**s** – elle cour**t** – ils cour**ent**

3 Pour les verbes terminés par **-dre**, il n'y a pas de terminaison à la 3ᵉ personne du singulier.

j'attend**s** – il attend

4 Il ne faut pas confondre les verbes du 1ᵉʳ groupe homophones de verbes du 3ᵉ groupe à certaines personnes. Pour éviter les fautes d'orthographe, il faut chercher l'infinitif qui indique le groupe auquel appartient chaque verbe.

Vous [fɛt] un tour en ville.
  3ᵉ groupe → faites (*faire*)
Tu [fɛt] ton anniversaire.
  1ᵉʳ groupe → fêtes (*fêter*)

5 Pour les personnes du pluriel des verbes du 2ᵉ groupe, on intercale l'élément **-ss-** entre le radical et la terminaison. Cet élément permet de distinguer les verbes en **-ir** du 2ᵉ groupe de ceux également en **-ir** du 3ᵉ groupe.

6 Les formes conjuguées du verbe *croître* conservent l'accent circonflexe quand elles peuvent être confondues avec les formes conjuguées du verbe *croire*.

croître → L'arbre croî**t**.
croire → Il me croi**t**.

7 Le verbe *vêtir* (et ses dérivés) conserve l'accent circonflexe à toutes les personnes.

revêtir → je revê**ts** – tu revê**ts** – elle revê**t** – nous revê**tons** – vous revê**tez** – ils revê**tent**

Conjugaison

101 Le présent de l'indicatif : verbes irréguliers

Au présent de l'indicatif, certains verbes du 3ᵉ groupe ont des formes irrégulières qu'il faut retenir.

▶ Quelques verbes irréguliers

aller	je vais	elle va	nous allons	ils vont
faire	tu fais	nous faisons	vous faites	elles font
venir	je viens	elle vient	nous venons	ils viennent
pouvoir	je peux	il peut	nous pouvons	elles peuvent
valoir	tu vaux	elle vaut	vous valez	ils valent
dire	je dis	elle dit	vous dites	elles disent
devoir	tu dois	il doit	nous devons	ils doivent
voir	il voit	nous voyons	vous voyez	elles voient
lire	je lis	elle lit	nous lisons	ils lisent
mourir	tu meurs	il meurt	vous mourez	elles meurent
asseoir*	j'assois	elle assoit	nous assoyons	ils assoient
	j'assieds	elle assied	nous asseyons	ils asseyent
acquérir	j'acquiers	il acquiert	vous acquérez	ils acquièrent
écrire	tu écris	elle écrit	nous écrivons	elles écrivent
vaincre	tu vaincs	elle vainc	vous vainquez	ils vainquent
fuir	je fuis	nous fuyons	vous fuyez	elles fuient
peindre	je peins	il peint	nous peignons	ils peignent
conduire	tu conduis	elle conduit	vous conduisez	elles conduisent
résoudre	je résous	nous résolvons	vous résolvez	ils résolvent
coudre	tu couds	il coud	nous cousons	elles cousent

* Les deux conjugaisons sont acceptées, même si la première est d'un niveau moins soutenu.

Remarques

1 Les verbes dont l'infinitif se termine par **-indre**, comme *peindre, joindre, craindre*, perdent le **d** du radical aux personnes du singulier. Aux personnes du pluriel, le radical est modifié.

2 Le radical des verbes dont l'infinitif se termine par **-uire**, comme *conduire*, est modifié aux personnes du pluriel : ajout du **s**.

3 Les verbes *résoudre* et *dissoudre* perdent le **d** aux trois personnes du singulier. Leur radical est modifié aux trois personnes du pluriel.

4 Les verbes *coudre, découdre, moudre* conservent le **d** aux trois personnes du singulier.

5 Le verbe *falloir* ne s'utilise qu'à la 3ᵉ personne du singulier.
Il **faut** préserver l'environnement.

102 · L'imparfait de l'indicatif : 1er, 2e et 3e groupes

L'imparfait de l'indicatif **est un temps du passé.**

▶ Les valeurs de l'imparfait de l'indicatif

• L'imparfait de l'indicatif marque un fait situé dans le passé.
Avant de découvrir cette région, je n'**aimais** pas la campagne.

• Il indique une action qui a duré, qui n'est peut-être pas achevée, qui n'est pas délimitée dans le temps.
La mer **se déchaînait** et le bateau **tanguait** dangereusement.

• C'est aussi le temps de la description (paysages, scènes) et de l'expression de faits habituels dans le passé.
Le dimanche, nous **mangions** chez nos grands-parents.

▶ Tableaux de conjugaison

1er groupe	2e groupe	3e groupe	
parler	**agir**	**vendre**	**revenir**
je parlais	j'agissais	je vendais	je revenais
tu parlais	tu agissais	tu vendais	tu revenais
il/elle parlait	il/elle agissait	il/elle vendait	il/elle revenait
nous parlions	nous agissions	nous vendions	nous revenions
vous parliez	vous agissiez	vous vendiez	vous reveniez
ils/elles parlaient	ils/elles agissaient	ils/elles vendaient	ils/elles revenaient

Remarques

1 À l'imparfait, tous les verbes prennent les mêmes terminaisons.

2 Pour les verbes du 2e groupe, on intercale l'élément **-ss-** entre le radical et la terminaison.

3 Pour tous les verbes, quatre terminaisons sont homophones.
je recul**ais** – tu recul**ais** – il recul**ait** – elles recul**aient**

Il faut donc bien chercher la personne à laquelle le verbe est conjugué pour placer la terminaison correcte.

4 Pour les verbes du 1er groupe en **-gner, -iller, -ier, -yer**, les terminaisons des 1re et 2e personnes du pluriel ont une prononciation quasiment identique au présent et à l'imparfait. Il ne faut donc pas oublier d'ajouter un *i* à l'imparfait.

nous gagnons – nous gagni**ons**
vous travaillez – vous travaill**iez**
nous skions – nous skii**ons**
vous balayez – vous balay**iez**

Pour bien faire la distinction, on remplace par une forme du singulier.

Aujourd'hui, nous skions.
Aujourd'hui, elle skie.   → présent
Hier, nous skii**ons**.
Hier, elle ski**ait**.   → imparfait

5 Certains verbes du 3e groupe *(rire, cueillir, bouillir, fuir, voir, asseoir, croire, craindre, peindre...)* se conjuguent avec cette même particularité.

nous rii**ons** – vous cueilli**ez** –
nous bouilli**ons** – vous fuy**iez** –
nous voy**ions** – vous assoy**iez**
vous assey**iez** – nous croy**ions** –
vous craigni**ez** – nous peigni**ons**

Conjugaison

103 L'imparfait de l'indicatif : *avoir – être – verbes irréguliers*

À l'imparfait de l'indicatif, quelques verbes modifient leur radical (on dit que ces verbes sont irréguliers), mais la forme de ce radical est la même pour toutes les personnes.

▶ *être – avoir*

avoir	j'avais	il/elle avait	nous avions	ils/elles avaient
être	j'étais	il/elle était	nous étions	ils/elles étaient

▶ Quelques verbes irréguliers

faire	je faisais	il faisait	nous faisions	ils faisaient
aller	tu allais	elle allait	vous alliez	elles allaient
dire	je disais	il disait	nous disions	ils disaient
prédire	tu prédisais	elle prédisait	vous prédisiez	elles prédisaient
maudire	je maudissais	il maudissait	nous maudissions	ils maudissaient
lire	tu lisais	elle lisait	vous lisiez	elles lisaient
écrire	j'écrivais	il écrivait	nous écrivions	ils écrivaient
conduire	tu conduisais	elle conduisait	vous conduisiez	elles conduisaient
boire	je buvais	il buvait	nous buvions	ils buvaient
vaincre	tu vainquais	elle vainquait	vous vainquiez	elles vainquaient
prendre	je prenais	il prenait	nous prenions	ils prenaient
éteindre	tu éteignais	elle éteignait	vous éteigniez	elles éteignaient
coudre	je cousais	il cousait	nous cousions	ils cousaient
résoudre	tu résolvais	elle résolvait	vous résolviez	elles résolvaient
paraître	je paraissais	il paraissait	nous paraissions	ils paraissaient
taire	tu taisais	elle taisait	vous taisiez	elles taisaient
plaire	je plaisais	il plaisait	nous plaisions	ils plaisaient
haïr	tu haïssais	elle haïssait	vous haïssiez	elles haïssaient

Remarques

1 Les terminaisons sont les mêmes pour tous les verbes : *-ais, -ais, -ait, -ions, -iez, -aient*.

2 Le radical sur lequel on forme l'imparfait de l'indicatif est le même que celui de la 1re personne du pluriel du présent de l'indicatif pour tous les verbes (sauf *être*).

présent → nous faisons
imparfait → je faisais

présent → nous conduisons
imparfait → tu conduisais
présent → nous buvons
imparfait → ils buvaient
présent → nous résolvons
imparfait → vous résolviez

3 Le verbe *falloir* ne se conjugue qu'à la 3e personne du singulier.

Il **fallait** procéder à des modifications.

104 Le futur simple : *avoir – être – 1er et 2e groupes*

Le futur simple s'emploie généralement pour exprimer une action à venir, mais il a aussi d'autres valeurs.

▶ Les valeurs du futur simple

- Le futur simple indique une action qui se fera, avec plus ou moins de certitude, dans l'avenir par rapport au moment où l'on parle.
Pour votre anniversaire, vous **inviterez** tous vos amis.

- Il exprime l'ordre à la place de l'impératif.
Vous **nettoierez** votre bureau avant de partir.

- Il peut aussi prendre la valeur du présent pour atténuer le ton de certains propos ou marquer une nuance de politesse, essentiellement aux 1res personnes du singulier et du pluriel.
Je te **demanderai** de rouler moins vite. Nous **solliciterons** un bref entretien.

- Lorsqu'on utilise le présent de narration dans un récit, tous les faits postérieurs au moment où se situe l'action racontée seront au futur simple.
Jeanne d'Arc <u>affirme</u> qu'elle <u>délivrera</u> Orléans.
      présent de narration   futur simple

Conjugaison

▶ Tableaux de conjugaison

auxiliaires		1er groupe	2e groupe
être	**avoir**	**rester**	**finir**
je serai	j'aurai	je resterai	je finirai
tu seras	tu auras	tu resteras	tu finiras
il/elle sera	il/elle aura	il/elle restera	il/elle finira
nous serons	nous aurons	nous resterons	nous finirons
vous serez	vous aurez	vous resterez	vous finirez
ils/elles seront	ils/elles auront	ils/elles resteront	ils/elles finiront

Remarques :

1 Au futur simple, les terminaisons sont les mêmes pour tous les verbes.

2 Le futur des verbes des 1er et 2e groupes (hormis quelques verbes, leçon 105) se forme à partir de l'infinitif complet auquel on ajoute les terminaisons :
-ai, -as, -a, -ons, -ez, -ont.

3 Certaines terminaisons sont homophones ; pour ne pas les confondre, il faut bien identifier la personne à laquelle le verbe est conjugué.

Tu rester[a].   2e pers. sing.   → as
Elle rester[a].   3e pers. sing.   → a

Nous finir[5].   1re pers. plur.   → ons
Elles finir[5].   3e pers. plur.   → ont

4 Quand on écrit un verbe du 1er groupe au futur simple, il faut bien penser à l'infinitif pour éviter d'oublier le *e* muet.

jouer → je jouerai – nous jouerons
crier → je crierai – nous crierons
créer → je créerai – nous créerons

5 Le verbe *cueillir* (et ses dérivés), du 3e groupe, se conjugue comme un verbe du 1er groupe.

je cueillerai – nous cueillerons

105 Le futur simple : 3ᵉ groupe – verbes irréguliers

Les terminaisons du futur simple des verbes du 3ᵉ groupe sont les mêmes que celles des verbes des 1ᵉʳ et 2ᵉ groupes.

▶ Quelques verbes irréguliers

faire	je ferai	il fera	nous ferons	ils feront
aller	tu iras	elle ira	vous irez	elles iront
venir	je viendrai	il viendra	nous viendrons	ils viendront
tenir	tu tiendras	elle tiendra	vous tiendrez	elles tiendront
acquérir	j'acquerrai	il acquerra	nous acquerrons	ils acquerront
mourir	tu mourras	elle mourra	vous mourrez	elles mourront
courir	je courrai	il courra	nous courrons	ils courront
pouvoir	tu pourras	elle pourra	vous pourrez	elles pourront
devoir	je devrai	il devra	nous devrons	ils devront
vouloir	tu voudras	elle voudra	vous voudrez	elles voudront
voir	je verrai	il verra	nous verrons	ils verront
recevoir	tu recevras	elle recevra	vous recevrez	elles recevront
savoir	je saurai	il saura	nous saurons	ils sauront
valoir	tu vaudras	elle vaudra	vous vaudrez	elles vaudront
asseoir	j'assoirai	il assoira	nous assoirons	ils assoiront
	tu assiéras	elle assiéra	vous assiérez	elles assiéront

Remarques

1 Au futur simple, les verbes du 3ᵉ groupe, dont l'infinitif se termine par **-e**, perdent cette lettre.

descendre → je descendrai
combattre → tu combattras
rire → nous rirons

2 Avant d'écrire un verbe du 3ᵉ groupe au futur simple, il faut chercher son infinitif pour ne pas oublier une lettre muette ou en placer une superflue.

Le ministre **saluera** le président.
saluer ; 1ᵉʳ groupe → présence d'un e
Le ministre **conclura** son discours.
conclure ; 3ᵉ groupe → pas de e

3 Le futur proche s'exprime à l'aide du verbe aller au présent de l'indicatif suivi de l'infinitif.

Dans un instant, je **vais prendre** le TGV.

4 Revoir et entrevoir (ainsi qu'envoyer) se conjuguent comme voir.

Nous vous **reverrons** demain.
Tu **entreverras** une solution.

Mais pourvoir et prévoir se conjuguent sur un autre radical.

Nous **pourvoirons** à vos besoins.
Tu **prévoiras** une trousse de secours.

5 Au futur simple, les formes des verbes être et savoir ont des prononciations proches. Pour ne pas les confondre, il faut bien examiner le sens de la phrase ou changer de temps.

Je **serai** sous un abri. Je **saurai** où m'abriter.
Je **suis** sous un abri. Je **sais** où m'abriter.

106 Le passé simple : *avoir – être – 1ᵉʳ groupe*

Le passé simple est un temps du passé, le plus souvent utilisé dans la langue écrite.

▶ Les valeurs du passé simple

- Le passé simple exprime des faits passés, complètement achevés, qui ont eu lieu à un moment précis, sans idée d'habitude et sans lien avec le présent.
Le train **arriva** à l'heure.

- Il marque la succession des faits, c'est le temps du récit écrit par excellence.
Chloé **surmonta** son trac, **écarta** le rideau et **entra** en scène.

- Il exprime une action brève dans le passé, soudaine, à la différence de l'imparfait, temps de la description, qui marque une action qui dure ou des faits habituels.
Assia **regardait** un film à la télévision lorsque le téléphone **sonna**.

→ action qui dure : imparfait → action brève : passé simple

Remarque

Aujourd'hui, le passé simple, qui est essentiellement un **temps du récit**, est surtout employé aux troisièmes personnes du singulier et du pluriel dont les formes sont plus aisées à mémoriser. Pour les deux premières personnes du pluriel, on lui préférera le passé composé.

▶ Tableaux de conjugaison

auxiliaires		1ᵉʳ groupe
avoir	**être**	**sonner**
j'eus	je fus	je sonnai
tu eus	tu fus	tu sonnas
il/elle eut*	il/elle fut*	il/elle sonna
nous eûmes	nous fûmes	nous sonnâmes
vous eûtes	vous fûtes	vous sonnâtes
ils/elles eurent	ils/elles furent	ils/elles sonnèrent

* Ces formes ne prennent jamais d'accent circonflexe au passé simple.

Remarques

1 Au passé simple, les terminaisons sont les mêmes pour tous les verbes du 1ᵉʳ groupe : *-ai, -as, -a, -âmes, -âtes, -èrent*.

2 Le verbe *aller*, même s'il appartient au 3ᵉ groupe, se conjugue au passé simple comme un verbe du 1ᵉʳ groupe.

j'all**ai** – nous all**âmes** – ils all**èrent**

3 Au passé simple et à l'imparfait de l'indicatif, les terminaisons des verbes du 1ᵉʳ groupe, à la 1ʳᵉ personne du singulier, ont pratiquement la même prononciation. Pour entendre la différence, on remplace par la 2ᵉ personne du singulier.

Souvent, j'hésit**ais** à parler.
Souvent, tu hésit**ais** à parler. → imparfait
Soudain, j'hésit**ai** à parler.
Soudain, tu hésit**as** à parler. → passé simple

Conjugaison

Le passé simple : 2e et 3e groupes en *-i-*

Au passé simple, les verbes du 2e groupe et certains verbes du 3e groupe ont les mêmes terminaisons : *-is, -is, -it, -îmes, -îtes, -irent*.

▶ Tableaux de conjugaison

2e groupe	3e groupe		
rougir	sourire	sortir	entendre
je rougis	je souris	je sortis	j'entendis
tu rougis	tu souris	tu sortis	tu entendis
il/elle rougit	il/elle sourit	il/elle sortit	il/elle entendit
nous rougîmes	nous sourîmes	nous sortîmes	nous entendîmes
vous rougîtes	vous sourîtes	vous sortîtes	vous entendîtes
ils/elles rougirent	ils/elles sourirent	ils/elles sortirent	ils/elles entendirent

Remarques :

1 Au passé simple, pour les personnes du singulier, les terminaisons des verbes du 2e groupe sont les mêmes que celles du présent de l'indicatif. Pour distinguer ces deux temps, il faut chercher les indicateurs temporels ou observer les formes des autres verbes de la phrase.

passé simple :
L'avion **arrivait** de Mexico et à l'approche de Roissy, il **ralentit** et **atterrit**.
présent de l'indicatif :
L'avion **arrive** de Mexico et à l'approche de Roissy, il **ralentit** et **atterrit**.

2 À la 3e personne du singulier, il n'y a jamais d'accent sur la voyelle qui précède le *-t*.
il rougit – on sourit – il sortit – on entendit

3 Tous les verbes du 3e groupe n'ont pas une terminaison en *-i* au passé simple (voir leçon 108).

4 Les deux premières personnes du pluriel, aux formes désuètes, ne sont plus employées aujourd'hui.

▶ Quelques verbes irréguliers

faire	je fis	il fit	nous fîmes	ils firent
prendre	tu pris	elle prit	vous prîtes	elles prirent
voir	je vis	il vit	nous vîmes	ils virent
mettre	tu mis	elle mit	vous mîtes	elles mirent
dire	je dis	il dit	nous dîmes	ils dirent
conduire	tu conduisis	elle conduisit	vous conduisîtes	elles conduisirent
asseoir	j'assis	il assit	nous assîmes	ils assirent
écrire	tu écrivis	elle écrivit	vous écrivîtes	elles écrivirent
peindre	je peignis	il peignit	nous peignîmes	ils peignirent
naître	tu naquis	elle naquit	vous naquîtes	elles naquirent
vaincre	je vainquis	il vainquit	nous vainquîmes	ils vainquirent
acquérir	tu acquis	elle acquit	vous acquîtes	elles acquirent

108 Le passé simple : 3e groupe en *-u-* et *-in-*

Au passé simple, les verbes du 3e groupe se terminent par **-s, -s, -t, -mes, -tes, -rent**. Ces terminaisons peuvent être précédées de **-u-** ou **-in-**.

▶ Tableaux de conjugaison

courir	vouloir	venir	tenir
je courus	je voulus	je vins	je tins
tu courus	tu voulus	tu vins	tu tins
il/elle courut	il/elle voulut	il/elle vint	il/elle tint
nous courûmes	nous voulûmes	nous vînmes	nous tînmes
vous courûtes	vous voulûtes	vous vîntes	vous tîntes
ils/elles coururent	ils/elles voulurent	ils/elles vinrent	ils/elles tinrent

Remarques

1 Pour trouver la terminaison des verbes du 3e groupe, on ne peut pas se référer à l'infinitif ni à d'autres formes conjuguées.

mourir → il meurt (présent)
il mourut (passé simple)
venir → il vient (présent)
il vint (passé simple)

Il faut retenir par cœur les formes du passé simple pour ces verbes.

2 Les verbes des mêmes familles que *venir* et *tenir* prennent les mêmes terminaisons.

venir : advenir – survenir – revenir – devenir – prévenir – intervenir – provenir – convenir – se souvenir – redevenir – contrevenir

tenir : appartenir – obtenir – détenir – entretenir – retenir – contenir – soutenir – maintenir – s'abstenir

▶ Quelques verbes irréguliers

connaître	je connus	il connut	nous connûmes	ils connurent
savoir	tu sus	elle sut	vous sûtes	elles surent
valoir	je valus	il valut	nous valûmes	ils valurent
pouvoir	tu pus	elle put	vous pûtes	elles purent
devoir	je dus	il dut	nous dûmes	ils durent
vivre	tu vécus	elle vécut	vous vécûtes	elles vécurent
boire	je bus	il but	nous bûmes	ils burent
croire*	tu crus	elle crut	vous crûtes	elles crurent
croître*	je crûs	il crût	nous crûmes	ils crûrent
plaire	tu plus	elle plut	vous plûtes	elles plurent
taire	je tus	il tut	nous tûmes	ils turent
résoudre	tu résolus	elle résolut	vous résolûtes	elles résolurent
pourvoir	je pourvus	il pourvut	nous pourvûmes	ils pourvurent

* Le verbe *croître (grandir)* prend un accent circonflexe à toutes les personnes pour ne pas être confondu avec le verbe *croire* qui ne le prend qu'aux deux premières personnes du pluriel.

Les temps simples : verbes en *-yer, -eler* et *-eter*

Les verbes du 1er groupe en *-yer*, en *-eler* et *-eter* présentent des spécificités.

▶ Verbes en *-yer*

payer		nettoyer	
présent	**futur simple**	**présent**	**futur simple**
je paie	je paierai	tu nettoies	tu nettoieras
nous payons	nous paierons	vous nettoyez	vous nettoierez
ils/elles paient	ils/elles paieront	ils/elles nettoient	ils/elles nettoieront

Remarques

1 Pour les verbes en *-ayer, -oyer, -uyer*, le *y* se transforme en *i* devant les terminaisons commençant par un *e* muet au présent et au futur simple de l'indicatif.

2 Pour les verbes en *-ayer*, le maintien du *y* devant le *e* muet est toléré. Mais, pour mieux retenir l'ensemble des conjugaisons des verbes en *-yer*, il est préférable de transformer le *y* en *i* pour tous les verbes, quelle que soit la voyelle qui précède le *y* à l'infinitif.

3 Les verbes *envoyer* et *renvoyer* ont une conjugaison particulière au futur simple :

j'enverrai – ils renverront

▶ Verbes en *-eler* et *-eter*

appeler		jeter	
présent	**futur simple**	**présent**	**futur simple**
j'appelle	j'appellerai	tu jettes	tu jetteras
nous appelons	nous appellerons	vous jetez	vous jetterez
ils/elles appellent	ils/elles appelleront	ils/elles jettent	ils/elles jetteront

Remarques

1 La plupart des verbes en *-eler* et *-eter* doublent le *l* ou le *t* devant les terminaisons commençant par un *e* muet.

2 Seuls quelques verbes en *-eler* (*peler – geler* et ses composés – *écarteler – marteler – modeler – démanteler*) et en *-eter* (*acheter – crocheter – haleter – fureter*) ne doublent pas le *l* ou le *t* devant les terminaisons commençant par un *e* muet. Ils s'écrivent avec un **accent grave** sur le *e* qui précède le *l* ou le *t*.

je pèle – nous pelons
tu achèteras – vous achèterez

3 À l'imparfait et au passé simple de l'indicatif, les terminaisons, pour l'ensemble des personnes, ne commencent jamais par un *e* muet ; on conserve donc le *y* des verbes en *-yer*, on ne double pas la consonne des verbes en *-eler* et en *-eter* et on ne place pas d'accent grave.

4 Les verbes comme *interpeller* et *regretter* qui ont deux *l* ou deux *t* à l'infinitif les conservent à toutes les personnes.

j'interpelle – nous interpellons
tu regrettes – vous regrettez

110 Les temps simples : verbes en *-cer*, *-ger*, *-guer* et *-quer*

Les verbes du 1er groupe en *-cer*, *-ger*, *-guer* et *-quer* observent certaines règles qu'il faut connaître.

▶ Verbes en *-cer*

présent	imparfait	passé simple
je m'enfonce	tu t'enfonçais	je m'enfonçai
nous nous enfonçons	vous vous enfonciez	nous nous enfonçâmes

Remarques :

1 Pour conserver le son [s], les verbes en *-cer* prennent une **cédille** sous le *c* devant les voyelles *o* ou *a*.

2 Au futur simple, l'infinitif des verbes en *-cer* se retrouve en entier à toutes les personnes ; le son [s] est ainsi toujours conservé.

tu t'**enfonce**ras – nous nous **enfonce**rons

3 Quelques verbes du 3e groupe (*apercevoir, percevoir, concevoir, décevoir, recevoir*) s'écrivent avec un *ç* devant les voyelles *o* et *u* au présent et au passé simple.

j'aperçois – il aperçoit
j'aperçus – ils aperçurent
tu conçus – vous conçûtes

▶ Verbes en *-ger*

présent	imparfait	passé simple
je nage	tu nageais	je nageai
nous nageons	vous nagiez	nous nageâmes

Remarques :

1 Les verbes en *-ger* prennent un *e* après le *g* devant les voyelles *o* ou *a* pour conserver le son [ʒ].

2 Au futur simple, l'infinitif des verbes en *-ger* se retrouve en entier à toutes les personnes ; le son [ʒ] est ainsi toujours conservé.

je **nage**rai – nous **nage**rons

▶ Verbes en *-guer* et *-quer*

présent	imparfait	passé simple
je me fatigue	je me fatiguais	je me fatiguai
nous nous fatiguons	nous nous fatiguions	nous nous fatiguâmes

Remarques :

1 Pour tous les temps simples, et à toutes les personnes, les verbes en *-guer* conservent le *u* de leur radical, même s'il n'est pas indispensable pour maintenir le son [g].

2 Il en est de même pour les verbes en *-quer* qui conservent toujours le *u* du radical.

nous débarquons – elle débarquait – je débarquerai – vous débarquâtes

Conjugaison

111 Les temps simples : verbes comme *semer* et *céder*

Dans certaines formes de leur conjugaison, les verbes comme *semer* et *céder* voient leur radical changer : du **e** en **é** et du **é** en **è**.

▶ Verbes comme *semer*

présent	futur simple	imparfait	passé simple
je sème	tu sèmeras	je semais	tu semas
nous semons	vous sèmerez	nous semions	vous semâtes

Remarques

1 Pour les verbes du 1ᵉʳ groupe qui ont un **e** muet dans l'avant-dernière syllabe de leur infinitif, on place un **accent grave** sur ce **e** devant une terminaison commençant par un **e** muet.

2 Pour l'imparfait et le passé simple de l'indicatif, il n'existe pas de terminaisons commençant par un **e** muet ; le radical n'est donc jamais modifié. En prononçant les formes verbales à haute voix, on entend la différence.

▶ Verbes comme *céder*

présent	futur simple	imparfait	passé simple
je cède	tu cèderas	je cédais	tu cédas
nous cédons	vous cèderez	nous cédions	vous cédâtes

Remarques

1 Pour les verbes du 1ᵉʳ groupe qui ont un **é** dans l'avant-dernière syllabe de leur infinitif, l'accent aigu devient un **accent grave** devant un **e** muet.

2 Pour le futur simple, l'usage admet que l'on puisse conserver le **é** devant la terminaison muette. Cependant, pour ne pas créer de confusion, il est préférable d'appliquer la même règle qu'au présent de l'indicatif, d'autant que la prononciation actuelle appelle l'accent grave.

3 Pour l'imparfait et le passé simple de l'indicatif, il n'existe pas de terminaisons commençant par un **e** muet ; le radical n'est donc jamais modifié. En prononçant les formes verbales à haute voix, on entend la différence.

4 On applique la même règle de transformation du **é** en **è** devant un **e** muet pour les verbes du 1ᵉʳ groupe en **-éguer** ou en **-égner**.

présent de l'indicatif :
je délègue – nous déléguons
tu règnes – vous régnez

futur simple :
il délèguera – ils délègueront
je règnerai – nous règnerons

5 Les verbes en **-éer** conservent l'accent aigu dans toute leur conjugaison. Attention, il ne faut pas oublier le **e** muet au futur simple.

je crée – tu créais – elle créa – nous créerons

Le passé composé de l'indicatif

Le passé composé est un temps du passé, souvent utilisé aussi bien à l'écrit qu'à l'oral.

▶ Les valeurs du passé composé

> • Il exprime des faits achevés à un moment donné du passé, en relation avec le présent ou dont les conséquences sont encore sensibles dans le présent.
> Tu reviens de l'hôpital, tu **as rendu** visite à ta sœur.
>
> • Aujourd'hui, il est souvent employé à la place du passé simple. Il indique alors un événement dans le passé sans relation avec le présent.
> Il **s'est levé** et il **a quitté** la table.

▶ Tableaux de conjugaison

auxiliaire *avoir*	auxiliaire *être*	
rêver	**venir**	**se lever**
j'ai rêvé	je suis venu(e)	je me suis levé(e)
tu as rêvé	tu es venu(e)	tu t'es levé(e)
il/elle a rêvé	il/elle est venu(e)	il/elle s'est levé(e)
nous avons rêvé	nous sommes venu(e)s	nous nous sommes levé(e)s
vous avez rêvé	vous êtes venu(e)s	vous vous êtes levé(e)s
ils/elles ont rêvé	ils/elles sont venu(e)s	ils/elles se sont levé(e)s

Remarques

1 Pour former le passé composé, on place l'auxiliaire conjugué au présent de l'indicatif devant le participe passé. Beaucoup de verbes, en particulier les verbes transitifs, se conjuguent avec l'auxiliaire *avoir*. Quelques verbes intransitifs *(aller, partir, arriver, entrer, rester, venir...)*, ainsi que les verbes pronominaux, se conjuguent avec l'auxiliaire *être*.

2 Tous les participes passés des verbes du 1er groupe se terminent par **-é**.

affirmer : affirmé   *rester* : resté

Tous les participes passés des verbes du 2e groupe se terminent par **-i**.

remplir : rempli   *maigrir* : maigri

Les participes passés des verbes du 3e groupe se terminent généralement par **-i** ou **-u**.

sourire : souri   *vendre* : vendu

Mais il existe des formes particulières.

naître : né, née   *devoir* : dû, due

plaire : plu   *pouvoir* : pu
savoir : su, sue   *voir* : vu, vue
vivre : vécu, vécue   *vaincre* : vaincu, vaincue

Certains participes passés se terminent par une lettre muette, **-t** ou **-s**. Le féminin du participe passé permet souvent de trouver la lettre muette.

asseoir : assis, assise   *prendre* : pris, prise
mourir : mort, morte   *faire* : fait, faite
ouvrir : ouvert, ouverte   *dire* : dit, dite

Pour l'accord des participes passés, voir leçons 27 à 33.

3 Les verbes *avoir* et *être* se conjuguent tous les deux avec l'auxiliaire *avoir*.

J'ai eu du courage.   J'ai été courageux(se).

4 Aux 1re et 2e personnes, seule la personne qui écrit sait quel accord il faut faire.

soit le masculin : Je suis parti. Nous sommes partis.
soit le féminin : Tu es partie. Vous êtes parties.

Conjugaison

Le plus-que-parfait de l'indicatif

Le plus-que-parfait est un temps composé du passé.

▶ Les valeurs du plus-que-parfait

• Le plus-que-parfait de l'indicatif exprime des faits accomplis dont la durée est indéterminée, et qui se situent avant une autre action passée exprimée le plus souvent à l'imparfait, au passé composé ou au passé simple.
Inès lisait les lettres qu'elle **avait reçues**.
Inès a lu les lettres qu'elle **avait reçues**.
Inès lut les lettres qu'elle **avait reçues**.
C'est après avoir reçu les lettres que Inès a pu les lire.

• Le plus-que-parfait peut aussi exprimer, dans le passé, des faits répétés ou habituels.
Pendant des mois, Mathilde **avait cherché** du travail : en vain.

• Il s'emploie également pour exprimer un fait passé par rapport au moment présent.
Je suis en panne et ça, je ne l'**avais** pas **prévu**.

• Il peut aussi être employé seul ; il présente un fait totalement accompli au moment où l'on parle.
Tu **avais** longuement **réfléchi** avant de t'exprimer.
J'**étais restée** pour vous aider.

• Dans les propositions de supposition, il exprime un fait qui ne s'est pas réalisé dans le passé.
Si j'**avais été** plus attentif, j'aurais retenu le nom de cet acteur.

▶ Tableaux de conjugaison

auxiliaire *avoir*	auxiliaire *être*	
résister	intervenir	s'arrêter
j'avais résisté	j'étais intervenu(e)	je m'étais arrêté(e)
tu avais résisté	tu étais intervenu(e)	tu t'étais arrêté(e)
il/elle avait résisté	il/elle était intervenu(e)	il/elle s'était arrêté(e)
nous avions résisté	nous étions intervenu(e)s	nous nous étions arrêté(e)s
vous aviez résisté	vous étiez intervenu(e)s	vous vous étiez arrêté(e)s
ils/elles avaient résisté	ils/elles étaient intervenu(e)s	ils/elles s'étaient arrêté(e)s

Remarques

1 Pour former le plus-que-parfait d'un verbe, on place un des deux auxiliaires, conjugué à l'imparfait de l'indicatif, devant le participe passé.

2 Aux temps composés, l'adverbe, ainsi que la seconde partie de la négation, se placent entre l'auxiliaire et le participe passé.
L'émission s'était **brusquement** interrompue.
L'émission **ne** s'était **jamais** interrompue.

114 Le passé antérieur et le futur antérieur

▶ Le passé antérieur

• Le passé antérieur exprime des faits accomplis, généralement brefs, dont la durée est déterminée, et qui se situent avant une autre action passée exprimée au passé simple. On dit que c'est le **passé du passé**. Il se rencontre généralement dans les propositions subordonnées après une conjonction de temps (*quand, lorsque, aussitôt que, dès que, après que...*).
Après qu'il **eut atteint** le col, Hugo **se reposa**.
Quand les coureurs **furent arrivés** au sommet du col, ils **se désaltérèrent**.

• Il s'emploie parfois dans une proposition indépendante pour exprimer une action brève dans le passé. Il est alors accompagné d'un adverbe de temps (*bientôt, vite, enfin, en un instant...*).
Les jeunes gens **eurent** bientôt **aménagé** leur nouvel appartement.
Le boxeur **se fut** rapidement **relevé**.

• Au passé antérieur, l'auxiliaire (*être* ou *avoir*) est conjugué au passé simple.

auxiliaire *avoir*	auxiliaire *être*	
refuser	rester	se servir
j'eus refusé	je fus resté(e)	je me fus servi(e)
tu eus refusé	tu fus resté(e)	tu te fus servi(e)
il/elle eut refusé	il/elle fut resté(e)	il/elle se fut servi(e)
nous eûmes refusé	nous fûmes resté(e)s	nous nous fûmes servi(e)s
vous eûtes refusé	vous fûtes resté(e)s	vous vous fûtes servi(e)s
ils/elles eurent refusé	ils/elles furent resté(e)s	ils/elles se furent servi(e)s

▶ Le futur antérieur

• Le futur antérieur exprime une action qui sera achevée à un moment donné du futur. On dit que c'est le **passé du futur**. On peut le trouver dans des propositions subordonnées ou des propositions indépendantes.
Nous relirons ce que nous **aurons écrit**. L'autobus **sera parti** dans dix minutes.

• Au futur antérieur, l'auxiliaire (*avoir* ou *être*) est conjugué au futur simple de l'indicatif.

auxiliaire *avoir*	auxiliaire *être*	
refuser	rester	se servir
j'aurai refusé	je serai resté(e)	je me serai servi(e)
tu auras refusé	tu seras resté(e)	tu te seras servi(e)
il/elle aura refusé	il/elle sera resté(e)	il/elle se sera servi(e)
nous aurons refusé	nous serons resté(e)s	nous nous serons servi(e)s
vous aurez refusé	vous serez resté(e)s	vous vous serez servi(e)s
ils/elles auront refusé	ils/elles seront resté(e)s	ils/elles se seront servi(e)s

Le présent du conditionnel exprime généralement des faits dont la réalisation est soumise à une condition.

▶ Les valeurs du présent du conditionnel

• Le présent du conditionnel a valeur de **mode** lorsque l'action est :
– la conséquence possible d'un fait supposé, d'une condition ;
S'il pleuvait plus souvent, la pelouse **reverdirait**.
– une éventualité ;
Quelques plaisanteries **détendraient** peut-être l'atmosphère.
– un souhait ;
J'**aimerais** voyager à travers le monde.
– un fait dont on n'est pas certain, une supposition.
Par hasard, **ressemblerait**-il à son cousin ?

• Le présent du conditionnel, pour certains emplois, est considéré comme un temps de l'indicatif. C'est un **futur hypothétique du passé**.
Je pensais (ai pensé) que tu **attendrais** le prochain métro.
Dans ce cas, le présent du conditionnel s'impose parce que le verbe de la prin-cipale est au passé.
Si le verbe de la principale est au présent de l'indicatif, le verbe de la subordonnée est au futur simple.
Je pense que tu **attendras** le prochain métro.

▶ Tableaux de conjugaison

camper	faiblir	dormir	vivre
je camperais	je faiblirais	je dormirais	je vivrais
tu camperais	tu faiblirais	tu dormirais	tu vivrais
il/elle camperait	il/elle faiblirait	il/elle dormirait	il/elle vivrait
nous camperions	nous faiblirions	nous dormirions	nous vivrions
vous camperiez	vous faibliriez	vous dormiriez	vous vivriez
ils/elles camperaient	ils/elles faibliraient	ils/elles dormiraient	ils/elles vivraient

Remarques

1 Au présent du conditionnel, tous les verbes ont les mêmes terminaisons, celles de l'imparfait de l'indicatif.
Le radical est le même que celui qui permet de former le futur simple.

2 Pour les verbes des 1er et 2e groupes, on retrouve l'infinitif en entier.

3 Pour les verbes du 1er groupe en **-ouer, -uer, -ier, -éer**, il ne faut pas oublier de placer le **e**.
je jouerais – tu tuerais – elle épierait – il créerait

4 Les verbes du 3e groupe, dont l'infinitif se termine par **-e**, perdent cette lettre.

5 Pour certains verbes du 3e groupe, le radical a une forme particulière (voir leçon 116).

6 Il faut retenir les formes de *être* et *avoir*.
être : je serais – nous serions
avoir : j'aurais – nous aurions

Le présent du conditionnel : verbes irréguliers

Pour un certain nombre de verbes, on retrouve, au présent du conditionnel, les mêmes irrégularités de formes du radical qu'au futur simple. Les terminaisons sont toujours celles de l'imparfait de l'indicatif.

▶ Formes particulières du 1er groupe

nettoyer	je nettoierais	il nettoierait	nous nettoierions	ils nettoieraient
envoyer	tu enverrais	elle enverrait	vous enverriez	elles enverraient
appeler	j'appellerais	il appellerait	nous appellerions	ils appelleraient
modeler	tu modèlerais	elle modèlerait	vous modèleriez	elles modèleraient
jeter	je jetterais	il jetterait	nous jetterions	ils jetteraient
acheter	tu achèterais	elle achèterait	vous achèteriez	elles achèteraient
achever	j'achèverais	il achèverait	nous achèverions	ils achèveraient
libérer*	tu libèrerais	elle libèrerait	vous libèreriez	elles libèreraient

* Si l'usage admet que l'on puisse conserver le **é** devant la terminaison muette, il est préférable d'appliquer la même règle qu'au présent de l'indicatif, d'autant que la prononciation actuelle appelle l'accent grave.

▶ Quelques verbes irréguliers du 3e groupe

aller	j'irais	il irait	nous irions	ils iraient
faire	tu ferais	elle ferait	vous feriez	elles feraient
tenir (venir)	je tiendrais	il tiendrait	nous tiendrions	ils tiendraient
courir	tu courrais	elle courrait	vous courriez	elles courraient
pouvoir	je pourrais	il pourrait	nous pourrions	ils pourraient
voir	tu verrais	elle verrait	vous verriez	elles verraient
vouloir	je voudrais	il voudrait	nous voudrions	ils voudraient
valoir	tu vaudrais	elle vaudrait	vous vaudriez	elles vaudraient
asseoir	j'assiérais	il assiérait	nous assiérions	ils assiéraient
	tu assoirais	elle assoirait	vous assoiriez	elles assoiraient
savoir	je saurais	il saurait	nous saurions	ils sauraient

Conjugaison

Remarques

1 Pour les verbes qui doublent le **r** au présent du conditionnel (*accourir, parcourir, concourir, secourir, mourir, acquérir, requérir, conquérir...*), il ne faut pas confondre les formes de l'imparfait de l'indicatif et celles du présent du conditionnel.

Avant, il **courait** vite.
S'il s'entraînait, il **courrait** vite.

2 Les verbes *cueillir, accueillir, se recueillir* se conjuguent comme des verbes du 1er groupe.

tu cueillerais – il accueillerait – elles se recueilleraient

3 Le verbe *falloir* ne s'emploie qu'à la 3e personne du singulier.

Il **faudrait** baisser le son.

Futur simple ou présent du conditionnel ?

À l'oral ou à l'écrit, il n'est pas rare d'hésiter entre le futur simple et le présent du conditionnel. Il faut donc savoir distinguer ces deux temps.

▶ Confusion due à la prononciation

Les terminaisons de la première personne du singulier du futur simple et du présent du conditionnel ont **la même prononciation**.
Le 23 mars, je souhaiter[ɛ] l'anniversaire de mon ami Lucas.
Le 23 mars, je souhaiter[ɛ] que l'anniversaire de Lucas soit une grande fête.

▶ Comment éviter toute confusion ?

• Pour distinguer ces deux terminaisons, on peut examiner le sens de la phrase.
Le 23 mars, je souhaiter[ɛ] l'anniversaire de mon ami Lucas.
C'est une quasi-certitude → futur simple → terminaison : *-ai*.
Le 23 mars, je souhaiter[ɛ] que l'anniversaire de Lucas soit une grande fête.
C'est une possibilité, un désir → présent du conditionnel → terminaison : *-ais*.
• On peut aussi remplacer la 1ʳᵉ personne du singulier par une autre personne ;
on entend alors la différence.
– futur simple :
Le 23 mars, je souhaiter[ɛ] l'anniversaire de mon ami Lucas.
Le 23 mars, nous souhaiter**ons** l'anniversaire de notre ami Lucas.
– présent du conditionnel :
Le 23 mars, je souhaiter[ɛ] que l'anniversaire de Lucas soit une grande fête.
Le 23 mars, nous souhaiter**ions** que l'anniversaire de Lucas soit une grande fête.

▶ Concordance des temps

• Si le verbe de la proposition subordonnée, introduite par *si*, est au présent de l'indicatif, le verbe de la proposition principale est au futur simple.
Si Lucas m'appell**e**, je lui souhaiter**ai** son anniversaire.
Si Lucas nous appell**e**, nous lui souhaiter**ons** son anniversaire.
• Si le verbe de la proposition subordonnée, introduite par *si*, est à l'imparfait de l'indicatif, le verbe de la proposition principale est au présent du conditionnel.
Si Lucas m'appel**ait**, je lui souhaiter**ais** son anniversaire.
Si Lucas nous appel**ait**, nous lui souhaiter**ions** son anniversaire.

Remarque

Le verbe de la subordonnée introduite par la conjonction *si* ne s'écrit jamais au présent du conditionnel.

« Si j'achèterais un nouveau smartphone... » est un barbarisme.

La proposition correcte est :
Si j'**achetais** un nouveau smartphone, j'**adopterais** une sonnerie originale.
ou bien :
Si j'**achète** un nouveau smartphone, j'**adopterai** une sonnerie originale.

Les temps composés du conditionnel

Les temps composés du conditionnel **sont le passé 1re forme et le passé 2e forme.**

▶ Le passé 1re forme du conditionnel

> Le passé 1re forme du conditionnel indique qu'un fait situé dans le passé serait accompli dans un moment à venir.
> Je savais que la séance **aurait pris** fin quand minuit sonnerait.
> Le chef de gare déclara que le train ne **serait** pas **parti** à 16 heures.

Le passé 1re forme du conditionnel est composé de l'auxiliaire *être* ou *avoir* au présent du conditionnel et du participe passé du verbe conjugué.

apprécier	aller	partir
j'aurais apprécié	je serais allé(e)	je serais parti(e)
il/elle aurait apprécié	il/elle serait allé(e)	il/elle serait parti(e)
nous aurions apprécié	nous serions allé(e)s	nous serions parti(e)s
ils/elles auraient apprécié	ils/elles seraient allé(e)s	ils/elles seraient parti(e)s

Remarque !

Si le verbe de la subordonnée, introduite par *si*, est au plus-que-parfait de l'indicatif, le verbe de la principale est au conditionnel passé.

Si tu <u>avais vu</u> ce film, tu l'**aurais apprécié**.
Si j'en <u>avais eu</u> l'occasion, je **serais parti**.

▶ Le passé 2e forme du conditionnel

> On donne parfois au plus-que-parfait du subjonctif (voir leçon 125) le nom de passé 2e forme du conditionnel. Ce sont des temps recherchés, littéraires, qu'on ne rencontre qu'exceptionnellement à l'oral.

Le passé 2e forme du conditionnel est composé de l'auxiliaire *être* ou *avoir* à l'imparfait du subjonctif et du participe passé du verbe conjugué.

apprécier	aller	partir
j'eusse apprécié	je fusse allé(e)	je fusse parti(e)
il/elle eût apprécié	il/elle fût allé(e)	il/elle fût parti(e)
nous eussions apprécié	vous fussiez allé(e)s	nous fussions parti(e)s
ils/elles eussent apprécié	ils/elles fussent allé(e)s	ils/elles fussent parti(e)s

Remarque !

Pour ne pas confondre la 3e personne du singulier du passé 2e forme du conditionnel avec la 3e personne du singulier du passé antérieur de l'indicatif, qui ne se différencient que par la présence d'un accent circonflexe au conditionnel, on remplace par le passé 1re forme du conditionnel.

Il sortit après qu'il **eut pris** son parapluie.
S'il avait prévu la pluie, il **eût pris** son parapluie.
(S'il avait prévu la pluie, il **aurait pris** son parapluie. → passé du conditionnel)

La voix passive – Les verbes transitifs / intransitifs

Une phrase qui passe de la voix active à la voix passive exprime toujours la même idée avec une construction différente. Cette transformation n'est possible qu'avec des verbes qui peuvent être suivis d'un COD (verbes transitifs).

▶ Voix active – Voix passive

- Un verbe est à la voix active lorsque le sujet fait l'action.
Ce réalisateur **tourne** un nouveau film.
- Un verbe est à la voix passive lorsque le sujet subit l'action.
Un nouveau film **est tourné** par ce réalisateur.

C'est le temps de l'auxiliaire *être* (simple ou composé) qui donne le temps de la forme verbale passive.

Un nouveau film **est** tourné par ce réalisateur.	**est** → présent de l'indicatif
Un nouveau film **sera** tourné par ce réalisateur.	**sera** → futur simple
Un nouveau film **a été** tourné par ce réalisateur.	**a été** → passé composé
Il faut que ce film **soit** tourné par ce réalisateur.	**soit** → présent du subjonctif

Remarques

1 La voix passive se construit exclusivement avec l'auxiliaire *être*. Le participe passé s'accorde donc avec le sujet du verbe.

Un film est tourné par ce réalisateur.
Une série est tournée par ce réalisateur.

2 Attention aux temps composés des verbes qui se conjuguent avec l'auxiliaire *être*.

Ce réalisateur est resté sur le plateau.
→ voix active – verbe au passé composé

3 De la voix active à la voix passive, le COD devient le sujet du verbe et le sujet devient le **complément d'agent**. Celui-ci est le plus souvent introduit par la préposition *par*.

Ce film est coupé **par** des messages publicitaires.

Parfois, il est simplement sous-entendu.
voix active : On a tourné un film.
voix passive : Un film a été tourné.
(sous-entendu « **par on** »)

▶ Verbes transitifs – Verbes intransitifs

- Les verbes qui sont suivis d'un complément d'objet direct peuvent, le plus souvent, être mis à la forme passive. Ce sont des **verbes transitifs** directs.
- Les **verbes intransitifs** ne sont jamais accompagnés d'un COD, ils ne peuvent donc pas être à la voix passive ; mais, selon le sens, un verbe peut être transitif ou intransitif.

Le satellite **tourne** autour de la Terre. → verbe intransitif
Ce jeune réalisateur **tourne** un nouveau film. → verbe transitif

Remarque

Il ne faut pas confondre le verbe à la voix passive avec le verbe *être* suivi d'un participe passé marquant l'état ; le participe passé est alors attribut.

La lumière **est éteinte par Samuel**.
→ voix passive
La lumière **est éteinte**.
→ verbe *être* + attribut

120 Le présent du subjonctif

Le subjonctif s'emploie généralement dans les propositions subordonnées.

▶ Les valeurs du subjonctif

Le subjonctif exprime généralement un désir, un souhait, un ordre, un doute, un regret, un conseil, une supposition... Les verbes au subjonctif sont, assez souvent, inclus dans une proposition subordonnée introduite par la conjonction *que*.

Je souhaite **que** tu **réussisses**.

La fragilité de ce moteur exige **que** le réglage **soit** parfait.

Nous doutons **qu'**il **retrouve** son chemin.

Remarques

1 Le subjonctif peut être employé dans une proposition indépendante ou dans une proposition relative.

Qu'il **soit** prêt à l'heure !

Il n'y a que toi qui **réussisses** ce tour de magie.

2 Les conjonctions *que* et *quoi* peuvent se trouver en tête de phrase dans des exclamations marquant l'ordre, l'étonnement, l'indignation. Le verbe est alors au subjonctif.

Que personne ne **sorte** !

Que tu te **perdes** ! Ce n'est pas possible.

Quoi que vous **mangiez**, vous ne serez pas rassasiés.

▶ Tableaux de conjugaison

avoir	être	jouer	obéir	rire
que j'aie	que je sois	que je joue	que j'obéisse	que je rie
que tu aies	que tu sois	que tu joues	que tu obéisses	que tu ries
qu'il/elle ait	qu'il/elle soit	qu'il/elle joue	qu'il/elle obéisse	qu'il/elle rie
que nous ayons	que nous soyons	que nous jouions	que nous obéissions	que nous riions
que vous ayez	que vous soyez	que vous jouiez	que vous obéissiez	que vous riiez
qu'ils/elles aient	qu'ils/elles soient	qu'ils/elles jouent	qu'ils/elles obéissent	qu'ils/elles rient

Remarques

1 Au présent du subjonctif, tous les verbes (sauf *être* et *avoir*) prennent les mêmes terminaisons : *-e, -es, -e, -ions, -iez, -ent*.

2 Pour les verbes du 2ᵉ groupe, l'élément *-ss-* est toujours intercalé entre le radical et la terminaison.

Il faut que je finisse.

Il faut que nous réfléchissions.

3 Pour certains verbes du 1er groupe, on retrouve les mêmes modifications du radical devant un *e* muet.

appeler : Il faut que j'appelle.

feuilleter : Il faut qu'elles feuillettent.

acheter : Il faut que tu achètes.

geler : Il faut qu'il gèle.

payer : Il faut que tu paies.

se lever : Il faut qu'il se lève.

accélérer : Il faut qu'ils accélèrent.

Le présent du subjonctif : verbes irréguliers

Au présent du subjonctif, le radical d'un certain nombre de verbes du 3e groupe est modifié, mais les terminaisons sont toujours les mêmes : *-e, -es, -e, -ions, -iez, -ent*.

▶ Quelques verbes irréguliers

faire	que je fasse	qu'il fasse	que nous fassions	qu'ils fassent
aller	que tu ailles	qu'elle aille	que vous alliez	qu'elles aillent
venir	que je vienne	qu'il vienne	que nous venions	qu'ils viennent
tenir	que tu tiennes	qu'elle tienne	que vous teniez	qu'elles tiennent
dire	que je dise	qu'il dise	que nous disions	qu'ils disent
écrire	que tu écrives	qu'elle écrive	que vous écriviez	qu'elles écrivent
lire	que je lise	qu'il lise	que nous lisions	qu'ils lisent
mourir	que tu meures	qu'elle meure	que vous mouriez	qu'elles meurent
haïr	que je haïsse	qu'il haïsse	que nous haïssions	qu'ils haïssent
devoir	que tu doives	qu'elle doive	que vous deviez	qu'elles doivent
savoir	que je sache	qu'il sache	que nous sachions	qu'ils sachent
voir	que tu voies	qu'elle voie	que vous voyiez	qu'elles voient
asseoir	que j'assoie que tu asseyes	qu'il assoie qu'elle asseye	que nous assoyions que vous asseyiez	qu'ils assoient qu'elles asseyent
vouloir	que je veuille	qu'il veuille	que nous voulions	qu'ils veuillent
recevoir	que tu reçoives	qu'elle reçoive	que vous receviez	qu'elles reçoivent
valoir	que je vaille	qu'il vaille	que nous valions	qu'ils vaillent
prendre	que tu prennes	qu'elle prenne	que vous preniez	qu'elles prennent
conduire	que je conduise	qu'il conduise	que nous conduisions	qu'ils conduisent
vaincre	que tu vainques	qu'elle vainque	que vous vainquiez	qu'elles vainquent
craindre	que je craigne	qu'il craigne	que nous craignions	qu'ils craignent
plaire	que tu plaises	qu'elle plaise	que vous plaisiez	qu'elles plaisent
se taire	que je me taise	qu'il se taise	que nous nous taisions	qu'ils se taisent
paraître	que tu paraisses	qu'elle paraisse	que vous paraissiez	qu'elles paraissent

Remarque

Le verbe *falloir* ne s'emploie qu'à la 3e personne du singulier.
Il se peut qu'il **faille** démonter la roue.

122 Présent de l'indicatif ou présent du subjonctif ?

À l'oral ou à l'écrit, il n'est pas rare d'hésiter entre le présent de l'indicatif et le présent du subjonctif. Il faut donc savoir distinguer ces deux temps.

▶ Confusion due à la prononciation

• Pour certains verbes du 3e groupe, les formes des personnes du singulier du présent de l'indicatif et celles du présent du subjonctif sont homophones.
On sait que tu **cours** [kuʀ] les brocantes chaque dimanche.
On doute que tu **coures** [kuʀ] les brocantes chaque dimanche.

• Pour les verbes du 1er groupe, les terminaisons des trois personnes du singulier et de la 3e personne du pluriel sont les mêmes au présent de l'indicatif et au présent du subjonctif.
On sait que je **fréquente** les brocantes chaque dimanche.
On doute que je **fréquente** les brocantes chaque dimanche.

▶ Comment éviter toute confusion ?

Pour ne pas confondre présent de l'indicatif et présent du subjonctif, il faut :
– remplacer par la 1re ou la 2e personne du pluriel ;
On sait que vous **courez** les brocantes chaque dimanche.   → indicatif
On doute que vous **couriez** les brocantes chaque dimanche.   → subjonctif

– employer un autre verbe du 3e groupe avec lequel on entend la différence.
On sait que je **fais** les brocantes chaque dimanche.   → indicatif
On doute que je **fasse** les brocantes chaque dimanche.   → subjonctif

▶ Cas particuliers

• Pour les verbes du 1er groupe en *-yer, -ier, -iller, -gner*, aux deux premières personnes du pluriel du présent du subjonctif, il ne faut pas oublier, même si on ne l'entend pas distinctement, le *i* de la terminaison.
Il faut que vous renvo**yi**ez le bon de commande rempli correctement.
Il faut que nous nous réfug**ii**ons sous un auvent.
Il faut que vous verrou**illi**ez toutes les portes.
Il faut que nous rega**gni**ons rapidement notre place.

• Il en est de même pour quelques verbes du 3e groupe.
Il est rare que nous vo**yi**ons des vents aussi violents.
Il convient que vous sour**ii**ez devant la caméra.

Remarques

1 *Après que* est suivi de l'indicatif (c'est une certitude).
Nous allumons le téléviseur après que nous **avons** mis nos écouteurs.

Avant que est suivi du subjonctif (il demeure un doute).
Nous allumons le téléviseur avant que nous **ayons** mis nos écouteurs.

2 Les verbes *être* et *avoir*, aux deux premières personnes du pluriel, ne prennent pas de *i* après le *y*.
Il se peut que nous **ayons** du temps libre.
Il faut que vous **soyez** libres rapidement.

Comme le présent du subjonctif, l'imparfait du subjonctif exprime généralement un souhait, un ordre, un doute, un regret, un conseil, un désir, une supposition...

▶ L'emploi de l'imparfait du subjonctif

• L'imparfait du subjonctif s'emploie lorsque le verbe de la principale est à un temps passé de l'indicatif ou au conditionnel.

Il faut que ce garçon **s'endorme**. → présent du subjonctif

Il fallait (Il faudrait) que ce garçon **s'endormît**. → imparfait du subjonctif

• L'imparfait du subjonctif est un temps qu'on ne rencontre que dans les textes littéraires, essentiellement à la 3e personne du singulier. Ce temps n'est plus employé à l'oral. À l'écrit, il est aujourd'hui admis que l'on puisse remplacer l'imparfait du subjonctif par le présent du subjonctif.

▶ Tableaux de conjugaison

avoir	être	écouter	faiblir
que j'eusse	que je fusse	que j'écoutasse	que je faiblisse
que tu eusses	que tu fusses	que tu écoutasses	que tu faiblisses
qu'il/elle eût	qu'il/elle fût	qu'il/elle écoutât	qu'il/elle faiblît
que nous eussions	que nous fussions	que nous écoutassions	que nous faiblissions
que vous eussiez	que vous fussiez	que vous écoutassiez	que vous faiblissiez
qu'ils/elles eussent	qu'ils/elles fussent	qu'ils/elles écoutassent	qu'ils/elles faiblissent

faire	aller	venir	pouvoir
que je fisse	que j'allasse	que je vinsse	que je pusse
que tu fisses	que tu allasses	que tu vinsses	que tu pusses
qu'il/elle fît	qu'il/elle allât	qu'il/elle vînt	qu'il/elle pût
que nous fissions	que nous allassions	que nous vinssions	que nous pussions
que vous fissiez	que vous allassiez	que vous vinssiez	que vous pussiez
qu'ils/elles fissent	qu'ils/elles allassent	qu'ils/elles vinssent	qu'ils/elles pussent

Remarques

1 L'imparfait du subjonctif se forme avec la même voyelle dans la terminaison que celle du passé simple.

2 Pour les verbes du 2e groupe, les formes sont identiques à celles du présent du subjonctif, sauf pour la 3e personne du singulier.

3 À la 3e personne du singulier, il faut toujours placer un accent circonflexe sur la voyelle qui précède le **t**. C'est une forme différente des cinq autres personnes.

Passé simple ou imparfait du subjonctif ?

À l'oral ou à l'écrit, il n'est pas rare d'hésiter entre le passé simple et l'imparfait du subjonctif. Il faut donc savoir distinguer ces deux temps.

▶ Confusion due à la prononciation

Les terminaisons de la 3e personne du singulier du passé simple et de l'imparfait du subjonctif sont **homophones**.

• Pour les verbes du 1er groupe, à l'imparfait du subjonctif, on place un accent circonflexe sur le **a** qui précède le **t**. Au passé simple, la terminaison est un simple **a**.
Il était urgent que Luc **changeât** la batterie de la voiture.
Lorsqu'il vit qu'elle était usagée, Luc **changea** la batterie de la voiture.

• Pour les verbes des 2e et 3e groupes, seule la présence d'un accent circonflexe distingue l'imparfait du subjonctif du passé simple.

– 2e groupe :
Il était urgent que Luc **remplît** le réservoir d'essence.
Lorsqu'il vit qu'il était presque vide, Luc **remplit** le réservoir d'essence.

– 3e groupe :
Il était urgent que Sarah **entretînt** au plus tôt le moteur.
Lorsqu'elle constata des ratés à l'allumage, Sarah **entretint** le moteur.

▶ Comment éviter toute confusion ?

Pour ne pas confondre ces formes verbales, il faut :

– se rapporter au sens de l'action, ou bien essayer de changer de personne ;
Il était urgent que tu **changeasses** la batterie de la voiture.
Lorsque tu vis qu'elle était usagée, tu **changeas** la batterie de la voiture.

Il était urgent que tu **remplisses** le réservoir d'essence.
Lorsque tu vis qu'il était presque vide, tu **remplis** le réservoir d'essence.

Il était urgent que tu **entretinsses** au plus tôt le moteur.
Lorsque tu constatas des ratés à l'allumage, tu **entretins** le moteur.

– essayer de changer de temps en remplaçant l'imparfait du subjonctif par un autre temps du subjonctif, ou le passé simple par un autre temps de l'indicatif.
Il est urgent que Luc **change** la batterie de la voiture.
Lorsqu'il a vu qu'elle était usagée, Luc **a changé** la batterie de la voiture.

Il est urgent que Luc **remplisse** le réservoir d'essence.
Lorsqu'il a vu qu'il était presque vide, Luc **a rempli** le réservoir d'essence.

Il est urgent que Sarah **entretienne** au plus tôt le moteur.
Lorsqu'elle a constaté des ratés à l'allumage, Sarah **a entretenu** le moteur.

Conjugaison

Les temps composés du subjonctif

Les temps composés du subjonctif sont le passé et le plus-que-parfait.

▶ Le passé du subjonctif

On écrit le verbe de la subordonnée au passé du subjonctif si le verbe de la proposition principale est au présent ou au futur et si l'on veut exprimer un fait passé par rapport au fait de la principale ou par rapport à tel moment à venir.

Il n'est pas possible que le temps **ait changé** aussi rapidement.

Je regretterai vivement que mes amis **soient partis** sans me saluer.

bouger	réagir	naître
que j'aie bougé	que j'aie réagi	que je sois né(e)
qu'il/elle ait bougé	qu'il/elle ait réagi	qu'il/elle soit né(e)
que nous ayons bougé	que nous ayons réagi	que nous soyons né(e)s
qu'ils/elles aient bougé	qu'ils/elles aient réagi	qu'ils/elles soient né(e)s

▶ Le plus-que-parfait du subjonctif

On écrit le verbe de la subordonnée au plus-que-parfait du subjonctif si le verbe de la proposition principale est au passé et si l'on veut exprimer un fait passé par rapport au fait de la principale.

Il n'était pas possible que le temps **eût changé** aussi rapidement.

J'ai vivement regretté que mes amis **fussent partis** sans me saluer.

Il est admis, aujourd'hui, d'utiliser le passé du subjonctif à la place du plus-que-parfait.

bouger	réagir	naître
que j'eusse bougé	que j'eusse réagi	que je fusse né(e)
qu'il/elle eût bougé	qu'il/elle eût réagi	qu'il/elle fût né(e)
que nous eussions bougé	que nous eussions réagi	que nous fussions né(e)s
qu'ils/elles eussent bougé	qu'ils/elles eussent réagi	qu'ils/elles fussent né(e)s

Remarques

1 Les formes du plus-que-parfait du subjonctif sont identiques à celles du passé 2ᵉ forme du conditionnel.

2 À la 3ᵉ personne du singulier, il ne faut pas confondre le plus-que-parfait du subjonctif avec le passé antérieur de l'indicatif.

Quand il **eut opéré** le malade, le chirurgien le conduisit en salle de réveil.

Mieux assisté, il se pouvait que le chirurgien **eût opéré** le malade plus tôt.

Pour faire la distinction, on peut changer de personne.

Quand ils **eurent opéré** le malade, les chirurgiens le conduisirent en salle de réveil. Mieux assistés, il se pouvait que les chirurgiens **eussent opéré** le malade plus tôt.

126 L'impératif

Le présent de l'impératif ne se conjugue qu'à trois personnes, la 2ᵉ personne du singulier et les deux premières personnes du pluriel, sans sujet exprimé.

▶ Les valeurs de l'impératif

Le présent de l'impératif est employé pour exprimer des ordres, des conseils, des souhaits, des recommandations, des demandes, des interdictions.
Ne t'**énerve** pas.   **Traduis** ce texte.
Ralentissons à l'entrée du village.   **Respirez** profondément.

Remarque :
Le passé de l'impératif est formé de l'auxiliaire (*avoir* ou *être*) au présent de l'impératif et du participe passé du verbe conjugué. C'est un temps très peu employé.
Soyez partis lorsque minuit sonnera.

▶ Tableaux de conjugaison

1ᵉʳ groupe	2ᵉ groupe	3ᵉ groupe		
jongler	bondir	descendre	courir	s'inscrire
jongle	bondis	descends	cours	inscris-toi
jonglons	bondissons	descendons	courons	inscrivons-nous
jonglez	bondissez	descendez	courez	inscrivez-vous

Remarques :

1 Pour les verbes du 2ᵉ groupe, on intercale l'élément **-ss-** entre le radical et les terminaisons pour les personnes du pluriel.

2 À la 2ᵉ personne du singulier, les verbes du 1ᵉʳ groupe (ainsi que *ouvrir, offrir, souffrir, cueillir, aller* et *savoir*) ne prennent pas de **s**. Néanmoins, pour faciliter la prononciation, ces verbes (ainsi que *aller*) prennent un **s** quand le mot qui suit est *en* ou *y*.
Ces chocolats, offre**s**-en à tes amis.
N'hésite pas, va**s**-y franchement.

3 On place un trait d'union entre le verbe à l'impératif et le pronom personnel complément qui le suit.
Vos enfants, emmenez-les au cirque.
Laisse-nous terminer ce puzzle.

4 Les particularités rencontrées pour les verbes comme *nettoyer, appeler, acheter, céder* devant un **e** muet se retrouvent à la 2ᵉ personne du singulier du présent de l'impératif.
Nettoie-les.   Appelle-moi.
Achète-la.   Ne cède pas.

▶ Formes particulières

avoir	être	aller	savoir	envoyer
aie	sois	va	sache	envoie
ayons	soyons	allons	sachons	envoyons
ayez	soyez	allez	sachez	envoyez

Présent de l'impératif ou présent de l'indicatif ?

À l'oral ou à l'écrit, il n'est pas rare d'hésiter entre le présent de l'impératif et le présent de l'indicatif. Il faut donc savoir distinguer ces deux temps.

▶ Confusion due à la prononciation

• Pour les verbes du 1er groupe, il ne faut pas confondre la 2e personne du singulier du présent de l'impératif, qui n'a pas de sujet exprimé, avec la 2e personne du singulier du présent de l'indicatif.

Appel**e** ton ami au téléphone.	présent de l'impératif	→ e
Tu appel**es** ton ami au téléphone.	présent de l'indicatif	→ es

• Pour les verbes du 3e groupe comme *offrir, ouvrir, cueillir, accueillir, tressaillir, souffrir* ou *aller*, la 2e personne du singulier du présent de l'impératif, qui ne prend pas de **s**, peut également être confondue avec une forme conjuguée du présent de l'indicatif.

Ouvr**e** ton courrier !	présent de l'impératif	→ e
Tu ouvr**es** ton courrier.	présent de l'indicatif	→ es
Va jusqu'aux grilles du stade.	présent de l'impératif	→ a
Tu **vas** jusqu'aux grilles du stade.	présent de l'indicatif	→ as

▶ Cas particuliers des verbes pronominaux

• Pour les verbes pronominaux, la forme verbale du présent de l'impératif est suivie du pronom personnel réfléchi *toi*, qu'il ne faut pas confondre avec le pronom personnel de la forme interrogative *tu*.

Présent**e**-toi au plus vite au guichet de la poste !	présent de l'impératif → e	
Pourquoi présent**es**-tu ton carnet au guichet ?	présent de l'indicatif → es	

• Pour les deux personnes du pluriel du présent de l'impératif, il ne faut pas confondre les pronoms personnels réfléchis avec les pronoms personnels de la forme interrogative.

Contrôlons-**nous** pour être plus précis.	présent de l'impératif
Comment contrôlons-**nous** nos gestes ?	présent de l'indicatif
Contrôlez-**vous** pour être plus précis.	présent de l'impératif
Comment contrôlez-**vous** vos gestes ?	présent de l'indicatif

▶ Comment éviter toute confusion ?

• Afin de bien distinguer présent de l'impératif et présent de l'indicatif, il faut être attentif(ve) à la recherche du pronom personnel.

• Pour bien différencier présent de l'impératif et présent de l'indicatif à la forme interrogative, on peut examiner la ponctuation. À la fin d'une phrase impérative, on trouve assez souvent un point d'exclamation ; à la fin d'une phrase interrogative, on trouve un point d'interrogation.

128 Les formes verbales en *-ant*

Il existe trois formes verbales en **-ant** : le participe présent, le gérondif et l'adjectif verbal.

▶Participe présent et gérondif

• Le **participe présent** est une forme verbale terminée par **-ant**, qui marque une action en cours de déroulement. Il peut avoir un complément d'objet ou un complément circonstanciel. Le participe présent est **invariable**.
Souriant aux spectateurs, les chanteurs entrent en scène.
Souriant sous les projecteurs, les chanteurs entrent en scène.

• Lorsque la forme verbale en **-ant** est précédée de la préposition *en*, c'est un **gérondif**.
Le gérondif précise les circonstances de l'action et fonctionne comme un adverbe. Il est **invariable**.
En souriant aux spectateurs, les chanteurs entrent en scène.

▶Participe présent et adjectif verbal

Le participe présent peut se transformer en adjectif lui aussi terminé par **-ant**. Il s'agit de l'adjectif verbal. Cet adjectif s'accorde avec le nom (ou le pronom) auquel il se rapporte. Il peut être épithète ou attribut.
Les spectateurs ont face à eux des chanteurs **souriants**.

Conjugaison

Remarques

1 Dans certains cas, il est difficile de distinguer le participe présent de l'adjectif verbal. Il faut alors remplacer le nom masculin par un nom féminin ; à l'oral, on entend la différence.

Souriant aux spectateurs, les <u>chanteuses</u> entrent en scène. → participe présent
Les spectateurs ont face à eux des <u>chanteuses</u> souriantes. → adjectif verbal

2 L'expression *soi-disant* est toujours invariable.

3 Certains adjectifs verbaux sont employés comme noms.

Seuls les **descendants** les plus âgés régnaient.

4 Il ne faut pas confondre les participes présents et les adjectifs verbaux en **-ant** avec les adverbes terminés par **-ant** ou **-ent**.

Auparavant, ces chanteuses étaient souvent éblouissantes.

▶Orthographe des participes présents et adjectifs verbaux

participes présents	adjectifs verbaux	participes présents	adjectifs verbaux
provoquant	provocant	excellant	excellent
convainquant	convaincant	négligeant	négligent
fatiguant	fatigant	adhérant	adhérent
naviguant	navigant	influant	influent
suffoquant	suffocant	précédant	précédent
vaquant	vacant	convergeant	convergent
intriguant	intrigant	différant	différent
communiquant	communicant	équivalant	équivalent

Eu – eut – eût ? Fut – fût ?

Il faut savoir distinguer les formes homophones du verbe *avoir* : *eu – eut – eût* ainsi que les formes homophones du verbe *être* : *fut – fût*.

▶ *eu – eut – eût* ?

- Le participe passé du verbe *avoir*.
Damien a **eu** vingt ans.

- La 3ᵉ personne du singulier du verbe *avoir* au passé simple.
Quand Damien **eut** vingt ans, il partit à l'aventure au Brésil.

- La 3ᵉ personne du singulier du verbe *avoir* au passé 2ᵉ forme du conditionnel ou à l'imparfait du subjonctif.
Le Brésil, Damien ne l'**eût** pas visité s'il n'avait pas eu vingt ans.
Bien qu'il n'**eût** pas vingt ans, Damien était parti à l'aventure au Brésil.

▶ *fut – fût* ?

- La 3ᵉ personne du singulier du verbe *être* au passé simple de l'indicatif.
Quand Damien **fut** âgé de vingt ans, il partit à l'aventure au Brésil.

- La 3ᵉ personne du singulier du verbe *être* au passé 2ᵉ forme du conditionnel ou à l'imparfait du subjonctif.
Damien ne **fût** pas parti au Brésil s'il n'avait pas eu vingt ans.
Bien qu'il ne **fût** pas âgé de vingt ans, Damien était parti à l'aventure au Brésil.

▶ Comment éviter toute confusion ?

Pour différencier ces formes verbales homophones, il faut se rapporter au sens de l'action. On peut également essayer de changer le temps du verbe.

- *eu – eut – eût*
Si l'on peut remplacer par :
– un autre participe passé, il s'agit du participe passé *eu* ;
Damien a **eu** (**fêté** ses) vingt ans.
– un temps de l'indicatif *(aura – avait)*, il s'agit du passé simple *eut* ;
Quand Damien **eut** (**aura**) vingt ans, il partit (partira) à l'aventure au Brésil.
– le passé 1ʳᵉ forme du conditionnel *(aurait)*, il s'agit du conditionnel *eût* ;
Le Brésil, Damien ne l'**eût** (l'**aurait**) pas visité s'il n'avait pas eu vingt ans.
– le présent du subjonctif *(ait)*, il s'agit de l'imparfait du subjonctif *eût*.
Bien qu'il n'**eût** (n'**ait**) pas vingt ans, Damien était parti (est parti) à l'aventure.

- *fut – fût*
Si l'on peut remplacer par :
– un temps de l'indicatif *(sera – était)*, il s'agit du passé simple *fut* ;
Quand Damien **fut** (**sera**) âgé de vingt ans, il partit (partira) à l'aventure.
– le passé 1ʳᵉ forme du conditionnel *(serait)*, il s'agit du conditionnel *fût* ;
Damien ne **fût** (**serait**) pas parti au Brésil s'il n'avait pas eu vingt ans.
– le présent du subjonctif *(soit)*, il s'agit de l'imparfait du subjonctif *eût*.
Bien qu'il ne **fût** (**soit**) pas âgé de vingt ans, Damien était (est) parti à l'aventure.

VOCABULAIRE

130 Les mots originaires d'une autre langue

La langue française s'est construite au fil de l'histoire. Les guerres, les invasions, les échanges commerciaux ont contraint les hommes à adapter leur langage afin de se faire comprendre de leurs semblables. L'étymologie d'un mot est son origine.

▶ Les mots d'origine latine

• Si quatre-vingt pour cent des mots du français sont d'origine latine, ils ont souvent été déformés.

• D'autre part, un même mot latin a pu donner naissance à deux mots, l'un de formation populaire et l'autre de formation savante.

nager / naviguer   écouter / ausculter   étroit / strict

• Cependant, environ trois cents mots et expressions ont conservé leur forme latine et sont employés avec autant d'aisance que les mots français.

un agenda – un omnibus – a priori – un tibia – un requiem – un junior – le recto – le verso – un visa – un consensus – l'abdomen – un album

Ils sont parfois déformés ou peuvent prendre des accents alors que ceux-ci n'existent pas en latin : un spécimen – un déficit – un mémento – un alinéa

▶ Les mots d'origine grecque

Les mots d'origine grecque sont assez nombreux, mais la plupart sont d'usage restreint car ils appartiennent, généralement, à des lexiques spécialisés (scientifique ou technique).

la philosophie – la cardiologie – la physique – la technologie – un cylindre – la chlorophylle – un dinosaure – un cataplasme – un tréma – un archéologue

▶ Les mots empruntés à d'autres langues

• **Les mots francisés**
– Les emprunts à d'autres langues sont habituels. Peu à peu, les mots sont francisés et leur origine n'est plus connue que des linguistes.
– Origine gauloise (le blé – la bruyère...) ; arabe (un chiffre – la caravane...) ; allemande (une cible – l'accordéon...) ; scandinave (le renne – le homard...) ; tchèque (un pistolet – le robot...) ; néerlandaise (un boulevard – le vacarme...) ; italienne (un balcon – un pantalon – une galerie...).

• **Les mots qui conservent leur forme d'origine**
– Certains mots résistent à l'assimilation, peut-être parce qu'ils sont d'usage courant dans d'autres langues.
– L'anglais (kidnapper – un short – le week-end...) ; l'arabe (une merguez – le ramadan – le couscous...) ; l'italien (la pizza – les spaghettis – une mezzanine...) ; l'espagnol (l'armada – l'embargo – une paella...) ; l'allemand (un bivouac – un képi – un vasistas...) ; le japonais (le kimono – le tsunami – un kamikaze...) ; le russe (un mammouth – le mazout – la steppe...) ; le portugais (l'autodafé – la pintade – le cachalot...) ; des langues scandinaves (un fjord – un drakkar – un iceberg...) ; des langues de l'Inde (un cachou – la jungle – le yoga...) ; des langues africaines (le baobab – le chimpanzé – un zèbre...).

131 Les mots d'origine régionale – archaïsmes et néologismes

▶ Les mots d'origine régionale

• Les mots ne viennent pas uniquement du latin, du grec ou de langues étrangères. Il y avait sur le territoire de la France actuelle des dizaines de langues et de dialectes. Des mots de ces régions sont entrés dans notre langue.
la cigale (provençal) – la choucroute (alsacien) – le bocage (normand) – un bijou (breton) – le maquis (corse) – le chalet (suisse romand) – le mascaret (gascon) – la kermesse (flamand) – un caillou (picard) – un coron (wallon)

• Certains noms sont issus de noms propres.
une poubelle : nom du préfet Poubelle inventeur de cette boîte à ordures
une silhouette : nom d'un contrôleur des Finances de Louis XV
le braille : nom de l'inventeur de l'alphabet à l'usage des aveugles
un diesel : nom de l'ingénieur allemand inventeur de ce type de moteur

▶ Les archaïsmes et les néologismes

• **Les archaïsmes**
Certains mots ne sont plus qu'exceptionnellement utilisés ou figurent dans des textes anciens, ce sont des archaïsmes.
Il a laissé **choir** (tomber) le vase en cristal.
Les serfs ont **ouï** (entendu) dire que le seigneur les affranchirait.
À la pensée d'un bon repas, les convives **se pourlèchent les babines** (se régalent).
Cette nuit, la princesse a dormi dans le **mitan** du lit (le milieu du lit).
Pour être en forme, ce sportif a suivi **moult** (beaucoup de) séances de musculation.

• **Les néologismes**
Aujourd'hui, il se crée aussi des mots nouveaux : les néologismes.
– Pour accompagner des techniques nouvelles :
surfer sur Internet – la robotique – la rétrofusée – un courriel (courrier électronique) – une médiatisation – un monospace – un routeur
– Pour la publicité :
positiver – le Téléthon – le zapping – un diaporama – la croissanterie
– En modifiant (ou en regroupant) certains mots :
un abribus – un héliport – une foultitude
– Par changement de sens :
une balance (un indicateur de police) – une niche fiscale (moyen d'échapper à l'impôt) – une puce – une souris (ordinateur)
– En utilisant des abréviations ou des sigles :
la hi-fi – le laser – le radar – les énarques (élèves sortis de l'ENA)
– D'autre part, certains mots peuvent changer de catégorie grammaticale et provoquer de nouvelles créations dans le lexique.

le silence (nom)	Silence (interjection) ! On tourne.
une personne (nom)	Personne (pronom indéfini) n'est venu ce matin.
chanter faux (adverbe)	obtenir un résultat faux (adjectif qualificatif)
poser contre (préposition)	marquer un but sur un contre (nom)
blessé (participe passé)	soigner un blessé (nom)
devoir (verbe)	faire son devoir (nom)

Vocabulaire

Les mots composés et les mots dérivés

- Les mots sont des groupements de lettres qui ont un sens dans une langue donnée.
- Les mots simples ne peuvent pas être décomposés en unités de sens plus petites.
la tête – avant – elle – beau – dire – le cadre – qui – rouge
- Les mots construits peuvent être découpés en unités de sens plus petites.
la télé/vis/ion – re/lire – un chass/eur – une en/jamb/ée – une soup/ière

▶ Les mots composés

La composition permet de proposer un mot nouveau par juxtaposition de mots existants. La juxtaposition peut s'effectuer de différentes façons.

- Les mots peuvent être **soudés** : un gentilhomme – maintenir – clairsemé – la contrebande – un portefeuille – longtemps – un marchepied – le vinaigre
- Les mots peuvent être **reliés par un trait (ou des traits) d'union** : un porte-clés – un chasse-neige – un arc-en-ciel – un après-midi – un avant-propos
- Les mots peuvent être **reliés par une préposition** : une salle à manger – un chef de gare – une machine à laver – une pomme de terre
- Les mots peuvent être simplement **juxtaposés** : une chaise longue – un compte rendu – tout à coup – parce que – tant soit peu – quelque part

▶ Les mots dérivés

- La **dérivation** forme des mots à partir d'un mot de base, le **radical**, par adjonction de **préfixes** (avant le radical) ou de **suffixes** (après le radical).
une fleur → fleur**ir** – **re**fleur**ir** – **af**fleur**er** – une fleur**iste** – un fleur**on**

- Parfois le radical est légèrement modifié dans les mots dérivés.
une fleur → la **flore** – la **flor**aison – les **flor**alies – un **flor**ilège – **flor**issant

- **Les préfixes et les suffixes**
Les préfixes et les suffixes sont nombreux et possèdent, en eux-mêmes, un sens.

Exemples de préfixes :
trans- (à travers, au-delà) : transpercer – transalpin – transmettre – le transport
re- (répétition, de nouveau) : remonter – refaire – recommencer – retomber
in-, im-, il-, ir- (contraire) : invendable – impossible – illisible – irrégulier
ex- (hors de) : exporter – expatrier – l'expiration – extraire – excentrer
bi-, bis- (deux fois) : biannuel – une bicyclette – un bimoteur – un biscuit
inter- (entre) : intervenir – l'interclasse – international – intercaler
dis-, dys- (mauvais état) : dyslexique – disproportionné

Exemples de suffixes :
-té (qualité) : l'honnêteté – l'égalité – la rapidité – la mobilité
-asse (péjoratif) : fadasse – molasse – blondasse – tiédasse – la vinasse
-ance, -ence (résultat de l'action) : la méfiance – la prudence – la souffrance
-al, -el (manière d'être) : familial – fraternel – glacial – habituel
-eur (au masculin, celui qui fait l'action) : le nageur – l'éleveur – le voyageur
-eur (au féminin, la qualité) : la grandeur – la maigreur – la frayeur
-graphe, -graphie (écriture) : le paragraphe – l'orthographe – la calligraphie

Les familles de mots –
les mots abrégés

▶ Les familles de mots

• Tous les mots formés à partir d'un **même radical** appartiennent à la **même famille**. Ils sont formés par adjonction de préfixes et de suffixes, et ils ont entre eux un **rapport de sens**.
Par exemple, la famille du nom « terre » comprend les mots suivants :
le terrain – la terrasse – un terrassier – le terreau – atterrir – l'atterrissage – le souterrain – se terrer – un terril – enterrer – un enterrement – un territoire – une terrine – un parterre...

• Le radical peut se présenter sous des formes différentes.
Par exemple, le mot latin *carnis* a donné : un carnassier – un carnivore – carné, mais également : la chair – charnu – décharné

• Il est parfois difficile de retrouver le radical à partir de plusieurs mots de même famille.
un **pied** – un **pié**ton – **pé**destre – la **pé**dale – un bi**pè**de – un **pié**destal

• **Les racines latines**
– Deux racines latines peuvent donner des radicaux différents qui permettent néanmoins de constituer des mots de même famille.
Le latin populaire *cor* a donné : le cœur – écœurant – l'écœurement
Le latin savant *cordis* a donné : cordial – l'accord – accorder – la concorde
On pourrait même ajouter la racine grecque *kardia* qui a donné : cardiaque.

– Il arrive que le radical soit un mot d'origine latine qui n'appartient plus au français d'aujourd'hui : *innocent* a pour radical *nocere* (en latin : *nuire*).

• **Les variations orthographiques**
– Dans quelques familles, certains mots contiennent une **consonne double** et d'autres une **consonne simple**. Il faut toujours vérifier dans un dictionnaire.
un co**ll**ier mais une acco**l**ade   une tra**pp**e mais attra**p**er
un ho**mm**e mais un ho**m**icide   le to**nn**erre mais une déto**n**ation

– On note aussi des **modifications d'accents** à l'intérieur d'une même famille.
la grâce mais gracieux   le séchage mais la sècheresse
extrême mais l'extrémité   un cône mais conique

▶ Les mots abrégés

Beaucoup de mots jugés trop longs, ou difficiles à prononcer, ont été abrégés.

• **Apocope : suppression de la fin du mot**
C'est le cas le plus fréquent.
le cinématographe → le cinéma   un pneumatique → un pneu
un survêtement → un survêt   la publicité → la pub
la météorologie → la météo   le football → le foot

• **Aphérèse : suppression du début du mot**
un autobus → un bus   faire de l'auto-stop → faire du stop
surfer sur Internet → surfer sur le net   un capitaine → un pitaine

Vocabulaire

134 La polysémie – le sens propre et le sens figuré

Connaître le sens précis d'un mot, savoir utiliser le mot juste ou bien ses synonymes permet de mieux comprendre et de mieux se faire comprendre.

▶ Les mots monosémiques

Ce sont des mots qui n'ont qu'**un seul sens**. Ils sont relativement rares. Ce sont souvent des termes techniques ou scientifiques.
un microscope – la médecine – un carburateur – un électron – une électrolyse

▶ Les mots polysémiques

Ce sont des mots qui peuvent avoir **plusieurs sens**. Étudier la polysémie d'un mot, c'est retrouver tous les sens que l'on peut lui donner selon le contexte. L'ensemble des sens d'un mot constitue son **champ sémantique**.

Remarque !

Dans un dictionnaire, les différents sens d'un mot sont numérotés.
Exemple : **fin, fine (adjectif)**
1. Formé d'éléments très petits. *Sel fin.*
2. De très faible épaisseur. *Verre fin.*
3. Délicat, élégant. *Visage aux traits fins.*
4. D'une qualité supérieure. *Des chocolats fins.*
5. Très sensible. *Avoir l'ouïe fine.*
6. Qui est subtil, intelligent. *Une remarque fine.*

▶ Le sens propre et le sens figuré

• **Le sens propre d'un mot est son sens premier, le plus courant.**
De gros **nuages** noirs annoncent l'orage.

• Un mot peut posséder **d'autres sens** que l'on appelle les **sens figurés**. Un mot est au sens figuré quand on le **détourne de son sens premier** (le sens propre) pour créer un **effet de style**.
Karim est dans les **nuages**. – Heureux, Karim flotte sur un petit **nuage**. – Il n'y a jamais eu de **nuages** entre nous : nous nous entendons bien.

• Pour distinguer le sens propre du sens figuré, il faut examiner **le contexte**.
Les randonneurs prennent l'**air** au sommet de la montagne.
Sens propre : respirer l'air frais.
Jordan prend un **air** détaché, mais on sent qu'il est vexé.
Sens figuré : expresion du visage.

Remarques !

1 Beaucoup d'expressions ont un sens figuré.

Se faire **fort** de réussir : être sûr d'arriver à quelque chose
Perdre la **tête** : s'affoler, ne plus savoir ce que l'on fait

2 Les changements de sens peuvent s'effectuer :

– par passage de la cause à l'effet :
Cet écrivain a une bonne **plume**.
– par passage du contenant au contenu :
Nous buvons une **tasse** de café.
– par passage de la partie au tout :
On aperçoit une **voile** au large.

3 Les textes comiques ou poétiques jouent très souvent sur les sens figurés des mots et des expressions.

Selon les destinataires de nos paroles et de nos écrits, le niveau de langue que nous employons varie. On distingue trois niveaux de langue.

▶ Le niveau de langue soutenu

Le niveau de langue soutenu exige un **respect strict des règles de grammaire** et une grande **diversité dans le choix des mots et des tournures**. C'est le niveau de langue de la plupart des **œuvres littéraires** et de la **correspondance administrative** ou **officielle**.
Ces deux personnages émettent des points de vue divergents.
Quelles réflexions cet ouvrage vous inspire-t-il ?

Remarque

Dans un niveau de langue soutenu, on n'utilise pas les pronoms personnels compléments *en* et *y* pour remplacer une personne ou un animal ; cet emploi est cependant toléré à l'oral pour *en*.
Cette interprète, tout le monde en dit du bien.

▶ Le niveau de langue courant

Le niveau de langue courant s'emploie, à l'**oral** ou à l'**écrit**, avec des personnes qui nous sont peu familières. Le **vocabulaire** et la **syntaxe sont corrects**.
Ces deux personnes ont des opinions différentes.
Qu'est-ce que vous pensez de ce livre ?

Remarque

L'omission de la première partie de la négation, et celle du sujet *il*, dans les tournures impersonnelles, relèvent d'un niveau de langue relâché.
Cet étang est guère profond.
Faut que nous partions de bonne heure.

▶ Le niveau de langue familier

Le niveau de langue familier s'utilise **spontanément** avec des **personnes de notre entourage**. **Rarement écrite**, cette langue présente des approximations, un vocabulaire particulier et de nombreuses élisions ou omissions.
Ces types n'disent pas la même chose. Vous pensez quoi de c'bouquin ?

▶ Langages particuliers

Il existe des termes et des tournures propres à des groupes de personnes qui exercent la même profession, demeurent en des mêmes régions ou ont des centres d'intérêt communs.
Les marins envoient le spi pour profiter de la moindre risée.
Le journaliste remet son papier au rédacteur en chef.

Vocabulaire

▶ Les synonymes

• Les synonymes sont des mots qui, **dans un même contexte**, ont des **sens à peu près identiques**. Les synonymes appartiennent à la **même catégorie grammaticale**.

La **voiture** (nom) de M. Denisot est en panne : il **attend** (verbe).

L'**automobile** (nom) de M. Denisot est en panne : il **patiente** (verbe).

• Il faut choisir des synonymes pour **éviter les répétions**.

Le **talent** de ce tailleur de pierre saute aux yeux. Son **habileté** à manier le ciseau fait merveille.

• On emploie aussi des synonymes pour être **plus précis**.

Sur le menu de ce restaurant, il y a beaucoup de **choses**.

Sur le menu de ce restaurant, il y a beaucoup de **plats**.

Remarques

1 Les synonymes peuvent être **plus ou moins précis**.

Le loyer de l'**habitation** / de l'**appartement** de M. Colin est très élevé.

Ils peuvent **varier d'intensité**.

la chaleur / la canicule

intelligent / génial

Ils peuvent avoir des **sens plus ou moins favorables**.

un garçon / un garnement

Ils peuvent appartenir à des **niveaux de langue différents**.

Langage soutenu : Ce problème est **ardu**.

Langage correct : Ce problème est **difficile**.

Langage familier : Ce problème est **coton**.

2 Un même mot peut avoir, selon le contexte, des synonymes différents.

L'acrobate vient de **tomber** / chuter du trapèze.

Flavien vient de **tomber** sur un roman / trouver un roman intéressant.

▶ Les antonymes

• Les antonymes sont des **mots de même nature grammaticale** qui, dans un **même contexte**, ont des **sens contraires**.

M. Leroy travaille **le jour**. M. Nasri travaille **la nuit**.

• **Les formations particulières de certains antonymes**

– À l'aide d'un **préfixe négatif**.

honnête / **mal**honnête   lisible / **il**lisible   faire / **dé**faire

– À l'aide d'un **changement de préfixe**.

un **pré**fixe / un **suf**fixe   **im**porter / **ex**porter

– La **négation** permet également d'exprimer une idée contraire.

Je sais jouer aux échecs. / Je **ne** sais **pas** jouer aux échecs.

Remarque

Un mot qui a plusieurs sens peut avoir un antonyme pour chacun d'eux.

passer un **mauvais** moment /
passer un moment **agréable**

sortir par **mauvais** temps /
sortir par **beau** temps

un **mauvais** garçon /
un garçon **honnête**

Les substituts

Substituer, c'est remplacer quelqu'un ou quelque chose. En grammaire, un substitut est un mot, ou un groupe de mots, qui est mis à la place d'un autre.

▶ Les pronoms

Les pronoms sont les substituts le plus souvent et le plus facilement employés.

• Le **pronom personnel sujet ou complément** remplace un nom ou un groupe nominal.
La station-service est ouverte toute la nuit. **Elle** possède des distributeurs à carte bancaire ; de nombreux automobilistes **la** fréquentent.

• Le **pronom possessif** remplace un groupe nominal dont le déterminant est un adjectif possessif.
Gloria enfile son chemisier ; **le mien** est introuvable.

• Le **pronom démonstratif** remplace un groupe nominal ou une proposition.
Mon GPS ne fonctionne plus ; **cela** m'ennuie beaucoup.

• Le **pronom indéfini** remplace un groupe nominal dont le déterminant pourrait être un adjectif indéfini.
Les élèves de 4e ont le choix entre deux langues vivantes. **Certains** (élèves) étudient l'allemand, mais **la plupart** (des élèves) optent pour l'espagnol.

Les pronoms indéfinis indiquent l'absence d'une quantité, sa totalité, une unité ou plusieurs : *aucun – autre(s) – autrui – chacun(e), certains – personne – nul – plusieurs – quiconque – tout – tous – la plupart – quelqu'un – quelques-uns...*

▶ L'emploi d'un autre groupe nominal

• **Un synonyme ou un hyperonyme (terme englobant)**
La chasse au **tigre** est désormais interdite, car ce **fauve** est en voie de disparition.

• Une **périphrase** est une figure de style qui consiste à remplacer un mot par sa définition ou par une expression plus longue, mais équivalente.
le lion → le roi des animaux   le cinéma → le septième art

• La **nominalisation** est l'emploi d'un nom ou d'un groupe nominal pour remplacer un groupe verbal ou une phrase entière.
Le temps va se **dégrader**, mais cette **dégradation** sera passagère.

▶ L'apport d'informations nouvelles

Les substituts permettent de participer à la construction d'un personnage ou d'un paysage par l'apport d'éléments nouveaux sans aucune redite.
La mère Cottivet, grande figure frondeuse de l'esprit lyonnais, habitait montée de la Grande-Côte. **Concierge de son immeuble**, elle accueillait volontiers ses voisines pour boire un petit café.

Vocabulaire

Les figures de style sont des procédés de langage qui rendent les propos plus expressifs.

▶ La comparaison

> Elle rapproche, **à l'aide d'un mot comparatif** (verbe, adjectif, déterminant indéfini, conjonction de subordination), deux termes – le **comparé** et le **comparant** – pour insister sur les **rapports de ressemblance** qui les unissent.
> Une voiture allemande, née en 1938, **ressemblait** à une coccinelle.
> Les yeux du dragon, **semblables** à des langues de feu, se fixaient sur la proie.
> **Tel** père, **tel** fils.
> Il y a **autant** de boîtes aux lettres **que** de locataires.

▶ La métaphore

> Elle associe, **sans mot comparatif**, un terme à un autre appartenant à un champ lexical différent, afin de traduire une pensée plus riche et plus complexe que celle qu'exprime un vocabulaire descriptif concret. La métaphore constitue une utilisation suggestive et expressive de la langue.
> Pour cette personne retraitée, la peinture est une **source de revenus**.
>
> • La métaphore annoncée contient à la fois le comparé et le comparant.
> La **neige** est un **blanc manteau**.
>
> • **La métaphore directe** ne contient que le comparant.
> La campagne est recouverte d'un **blanc manteau**.
>
> • Le contexte aide le lecteur à deviner le comparé.
> Le **géant des airs** peut transporter 800 passagers. → l'Airbus A330
> Le **géant des airs** plane à la recherche de mulots. → un aigle royal
>
> • **Filer la métaphore**, c'est développer le champ lexical du comparant pour parler du comparé.
> Lorsqu'il affronta la tempête, le navigateur solitaire découvrit que chaque nouvelle vague était pareille à une chaîne de montagnes avec ses sommets, ses vallées, ses plateaux couverts de neige. Son bateau pénétrait droit dans les régions les plus basses et tentait d'éviter les points culminants et les pentes escarpées de la vague.
> La vague est décrite en utilisant le lexique de la géographie terrestre.
>
> • De nombreuses métaphores sont passées dans le langage commun et sont devenues des clichés.
> entrer en coup de vent   un terrain d'entente
> un coup de fil (un appel téléphonique)   une pomme de discorde

▶ L'antithèse

> Elle consiste à rapprocher, en les opposant, deux mots ou deux expressions, pour mieux les mettre en valeur.
> souffler le **chaud** et le **froid**   passer de l'**ombre** à la **lumière**
> être entre la **vie** et la **mort**   être **invaincu**, mais pas **invincible**
> être **volontaire** en paroles, mais bien **timide** en actes

❭ La personnification

Elle présente une chose, une idée, voire un animal comme une personne.
À l'entrée du port de Marseille, le château d'If **regarde** vers le large.
Sous l'effet du vent **capricieux**, la voile **souffre** et **gémit**.

❭ La périphrase

Elle consiste à désigner quelque chose ou quelqu'un par un groupe de mots qui précise ses caractéristiques.
un détective ➙ un fin limier   le Japon ➙ le pays du Soleil-Levant

❭ L'oxymore

Il juxtapose deux mots de sens contraires, que l'on n'a pas l'habitude de trouver accolés ; il donne à la pensée un tour inattendu, paradoxal et saisissant.
une pâle clarté – un illustre inconnu – une bonne claque – une belle erreur
un silence assourdissant – se hâter lentement – briller par son absence

❭ L'hyperbole, la litote et l'euphémisme

• **L'hyperbole** exagère l'expression pour créer un effet qui dépasse la mesure.
obtenir le contrat du siècle   mourir de faim
attendre une réponse pendant cent sept ans

• La **litote** atténue un propos pour faire comprendre davantage que ce que l'on dit.
Ce problème n'est pas difficile. (Il est facile.)
Je ne déteste pas un brin de persil dans la salade. (J'apprécie un brin de persil.)
Chimène s'adressant à Rodrigue dans *Le Cid* : « Va, je ne te hais point ! » (Je t'aime !)

• **L'euphémisme** atténue des termes désagréables ou une idée jugée choquante.
les malentendants (les sourds)   les non-voyants (les aveugles)
rendre l'âme (mourir)   une longue maladie (le cancer)
le troisième âge (la vieillesse)   un juron (un blasphème)

❭ La métonymie

Elle remplace un groupe de mots par un mot qui lui est associé.
Il est porté sur la bouteille. (Il boit vraiment trop de boissons alcoolisées.)
Le roquefort, j'adore ! (Le fromage élaboré dans la ville de Roquefort.)

Vocabulaire

140 La dénotation et la connotation

▶ La dénotation

C'est le **sens précis**, **permanent**, d'un mot, celui que l'on peut trouver dans un dictionnaire.

Pain : aliment fait de farine, d'eau, de sel et de levain, pétri, fermenté et cuit au four.

J'étale du beurre sur une tranche de pain.

Toit : partie qui recouvre et protège un bâtiment.

Les toits des maisons angevines sont en ardoise.

▶ La connotation

• C'est le **sens particulier**, plus **subjectif**, culturel ou affectif d'un mot dans un contexte donné.

L'homme gagnera son pain à la sueur de son front. → Il gagnera sa vie en travaillant.

(Le pain est pris dans un sens plus large, celui de nourriture.)

Toutes ces personnes vivent sous le même toit.

(Elles habitent dans le même logement.)

• Attention, il ne faut pas confondre la connotation avec le sens figuré d'un mot ou d'une expression.

Cet exercice était simple, tu as mangé ton pain blanc. → Tu as fait le plus facile.

(L'expression « pain blanc » est ici employée dans un sens figuré : quelque chose d'agréable.)

Grégory crie sur les toits qu'il sera un jour champion de France !

(L'expression « crier sur les toits » est employée au sens figuré : annoncer quelque chose à beaucoup de personnes.)

• Les connotations sont liées à l'expérience personnelle de celui qui écrit, voire qui lit.

• **Des connotations variées**

Un mot peut avoir une connotation différente selon la façon, les régions et les circonstances dans lesquelles il est employé.

– L'adjectif « blanc » peut avoir plusieurs sens connotés : en France, il est symbole de pureté ; en Chine, il symbolise le deuil.

– L'adjectif « cruel » est souvent connoté avec un animal sauvage.

– Pour celui qui connaît le célèbre poème de Charles Baudelaire « L'Albatros », l'évocation de cet oiseau lui rappellera le poète solitaire.

– L'enfer, lieu où se retrouvent les damnés dans la religion chrétienne, sera assimilé à une situation pénible, voire terrifiante.

– L'expression « Grande Guerre » est associée à la Première Guerre mondiale.

– Le « rat » connote la saleté, la maladie (la peste), la répugnance ou l'avarice.

– L'adjectif « vert » est parfois associé à l'espérance, la jeunesse.

– Le « printemps » est lié au renouveau.

– Une « plume » désigne le talent d'un écrivain.

• Un champ lexical comprend l'ensemble des mots qui se rapportent à une même notion, une même idée ou un même thème.

Champ lexical de la petite enfance : un bambin – un hochet – une puéricultrice – un biberon – la crèche – téter – bercer – babiller – câliner – joufflu – affectueux...

Champ lexical du rêve : le songe – le mirage – le mythe – la chimère – l'utopie – s'imaginer – croire – se figurer – irréel – saugrenu – insolite – illusoire – pensif...

Champ lexical de l'humour : le rire – le comique – la plaisanterie – la blague – la galéjade – le canular – la farce – la parodie – le gag – la boutade – la bonne humeur – amuser – divertir – ridiculiser – se moquer – caricaturer – tourner en dérision...

• Les mots d'un champ lexical peuvent être de **nature grammaticale différente** : noms, verbes et adjectifs qualificatifs essentiellement, parfois des adverbes.

▶ Le champ lexical des récits et des genres littéraires

• **Les noms**
un auteur – un écrivain – un poète – un romancier – un comédien – un dramaturge – un traducteur – l'illustrateur – l'éditeur
un roman – un récit – une histoire – une fiction – un conte – une légende – une fable – une nouvelle – un fabliau – les Mémoires – un poème – un ouvrage – un recueil – une œuvre – les péripéties – une biographie
le génie – le talent – l'inspiration – la création – l'imagination – l'écriture
un spectacle – une représentation – le décor – une pièce – une scène – une comédie – une tragédie – un drame – une farce – un mélodrame

• **Les verbes**
jouer – décrire – représenter – se mettre dans la peau de – traduire – imaginer – inspirer – évoquer – créer – publier – rédiger – raconter

• **Les adjectifs qualificatifs**
amusant – insolite – fantastique – drôle – chimérique – irréel – lettré – cultivé – érudit – merveilleux – dépaysant – célèbre – passionnant – curieux

Vocabulaire

▶ Les limites d'un champ lexical

• Plus la connaissance d'un champ lexical est étendu, plus les possibilités d'expression seront nombreuses et riches.

• On utilise parfois les mots d'un champ lexical qui n'a pas de rapport avec ce qui est décrit pour créer des images.
un **flot** de paroles pour évoquer une personne bavarde
un **champ** lexical pour parler de vocabulaire étendu

• Un même mot peut appartenir à des champs lexicaux différents.
Un bruit peut être **sourd** ; un **sourd** est handicapé ; on relève l'absence de communication dans un dialogue de **sourds** ; l'entêté est **sourd** à tous les arguments.

142 Les termes évaluatifs

Les termes évaluatifs permettent d'émettre une opinion sur ce que l'on décrit ou ce que l'on rapporte. Ils appartiennent à différentes catégories grammaticales.

▶ Les termes mélioratifs

Ils expriment une **opinion positive**.

• **Adjectifs qualificatifs**
porter une **magnifique** robe – une journée **ensoleillée** – un sauveteur **courageux** – un sourire **engageant** – un animal **affectueux** – un ami **dévoué**

• **Noms**
Ce repas est un **régal**. – le **triomphe** de la vérité – avoir **confiance** en quelqu'un – s'en tirer avec les **honneurs** – réaliser un **exploit**

• **Verbes**
vaincre sa peur – **libérer** son énergie – **vanter** ses nombreuses qualités – **réconforter** un blessé – **franchir** un obstacle – **s'envoler** vers la victoire

• **Adverbes**
se servir **adroitement** de ses mains – répondre **clairement** aux questions – évoluer **gracieusement** sur la piste – faire **consciencieusement** son travail

▶ Les termes péjoratifs

Ils expriment une **opinion négative**.

• **Adjectifs qualificatifs**
une réponse **affligeante** – un visage **décharné** – une défaite **humiliante** – un démenti **cinglant** – une **triste** journée – un geste **brutal**

• **Noms**
Ce tableau est une vraie **croûte**. – la **menace** du réchauffement climatique – commettre une **infraction** – être pris de **panique** – vivre un vrai **calvaire**

• **Verbes**
se **décourager** rapidement – **broyer** du noir – **négliger** sa tenue vestimentaire – **épuiser** ses maigres ressources – **chanceler** sous les coups

• **Adverbes**
se servir **maladroitement** de ses mains – répondre **effrontément** aux questions – être accueilli **fraîchement** – être **lourdement** pénalisé

• **Suffixes**
Un **avocaillon** est un mauvais avocat. – L'eau de l'étang, d'une couleur **verdâtre**, n'incite pas à la baignade. – Désœuvré, Mickaël **traînasse**.

• **Niveaux de langue**
Quelle idée a-t-il eue de se **fagoter** de cette façon ?
Arrête de **jacasser**, tu ennuies tes camarades.
Cette personne ne fait jamais le ménage ; c'est une vraie **souillon**.

143 Rédiger un texte argumentatif

Dans un texte argumentatif, l'énonciateur prend position sur un sujet : il expose et justifie son opinion, il défend une cause ou il dénonce un fait.

▶ Chercher des idées

Tout d'abord, il s'agit de chercher tous les **arguments** qui vous permettront de soutenir tel ou tel avis, c'est-à-dire votre **thèse**.

• **Trouver des arguments**
– Pour approfondir votre réflexion, vous pouvez **envisager un autre point de vue sur la question** et chercher les arguments que l'on pourrait vous opposer pour les **réfuter**, c'est-à-dire pour expliquer en quoi ils ne sont pas convaincants.
– Mais vous pouvez aussi faire des **concessions** à la position adverse pour, ensuite, développer tous vos arguments.
– D'une façon générale, **peser le pour et le contre** d'une question vous permettra d'aboutir à une **opinion nuancée**.

• **Étayer les arguments par des exemples**
Vous devrez aussi chercher des **exemples qui illustrent vos arguments**.

• **Chercher à convaincre**
– Il y a deux façons de chercher à convaincre : **construire un raisonnement rigoureux** ou **toucher la sensibilité du lecteur** par des images frappantes ou en l'interpellant, en le prenant à partie, en le faisant sourire, etc.
– Choisissez votre stratégie, elle aura des conséquences sur le ton de votre texte : il sera neutre si vous raisonnez, ironique, indigné ou émouvant si vous cherchez à troubler.

▶ Faire le plan

Le plan classique d'un texte argumentatif est le suivant :
– exposition de la thèse, de l'opinion sur telle ou telle question ;
– présentation des arguments pour la soutenir, chacun illustré d'un exemple.

▶ Rédiger

• Employez des mots de liaison pour souligner les enchaînements logiques de votre raisonnement ou les étapes de votre pensée : « en effet », « d'une part », « de plus », « en outre », « par ailleurs », « néanmoins », « par conséquent », etc. Cette progression sera aussi soulignée par des paragraphes.

• Pour marquer votre lecteur, utilisez des procédés de mise en relief et des figures de style (voir leçons 138 et 139), des formes de phrases emphatiques, des anaphores, des questions rhétoriques, des phrases interro-négatives, des contrastes saisissants, des gradations, des chutes, des énumérations, etc.

• Le temps utilisé est le plus souvent le présent.

• Il est important de se relire pour vérifier la cohérence du texte, les formulations et l'orthographe.

Vocabulaire

Une lettre est adressée par un expéditeur (ou destinateur) à un destinataire pour lui transmettre un message.

▶ Organiser sa rédaction

• **Respecter une présentation particulière**
– Pour une **lettre personnelle** (à un ami, un membre de sa famille, une connaissance) :

................., ...	Le lieu et la date (le mois écrit en toutes lettres)
.................,	Une formule d'appel
....,	Le corps de la lettre : chaque paragraphe est précédé d'un alinéa.
....	Une formule d'adieu Le prénom de l'expéditeur

– Pour une **lettre officielle** (à une entreprise, un organisme, etc.), on ajoute **le nom et les coordonnées de l'expéditeur** en haut à gauche et **ceux du destinataire à droite**, sous la date.
On peut aussi ajouter l'**objet** (c'est-à-dire le sujet) de la lettre ou juste le nom du destinataire avant la formule d'appel. Par exemple : « Objet : demande de stage » ; « À l'attention de Monsieur Martin ».
On finit en mentionnant son prénom, son nom et l'on signe.
– Pensez à laisser des **marges** alignées à gauche aussi bien qu'à droite.

• **Quelques conseils d'écriture**
– En **début de lettre**, commencez par quelques phrases de **prise de contact** ou **faites le lien avec la dernière lettre reçue**. Il peut s'agir, en effet, d'une correspondance suivie. Vous pouvez alors faire des références à la lettre à laquelle vous répondez.
– Vous rendrez votre lettre vivante en **impliquant votre destinataire dans votre propos** comme s'il s'agissait d'un dialogue : interpellez-le, posez-lui des questions, etc.
– **Selon la relation entre l'expéditeur et le destinataire, les formules d'appel et d'adieu varient** : elles expriment le degré d'intimité des personnes. Dans les lettres personnelles, on utilisera « *Cher Simon* », « *Bien chers tous* », « *Je t'embrasse affectueusement* », etc.
Dans une lettre officielle, on utilisera « *Monsieur* », « *Je vous prie d'agréer mes salutations distinguées* », etc.
– Les **pronoms personnels** diffèrent selon que les personnes se tutoient ou se vouvoient.
– Enfin, le **temps** de référence est le **présent**.

Un résumé est le résultat d'une contraction de texte. Il s'agit de réduire un récit à ses événements les plus importants ou un texte documentaire à ses idées principales.

▶ Le résumé d'un texte narratif

• **Première étape : repérer les étapes du récit**
– Après avoir lu une ou deux fois le texte, vous **délimitez les principales étapes de l'histoire** en prenant appui sur les paragraphes et en encadrant les connecteurs temporels : *soudain, puis, ensuite, tout à coup...*
– Puis, **donnez un titre** à chacune de ces parties pour faire apparaître le plan.

• **Deuxième étape : rédiger**
– **Respectez l'ordre des actions**, les **temps employés** et le **narrateur** (récit à la première ou à la troisième personne).
– **Ne recopiez aucune phrase**, seulement les mots clés.

• **Troisième étape : se relire**
Comparez une dernière fois votre texte avec celui de l'auteur pour vérifier que vous n'avez pas oublié d'idées et vérifiez votre orthographe.

▶ Le résumé d'un texte documentaire

• **Première étape : repérer les idées clés et leur organisation**
– **Après avoir lu une ou deux fois le texte**, vous vous demanderez quelles sont les **informations les plus importantes** qu'il donne.
Puis **soulignez les mots clés ou les expressions clés**.
– Pour **repérer l'organisation** des idées, encadrez les mots de liaison.
– **Délimitez les étapes du texte** en vous aidant des paragraphes. Puis donnez-leur un titre pour faire apparaître le plan. Pour cela, aidez-vous de la première phrase de chaque paragraphe : en général, elle annonce son thème.

• **Deuxième étape : rédiger**
– Il faut **suivre l'ordre des idées** sans jamais ajouter aucune idée personnelle.
– Il faut laisser de côté les idées secondaires ou les exemples illustratifs.
– **Il ne faut recopier aucune phrase**, seuls les mots clés seront employés. C'est un exercice de réécriture : **il faut reformuler les idées**.
– Pour **conserver l'enchaînement des idées**, vous pouvez utiliser les mêmes mots de liaison.

• **Conseils d'écriture**
– Pour réduire le texte, vous pouvez utiliser des termes génériques :
« L'ours dévore des petits fruits rouges appelés myrtilles, des châtaignes et des glands. » devient « L'ours se nourrit de fruits et de féculents. »
– Il faut garder l'idée générale du texte sans entrer dans les détails :
« à l'époque où les arbres commencent à jaunir » devient « à l'automne »
– Les compléments du nom ou les propositions subordonnées relatives peuvent être transformés en adjectifs :
« les animaux qui mangent des insectes » devient « des insectivores »

• **Troisième étape :** se relire (voir ci-dessus)

Vocabulaire

TABLEAUX DE CONJUGAISON TYPES

Comment trouver la conjugaison d'un verbe ?

Grâce à la **liste des verbes** et aux **tableaux de conjugaison types**, vous pouvez conjuguer tous les verbes de la langue française.

• Pour cela, il vous suffit de rechercher, dans la liste alphabétique (p. 251 à 313), celui que vous souhaitez conjuguer.

• Le numéro qui figure en face de ce verbe est celui de son modèle de conjugaison type. Vous trouverez ce modèle de conjugaison dans les pages qui suivent (p. 165 à 250) où les tableaux sont classés par numéros.

• Vous appliquerez au verbe que vous voulez conjuguer les variations du radical et les terminaisons du verbe modèle.

• Les difficultés particulières de chaque conjugaison sont indiquées par les lettres en couleur.

Exemples :

1. Comment s'écrit le verbe *sortir* à la 2ᵉ personne du singulier du présent de l'impératif ?
Sortir a pour numéro de conjugaison **22** (il se conjugue comme *dormir*).
À la 2ᵉ personne du singulier du présent de l'impératif, le verbe modèle s'écrit *dors* ; *sortir* s'écrira donc *sors*.

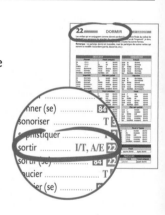

2. Quelle est la 3ᵉ personne du singulier du présent du subjonctif du verbe *requérir* ?
Requérir a pour numéro de conjugaison **28** (il se conjugue comme *acquérir*).
Acquérir fait *qu'il acquière* à la 3ᵉ personne du singulier du présent du subjonctif ; *requérir* fera donc *qu'il requière*.

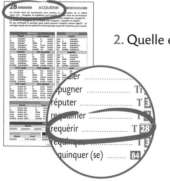

Avoir est soit un verbe transitif *(Ils ont quatre enfants),* soit un auxiliaire utilisé dans la conjugaison des temps composés *(Ils ont donné leur avis* : verbe *donner* au passé composé).

L'auxiliaire *avoir* sert à la conjugaison de la plupart des verbes à la voix active. C'est l'auxiliaire utilisé pour les temps composés de *avoir (j'ai eu)* et de *être (j'ai été).*

Ravoir ne s'utilise qu'à l'infinitif.

INDICATIF

Présent		Passé composé		
j'	ai	j'	ai	eu
tu	as	tu	as	eu
il/elle	a	il/elle	a	eu
nous	avons	nous	avons	eu
vous	avez	vous	avez	eu
ils/elles	ont	ils/elles	ont	eu

Imparfait		Plus-que-parfait		
j'	avais	j'	avais	eu
tu	avais	tu	avais	eu
il/elle	avait	il/elle	avait	eu
nous	avions	nous	avions	eu
vous	aviez	vous	aviez	eu
ils/elles	avaient	ils/elles	avaient	eu

Passé simple		Passé antérieur		
j'	eus	j'	eus	eu
tu	eus	tu	eus	eu
il/elle	eut	il/elle	eut	eu
nous	eûmes	nous	eûmes	eu
vous	eûtes	vous	eûtes	eu
ils/elles	eurent	ils/elles	eurent	eu

Futur simple		Futur antérieur		
j'	aurai	j'	aurai	eu
tu	auras	tu	auras	eu
il/elle	aura	il/elle	aura	eu
nous	aurons	nous	aurons	eu
vous	aurez	vous	aurez	eu
ils/elles	auront	ils/elles	auront	eu

SUBJONCTIF

Présent			
que	j'	aie	
que	tu	aies	
qu'	il/elle	ait	
que	nous	ayons	
que	vous	ayez	
qu'	ils/elles	aient	

Imparfait			
que	j'	eusse	
que	tu	eusses	
qu'	il/elle	eût	
que	nous	eussions	
que	vous	eussiez	
qu'	ils/elles	eussent	

Passé			
que	j'	aie	eu
que	tu	aies	eu
qu'	il/elle	ait	eu
que	nous	ayons	eu
que	vous	ayez	eu
qu'	ils/elles	aient	eu

Plus-que-parfait			
que	j'	eusse	eu
que	tu	eusses	eu
qu'	il/elle	eût	eu
que	nous	eussions	eu
que	vous	eussiez	eu
qu'	ils/elles	eussent	eu

CONDITIONNEL

Présent		Passé 1re forme			Passé 2e forme		
j'	aurais	j'	aurais	eu	j'	eusse	eu
tu	aurais	tu	aurais	eu	tu	eusses	eu
il/elle	aurait	il/elle	aurait	eu	il/elle	eût	eu
nous	aurions	nous	aurions	eu	nous	eussions	eu
vous	auriez	vous	auriez	eu	vous	eussiez	eu
ils/elles	auraient	ils/elles	auraient	eu	ils/elles	eussent	eu

IMPÉRATIF

Présent			Passé		
aie	ayons	ayez	aie eu	ayons eu	ayez eu

INFINITIF

Présent	Passé
avoir	avoir eu

PARTICIPE

Présent	Passé	Passé composé
ayant	eu (e, s, es)	ayant eu

Tableaux de conjugaison types

2 — ÊTRE

Être est soit un verbe d'état *(Ils sont frères)*, soit un auxiliaire utilisé dans la conjugaison des temps composés de certains verbes intransitifs (*Ils sont arrivés* : verbe *arriver* au passé composé).

L'auxiliaire *être* sert à la conjugaison de quelques verbes à la voix active *(arriver, rester, partir...)*, de tous les verbes pronominaux *(Ils se sont donné la main)* et de tous les verbes à la voix passive *(Ils sont suivis par un inconnu)*.

Le participe passé *été* est toujours invariable.

INDICATIF

Présent		Passé composé		
je	suis	j'	ai	été
tu	es	tu	as	été
il/elle	est	il/elle	a	été
nous	sommes	nous	avons	été
vous	êtes	vous	avez	été
ils/elles	sont	ils/elles	ont	été

Imparfait		Plus-que-parfait		
j'	étais	j'	avais	été
tu	étais	tu	avais	été
il/elle	était	il/elle	avait	été
nous	étions	nous	avions	été
vous	étiez	vous	aviez	été
ils/elles	étaient	ils/elles	avaient	été

Passé simple		Passé antérieur		
je	fus	j'	eus	été
tu	fus	tu	eus	été
il/elle	fut	il/elle	eut	été
nous	fûmes	nous	eûmes	été
vous	fûtes	vous	eûtes	été
ils/elles	furent	ils/elles	eurent	été

Futur simple		Futur antérieur		
je	serai	j'	aurai	été
tu	seras	tu	auras	été
il/elle	sera	il/elle	aura	été
nous	serons	nous	aurons	été
vous	serez	vous	aurez	été
ils/elles	seront	ils/elles	auront	été

SUBJONCTIF

Présent		
que	je	sois
que	tu	sois
qu'	il/elle	soit
que	nous	soyons
que	vous	soyez
qu'	ils/elles	soient

Imparfait		
que	je	fusse
que	tu	fusses
qu'	il/elle	fût
que	nous	fussions
que	vous	fussiez
qu'	ils/elles	fussent

Passé			
que	j'	aie	été
que	tu	aies	été
qu'	il/elle	ait	été
que	nous	ayons	été
que	vous	ayez	été
qu'	ils/elles	aient	été

Plus-que-parfait			
que	j'	eusse	été
que	tu	eusses	été
qu'	il/elle	eût	été
que	nous	eussions	été
que	vous	eussiez	été
qu'	ils/elles	eussent	été

CONDITIONNEL

Présent		Passé 1re forme			Passé 2e forme		
je	serais	j'	aurais	été	j'	eusse	été
tu	serais	tu	aurais	été	tu	eusses	été
il/elle	serait	il/elle	aurait	été	il/elle	eût	été
nous	serions	nous	aurions	été	nous	eussions	été
vous	seriez	vous	auriez	été	vous	eussiez	été
ils/elles	seraient	ils/elles	auraient	été	ils/elles	eussent	été

IMPÉRATIF

Présent			Passé		
sois	soyons	soyez	aie été	ayons été	ayez été

INFINITIF

Présent	Passé
être	avoir été

PARTICIPE

Présent	Passé	Passé composé
étant	été	ayant été

3 ████ CHANTER ████ 1er GROUPE

Tous les verbes du 1er groupe ont les terminaisons du verbe modèle *chanter*.
Le radical *chant-* est utilisé pour tous les temps simples, sauf au futur simple et au présent du conditionnel, temps pour lesquels les formes se construisent sur le radical *chanter-*.

Remarque : La plupart des verbes de création récente appartiennent au 1er groupe et se conjuguent sur le modèle de *chanter* (Ex. : *tweeter, booster*).

INDICATIF

Présent		Passé composé		
je	chante	j'	ai	chanté
tu	chantes	tu	as	chanté
il/elle	chante	il/elle	a	chanté
nous	chantons	nous	avons	chanté
vous	chantez	vous	avez	chanté
ils/elles	chantent	ils/elles	ont	chanté

Imparfait		Plus-que-parfait		
je	chantais	j'	avais	chanté
tu	chantais	tu	avais	chanté
il/elle	chantait	il/elle	avait	chanté
nous	chantions	nous	avions	chanté
vous	chantiez	vous	aviez	chanté
ils/elles	chantaient	ils/elles	avaient	chanté

Passé simple		Passé antérieur		
je	chantai	j'	eus	chanté
tu	chantas	tu	eus	chanté
il/elle	chanta	il/elle	eut	chanté
nous	chantâmes	nous	eûmes	chanté
vous	chantâtes	vous	eûtes	chanté
ils/elles	chantèrent	ils/elles	eurent	chanté

Futur simple		Futur antérieur		
je	chanterai	j'	aurai	chanté
tu	chanteras	tu	auras	chanté
il/elle	chantera	il/elle	aura	chanté
nous	chanterons	nous	aurons	chanté
vous	chanterez	vous	aurez	chanté
ils/elles	chanteront	ils/elles	auront	chanté

SUBJONCTIF

Présent		
que je	chante	
que tu	chantes	
qu' il/elle	chante	
que nous	chantions	
que vous	chantiez	
qu' ils/elles	chantent	

Imparfait		
que je	chantasse	
que tu	chantasses	
qu' il/elle	chantât	
que nous	chantassions	
que vous	chantassiez	
qu' ils/elles	chantassent	

Passé		
que j'	aie	chanté
que tu	aies	chanté
qu' il/elle	ait	chanté
que nous	ayons	chanté
que vous	ayez	chanté
qu' ils/elles	aient	chanté

Plus-que-parfait		
que j'	eusse	chanté
que tu	eusses	chanté
qu' il/elle	eût	chanté
que nous	eussions	chanté
que vous	eussiez	chanté
qu' ils/elles	eussent	chanté

CONDITIONNEL

Présent		Passé 1re forme			Passé 2e forme		
je	chanterais	j'	aurais	chanté	j'	eusse	chanté
tu	chanterais	tu	aurais	chanté	tu	eusses	chanté
il/elle	chanterait	il/elle	aurait	chanté	il/elle	eût	chanté
nous	chanterions	nous	aurions	chanté	nous	eussions	chanté
vous	chanteriez	vous	auriez	chanté	vous	eussiez	chanté
ils/elles	chanteraient	ils/elles	auraient	chanté	ils/elles	eussent	chanté

IMPÉRATIF

Présent			Passé		
chante	chantons	chantez	aie chanté	ayons chanté	ayez chanté

INFINITIF

Présent	Passé
chanter	avoir chanté

PARTICIPE

Présent	Passé	Passé composé
chantant	chanté (e, s, es)	ayant chanté

Tableaux de conjugaison types

CRIER

Les verbes en *-ier* sont tout à fait réguliers. Ils s'écrivent avec deux *i* consécutifs aux deux premières personnes du pluriel de l'imparfait de l'indicatif et du présent du subjonctif *(nous criions, vous criiez)* : le premier pour le radical *(cri-)*, le second pour la terminaison *(-ions, -iez)*.

On veillera à ne pas oublier le *e* muet du radical au futur simple et au présent du conditionnel (Ex. : *je lierai*, du verbe *lier*, 1ᵉʳ groupe, à bien distinguer de *je lirai*, du verbe *lire*, 3ᵉ groupe).

INDICATIF

Présent		Passé composé		
je	crie	j'	ai	crié
tu	cries	tu	as	crié
il/elle	crie	il/elle	a	crié
nous	crions	nous	avons	crié
vous	criez	vous	avez	crié
ils/elles	crient	ils/elles	ont	crié

Imparfait		Plus-que-parfait		
je	criais	j'	avais	crié
tu	criais	tu	avais	crié
il/elle	criait	il/elle	avait	crié
nous	criions	nous	avions	crié
vous	criiez	vous	aviez	crié
ils/elles	criaient	ils/elles	avaient	crié

Passé simple		Passé antérieur		
je	criai	j'	eus	crié
tu	crias	tu	eus	crié
il/elle	cria	il/elle	eut	crié
nous	criâmes	nous	eûmes	crié
vous	criâtes	vous	eûtes	crié
ils/elles	crièrent	ils/elles	eurent	crié

Futur simple		Futur antérieur		
je	crierai	j'	aurai	crié
tu	crieras	tu	auras	crié
il/elle	criera	il/elle	aura	crié
nous	crierons	nous	aurons	crié
vous	crierez	vous	aurez	crié
ils/elles	crieront	ils/elles	auront	crié

SUBJONCTIF

Présent		
que	je	crie
que	tu	cries
qu'	il/elle	crie
que	nous	criions
que	vous	criiez
qu'	ils/elles	crient

Imparfait		
que	je	criasse
que	tu	criasses
qu'	il/elle	criât
que	nous	criassions
que	vous	criassiez
qu'	ils/elles	criassent

Passé			
que	j'	aie	crié
que	tu	aies	crié
qu'	il/elle	ait	crié
que	nous	ayons	crié
que	vous	ayez	crié
qu'	ils/elles	aient	crié

Plus-que-parfait			
que	j'	eusse	crié
que	tu	eusses	crié
qu'	il/elle	eût	crié
que	nous	eussions	crié
que	vous	eussiez	crié
qu'	ils/elles	eussent	crié

CONDITIONNEL

Présent		Passé 1ʳᵉ forme			Passé 2ᵉ forme		
je	crierais	j'	aurais	crié	j'	eusse	crié
tu	crierais	tu	aurais	crié	tu	eusses	crié
il/elle	crierait	il/elle	aurait	crié	il/elle	eût	crié
nous	crierions	nous	aurions	crié	nous	eussions	crié
vous	crieriez	vous	auriez	crié	vous	eussiez	crié
ils/elles	crieraient	ils/elles	auraient	crié	ils/elles	eussent	crié

IMPÉRATIF

Présent			Passé		
crie	crions	criez	aie crié	ayons crié	ayez crié

INFINITIF

Présent	Passé
crier	avoir crié

PARTICIPE

Présent	Passé	Passé composé
criant	crié (e, s, es)	ayant crié

CRÉER

Les verbes en -*éer* sont tout à fait réguliers. Ainsi, certaines formes s'écrivent avec le é qui termine le radical *(cré-)* immédiatement suivi d'un *e* de la terminaison (Ex. : *je crée, ils créent*).

Le participe passé masculin s'écrit avec deux é : *créé* ; le participe féminin avec deux é suivis d'un *e* : *créée*.

Béer s'écrit avec un seul é au participe passé : *bouche bée*.

INDICATIF

Présent		Passé composé		
je	crée	j'	ai	créé
tu	crées	tu	as	créé
il/elle	crée	il/elle	a	créé
nous	créons	nous	avons	créé
vous	créez	vous	avez	créé
ils/elles	créent	ils/elles	ont	créé

Imparfait		Plus-que-parfait		
je	créais	j'	avais	créé
tu	créais	tu	avais	créé
il/elle	créait	il/elle	avait	créé
nous	créions	nous	avions	créé
vous	créiez	vous	aviez	créé
ils/elles	créaient	ils/elles	avaient	créé

Passé simple		Passé antérieur		
je	créai	j'	eus	créé
tu	créas	tu	eus	créé
il/elle	créa	il/elle	eut	créé
nous	créâmes	nous	eûmes	créé
vous	créâtes	vous	eûtes	créé
ils/elles	créèrent	ils/elles	eurent	créé

Futur simple		Futur antérieur		
je	créerai	j'	aurai	créé
tu	créeras	tu	auras	créé
il/elle	créera	il/elle	aura	créé
nous	créerons	nous	aurons	créé
vous	créerez	vous	aurez	créé
ils/elles	créeront	ils/elles	auront	créé

SUBJONCTIF

Présent		
que je	crée	
que tu	crées	
qu' il/elle	crée	
que nous	créions	
que vous	créiez	
qu' ils/elles	créent	

Imparfait		
que je	créasse	
que tu	créasses	
qu' il/elle	créât	
que nous	créassions	
que vous	créassiez	
qu' ils/elles	créassent	

Passé		
que j'	aie	créé
que tu	aies	créé
qu' il/elle	ait	créé
que nous	ayons	créé
que vous	ayez	créé
qu' ils/elles	aient	créé

Plus-que-parfait		
que j'	eusse	créé
que tu	eusses	créé
qu' il/elle	eût	créé
que nous	eussions	créé
que vous	eussiez	créé
qu' ils/elles	eussent	créé

CONDITIONNEL

Présent		Passé 1re forme			Passé 2e forme		
je	créerais	j'	aurais	créé	j'	eusse	créé
tu	créerais	tu	aurais	créé	tu	eusses	créé
il/elle	créerait	il/elle	aurait	créé	il/elle	eût	créé
nous	créerions	nous	aurions	créé	nous	eussions	créé
vous	créeriez	vous	auriez	créé	vous	eussiez	créé
ils/elles	créeraient	ils/elles	auraient	créé	ils/elles	eussent	créé

IMPÉRATIF

Présent			Passé		
crée	créons	créez	aie créé	ayons créé	ayez créé

INFINITIF

Présent	Passé
créer	avoir créé

PARTICIPE

Présent	Passé	Passé composé
créant	créé (e, s, es)	ayant créé

Les verbes en *-cer* sont tout à fait réguliers. Mais, pour que le *c* garde le son [s] de l'infinitif, on met une cédille devant le *a* et le *o* des terminaisons (Ex. : *nous plaçons, je plaçais, vous plaçâtes, plaçant*).

INDICATIF

Présent		Passé composé		
je	place	j'	ai	placé
tu	places	tu	as	placé
il/elle	place	il/elle	a	placé
nous	plaçons	nous	avons	placé
vous	placez	vous	avez	placé
ils/elles	placent	ils/elles	ont	placé

Imparfait		Plus-que-parfait		
je	plaçais	j'	avais	placé
tu	plaçais	tu	avais	placé
il/elle	plaçait	il/elle	avait	placé
nous	placions	nous	avions	placé
vous	placiez	vous	aviez	placé
ils/elles	plaçaient	ils/elles	avaient	placé

Passé simple		Passé antérieur		
je	plaçai	j'	eus	placé
tu	plaças	tu	eus	placé
il/elle	plaça	il/elle	eut	placé
nous	plaçâmes	nous	eûmes	placé
vous	plaçâtes	vous	eûtes	placé
ils/elles	placèrent	ils/elles	eurent	placé

Futur simple		Futur antérieur		
je	placerai	j'	aurai	placé
tu	placeras	tu	auras	placé
il/elle	placera	il/elle	aura	placé
nous	placerons	nous	aurons	placé
vous	placerez	vous	aurez	placé
ils/elles	placeront	ils/elles	auront	placé

SUBJONCTIF

Présent		
que	je	place
que	tu	places
qu'	il/elle	place
que	nous	placions
que	vous	placiez
qu'	ils/elles	placent

Imparfait		
que	je	plaçasse
que	tu	plaçasses
qu'	il/elle	plaçât
que	nous	plaçassions
que	vous	plaçassiez
qu'	ils/elles	plaçassent

Passé			
que	j'	aie	placé
que	tu	aies	placé
qu'	il/elle	ait	placé
que	nous	ayons	placé
que	vous	ayez	placé
qu'	ils/elles	aient	placé

Plus-que-parfait			
que	j'	eusse	placé
que	tu	eusses	placé
qu'	il/elle	eût	placé
que	nous	eussions	placé
que	vous	eussiez	placé
qu'	ils/elles	eussent	placé

CONDITIONNEL

Présent		Passé 1ʳᵉ forme			Passé 2ᵉ forme		
je	placerais	j'	aurais	placé	j'	eusse	placé
tu	placerais	tu	aurais	placé	tu	eusses	placé
il/elle	placerait	il/elle	aurait	placé	il/elle	eût	placé
nous	placerions	nous	aurions	placé	nous	eussions	placé
vous	placeriez	vous	auriez	placé	vous	eussiez	placé
ils/elles	placeraient	ils/elles	auraient	placé	ils/elles	eussent	placé

IMPÉRATIF

Présent			Passé		
place	plaçons	placez	aie placé	ayons placé	ayez placé

INFINITIF

Présent	Passé
placer	avoir placé

PARTICIPE

Présent	Passé	Passé composé
plaçant	placé (e, s, es)	ayant placé

7 MANGER

Les verbes en *-ger* sont tout à fait réguliers. Mais, pour que le *g* garde le son [ʒ] de l'infinitif, on met un *e* muet devant le *a* et le *o* des terminaisons (Ex. : *nous mangeons, je mangeais, mangeant*).
Remarque : Pour les verbes en *-éger*, voir modèle **10**.

INDICATIF

Présent		Passé composé		
je	mange	j'	ai	mangé
tu	manges	tu	as	mangé
il/elle	mange	il/elle	a	mangé
nous	mangeons	nous	avons	mangé
vous	mangez	vous	avez	mangé
ils/elles	mangent	ils/elles	ont	mangé

Imparfait		Plus-que-parfait		
je	mangeais	j'	avais	mangé
tu	mangeais	tu	avais	mangé
il/elle	mangeait	il/elle	avait	mangé
nous	mangions	nous	avions	mangé
vous	mangiez	vous	aviez	mangé
ils/elles	mangeaient	ils/elles	avaient	mangé

Passé simple		Passé antérieur		
je	mangeai	j'	eus	mangé
tu	mangeas	tu	eus	mangé
il/elle	mangea	il/elle	eut	mangé
nous	mangeâmes	nous	eûmes	mangé
vous	mangeâtes	vous	eûtes	mangé
ils/elles	mangèrent	ils/elles	eurent	mangé

Futur simple		Futur antérieur		
je	mangerai	j'	aurai	mangé
tu	mangeras	tu	auras	mangé
il/elle	mangera	il/elle	aura	mangé
nous	mangerons	nous	aurons	mangé
vous	mangerez	vous	aurez	mangé
ils/elles	mangeront	ils/elles	auront	mangé

SUBJONCTIF

Présent		
que	je	mange
que	tu	manges
qu'	il/elle	mange
que	nous	mangions
que	vous	mangiez
qu'	ils/elles	mangent

Imparfait		
que	je	mangeasse
que	tu	mangeasses
qu'	il/elle	mangeât
que	nous	mangeassions
que	vous	mangeassiez
qu'	ils/elles	mangeassent

Passé			
que	j'	aie	mangé
que	tu	aies	mangé
qu'	il/elle	ait	mangé
que	nous	ayons	mangé
que	vous	ayez	mangé
qu'	ils/elles	aient	mangé

Plus-que-parfait			
que	j'	eusse	mangé
que	tu	eusses	mangé
qu'	il/elle	eût	mangé
que	nous	eussions	mangé
que	vous	eussiez	mangé
qu'	ils/elles	eussent	mangé

CONDITIONNEL

Présent		Passé 1re forme			Passé 2e forme		
je	mangerais	j'	aurais	mangé	j'	eusse	mangé
tu	mangerais	tu	aurais	mangé	tu	eusses	mangé
il/elle	mangerait	il/elle	aurait	mangé	il/elle	eût	mangé
nous	mangerions	nous	aurions	mangé	nous	eussions	mangé
vous	mangeriez	vous	auriez	mangé	vous	eussiez	mangé
ils/elles	mangeraient	ils/elles	auraient	mangé	ils/elles	eussent	mangé

IMPÉRATIF

Présent			Passé		
mange	mangeons	mangez	aie mangé	ayons mangé	ayez mangé

INFINITIF

Présent	Passé
manger	avoir mangé

PARTICIPE

Présent	Passé	Passé composé
mangeant	mangé (e, s, es)	ayant mangé

Tableaux de conjugaison types

Les verbes en -*guer* gardent le *u* qui suit le *g* dans toute la conjugaison, même devant *a* et *o*, car la lettre *u* appartient au radical (Ex. : *nous conjuguons, il conjugua*).

INDICATIF		
Présent		**Passé composé**
je conjugue	j'	ai conjugué
tu conjugues	tu	as conjugué
il/elle conjugue	il/elle	a conjugué
nous conjuguons	nous	avons conjugué
vous conjuguez	vous	avez conjugué
ils/elles conjuguent	ils/elles	ont conjugué
Imparfait		**Plus-que-parfait**
je conjuguais	j'	avais conjugué
tu conjuguais	tu	avais conjugué
il/elle conjuguait	il/elle	avait conjugué
nous conjuguions	nous	avions conjugué
vous conjuguiez	vous	aviez conjugué
ils/elles conjuguaient	ils/elles	avaient conjugué
Passé simple		**Passé antérieur**
je conjuguai	j'	eus conjugué
tu conjuguas	tu	eus conjugué
il/elle conjugua	il/elle	eut conjugué
nous conjuguâmes	nous	eûmes conjugué
vous conjuguâtes	vous	eûtes conjugué
ils/elles conjuguèrent	ils/elles	eurent conjugué
Futur simple		**Futur antérieur**
je conjuguerai	j'	aurai conjugué
tu conjugueras	tu	auras conjugué
il/elle conjuguera	il/elle	aura conjugué
nous conjuguerons	nous	aurons conjugué
vous conjuguerez	vous	aurez conjugué
ils/elles conjugueront	ils/elles	auront conjugué

SUBJONCTIF		
Présent		
que je	conjugue	
que tu	conjugues	
qu' il/elle	conjugue	
que nous	conjuguions	
que vous	conjuguiez	
qu' ils/elles	conjuguent	
Imparfait		
que je	conjuguasse	
que tu	conjuguasses	
qu' il/elle	conjuguât	
que nous	conjuguassions	
que vous	conjuguassiez	
qu' ils/elles	conjuguassent	
Passé		
que j'	aie	conjugué
que tu	aies	conjugué
qu' il/elle	ait	conjugué
que nous	ayons	conjugué
que vous	ayez	conjugué
qu' ils/elles	aient	conjugué
Plus-que-parfait		
que j'	eusse	conjugué
que tu	eusses	conjugué
qu' il/elle	eût	conjugué
que nous	eussions	conjugué
que vous	eussiez	conjugué
qu' ils/elles	eussent	conjugué

CONDITIONNEL		
Présent	**Passé 1re forme**	**Passé 2e forme**
je conjuguerais	j' aurais conjugué	j' eusse conjugué
tu conjuguerais	tu aurais conjugué	tu eusses conjugué
il/elle conjuguerait	il/elle aurait conjugué	il/elle eût conjugué
nous conjuguerions	nous aurions conjugué	nous eussions conjugué
vous conjugueriez	vous auriez conjugué	vous eussiez conjugué
ils/elles conjugueraient	ils/elles auraient conjugué	ils/elles eussent conjugué

IMPÉRATIF	
Présent	**Passé**
conjugue conjuguons conjuguez	aie conjugué ayons conjugué ayez conjugué

INFINITIF	
Présent	**Passé**
conjuguer	avoir conjugué

PARTICIPE		
Présent	**Passé**	**Passé composé**
conjuguant	conjugué (e, s, es)	ayant conjugué

Les verbes qui ont un *é* en avant-dernière syllabe changent ce *é* fermé [e] en *è* ouvert [ɛ] lorsque la terminaison contient un *e* muet (Ex. : *je cède, ils cèdent*). Mais, au futur simple et au présent du conditionnel, le *é* de l'infinitif se maintient à toutes les personnes (Ex. : *je céderai, nous céderions*).

Remarque : Par souci de cohérence, les rectifications orthographiques de 1990 préconisent toutefois les graphies en *è* au lieu de *é* à toutes les personnes du futur simple et du conditionnel présent (Ex. : *je cèderai* comme on écrit *je lèverai*).

INDICATIF

Présent		Passé composé		
je	cède	j'	ai	cédé
tu	cèdes	tu	as	cédé
il/elle	cède	il/elle	a	cédé
nous	cédons	nous	avons	cédé
vous	cédez	vous	avez	cédé
ils/elles	cèdent	ils/elles	ont	cédé

Imparfait		Plus-que-parfait		
je	cédais	j'	avais	cédé
tu	cédais	tu	avais	cédé
il/elle	cédait	il/elle	avait	cédé
nous	cédions	nous	avions	cédé
vous	cédiez	vous	aviez	cédé
ils/elles	cédaient	ils/elles	avaient	cédé

Passé simple		Passé antérieur		
je	cédai	j'	eus	cédé
tu	cédas	tu	eus	cédé
il/elle	céda	il/elle	eut	cédé
nous	cédâmes	nous	eûmes	cédé
vous	cédâtes	vous	eûtes	cédé
ils/elles	cédèrent	ils/elles	eurent	cédé

Futur simple		Futur antérieur		
je	céderai (cèderai)	j'	aurai	cédé
tu	céderas (cèderas)	tu	auras	cédé
il/elle	cédera (cèdera)	il/elle	aura	cédé
nous	céderons (cèderons)	nous	aurons	cédé
vous	céderez (cèderez)	vous	aurez	cédé
ils/elles	céderont (cèderont)	ils/elles	auront	cédé

SUBJONCTIF

Présent		
que	je	cède
que	tu	cèdes
qu'	il/elle	cède
que	nous	cédions
que	vous	cédiez
qu'	ils/elles	cèdent

Imparfait		
que	je	cédasse
que	tu	cédasses
qu'	il/elle	cédât
que	nous	cédassions
que	vous	cédassiez
qu'	ils/elles	cédassent

Passé			
que	j'	aie	cédé
que	tu	aies	cédé
qu'	il/elle	ait	cédé
que	nous	ayons	cédé
que	vous	ayez	cédé
qu'	ils/elles	aient	cédé

Plus-que-parfait			
que	j'	eusse	cédé
que	tu	eusses	cédé
qu'	il/elle	eût	cédé
que	nous	eussions	cédé
que	vous	eussiez	cédé
qu'	ils/elles	eussent	cédé

CONDITIONNEL

Présent		Passé 1re forme			Passé 2e forme		
je	céderais (cèderais)	j'	aurais	cédé	j'	eusse	cédé
tu	céderais (cèderais)	tu	aurais	cédé	tu	eusses	cédé
il/elle	céderait (cèderait)	il/elle	aurait	cédé	il/elle	eût	cédé
nous	céderions (cèderions)	nous	aurions	cédé	nous	eussions	cédé
vous	céderiez (cèderiez)	vous	auriez	cédé	vous	eussiez	cédé
ils/elles	céderaient (cèderaient)	ils/elles	auraient	cédé	ils/elles	eussent	cédé

IMPÉRATIF

Présent			Passé		
cède	cédons	cédez	aie cédé	ayons cédé	ayez cédé

INFINITIF

Présent	Passé
céder	avoir cédé

PARTICIPE

Présent	Passé	Passé composé
cédant	cédé (e, s, es)	ayant cédé

Tableaux de conjugaison types

Les verbes en -*éger* se conjuguent comme le verbe *manger* (voir modèle **7**) pour l'alternance *g/ge* et comme le verbe *céder* (voir modèle **9**) pour l'alternance *é/è*.

INDICATIF

Présent		Passé composé		
j'	assiège	j'	ai	assiégé
tu	assièges	tu	as	assiégé
il/elle	assiège	il/elle	a	assiégé
nous	assiégeons	nous	avons	assiégé
vous	assiégez	vous	avez	assiégé
ils/elles	assiègent	ils/elles	ont	assiégé

Imparfait		Plus-que-parfait		
j'	assiégeais	j'	avais	assiégé
tu	assiégeais	tu	avais	assiégé
il/elle	assiégeait	il/elle	avait	assiégé
nous	assiégions	nous	avions	assiégé
vous	assiégiez	vous	aviez	assiégé
ils/elles	assiégeaient	ils/elles	avaient	assiégé

Passé simple		Passé antérieur		
j'	assiégeai	j'	eus	assiégé
tu	assiégeas	tu	eus	assiégé
il/elle	assiégea	il/elle	eut	assiégé
nous	assiégeâmes	nous	eûmes	assiégé
vous	assiégeâtes	vous	eûtes	assiégé
ils/elles	assiégèrent	ils/elles	eurent	assiégé

Futur simple		Futur antérieur		
j'	assiégerai (assiègerai)	j'	aurai	assiégé
tu	assiégeras (assiègeras)	tu	auras	assiégé
il/elle	assiégera (assiègera)	il/elle	aura	assiégé
nous	assiégerons (assiègerons)	nous	aurons	assiégé
vous	assiégerez (assiègerez)	vous	aurez	assiégé
ils/elles	assiégeront (assiègeront)	ils/elles	auront	assiégé

SUBJONCTIF

Présent		
que	j'	assiège
que	tu	assièges
qu'	il/elle	assiège
que	nous	assiégions
que	vous	assiégiez
qu'	ils/elles	assiègent

Imparfait		
que	j'	assiégeasse
que	tu	assiégeasses
qu'	il/elle	assiégeât
que	nous	assiégeassions
que	vous	assiégeassiez
qu'	ils/elles	assiégeassent

Passé			
que	j'	aie	assiégé
que	tu	aies	assiégé
qu'	il/elle	ait	assiégé
que	nous	ayons	assiégé
que	vous	ayez	assiégé
qu'	ils/elles	aient	assiégé

Plus-que-parfait			
que	j'	eusse	assiégé
que	tu	eusses	assiégé
qu'	il/elle	eût	assiégé
que	nous	eussions	assiégé
que	vous	eussiez	assiégé
qu'	ils/elles	eussent	assiégé

CONDITIONNEL

Présent		Passé 1ʳᵉ forme		Passé 2ᵉ forme	
j'	assiégerais (assiègerais)	j'	aurais assiégé	j'	eusse assiégé
tu	assiégerais (assiègerais)	tu	aurais assiégé	tu	eusses assiégé
il/elle	assiégerait (assiègerait)	il/elle	aurait assiégé	il/elle	eût assiégé
nous	assiégerions (assiègerions)	nous	aurions assiégé	nous	eussions assiégé
vous	assiégeriez (assiègeriez)	vous	auriez assiégé	vous	eussiez assiégé
ils/elles	assiégeraient (assiègeraient)	ils/elles	auraient assiégé	ils/elles	eussent assiégé

IMPÉRATIF

Présent			Passé		
assiège	assiégeons	assiégez	aie assiégé	ayons assiégé	ayez assiégé

INFINITIF

Présent	Passé
assiéger	avoir assiégé

PARTICIPE

Présent	Passé	Passé composé
assiégeant	assiégé (e, s, es)	ayant assiégé

Les verbes qui ont un *e* muet dans l'avant-dernière syllabe de l'infinitif changent ce *e* en *è* ouvert [ɛ] lorsque la syllabe qui suit contient un *e* muet (Ex. : *je lève, ils lèvent, nous lèverons*).

INDICATIF

Présent		Passé composé		
je	lève	j'	ai	levé
tu	lèves	tu	as	levé
il/elle	lève	il/elle	a	levé
nous	levons	nous	avons	levé
vous	levez	vous	avez	levé
ils/elles	lèvent	ils/elles	ont	levé

Imparfait		Plus-que-parfait		
je	levais	j'	avais	levé
tu	levais	tu	avais	levé
il/elle	levait	il/elle	avait	levé
nous	levions	nous	avions	levé
vous	leviez	vous	aviez	levé
ils/elles	levaient	ils/elles	avaient	levé

Passé simple		Passé antérieur		
je	levai	j'	eus	levé
tu	levas	tu	eus	levé
il/elle	leva	il/elle	eut	levé
nous	levâmes	nous	eûmes	levé
vous	levâtes	vous	eûtes	levé
ils/elles	levèrent	ils/elles	eurent	levé

Futur simple		Futur antérieur		
je	lèverai	j'	aurai	levé
tu	lèveras	tu	auras	levé
il/elle	lèvera	il/elle	aura	levé
nous	lèverons	nous	aurons	levé
vous	lèverez	vous	aurez	levé
ils/elles	lèveront	ils/elles	auront	levé

SUBJONCTIF

Présent		
que je	lève	
que tu	lèves	
qu' il/elle	lève	
que nous	levions	
que vous	leviez	
qu' ils/elles	lèvent	

Imparfait		
que je	levasse	
que tu	levasses	
qu' il/elle	levât	
que nous	levassions	
que vous	levassiez	
qu' ils/elles	levassent	

Passé		
que j'	aie	levé
que tu	aies	levé
qu' il/elle	ait	levé
que nous	ayons	levé
que vous	ayez	levé
qu' ils/elles	aient	levé

Plus-que-parfait		
que j'	eusse	levé
que tu	eusses	levé
qu' il/elle	eût	levé
que nous	eussions	levé
que vous	eussiez	levé
qu' ils/elles	eussent	levé

CONDITIONNEL

Présent		Passé 1re forme			Passé 2e forme		
je	lèverais	j'	aurais	levé	j'	eusse	levé
tu	lèverais	tu	aurais	levé	tu	eusses	levé
il/elle	lèverait	il/elle	aurait	levé	il/elle	eût	levé
nous	lèverions	nous	aurions	levé	nous	eussions	levé
vous	lèveriez	vous	auriez	levé	vous	eussiez	levé
ils/elles	lèveraient	ils/elles	auraient	levé	ils/elles	eussent	levé

IMPÉRATIF

Présent			Passé		
lève	levons	levez	aie levé	ayons levé	ayez levé

INFINITIF

Présent	Passé
lever	avoir levé

PARTICIPE

Présent	Passé	Passé composé
levant	levé (e, s, es)	ayant levé

La plupart des verbes en *-eler* doublent le *l* devant un *e* muet (Ex. : *j'appelle, vous appellerez, ils appelleraient*).

Remarque : Quelques verbes en *-eler* ne doublent pas le *l*, mais prennent un accent grave : voir modèle **13**.

INDICATIF

Présent		Passé composé		
j'	appelle	j'	ai	appelé
tu	appelles	tu	as	appelé
il/elle	appelle	il/elle	a	appelé
nous	appelons	nous	avons	appelé
vous	appelez	vous	avez	appelé
ils/elles	appellent	ils/elles	ont	appelé

Imparfait		Plus-que-parfait		
j'	appelais	j'	avais	appelé
tu	appelais	tu	avais	appelé
il/elle	appelait	il/elle	avait	appelé
nous	appelions	nous	avions	appelé
vous	appeliez	vous	aviez	appelé
ils/elles	appelaient	ils/elles	avaient	appelé

Passé simple		Passé antérieur		
j'	appelai	j'	eus	appelé
tu	appelas	tu	eus	appelé
il/elle	appela	il/elle	eut	appelé
nous	appelâmes	nous	eûmes	appelé
vous	appelâtes	vous	eûtes	appelé
ils/elles	appelèrent	ils/elles	eurent	appelé

Futur simple		Futur antérieur		
j'	appellerai	j'	aurai	appelé
tu	appelleras	tu	auras	appelé
il/elle	appellera	il/elle	aura	appelé
nous	appellerons	nous	aurons	appelé
vous	appellerez	vous	aurez	appelé
ils/elles	appelleront	ils/elles	auront	appelé

SUBJONCTIF

Présent		
que	j'	appelle
que	tu	appelles
qu'	il/elle	appelle
que	nous	appelions
que	vous	appeliez
qu'	ils/elles	appellent

Imparfait		
que	j'	appelasse
que	tu	appelasses
qu'	il/elle	appelât
que	nous	appelassions
que	vous	appelassiez
qu'	ils/elles	appelassent

Passé			
que	j'	aie	appelé
que	tu	aies	appelé
qu'	il/elle	ait	appelé
que	nous	ayons	appelé
que	vous	ayez	appelé
qu'	ils/elles	aient	appelé

Plus-que-parfait			
que	j'	eusse	appelé
que	tu	eusses	appelé
qu'	il/elle	eût	appelé
que	nous	eussions	appelé
que	vous	eussiez	appelé
qu'	ils/elles	eussent	appelé

CONDITIONNEL

Présent		Passé 1re forme			Passé 2e forme		
j'	appellerais	j'	aurais	appelé	j'	eusse	appelé
tu	appellerais	tu	aurais	appelé	tu	eusses	appelé
il/elle	appellerait	il/elle	aurait	appelé	il/elle	eût	appelé
nous	appellerions	nous	aurions	appelé	nous	eussions	appelé
vous	appelleriez	vous	auriez	appelé	vous	eussiez	appelé
ils/elles	appelleraient	ils/elles	auraient	appelé	ils/elles	eussent	appelé

IMPÉRATIF

Présent			Passé		
appelle	appelons	appelez	aie appelé	ayons appelé	ayez appelé

INFINITIF

Présent	Passé
appeler	avoir appelé

PARTICIPE

Présent	Passé	Passé composé
appelant	appelé (e, s, es)	ayant appelé

13 — GELER

Quelques verbes en -*eler* ne doublent pas le *l* devant un *e* muet ; on change simplement le *e* qui précède le *l* en *è*.
Ainsi se conjuguent *celer, ciseler, démanteler, écarteler, geler, marteler, modeler, peler* et les verbes de leur famille.

INDICATIF				SUBJONCTIF	
Présent		**Passé composé**		**Présent**	
je gèle	j'	ai	gelé	que je	gèle
tu gèles	tu	as	gelé	que tu	gèles
il/elle gèle	il/elle	a	gelé	qu' il/elle	gèle
nous gelons	nous	avons	gelé	que nous	gelions
vous gelez	vous	avez	gelé	que vous	geliez
ils/elles gèlent	ils/elles	ont	gelé	qu' ils/elles	gèlent
Imparfait		**Plus-que-parfait**		**Imparfait**	
je gelais	j'	avais	gelé	que je	gelasse
tu gelais	tu	avais	gelé	que tu	gelasses
il/elle gelait	il/elle	avait	gelé	qu' il/elle	gelât
nous gelions	nous	avions	gelé	que nous	gelassions
vous geliez	vous	aviez	gelé	que vous	gelassiez
ils/elles gelaient	ils/elles	avaient	gelé	qu' ils/elles	gelassent
Passé simple		**Passé antérieur**		**Passé**	
je gelai	j'	eus	gelé	que j'	aie	gelé
tu gelas	tu	eus	gelé	que tu	aies	gelé
il/elle gela	il/elle	eut	gelé	qu' il/elle	ait	gelé
nous gelâmes	nous	eûmes	gelé	que nous	ayons	gelé
vous gelâtes	vous	eûtes	gelé	que vous	ayez	gelé
ils/elles gelèrent	ils/elles	eurent	gelé	qu' ils/elles	aient	gelé
Futur simple		**Futur antérieur**		**Plus-que-parfait**	
je gèlerai	j'	aurai	gelé	que j'	eusse	gelé
tu gèleras	tu	auras	gelé	que tu	eusses	gelé
il/elle gèlera	il/elle	aura	gelé	qu' il/elle	eût	gelé
nous gèlerons	nous	aurons	gelé	que nous	eussions	gelé
vous gèlerez	vous	aurez	gelé	que vous	eussiez	gelé
ils/elles gèleront	ils/elles	auront	gelé	qu' ils/elles	eussent	gelé

CONDITIONNEL			
Présent	**Passé 1ʳᵉ forme**	**Passé 2ᵉ forme**	
je gèlerais	j' aurais gelé	j' eusse gelé
tu gèlerais	tu aurais gelé	tu eusses gelé
il/elle gèlerait	il/elle aurait gelé	il/elle eût gelé
nous gèlerions	nous aurions gelé	nous eussions gelé
vous gèleriez	vous auriez gelé	vous eussiez gelé
ils/elles gèleraient	ils/elles auraient gelé	ils/elles eussent gelé

IMPÉRATIF					
Présent			**Passé**		
gèle	gelons	gelez	aie gelé	ayons gelé	ayez gelé

INFINITIF		PARTICIPE		
Présent	**Passé**	**Présent**	**Passé**	**Passé composé**
geler	avoir gelé	gelant	gelé (e, s, es)	ayant gelé

Tableaux de conjugaison types

177

La plupart des verbes en -*eter* doublent le *t* devant un *e* muet (Ex. : *je jette, vous jetterez, tu jetterais*).

Remarque : Quelques verbes en -*eter* ne doublent pas le *t*, mais prennent un accent grave : voir modèle **15**.

INDICATIF					SUBJONCTIF			
Présent		**Passé composé**			**Présent**			
je	jette	j'	ai	jeté	que	je	jette	
tu	jettes	tu	as	jeté	que	tu	jettes	
il/elle	jette	il/elle	a	jeté	qu'	il/elle	jette	
nous	jetons	nous	avons	jeté	que	nous	jetions	
vous	jetez	vous	avez	jeté	que	vous	jetiez	
ils/elles	jettent	ils/elles	ont	jeté	qu'	ils/elles	jettent	
Imparfait		**Plus-que-parfait**			**Imparfait**			
je	jetais	j'	avais	jeté	que	je	jetasse	
tu	jetais	tu	avais	jeté	que	tu	jetasses	
il/elle	jetait	il/elle	avait	jeté	qu'	il/elle	jetât	
nous	jetions	nous	avions	jeté	que	nous	jetassions	
vous	jetiez	vous	aviez	jeté	que	vous	jetassiez	
ils/elles	jetaient	ils/elles	avaient	jeté	qu'	ils/elles	jetassent	
Passé simple		**Passé antérieur**			**Passé**			
je	jetai	j'	eus	jeté	que	j'	aie	jeté
tu	jetas	tu	eus	jeté	que	tu	aies	jeté
il/elle	jeta	il/elle	eut	jeté	qu'	il/elle	ait	jeté
nous	jetâmes	nous	eûmes	jeté	que	nous	ayons	jeté
vous	jetâtes	vous	eûtes	jeté	que	vous	ayez	jeté
ils/elles	jetèrent	ils/elles	eurent	jeté	qu'	ils/elles	aient	jeté
Futur simple		**Futur antérieur**			**Plus-que-parfait**			
je	jetterai	j'	aurai	jeté	que	j'	eusse	jeté
tu	jetteras	tu	auras	jeté	que	tu	eusses	jeté
il/elle	jettera	il/elle	aura	jeté	qu'	il/elle	eût	jeté
nous	jetterons	nous	aurons	jeté	que	nous	eussions	jeté
vous	jetterez	vous	aurez	jeté	que	vous	eussiez	jeté
ils/elles	jetteront	ils/elles	auront	jeté	qu'	ils/elles	eussent	jeté

CONDITIONNEL							
Présent		**Passé 1ʳᵉ forme**			**Passé 2ᵉ forme**		
je	jetterais	j'	aurais	jeté	j'	eusse	jeté
tu	jetterais	tu	aurais	jeté	tu	eusses	jeté
il/elle	jetterait	il/elle	aurait	jeté	il/elle	eût	jeté
nous	jetterions	nous	aurions	jeté	nous	eussions	jeté
vous	jetteriez	vous	auriez	jeté	vous	eussiez	jeté
ils/elles	jetteraient	ils/elles	auraient	jeté	ils/elles	eussent	jeté

IMPÉRATIF					
Présent			**Passé**		
jette	jetons	jetez	aie jeté	ayons jeté	ayez jeté

INFINITIF		PARTICIPE		
Présent	**Passé**	**Présent**	**Passé**	**Passé composé**
jeter	avoir jeté	jetant	jeté (e, s, es)	ayant jeté

Quelques verbes en *-eter* ne doublent pas le *t* devant un *e* muet ; on change simplement le *e* qui précède le *t* en *è*.
Ainsi se conjuguent *acheter, corseter, crocheter, fileter, fureter, haleter* et les verbes de leur famille.

INDICATIF

Présent		Passé composé		
j'	achète	j'	ai	acheté
tu	achètes	tu	as	acheté
il/elle	achète	il/elle	a	acheté
nous	achetons	nous	avons	acheté
vous	achetez	vous	avez	acheté
ils/elles	achètent	ils/elles	ont	acheté

Imparfait		Plus-que-parfait		
j'	achetais	j'	avais	acheté
tu	achetais	tu	avais	acheté
il/elle	achetait	il/elle	avait	acheté
nous	achetions	nous	avions	acheté
vous	achetiez	vous	aviez	acheté
ils/elles	achetaient	ils/elles	avaient	acheté

Passé simple		Passé antérieur		
j'	achetai	j'	eus	acheté
tu	achetas	tu	eus	acheté
il/elle	acheta	il/elle	eut	acheté
nous	achetâmes	nous	eûmes	acheté
vous	achetâtes	vous	eûtes	acheté
ils/elles	achetèrent	ils/elles	eurent	acheté

Futur simple		Futur antérieur		
j'	achèterai	j'	aurai	acheté
tu	achèteras	tu	auras	acheté
il/elle	achètera	il/elle	aura	acheté
nous	achèterons	nous	aurons	acheté
vous	achèterez	vous	aurez	acheté
ils/elles	achèteront	ils/elles	auront	acheté

SUBJONCTIF

Présent		
que	j'	achète
que	tu	achètes
qu'	il/elle	achète
que	nous	achetions
que	vous	achetiez
qu'	ils/elles	achètent

Imparfait		
que	j'	achetasse
que	tu	achetasses
qu'	il/elle	achetât
que	nous	achetassions
que	vous	achetassiez
qu'	ils/elles	achetassent

Passé		
que	j'	aie	acheté
que	tu	aies	acheté
qu'	il/elle	ait	acheté
que	nous	ayons	acheté
que	vous	ayez	acheté
qu'	ils/elles	aient	acheté

Plus-que-parfait		
que	j'	eusse	acheté
que	tu	eusses	acheté
qu'	il/elle	eût	acheté
que	nous	eussions	acheté
que	vous	eussiez	acheté
qu'	ils/elles	eussent	acheté

CONDITIONNEL

Présent		Passé 1ʳᵉ forme			Passé 2ᵉ forme		
j'	achèterais	j'	aurais	acheté	j'	eusse	acheté
tu	achèterais	tu	aurais	acheté	tu	eusses	acheté
il/elle	achèterait	il/elle	aurait	acheté	il/elle	eût	acheté
nous	achèterions	nous	aurions	acheté	nous	eussions	acheté
vous	achèteriez	vous	auriez	acheté	vous	eussiez	acheté
ils/elles	achèteraient	ils/elles	auraient	acheté	ils/elles	eussent	acheté

IMPÉRATIF

Présent			Passé		
achète	achetons	achetez	aie acheté	ayons acheté	ayez acheté

INFINITIF

Présent	Passé
acheter	avoir acheté

PARTICIPE

Présent	Passé	Passé composé
achetant	acheté (e, s, es)	ayant acheté

Tableaux de conjugaison types

16 ▬▬▬ PAYER GROUPE

Les verbes en -*ayer* changent le *y* de l'infinitif en *i* devant un *e* muet. Dans ce cas, le son [j] ne se fait pas entendre (Ex. : *je paie, ils paient, tu paieras*).
Remarques : 1. Les verbes en -*ayer* peuvent conserver le *y* dans toute la conjugaison, même devant un *e* muet (Ex. : *je paye*) ; mais il est préférable d'aligner la conjugaison de tous les verbes en -*yer* sur le même modèle. **2.** Ne pas oublier le *i* de la terminaison qui suit le *y* du radical aux deux premières personnes du pluriel à l'imparfait de l'indicatif et au présent du subjonctif (Ex. : *nous payions*).

INDICATIF

Présent		Passé composé		
je	paie	j'	ai	payé
tu	paies	tu	as	payé
il/elle	paie	il/elle	a	payé
nous	payons	nous	avons	payé
vous	payez	vous	avez	payé
ils/elles	paient	ils/elles	ont	payé

Imparfait		Plus-que-parfait		
je	payais	j'	avais	payé
tu	payais	tu	avais	payé
il/elle	payait	il/elle	avait	payé
nous	payions	nous	avions	payé
vous	payiez	vous	aviez	payé
ils/elles	payaient	ils/elles	avaient	payé

Passé simple		Passé antérieur		
je	payai	j'	eus	payé
tu	payas	tu	eus	payé
il/elle	paya	il/elle	eut	payé
nous	payâmes	nous	eûmes	payé
vous	payâtes	vous	eûtes	payé
ils/elles	payèrent	ils/elles	eurent	payé

Futur simple		Futur antérieur		
je	paierai	j'	aurai	payé
tu	paieras	tu	auras	payé
il/elle	paiera	il/elle	aura	payé
nous	paierons	nous	aurons	payé
vous	paierez	vous	aurez	payé
ils/elles	paieront	ils/elles	auront	payé

SUBJONCTIF

Présent		
que	je	paie
que	tu	paies
qu'	il/elle	paie
que	nous	payions
que	vous	payiez
qu'	ils/elles	paient

Imparfait		
que	je	payasse
que	tu	payasses
qu'	il/elle	payât
que	nous	payassions
que	vous	payassiez
qu'	ils/elles	payassent

Passé			
que	j'	aie	payé
que	tu	aies	payé
qu'	il/elle	ait	payé
que	nous	ayons	payé
que	vous	ayez	payé
qu'	ils/elles	aient	payé

Plus-que-parfait			
que	j'	eusse	payé
que	tu	eusses	payé
qu'	il/elle	eût	payé
que	nous	eussions	payé
que	vous	eussiez	payé
qu'	ils/elles	eussent	payé

CONDITIONNEL

Présent		Passé 1re forme			Passé 2e forme		
je	paierais	j'	aurais	payé	j'	eusse	payé
tu	paierais	tu	aurais	payé	tu	eusses	payé
il/elle	paierait	il/elle	aurait	payé	il/elle	eût	payé
nous	paierions	nous	aurions	payé	nous	eussions	payé
vous	paieriez	vous	auriez	payé	vous	eussiez	payé
ils/elles	paieraient	ils/elles	auraient	payé	ils/elles	eussent	payé

IMPÉRATIF

Présent			Passé		
paie	payons	payez	aie payé	ayons payé	ayez payé

INFINITIF

Présent	Passé
payer	avoir payé

PARTICIPE

Présent	Passé	Passé composé
payant	payé (e, s, es)	ayant payé

17 ━━━ ESSUYER   1er GROUPE

Les verbes en -*uyer* changent le *y* de l'infinitif en *i* devant un *e* muet. Dans ce cas, le son [j] ne se fait pas entendre (Ex. : *j'essuie, tu essuieras*).
Remarque : Ne pas oublier le *i* de la terminaison qui suit le *y* du radical aux deux premières personnes du pluriel à l'imparfait de l'indicatif et au présent du subjonctif (Ex. : *nous essuyions, vous essuyiez*).

INDICATIF

Présent		Passé composé		
j'	essuie	j'	ai	essuyé
tu	essuies	tu	as	essuyé
il/elle	essuie	il/elle	a	essuyé
nous	essuyons	nous	avons	essuyé
vous	essuyez	vous	avez	essuyé
ils/elles	essuient	ils/elles	ont	essuyé

Imparfait		Plus-que-parfait		
j'	essuyais	j'	avais	essuyé
tu	essuyais	tu	avais	essuyé
il/elle	essuyait	il/elle	avait	essuyé
nous	essuyions	nous	avions	essuyé
vous	essuyiez	vous	aviez	essuyé
ils/elles	essuyaient	ils/elles	avaient	essuyé

Passé simple		Passé antérieur		
j'	essuyai	j'	eus	essuyé
tu	essuyas	tu	eus	essuyé
il/elle	essuya	il/elle	eut	essuyé
nous	essuyâmes	nous	eûmes	essuyé
vous	essuyâtes	vous	eûtes	essuyé
ils/elles	essuyèrent	ils/elles	eurent	essuyé

Futur simple		Futur antérieur		
j'	essuierai	j'	aurai	essuyé
tu	essuieras	tu	auras	essuyé
il/elle	essuiera	il/elle	aura	essuyé
nous	essuierons	nous	aurons	essuyé
vous	essuierez	vous	aurez	essuyé
ils/elles	essuieront	ils/elles	auront	essuyé

SUBJONCTIF

Présent		
que j'	essuie	
que tu	essuies	
qu' il/elle	essuie	
que nous	essuyions	
que vous	essuyiez	
qu' ils/elles	essuient	

Imparfait		
que j'	essuyasse	
que tu	essuyasses	
qu' il/elle	essuyât	
que nous	essuyassions	
que vous	essuyassiez	
qu' ils/elles	essuyassent	

Passé		
que j'	aie	essuyé
que tu	aies	essuyé
qu' il/elle	ait	essuyé
que nous	ayons	essuyé
que vous	ayez	essuyé
qu' ils/elles	aient	essuyé

Plus-que-parfait		
que j'	eusse	essuyé
que tu	eusses	essuyé
qu' il/elle	eût	essuyé
que nous	eussions	essuyé
que vous	eussiez	essuyé
qu' ils/elles	eussent	essuyé

CONDITIONNEL

Présent		Passé 1re forme			Passé 2e forme		
j'	essuierais	j'	aurais	essuyé	j'	eusse	essuyé
tu	essuierais	tu	aurais	essuyé	tu	eusses	essuyé
il/elle	essuierait	il/elle	aurait	essuyé	il/elle	eût	essuyé
nous	essuierions	nous	aurions	essuyé	nous	eussions	essuyé
vous	essuieriez	vous	auriez	essuyé	vous	eussiez	essuyé
ils/elles	essuieraient	ils/elles	auraient	essuyé	ils/elles	eussent	essuyé

IMPÉRATIF

Présent			Passé		
essuie	essuyons	essuyez	aie essuyé	ayons essuyé	ayez essuyé

INFINITIF

Présent	Passé
essuyer	avoir essuyé

PARTICIPE

Présent	Passé	Passé composé
essuyant	essuyé (e, s, es)	ayant essuyé

Tableaux de conjugaison types

18 ▬▬▬ EMPLOYER ▬▬▬ 1ᵉʳ GROUPE

Les verbes en -*oyer* changent le *y* de l'infinitif en *i* devant un *e* muet. Dans ce cas, le son [j] ne se fait pas entendre (Ex. : *j'emploierais, ils emploient*).
Remarques : 1. Ne pas oublier le *i* de la terminaison qui suit le *y* du radical aux deux premières personnes du pluriel à l'imparfait de l'indicatif et au présent du subjonctif (Ex. : *nous employions, vous employiez.*) **2.** *Envoyer* est irrégulier : voir modèle **19.**

INDICATIF

Présent		Passé composé		
j'	emploie	j'	ai	employé
tu	emploies	tu	as	employé
il/elle	emploie	il/elle	a	employé
nous	employons	nous	avons	employé
vous	employez	vous	avez	employé
ils/elles	emploient	ils/elles	ont	employé

Imparfait		Plus-que-parfait		
j'	employais	j'	avais	employé
tu	employais	tu	avais	employé
il/elle	employait	il/elle	avait	employé
nous	employions	nous	avions	employé
vous	employiez	vous	aviez	employé
ils/elles	employaient	ils/elles	avaient	employé

Passé simple		Passé antérieur		
j'	employai	j'	eus	employé
tu	employas	tu	eus	employé
il/elle	employa	il/elle	eut	employé
nous	employâmes	nous	eûmes	employé
vous	employâtes	vous	eûtes	employé
ils/elles	employèrent	ils/elles	eurent	employé

Futur simple		Futur antérieur		
j'	emploierai	j'	aurai	employé
tu	emploieras	tu	auras	employé
il/elle	emploiera	il/elle	aura	employé
nous	emploierons	nous	aurons	employé
vous	emploierez	vous	aurez	employé
ils/elles	emploieront	ils/elles	auront	employé

SUBJONCTIF

Présent		
que	j'	emploie
que	tu	emploies
qu'	il/elle	emploie
que	nous	employions
que	vous	employiez
qu'	ils/elles	emploient

Imparfait		
que	j'	employasse
que	tu	employasses
qu'	il/elle	employât
que	nous	employassions
que	vous	employassiez
qu'	ils/elles	employassent

Passé			
que	j'	aie	employé
que	tu	aies	employé
qu'	il/elle	ait	employé
que	nous	ayons	employé
que	vous	ayez	employé
qu'	ils/elles	aient	employé

Plus-que-parfait			
que	j'	eusse	employé
que	tu	eusses	employé
qu'	il/elle	eût	employé
que	nous	eussions	employé
que	vous	eussiez	employé
qu'	ils/elles	eussent	employé

CONDITIONNEL

Présent		Passé 1ʳᵉ forme			Passé 2ᵉ forme		
j'	emploierais	j'	aurais	employé	j'	eusse	employé
tu	emploierais	tu	aurais	employé	tu	eusses	employé
il/elle	emploierait	il/elle	aurait	employé	il/elle	eût	employé
nous	emploierions	nous	aurions	employé	nous	eussions	employé
vous	emploieriez	vous	auriez	employé	vous	eussiez	employé
ils/elles	emploieraient	ils/elles	auraient	employé	ils/elles	eussent	employé

IMPÉRATIF

Présent			Passé		
emploie	employons	employez	aie employé	ayons employé	ayez employé

INFINITIF

Présent	Passé
employer	avoir employé

PARTICIPE

Présent	Passé	Passé composé
employant	employé (e, s, es)	ayant employé

Envoyer et *renvoyer* sont irréguliers au futur simple et au présent du conditionnel. Les terminaisons s'ajoutent non pas au radical de l'infinitif, mais à un autre radical : *enverr-* (et *renverr-*). Pour les autres temps, ils se conjuguent comme *employer* (voir modèle **18**).
Remarque : Ne pas oublier le *i* de la terminaison qui suit le *y* du radical aux deux premières personnes du pluriel à l'imparfait de l'indicatif et au présent du subjonctif (Ex. : *nous envoyions, vous envoyiez*).

INDICATIF

Présent		Passé composé		
j'	envoie	j'	ai	envoyé
tu	envoies	tu	as	envoyé
il/elle	envoie	il/elle	a	envoyé
nous	envoyons	nous	avons	envoyé
vous	envoyez	vous	avez	envoyé
ils/elles	envoient	ils/elles	ont	envoyé

Imparfait		Plus-que-parfait		
j'	envoyais	j'	avais	envoyé
tu	envoyais	tu	avais	envoyé
il/elle	envoyait	il/elle	avait	envoyé
nous	envoyions	nous	avions	envoyé
vous	envoyiez	vous	aviez	envoyé
ils/elles	envoyaient	ils/elles	avaient	envoyé

Passé simple		Passé antérieur		
j'	envoyai	j'	eus	envoyé
tu	envoyas	tu	eus	envoyé
il/elle	envoya	il/elle	eut	envoyé
nous	envoyâmes	nous	eûmes	envoyé
vous	envoyâtes	vous	eûtes	envoyé
ils/elles	envoyèrent	ils/elles	eurent	envoyé

Futur simple		Futur antérieur		
j'	enverrai	j'	aurai	envoyé
tu	enverras	tu	auras	envoyé
il/elle	enverra	il/elle	aura	envoyé
nous	enverrons	nous	aurons	envoyé
vous	enverrez	vous	aurez	envoyé
ils/elles	enverront	ils/elles	auront	envoyé

SUBJONCTIF

Présent			
que	j'	envoie	
que	tu	envoies	
qu'	il/elle	envoie	
que	nous	envoyions	
que	vous	envoyiez	
qu'	ils/elles	envoient	

Imparfait			
que	j'	envoyasse	
que	tu	envoyasses	
qu'	il/elle	envoyât	
que	nous	envoyassions	
que	vous	envoyassiez	
qu'	ils/elles	envoyassent	

Passé			
que	j'	aie	envoyé
que	tu	aies	envoyé
qu'	il/elle	ait	envoyé
que	nous	ayons	envoyé
que	vous	ayez	envoyé
qu'	ils/elles	aient	envoyé

Plus-que-parfait			
que	j'	eusse	envoyé
que	tu	eusses	envoyé
qu'	il/elle	eût	envoyé
que	nous	eussions	envoyé
que	vous	eussiez	envoyé
qu'	ils/elles	eussent	envoyé

CONDITIONNEL

Présent		Passé 1re forme			Passé 2e forme		
j'	enverrais	j'	aurais	envoyé	j'	eusse	envoyé
tu	enverrais	tu	aurais	envoyé	tu	eusses	envoyé
il/elle	enverrait	il/elle	aurait	envoyé	il/elle	eût	envoyé
nous	enverrions	nous	aurions	envoyé	nous	eussions	envoyé
vous	enverriez	vous	auriez	envoyé	vous	eussiez	envoyé
ils/elles	enverraient	ils/elles	auraient	envoyé	ils/elles	eussent	envoyé

IMPÉRATIF

Présent			Passé		
envoie	envoyons	envoyez	aie envoyé	ayons envoyé	ayez envoyé

INFINITIF

Présent	Passé
envoyer	avoir envoyé

PARTICIPE

Présent	Passé	Passé composé
envoyant	envoyé (e, s, es)	ayant envoyé

Tableaux de conjugaison types

Tous les verbes du 2ᵉ groupe ont les mêmes terminaisons que le verbe modèle *finir*. On intercale *-iss-* entre le radical et la terminaison pour certaines formes (Ex. : *nous finissons, je finissais, finissant*).

Remarque : Bien qu'ayant un infinitif en *-re*, *bruire* et *maudire* se conjuguent comme *finir*. *Bruire* ne s'emploie qu'à la 3ᵉ personne *(il bruit, elles bruissent)*. Le participe passé de *maudire* s'écrit avec un *t* : *maudit* (voir modèle **74**).

INDICATIF

Présent		Passé composé		
je	finis	j'	ai	fini
tu	finis	tu	as	fini
il/elle	finit	il/elle	a	fini
nous	finissons	nous	avons	fini
vous	finissez	vous	avez	fini
ils/elles	finissent	ils/elles	ont	fini
Imparfait		**Plus-que-parfait**		
je	finissais	j'	avais	fini
tu	finissais	tu	avais	fini
il/elle	finissait	il/elle	avait	fini
nous	finissions	nous	avions	fini
vous	finissiez	vous	aviez	fini
ils/elles	finissaient	ils/elles	avaient	fini
Passé simple		**Passé antérieur**		
je	finis	j'	eus	fini
tu	finis	tu	eus	fini
il/elle	finit	il/elle	eut	fini
nous	finîmes	nous	eûmes	fini
vous	finîtes	vous	eûtes	fini
ils/elles	finirent	ils/elles	eurent	fini
Futur simple		**Futur antérieur**		
je	finirai	j'	aurai	fini
tu	finiras	tu	auras	fini
il/elle	finira	il/elle	aura	fini
nous	finirons	nous	aurons	fini
vous	finirez	vous	aurez	fini
ils/elles	finiront	ils/elles	auront	fini

SUBJONCTIF

Présent			
que	je	finisse	
que	tu	finisses	
qu'	il/elle	finisse	
que	nous	finissions	
que	vous	finissiez	
qu'	ils/elles	finissent	
Imparfait			
que	je	finisse	
que	tu	finisses	
qu'	il/elle	finît	
que	nous	finissions	
que	vous	finissiez	
qu'	ils/elles	finissent	
Passé			
que	j'	aie	fini
que	tu	aies	fini
qu'	il/elle	ait	fini
que	nous	ayons	fini
que	vous	ayez	fini
qu'	ils/elles	aient	fini
Plus-que-parfait			
que	j'	eusse	fini
que	tu	eusses	fini
qu'	il/elle	eût	fini
que	nous	eussions	fini
que	vous	eussiez	fini
qu'	ils/elles	eussent	fini

CONDITIONNEL

Présent		Passé 1ʳᵉ forme			Passé 2ᵉ forme		
je	finirais	j'	aurais	fini	j'	eusse	fini
tu	finirais	tu	aurais	fini	tu	eusses	fini
il/elle	finirait	il/elle	aurait	fini	il/elle	eût	fini
nous	finirions	nous	aurions	fini	nous	eussions	fini
vous	finiriez	vous	auriez	fini	vous	eussiez	fini
ils/elles	finiraient	ils/elles	auraient	fini	ils/elles	eussent	fini

IMPÉRATIF

Présent			Passé		
finis	finissons	finissez	aie fini	ayons fini	ayez fini

INFINITIF

Présent	Passé
finir	avoir fini

PARTICIPE

Présent	Passé	Passé composé
finissant	fini (e, s, es)	ayant fini

21 ▬▬ HAÏR

Haïr garde le tréma dans toute sa conjugaison, sauf aux personnes du singulier du présent de l'indicatif et de l'impératif : *je hais, tu hais, il hait, hais*. C'est le seul verbe du 2ᵉ groupe dont le passé simple singulier se distingue du présent de l'indicatif singulier, à la fois par la graphie – présence d'un tréma au passé simple – et la prononciation. La présence du tréma étant incompatible avec celle de l'accent circonflexe, on écrit *nous haïmes, vous haïtes* aux deux premières personnes du pluriel du passé simple et *qu'il haït* à la 3ᵉ personne du singulier de l'imparfait du subjonctif.

INDICATIF

Présent		Passé composé		
je	hais	j'	ai	haï
tu	hais	tu	as	haï
il/elle	hait	il/elle	a	haï
nous	haïssons	nous	avons	haï
vous	haïssez	vous	avez	haï
ils/elles	haïssent	ils/elles	ont	haï

Imparfait		Plus-que-parfait		
je	haïssais	j'	avais	haï
tu	haïssais	tu	avais	haï
il/elle	haïssait	il/elle	avait	haï
nous	haïssions	nous	avions	haï
vous	haïssiez	vous	aviez	haï
ils/elles	haïssaient	ils/elles	avaient	haï

Passé simple		Passé antérieur		
je	haïs	j'	eus	haï
tu	haïs	tu	eus	haï
il/elle	haït	il/elle	eut	haï
nous	haïmes	nous	eûmes	haï
vous	haïtes	vous	eûtes	haï
ils/elles	haïrent	ils/elles	eurent	haï

Futur simple		Futur antérieur		
je	haïrai	j'	aurai	haï
tu	haïras	tu	auras	haï
il/elle	haïra	il/elle	aura	haï
nous	haïrons	nous	aurons	haï
vous	haïrez	vous	aurez	haï
ils/elles	haïront	ils/elles	auront	haï

SUBJONCTIF

Présent		
que	je	haïsse
que	tu	haïsses
qu'	il/elle	haïsse
que	nous	haïssions
que	vous	haïssiez
qu'	ils/elles	haïssent

Imparfait		
que	je	haïsse
que	tu	haïsses
qu'	il/elle	haït
que	nous	haïssions
que	vous	haïssiez
qu'	ils/elles	haïssent

Passé			
que	j'	aie	haï
que	tu	aies	haï
qu'	il/elle	ait	haï
que	nous	ayons	haï
que	vous	ayez	haï
qu'	ils/elles	aient	haï

Plus-que-parfait			
que	j'	eusse	haï
que	tu	eusses	haï
qu'	il/elle	eût	haï
que	nous	eussions	haï
que	vous	eussiez	haï
qu'	ils/elles	eussent	haï

CONDITIONNEL

Présent		Passé 1ʳᵉ forme			Passé 2ᵉ forme		
je	haïrais	j'	aurais	haï	j'	eusse	haï
tu	haïrais	tu	aurais	haï	tu	eusses	haï
il/elle	haïrait	il/elle	aurait	haï	il/elle	eût	haï
nous	haïrions	nous	aurions	haï	nous	eussions	haï
vous	haïriez	vous	auriez	haï	vous	eussiez	haï
ils/elles	haïraient	ils/elles	auraient	haï	ils/elles	eussent	haï

IMPÉRATIF

Présent			Passé		
hais	haïssons	haïssez	aie haï	ayons haï	ayez haï

INFINITIF

Présent	Passé
haïr	avoir haï

PARTICIPE

Présent	Passé	Passé composé
haïssant	haï (e, s, es)	ayant haï

Tableaux de conjugaison types

Les verbes qui se conjuguent comme *dormir* perdent la consonne finale du radical de l'infinitif aux personnes du singulier du présent de l'indicatif et de l'impératif : *je dors, tu dors, il dort, dors.* Cette consonne est présente à toutes les autres formes.

Remarque : Le participe *dormi* est invariable, mais les participes des autres verbes qui suivent ce modèle s'accordent (*partis, desservie*, etc.).

INDICATIF

Présent		Passé composé		
je	dors	j'	ai	dormi
tu	dors	tu	as	dormi
il/elle	dort	il/elle	a	dormi
nous	dormons	nous	avons	dormi
vous	dormez	vous	avez	dormi
ils/elles	dorment	ils/elles	ont	dormi

Imparfait		Plus-que-parfait		
je	dormais	j'	avais	dormi
tu	dormais	tu	avais	dormi
il/elle	dormait	il/elle	avait	dormi
nous	dormions	nous	avions	dormi
vous	dormiez	vous	aviez	dormi
ils/elles	dormaient	ils/elles	avaient	dormi

Passé simple		Passé antérieur		
je	dormis	j'	eus	dormi
tu	dormis	tu	eus	dormi
il/elle	dormit	il/elle	eut	dormi
nous	dormîmes	nous	eûmes	dormi
vous	dormîtes	vous	eûtes	dormi
ils/elles	dormirent	ils/elles	eurent	dormi

Futur simple		Futur antérieur		
je	dormirai	j'	aurai	dormi
tu	dormiras	tu	auras	dormi
il/elle	dormira	il/elle	aura	dormi
nous	dormirons	nous	aurons	dormi
vous	dormirez	vous	aurez	dormi
ils/elles	dormiront	ils/elles	auront	dormi

SUBJONCTIF

Présent		
que	je	dorme
que	tu	dormes
qu'	il/elle	dorme
que	nous	dormions
que	vous	dormiez
qu'	ils/elles	dorment

Imparfait		
que	je	dormisse
que	tu	dormisses
qu'	il/elle	dormît
que	nous	dormissions
que	vous	dormissiez
qu'	ils/elles	dormissent

Passé			
que	j'	aie	dormi
que	tu	aies	dormi
qu'	il/elle	ait	dormi
que	nous	ayons	dormi
que	vous	ayez	dormi
qu'	ils/elles	aient	dormi

Plus-que-parfait			
que	j'	eusse	dormi
que	tu	eusses	dormi
qu'	il/elle	eût	dormi
que	nous	eussions	dormi
que	vous	eussiez	dormi
qu'	ils/elles	eussent	dormi

CONDITIONNEL

Présent		Passé 1ʳᵉ forme			Passé 2ᵉ forme		
je	dormirais	j'	aurais	dormi	j'	eusse	dormi
tu	dormirais	tu	aurais	dormi	tu	eusses	dormi
il/elle	dormirait	il/elle	aurait	dormi	il/elle	eût	dormi
nous	dormirions	nous	aurions	dormi	nous	eussions	dormi
vous	dormiriez	vous	auriez	dormi	vous	eussiez	dormi
ils/elles	dormiraient	ils/elles	auraient	dormi	ils/elles	eussent	dormi

IMPÉRATIF

Présent			Passé		
dors	dormons	dormez	aie dormi	ayons dormi	ayez dormi

INFINITIF

Présent	Passé
dormir	avoir dormi

PARTICIPE

Présent	Passé	Passé composé
dormant	dormi	ayant dormi

23 — VÊTIR

3ᵉ GROUPE

Il est recommandé d'appliquer à *vêtir* (*dévêtir* et *revêtir*) ce modèle de conjugaison, même si on le rencontre chez certains auteurs conjugué comme un verbe du 2ᵉ groupe.

INDICATIF

Présent		Passé composé		
je	vêts	j'	ai	vêtu
tu	vêts	tu	as	vêtu
il/elle	vêt	il/elle	a	vêtu
nous	vêtons	nous	avons	vêtu
vous	vêtez	vous	avez	vêtu
ils/elles	vêtent	ils/elles	ont	vêtu

Imparfait		Plus-que-parfait		
je	vêtais	j'	avais	vêtu
tu	vêtais	tu	avais	vêtu
il/elle	vêtait	il/elle	avait	vêtu
nous	vêtions	nous	avions	vêtu
vous	vêtiez	vous	aviez	vêtu
ils/elles	vêtaient	ils/elles	avaient	vêtu

Passé simple		Passé antérieur		
je	vêtis	j'	eus	vêtu
tu	vêtis	tu	eus	vêtu
il/elle	vêtit	il/elle	eut	vêtu
nous	vêtîmes	nous	eûmes	vêtu
vous	vêtîtes	vous	eûtes	vêtu
ils/elles	vêtirent	ils/elles	eurent	vêtu

Futur simple		Futur antérieur		
je	vêtirai	j'	aurai	vêtu
tu	vêtiras	tu	auras	vêtu
il/elle	vêtira	il/elle	aura	vêtu
nous	vêtirons	nous	aurons	vêtu
vous	vêtirez	vous	aurez	vêtu
ils/elles	vêtiront	ils/elles	auront	vêtu

SUBJONCTIF

Présent		
que je	vête	
que tu	vêtes	
qu' il/elle	vête	
que nous	vêtions	
que vous	vêtiez	
qu' ils/elles	vêtent	

Imparfait		
que je	vêtisse	
que tu	vêtisses	
qu' il/elle	vêtît	
que nous	vêtissions	
que vous	vêtissiez	
qu' ils/elles	vêtissent	

Passé		
que j'	aie	vêtu
que tu	aies	vêtu
qu' il/elle	ait	vêtu
que nous	ayons	vêtu
que vous	ayez	vêtu
qu' ils/elles	aient	vêtu

Plus-que-parfait		
que j'	eusse	vêtu
que tu	eusses	vêtu
qu' il/elle	eût	vêtu
que nous	eussions	vêtu
que vous	eussiez	vêtu
qu' ils/elles	eussent	vêtu

CONDITIONNEL

Présent		Passé 1ʳᵉ forme			Passé 2ᵉ forme		
je	vêtirais	j'	aurais	vêtu	j'	eusse	vêtu
tu	vêtirais	tu	aurais	vêtu	tu	eusses	vêtu
il/elle	vêtirait	il/elle	aurait	vêtu	il/elle	eût	vêtu
nous	vêtirions	nous	aurions	vêtu	nous	eussions	vêtu
vous	vêtiriez	vous	auriez	vêtu	vous	eussiez	vêtu
ils/elles	vêtiraient	ils/elles	auraient	vêtu	ils/elles	eussent	vêtu

IMPÉRATIF

Présent			Passé		
vêts	vêtons	vêtez	aie vêtu	ayons vêtu	ayez vêtu

INFINITIF

Présent	Passé
vêtir	avoir vêtu

PARTICIPE

Présent	Passé	Passé composé
vêtant	vêtu (e, s, es)	ayant vêtu

Tableaux de conjugaison types

Le verbe *bouillir* perd -ill- [j] aux personnes du singulier du présent de l'indicatif et de l'impératif : *je bous, tu bous, il bout, bous.* On retrouve -ill- à toutes les autres formes.

INDICATIF

Présent		Passé composé		
je	bous	j'	ai	bouilli
tu	bous	tu	as	bouilli
il/elle	bout	il/elle	a	bouilli
nous	bouillons	nous	avons	bouilli
vous	bouillez	vous	avez	bouilli
ils/elles	bouillent	ils/elles	ont	bouilli

Imparfait		Plus-que-parfait		
je	bouillais	j'	avais	bouilli
tu	bouillais	tu	avais	bouilli
il/elle	bouillait	il/elle	avait	bouilli
nous	bouillions	nous	avions	bouilli
vous	bouilliez	vous	aviez	bouilli
ils/elles	bouillaient	ils/elles	avaient	bouilli

Passé simple		Passé antérieur		
je	bouillis	j'	eus	bouilli
tu	bouillis	tu	eus	bouilli
il/elle	bouillit	il/elle	eut	bouilli
nous	bouillîmes	nous	eûmes	bouilli
vous	bouillîtes	vous	eûtes	bouilli
ils/elles	bouillirent	ils/elles	eurent	bouilli

Futur simple		Futur antérieur		
je	bouillirai	j'	aurai	bouilli
tu	bouilliras	tu	auras	bouilli
il/elle	bouillira	il/elle	aura	bouilli
nous	bouillirons	nous	aurons	bouilli
vous	bouillirez	vous	aurez	bouilli
ils/elles	bouilliront	ils/elles	auront	bouilli

SUBJONCTIF

Présent		
que je	bouille	
que tu	bouilles	
qu' il/elle	bouille	
que nous	bouillions	
que vous	bouilliez	
qu' ils/elles	bouillent	

Imparfait		
que je	bouillisse	
que tu	bouillisses	
qu' il/elle	bouillît	
que nous	bouillissions	
que vous	bouillissiez	
qu' ils/elles	bouillissent	

Passé		
que j'	aie	bouilli
que tu	aies	bouilli
qu' il/elle	ait	bouilli
que nous	ayons	bouilli
que vous	ayez	bouilli
qu' ils/elles	aient	bouilli

Plus-que-parfait		
que j'	eusse	bouilli
que tu	eusses	bouilli
qu' il/elle	eût	bouilli
que nous	eussions	bouilli
que vous	eussiez	bouilli
qu' ils/elles	eussent	bouilli

CONDITIONNEL

Présent		Passé 1ʳᵉ forme			Passé 2ᵉ forme		
je	bouillirais	j'	aurais	bouilli	j'	eusse	bouilli
tu	bouillirais	tu	aurais	bouilli	tu	eusses	bouilli
il/elle	bouillirait	il/elle	aurait	bouilli	il/elle	eût	bouilli
nous	bouillirions	nous	aurions	bouilli	nous	eussions	bouilli
vous	bouilliriez	vous	auriez	bouilli	vous	eussiez	bouilli
ils/elles	bouilliraient	ils/elles	auraient	bouilli	ils/elles	eussent	bouilli

IMPÉRATIF

Présent			Passé		
bous	bouillons	bouillez	aie bouilli	ayons bouilli	ayez bouilli

INFINITIF

Présent	Passé
bouillir	avoir bouilli

PARTICIPE

Présent	Passé	Passé composé
bouillant	bouilli (e, s, es)	ayant bouilli

Les verbes qui se conjuguent sur ce modèle ont la particularité de former leur futur simple et leur présent du conditionnel sur le radical *courr-*, et non sur celui de l'infinitif (Ex. : *je courrai, vous courriez*).

Tous les verbes de la famille de *courir* (*parcourir, encourir*, etc.) se conjuguent sur ce modèle.

Attention aux formes du singulier du présent de l'indicatif et du présent du subjonctif qui sont homophones, mais avec des terminaisons différentes !

INDICATIF

Présent		Passé composé		
je	cours	j'	ai	couru
tu	cours	tu	as	couru
il/elle	court	il/elle	a	couru
nous	courons	nous	avons	couru
vous	courez	vous	avez	couru
ils/elles	courent	ils/elles	ont	couru

Imparfait		Plus-que-parfait		
je	courais	j'	avais	couru
tu	courais	tu	avais	couru
il/elle	courait	il/elle	avait	couru
nous	courions	nous	avions	couru
vous	couriez	vous	aviez	couru
ils/elles	couraient	ils/elles	avaient	couru

Passé simple		Passé antérieur		
je	courus	j'	eus	couru
tu	courus	tu	eus	couru
il/elle	courut	il/elle	eut	couru
nous	courûmes	nous	eûmes	couru
vous	courûtes	vous	eûtes	couru
ils/elles	coururent	ils/elles	eurent	couru

Futur simple		Futur antérieur		
je	courrai	j'	aurai	couru
tu	courras	tu	auras	couru
il/elle	courra	il/elle	aura	couru
nous	courrons	nous	aurons	couru
vous	courrez	vous	aurez	couru
ils/elles	courront	ils/elles	auront	couru

SUBJONCTIF

Présent		
que je	coure	
que tu	coures	
qu' il/elle	coure	
que nous	courions	
que vous	couriez	
qu' ils/elles	courent	

Imparfait		
que je	courusse	
que tu	courusses	
qu' il/elle	courût	
que nous	courussions	
que vous	courussiez	
qu' ils/elles	courussent	

Passé		
que j'	aie	couru
que tu	aies	couru
qu' il/elle	ait	couru
que nous	ayons	couru
que vous	ayez	couru
qu' ils/elles	aient	couru

Plus-que-parfait		
que j'	eusse	couru
que tu	eusses	couru
qu' il/elle	eût	couru
que nous	eussions	couru
que vous	eussiez	couru
qu' ils/elles	eussent	couru

Tableaux de conjugaison types

CONDITIONNEL

Présent		Passé 1ʳᵉ forme			Passé 2ᵉ forme		
je	courrais	j'	aurais	couru	j'	eusse	couru
tu	courrais	tu	aurais	couru	tu	eusses	couru
il/elle	courrait	il/elle	aurait	couru	il/elle	eût	couru
nous	courrions	nous	aurions	couru	nous	eussions	couru
vous	courriez	vous	auriez	couru	vous	eussiez	couru
ils/elles	courraient	ils/elles	auraient	couru	ils/elles	eussent	couru

IMPÉRATIF

Présent			Passé		
cours	courons	courez	aie couru	ayons couru	ayez couru

INFINITIF

Présent	Passé
courir	avoir couru

PARTICIPE

Présent	Passé	Passé composé
courant	couru (e, s, es)	ayant couru

Le verbe *mourir* a la particularité de former son futur simple et son présent du conditionnel sur le radical *mourr-*, et non sur celui de l'infinitif (Ex. : je **mourr**ais, ils **mourr**ont). Aux présents de l'indicatif, du subjonctif et de l'impératif, l'alternance des sons *eu/ou* [œ/u] se fait selon que la terminaison est muette ou non (Ex. : je m**eu**rs, nous m**ou**rons). **Remarques : 1.** *Mourir* est le seul verbe à se conjuguer ainsi. **2.** Aux formes composées, il s'emploie toujours avec l'auxiliaire *être* ; participe passé : *mort*.

INDICATIF

Présent		Passé composé		
je	meurs	je	suis	mort(e)
tu	meurs	tu	es	mort(e)
il/elle	meurt	il/elle	est	mort(e)
nous	mourons	nous	sommes	mort(e)s
vous	mourez	vous	êtes	mort(e)s
ils/elles	meurent	ils/elles	sont	mort(e)s

Imparfait		Plus-que-parfait		
je	mourais	j'	étais	mort(e)
tu	mourais	tu	étais	mort(e)
il/elle	mourait	il/elle	était	mort(e)
nous	mourions	nous	étions	mort(e)s
vous	mouriez	vous	étiez	mort(e)s
ils/elles	mouraient	ils/elles	étaient	mort(e)s

Passé simple		Passé antérieur		
je	mourus	je	fus	mort(e)
tu	mourus	tu	fus	mort(e)
il/elle	mourut	il/elle	fut	mort(e)
nous	mourûmes	nous	fûmes	mort(e)s
vous	mourûtes	vous	fûtes	mort(e)s
ils/elles	moururent	ils/elles	furent	mort(e)s

Futur simple		Futur antérieur		
je	mourrai	je	serai	mort(e)
tu	mourras	tu	seras	mort(e)
il/elle	mourra	il/elle	sera	mort(e)
nous	mourrons	nous	serons	mort(e)s
vous	mourrez	vous	serez	mort(e)s
ils/elles	mourront	ils/elles	seront	mort(e)s

SUBJONCTIF

Présent		
que	je	meure
que	tu	meures
qu'	il/elle	meure
que	nous	mourions
que	vous	mouriez
qu'	ils/elles	meurent

Imparfait		
que	je	mourusse
que	tu	mourusses
qu'	il/elle	mourût
que	nous	mourussions
que	vous	mourussiez
qu'	ils/elles	mourussent

Passé			
que	je	sois	mort(e)
que	tu	sois	mort(e)
qu'	il/elle	soit	mort(e)
que	nous	soyons	mort(e)s
que	vous	soyez	mort(e)s
qu'	ils/elles	soient	mort(e)s

Plus-que-parfait			
que	je	fusse	mort(e)
que	tu	fusses	mort(e)
qu'	il/elle	fût	mort(e)
que	nous	fussions	mort(e)s
que	vous	fussiez	mort(e)s
qu'	ils/elles	fussent	mort(e)s

CONDITIONNEL

Présent		Passé 1ʳᵉ forme			Passé 2ᵉ forme		
je	mourrais	je	serais	mort(e)	je	fusse	mort(e)
tu	mourrais	tu	serais	mort(e)	tu	fusses	mort(e)
il/elle	mourrait	il/elle	serait	mort(e)	il/elle	fût	mort(e)
nous	mourrions	nous	serions	mort(e)s	nous	fussions	mort(e)s
vous	mourriez	vous	seriez	mort(e)s	vous	fussiez	mort(e)s
ils/elles	mourraient	ils/elles	seraient	mort(e)s	ils/elles	fussent	mort(e)s

IMPÉRATIF

Présent			Passé		
meurs	mourons	mourez	sois mort(e)	soyons mort(e)s	soyez mort(e)s

INFINITIF

Présent	Passé
mourir	être mort (e, s, es)

PARTICIPE

Présent	Passé	Passé composé
mourant	mort (e, s, es)	étant mort (e, s, es)

Tous les verbes en -*enir* sont de la famille de *venir* ou de *tenir* et se conjuguent sur ce modèle.

Aux deux premières personnes du pluriel du passé simple et à la 3ᵉ personne du singulier de l'imparfait du subjonctif, ne pas oublier l'accent circonflexe sur le *i* bien qu'il soit placé devant deux consonnes.

Remarque : *Advenir* ne s'emploie qu'aux 3ᵉˢ personnes du singulier et du pluriel.

INDICATIF

Présent		Passé composé		
je	viens	je	suis	venu(e)
tu	viens	tu	es	venu(e)
il/elle	vient	il/elle	est	venu(e)
nous	venons	nous	sommes	venu(e)s
vous	venez	vous	êtes	venu(e)s
ils/elles	viennent	ils/elles	sont	venu(e)s

Imparfait		Plus-que-parfait		
je	venais	j'	étais	venu(e)
tu	venais	tu	étais	venu(e)
il/elle	venait	il/elle	était	venu(e)
nous	venions	nous	étions	venu(e)s
vous	veniez	vous	étiez	venu(e)s
ils/elles	venaient	ils/elles	étaient	venu(e)s

Passé simple		Passé antérieur		
je	vins	je	fus	venu(e)
tu	vins	tu	fus	venu(e)
il/elle	vint	il/elle	fut	venu(e)
nous	vînmes	nous	fûmes	venu(e)s
vous	vîntes	vous	fûtes	venu(e)s
ils/elles	vinrent	ils/elles	furent	venu(e)s

Futur simple		Futur antérieur		
je	viendrai	je	serai	venu(e)
tu	viendras	tu	seras	venu(e)
il/elle	viendra	il/elle	sera	venu(e)
nous	viendrons	nous	serons	venu(e)s
vous	viendrez	vous	serez	venu(e)s
ils/elles	viendront	ils/elles	seront	venu(e)s

SUBJONCTIF

Présent		
que je	vienne	
que tu	viennes	
qu' il/elle	vienne	
que nous	venions	
que vous	veniez	
qu' ils/elles	viennent	

Imparfait		
que je	vinsse	
que tu	vinsses	
qu' il/elle	vînt	
que nous	vinssions	
que vous	vinssiez	
qu' ils/elles	vinssent	

Passé		
que je	sois	venu(e)
que tu	sois	venu(e)
qu' il/elle	soit	venu(e)
que nous	soyons	venu(e)s
que vous	soyez	venu(e)s
qu' ils/elles	soient	venu(e)s

Plus-que-parfait		
que je	fusses	venu(e)
que tu	fusses	venu(e)
qu' il/elle	fût	venu(e)
que nous	fussions	venu(e)s
que vous	fussiez	venu(e)s
qu' ils/elles	fussent	venu(e)s

CONDITIONNEL

Présent		Passé 1ʳᵉ forme			Passé 2ᵉ forme		
je	viendrais	je	serais	venu(e)	je	fusse	venu(e)
tu	viendrais	tu	serais	venu(e)	tu	fusses	venu(e)
il/elle	viendrait	il/elle	serait	venu(e)	il/elle	fût	venu(e)
nous	viendrions	nous	serions	venu(e)s	nous	fussions	venu(e)s
vous	viendriez	vous	seriez	venu(e)s	vous	fussiez	venu(e)s
ils/elles	viendraient	ils/elles	seraient	venu(e)s	ils/elles	fussent	venu(e)s

IMPÉRATIF

Présent			Passé		
viens	venons	venez	sois venu(e)	soyons venu(e)s	soyez venu(e)s

INFINITIF

Présent	Passé
venir	être venu (e, s, es)

PARTICIPE

Présent	Passé	Passé composé
venant	venu (e, s, es)	étant venu (e, s, es)

Tableaux de conjugaison types

Les formes dont les terminaisons sont muettes se construisent sur le radical *-quier-* (Ex. : *j'a*c**quiers**, *ils a*c**quièrent**, *qu'il a*c**quière**) ; celles dont les terminaisons s'entendent se construisent sur le radical *-quér-* (Ex. : *nous a*c**quérons**, *j'a*c**quer**rai).
Les verbes se conjuguant sur ce modèle sont *conquérir, s'enquérir* et *requérir*.
Ne pas confondre le participe passé *acquis* (souvent employé comme adjectif : *un avantage acquis*) avec le substantif verbal *acquit (par acquit de conscience, pour acquit)*.

INDICATIF

Présent		Passé composé		
j'	acquiers	j'	ai	acquis
tu	acquiers	tu	as	acquis
il/elle	acquiert	il/elle	a	acquis
nous	acquérons	nous	avons	acquis
vous	acquérez	vous	avez	acquis
ils/elles	acquièrent	ils/elles	ont	acquis

Imparfait		Plus-que-parfait		
j'	acquérais	j'	avais	acquis
tu	acquérais	tu	avais	acquis
il/elle	acquérait	il/elle	avait	acquis
nous	acquérions	nous	avions	acquis
vous	acquériez	vous	aviez	acquis
ils/elles	acquéraient	ils/elles	avaient	acquis

Passé simple		Passé antérieur		
j'	acquis	j'	eus	acquis
tu	acquis	tu	eus	acquis
il/elle	acquit	il/elle	eut	acquis
nous	acquîmes	nous	eûmes	acquis
vous	acquîtes	vous	eûtes	acquis
ils/elles	acquirent	ils/elles	eurent	acquis

Futur simple		Futur antérieur		
j'	acquerrai	j'	aurai	acquis
tu	acquerras	tu	auras	acquis
il/elle	acquerra	il/elle	aura	acquis
nous	acquerrons	nous	aurons	acquis
vous	acquerrez	vous	aurez	acquis
ils/elles	acquerront	ils/elles	auront	acquis

SUBJONCTIF

Présent		
que	j'	acquière
que	tu	acquières
qu'	il/elle	acquière
que	nous	acquérions
que	vous	acquériez
qu'	ils/elles	acquièrent

Imparfait		
que	j'	acquisse
que	tu	acquisses
qu'	il/elle	acquît
que	nous	acquissions
que	vous	acquissiez
qu'	ils/elles	acquissent

Passé			
que	j'	aie	acquis
que	tu	aies	acquis
qu'	il/elle	ait	acquis
que	nous	ayons	acquis
que	vous	ayez	acquis
qu'	ils/elles	aient	acquis

Plus-que-parfait			
que	j'	eusse	acquis
que	tu	eusses	acquis
qu'	il/elle	eût	acquis
que	nous	eussions	acquis
que	vous	eussiez	acquis
qu'	ils/elles	eussent	acquis

CONDITIONNEL

Présent		Passé 1ʳᵉ forme			Passé 2ᵉ forme		
j'	acquerrais	j'	aurais	acquis	j'	eusse	acquis
tu	acquerrais	tu	aurais	acquis	tu	eusses	acquis
il/elle	acquerrait	il/elle	aurait	acquis	il/elle	eût	acquis
nous	acquerrions	nous	aurions	acquis	nous	eussions	acquis
vous	acquerriez	vous	auriez	acquis	vous	eussiez	acquis
ils/elles	acquerraient	ils/elles	auraient	acquis	ils/elles	eussent	acquis

IMPÉRATIF

Présent			Passé		
acquiers	acquérons	acquérez	aie acquis	ayons acquis	ayez acquis

INFINITIF

Présent	Passé
acquérir	avoir acquis

PARTICIPE

Présent	Passé	Passé composé
acquérant	acquis (e, es)	ayant acquis

Les verbes qui se conjuguent sur ce modèle ont des terminaisons en -e au singulier du présent de l'indicatif et du présent de l'impératif, comme les verbes du 1ᵉʳ groupe. Se conjuguent sur ce modèle *ouvrir, entrouvrir, rouvrir, couvrir, recouvrir, découvrir, redécouvrir* et *souffrir*.
À noter les formes particulières des participes passés : ils ont tous un -t final muet (*offert, ouvert, entrouvert, découvert...*).

INDICATIF					
Présent		**Passé composé**			
j'	offre	j'	ai	offert	
tu	offres	tu	as	offert	
il/elle	offre	il/elle	a	offert	
nous	offrons	nous	avons	offert	
vous	offrez	vous	avez	offert	
ils/elles	offrent	ils/elles	ont	offert	
Imparfait		**Plus-que-parfait**			
j'	offrais	j'	avais	offert	
tu	offrais	tu	avais	offert	
il/elle	offrait	il/elle	avait	offert	
nous	offrions	nous	avions	offert	
vous	offriez	vous	aviez	offert	
ils/elles	offraient	ils/elles	avaient	offert	
Passé simple		**Passé antérieur**			
j'	offris	j'	eus	offert	
tu	offris	tu	eus	offert	
il/elle	offrit	il/elle	eut	offert	
nous	offrîmes	nous	eûmes	offert	
vous	offrîtes	vous	eûtes	offert	
ils/elles	offrirent	ils/elles	eurent	offert	
Futur simple		**Futur antérieur**			
j'	offrirai	j'	aurai	offert	
tu	offriras	tu	auras	offert	
il/elle	offrira	il/elle	aura	offert	
nous	offrirons	nous	aurons	offert	
vous	offrirez	vous	aurez	offert	
ils/elles	offriront	ils/elles	auront	offert	

SUBJONCTIF			
Présent			
que j'	offre		
que tu	offres		
qu' il/elle	offre		
que nous	offrions		
que vous	offriez		
qu' ils/elles	offrent		
Imparfait			
que j'	offrisse		
que tu	offrisses		
qu' il/elle	offrît		
que nous	offrissions		
que vous	offrissiez		
qu' ils/elles	offrissent		
Passé			
que j'	aie	offert	
que tu	aies	offert	
qu' il/elle	ait	offert	
que nous	ayons	offert	
que vous	ayez	offert	
qu' ils/elles	aient	offert	
Plus-que-parfait			
que j'	eusse	offert	
que tu	eusses	offert	
qu' il/elle	eût	offert	
que nous	eussions	offert	
que vous	eussiez	offert	
qu' ils/elles	eussent	offert	

CONDITIONNEL							
Présent		**Passé 1ʳᵉ forme**			**Passé 2ᵉ forme**		
j'	offrirais	j'	aurais	offert	j'	eusse	offert
tu	offrirais	tu	aurais	offert	tu	eusses	offert
il/elle	offrirait	il/elle	aurait	offert	il/elle	eût	offert
nous	offririons	nous	aurions	offert	nous	eussions	offert
vous	offririez	vous	auriez	offert	vous	eussiez	offert
ils/elles	offriraient	ils/elles	auraient	offert	ils/elles	eussent	offert

IMPÉRATIF					
Présent			**Passé**		
offre	offrons	offrez	aie offert	ayons offert	ayez offert

INFINITIF			PARTICIPE		
Présent	**Passé**		**Présent**	**Passé**	**Passé composé**
offrir	avoir offert		offrant	offert (e, s, es)	ayant offert

Tableaux de conjugaison types

193

Se conjuguent sur ce modèle *accueillir* et *recueillir*.
Ces verbes ont des terminaisons en *-e* au singulier du présent de l'indicatif et du présent de l'impératif, comme les verbes du 1ᵉʳ groupe.
Le futur simple et le présent du conditionnel sont formés sur un radical en *-e* (*je cueillerai*), et non sur la forme de l'infinitif.

INDICATIF

Présent		Passé composé		
je	cueille	j'	ai	cueilli
tu	cueilles	tu	as	cueilli
il/elle	cueille	il/elle	a	cueilli
nous	cueillons	nous	avons	cueilli
vous	cueillez	vous	avez	cueilli
ils/elles	cueillent	ils/elles	ont	cueilli

Imparfait		Plus-que-parfait		
je	cueillais	j'	avais	cueilli
tu	cueillais	tu	avais	cueilli
il/elle	cueillait	il/elle	avait	cueilli
nous	cueillions	nous	avions	cueilli
vous	cueilliez	vous	aviez	cueilli
ils/elles	cueillaient	ils/elles	avaient	cueilli

Passé simple		Passé antérieur		
je	cueillis	j'	eus	cueilli
tu	cueillis	tu	eus	cueilli
il/elle	cueillit	il/elle	eut	cueilli
nous	cueillîmes	nous	eûmes	cueilli
vous	cueillîtes	vous	eûtes	cueilli
ils/elles	cueillirent	ils/elles	eurent	cueilli

Futur simple		Futur antérieur		
je	cueillerai	j'	aurai	cueilli
tu	cueilleras	tu	aurais	cueilli
il/elle	cueillera	il/elle	aurait	cueilli
nous	cueillerons	nous	aurions	cueilli
vous	cueillerez	vous	auriez	cueilli
ils/elles	cueilleront	ils/elles	auraient	cueilli

SUBJONCTIF

Présent		
que	je	cueille
que	tu	cueilles
qu'	il/elle	cueille
que	nous	cueillions
que	vous	cueilliez
qu'	ils/elles	cueillent

Imparfait		
que	je	cueillisse
que	tu	cueillisses
qu'	il/elle	cueillît
que	nous	cueillissions
que	vous	cueillissiez
qu'	ils/elles	cueillissent

Passé			
que	j'	aie	cueilli
que	tu	aies	cueilli
qu'	il/elle	ait	cueilli
que	nous	ayons	cueilli
que	vous	ayez	cueilli
qu'	ils/elles	aient	cueilli

Plus-que-parfait			
que	j'	eusse	cueilli
que	tu	eusses	cueilli
qu'	il/elle	eût	cueilli
que	nous	eussions	cueilli
que	vous	eussiez	cueilli
qu'	ils/elles	eussent	cueilli

CONDITIONNEL

Présent		Passé 1ʳᵉ forme			Passé 2ᵉ forme		
je	cueillerais	j'	aurais	cueilli	j'	eusse	cueilli
tu	cueillerais	tu	aurais	cueilli	tu	eusses	cueilli
il/elle	cueillerait	il/elle	aurait	cueilli	il/elle	eût	cueilli
nous	cueillerions	nous	aurions	cueilli	nous	eussions	cueilli
vous	cueilleriez	vous	auriez	cueilli	vous	eussiez	cueilli
ils/elles	cueilleraient	ils/elles	auraient	cueilli	ils/elles	eussent	cueilli

IMPÉRATIF

Présent			Passé		
cueille	cueillons	cueillez	aie cueilli	ayons cueilli	ayez cueilli

INFINITIF

Présent	Passé
cueillir	avoir cueilli

PARTICIPE

Présent	Passé	Passé composé
cueillant	cueilli (e, s, es)	ayant cueilli

Se conjuguent sur ce modèle *tressaillir, saillir* (au sens de « dépasser ») et *défaillir*. Ces verbes ont la même conjugaison que *cueillir* (voir modèle **30**), sauf au futur simple et au présent du conditionnel qui sont en *-i* (Ex. : *j'assaillirai, je tressaillirai*).

INDICATIF

Présent		Passé composé		
j'	assaille	j'	ai	assailli
tu	assailles	tu	as	assailli
il/elle	assaille	il/elle	a	assailli
nous	assaillons	nous	avons	assailli
vous	assaillez	vous	avez	assailli
ils/elles	assaillent	ils/elles	ont	assailli

Imparfait		Plus-que-parfait		
j'	assaillais	j'	avais	assailli
tu	assaillais	tu	avais	assailli
il/elle	assaillait	il/elle	avait	assailli
nous	assaillions	nous	avions	assailli
vous	assailliez	vous	aviez	assailli
ils/elles	assaillaient	ils/elles	avaient	assailli

Passé simple		Passé antérieur		
j'	assaillis	j'	eus	assailli
tu	assaillis	tu	eus	assailli
il/elle	assaillit	il/elle	eut	assailli
nous	assaillîmes	nous	eûmes	assailli
vous	assaillîtes	vous	eûtes	assailli
ils/elles	assaillirent	ils/elles	eurent	assailli

Futur simple		Futur antérieur		
j'	assaillirai	j'	aurai	assailli
tu	assailliras	tu	auras	assailli
il/elle	assaillira	il/elle	aura	assailli
nous	assaillirons	nous	aurons	assailli
vous	assaillirez	vous	aurez	assailli
ils/elles	assailliront	ils/elles	auront	assailli

SUBJONCTIF

Présent		
que	j'	assaille
que	tu	assailles
qu'	il/elle	assaille
que	nous	assaillions
que	vous	assailliez
qu'	ils/elles	assaillent

Imparfait		
que	j'	assaillisse
que	tu	assaillisses
qu'	il/elle	assaillît
que	nous	assaillissions
que	vous	assaillissiez
qu'	ils/elles	assaillissent

Passé			
que	j'	aie	assailli
que	tu	aies	assailli
qu'	il/elle	ait	assailli
que	nous	ayons	assailli
que	vous	ayez	assailli
qu'	ils/elles	aient	assailli

Plus-que-parfait			
que	j'	eusse	assailli
que	tu	eusses	assailli
qu'	il/elle	eût	assailli
que	nous	eussions	assailli
que	vous	eussiez	assailli
qu'	ils/elles	eussent	assailli

CONDITIONNEL

Présent		Passé 1ʳᵉ forme			Passé 2ᵉ forme		
j'	assaillirais	j'	aurais	assailli	j'	eusse	assailli
tu	assaillirais	tu	aurais	assailli	tu	eusses	assailli
il/elle	assaillirait	il/elle	aurait	assailli	il/elle	eût	assailli
nous	assaillirions	nous	aurions	assailli	nous	eussions	assailli
vous	assailliriez	vous	auriez	assailli	vous	eussiez	assailli
ils/elles	assailliraient	ils/elles	auraient	assailli	ils/elles	eussent	assailli

IMPÉRATIF

Présent			Passé		
assaille	assaillons	assaillez	aie assailli	ayons assailli	ayez assailli

INFINITIF

Présent	Passé
assaillir	avoir assailli

PARTICIPE

Présent	Passé	Passé composé
assaillant	assailli (e, s, es)	ayant assailli

Tableaux de conjugaison types

La conjugaison d'origine du 3ᵉ groupe *(je faux, tu faux, nous faillons, vous faillez...)* n'est plus employée aujourd'hui. Ce verbe se conjugue, désormais, comme un verbe du 2ᵉ groupe.
Le présent et l'imparfait de l'indicatif, le présent et l'imparfait du subjonctif, ainsi que l'impératif, ne sont plus guère employés.
Le participe passé *failli* est invariable.

INDICATIF

Présent		Passé composé			Présent (SUBJONCTIF)		
je	faillis	j'	ai	failli	que je	faillisse	
tu	faillis	tu	as	failli	que tu	faillisses	
il/elle	faillit	il/elle	a	failli	qu' il/elle	faillisse	
nous	faillissons	nous	avons	failli	que nous	faillissions	
vous	faillissez	vous	avez	failli	que vous	faillissiez	
ils/elles	faillissent	ils/elles	ont	failli	qu' ils/elles	faillissent	

Imparfait		Plus-que-parfait			Imparfait (SUBJONCTIF)		
je	faillissais	j'	avais	failli	que je	faillisse	
tu	faillissais	tu	avais	failli	que tu	faillisses	
il/elle	faillissait	il/elle	avait	failli	qu' il/elle	faillît	
nous	faillissions	nous	avions	failli	que nous	faillissions	
vous	faillissiez	vous	aviez	failli	que vous	faillissiez	
ils/elles	faillissaient	ils/elles	avaient	failli	qu' ils/elles	faillissent	

Passé simple		Passé antérieur			Passé (SUBJONCTIF)		
je	faillis	j'	eus	failli	que j'	aie	failli
tu	faillis	tu	eus	failli	que tu	aies	failli
il/elle	faillit	il/elle	eut	failli	qu' il/elle	ait	failli
nous	faillîmes	nous	eûmes	failli	que nous	ayons	failli
vous	faillîtes	vous	eûtes	failli	que vous	ayez	failli
ils/elles	faillirent	ils/elles	eurent	failli	qu' ils/elles	aient	failli

Futur simple		Futur antérieur			Plus-que-parfait (SUBJONCTIF)		
je	faillirai	j'	aurai	failli	que j'	eusse	failli
tu	failliras	tu	auras	failli	que tu	eusses	failli
il/elle	faillira	il/elle	aura	failli	qu' il/elle	eût	failli
nous	faillirons	nous	aurons	failli	que nous	eussions	failli
vous	faillirez	vous	aurez	failli	que vous	eussiez	failli
ils/elles	failliront	ils/elles	auront	failli	qu' ils/elles	eussent	failli

CONDITIONNEL

Présent		Passé 1ʳᵉ forme			Passé 2ᵉ forme		
je	faillirais	j'	aurais	failli	j'	eusse	failli
tu	faillirais	tu	aurais	failli	tu	eusses	failli
il/elle	faillirait	il/elle	aurait	failli	il/elle	eût	failli
nous	faillirions	nous	aurions	failli	nous	eussions	failli
vous	failliriez	vous	auriez	failli	vous	eussiez	failli
ils/elles	failliraient	ils/elles	auraient	failli	ils/elles	eussent	failli

IMPÉRATIF

Présent			Passé		
faillis	faillissons	faillissez	aie failli	ayons failli	ayez failli

INFINITIF

Présent	Passé
faillir	avoir failli

PARTICIPE

Présent	Passé	Passé composé
faillissant	failli	ayant failli

FUIR

Seul le verbe *s'enfuir* se conjugue sur ce modèle.

Attention à la 3ᵉ personne du passé simple qui a bien une terminaison en *-it* comme beaucoup de verbes du 3ᵉ groupe.

Aux deux premières personnes du pluriel de l'imparfait de l'indicatif et du présent du subjonctif, ne pas oublier le *i* après le *y*.

INDICATIF					SUBJONCTIF			
Présent		**Passé composé**			**Présent**			
je	fuis	j'	ai	fui	que	je	fuie	
tu	fuis	tu	as	fui	que	tu	fuies	
il/elle	fuit	il/elle	a	fui	qu'	il/elle	fuie	
nous	fuyons	nous	avons	fui	que	nous	fuyions	
vous	fuyez	vous	avez	fui	que	vous	fuyiez	
ils/elles	fuient	ils/elles	ont	fui	qu'	ils/elles	fuient	
Imparfait		**Plus-que-parfait**			**Imparfait**			
je	fuyais	j'	avais	fui	que	je	fuisse	
tu	fuyais	tu	avais	fui	que	tu	fuisses	
il/elle	fuyait	il/elle	avait	fui	qu'	il/elle	fuît	
nous	fuyions	nous	avions	fui	que	nous	fuissions	
vous	fuyiez	vous	aviez	fui	que	vous	fuissiez	
ils/elles	fuyaient	ils/elles	avaient	fui	qu'	ils/elles	fuissent	
Passé simple		**Passé antérieur**			**Passé**			
je	fuis	j'	eus	fui	que	j'	aie	fui
tu	fuis	tu	eus	fui	que	tu	aies	fui
il/elle	fuit	il/elle	eut	fui	qu'	il/elle	ait	fui
nous	fuîmes	nous	eûmes	fui	que	nous	ayons	fui
vous	fuîtes	vous	eûtes	fui	que	vous	ayez	fui
ils/elles	fuirent	ils/elles	eurent	fui	qu'	ils/elles	aient	fui
Futur simple		**Futur antérieur**			**Plus-que-parfait**			
je	fuirai	j'	aurai	fui	que	j'	eusse	fui
tu	fuiras	tu	auras	fui	que	tu	eusses	fui
il/elle	fuira	il/elle	aura	fui	qu'	il/elle	eût	fui
nous	fuirons	nous	aurons	fui	que	nous	eussions	fui
vous	fuirez	vous	aurez	fui	que	vous	eussiez	fui
ils/elles	fuiront	ils/elles	auront	fui	qu'	ils/elles	eussent	fui

CONDITIONNEL							
Présent		**Passé 1ʳᵉ forme**			**Passé 2ᵉ forme**		
je	fuirais	j'	aurais	fui	j'	eusse	fui
tu	fuirais	tu	aurais	fui	tu	eusses	fui
il/elle	fuirait	il/elle	aurait	fui	il/elle	eût	fui
nous	fuirions	nous	aurions	fui	nous	eussions	fui
vous	fuiriez	vous	auriez	fui	vous	eussiez	fui
ils/elles	fuiraient	ils/elles	auraient	fui	ils/elles	eussent	fui

IMPÉRATIF					
Présent			**Passé**		
fuis	fuyons	fuyez	aie fui	ayons fui	ayez fui

INFINITIF		PARTICIPE		
Présent	**Passé**	**Présent**	**Passé**	**Passé composé**
fuir	avoir fui	fuyant	fui (e, s, es)	ayant fui

Le verbe *gésir* ne se conjugue qu'au présent et à l'imparfait de l'indicatif. On trouve également le participe présent et l'infinitif. L'emploi le plus connu du verbe est dans l'expression *ci-gît*.

Remarque : Afin d'harmoniser l'usage de l'accent circonflexe dans la conjugaison, les rectifications de l'orthographe de 1990 proposent de supprimer l'accent circonflexe sur le *i* à la 3ᵉ personne du singulier de l'indicatif. On peut ainsi écrire *ci-git*.

INDICATIF		SUBJONCTIF
Présent	**Passé composé**	**Présent**
je gis tu gis il/elle gît (git) nous gisons vous gisez ils/elles gisent	*inusité*	*inusité*
Imparfait	**Plus-que-parfait**	**Imparfait**
je gisais tu gisais il/elle gisait nous gisions vous gisiez ils/elles gisaient	*inusité*	*inusité*
Passé simple	**Passé antérieur**	**Passé**
inusité	*inusité*	*inusité*
Futur simple	**Futur antérieur**	**Plus-que-parfait**
inusité	*inusité*	*inusité*

CONDITIONNEL		
Présent	**Passé 1ʳᵉ forme**	**Passé 2ᵉ forme**
inusité	*inusité*	*inusité*

IMPÉRATIF	
Présent	**Passé**
inusité	*inusité*

INFINITIF		PARTICIPE		
Présent	**Passé**	**Présent**	**Passé**	**Passé composé**
gésir	*inusité*	gisant	*inusité*	*inusité*

Le verbe *ouïr* n'est plus en usage (sauf dans un registre quelque peu affecté...) ; il est, désormais, remplacé par le verbe *entendre*.

La présence du tréma étant incompatible avec celle de l'accent circonflexe, on écrit *nous ouïmes, vous ouïtes* aux deux premières personnes du pluriel du passé simple et qu'*il ouït* à la 3ᵉ personne du singulier de l'imparfait du subjonctif.

Seuls subsistent, parfois, les temps composés utilisés avec l'infinitif *dire* : *j'ai ouï dire*. À noter l'expression *par ouï-dire*.

INDICATIF

Présent		Passé composé		
j'	ois	j'	ai	ouï
tu	ois	tu	as	ouï
il/elle	oit	il/elle	a	ouï
nous	oyons	nous	avons	ouï
vous	oyez	vous	avez	ouï
ils/elles	oient	ils/elles	ont	ouï

Imparfait		Plus-que-parfait		
j'	oyais	j'	avais	ouï
tu	oyais	tu	avais	ouï
il/elle	oyait	il/elle	avait	ouï
nous	oyions	nous	avions	ouï
vous	oyiez	vous	aviez	ouï
ils/elles	oyaient	ils/elles	avaient	ouï

Passé simple		Passé antérieur		
j'	ouïs	j'	eus	ouï
tu	ouïs	tu	eus	ouï
il/elle	ouït	il/elle	eut	ouï
nous	ouïmes	nous	eûmes	ouï
vous	ouïtes	vous	eûtes	ouï
ils/elles	ouïrent	ils/elles	eurent	ouï

Futur simple		Futur antérieur		
j'	ouïrai	j'	aurai	ouï
tu	ouïras	tu	auras	ouï
il/elle	ouïra	il/elle	aura	ouï
nous	ouïrons	nous	aurons	ouï
vous	ouïrez	vous	aurez	ouï
ils/elles	ouïront	ils/elles	auront	ouï

SUBJONCTIF

Présent		
que j'	oie	
que tu	oies	
qu' il/elle	oie	
que nous	oyions	
que vous	oyiez	
qu' ils/elles	oient	

Imparfait		
que j'	ouïsse	
que tu	ouïsses	
qu' il/elle	ouït	
que nous	ouïssions	
que vous	ouïssiez	
qu' ils/elles	ouïssent	

Passé		
que j'	aie	ouï
que tu	aies	ouï
qu' il/elle	ait	ouï
que nous	ayons	ouï
que vous	ayez	ouï
qu' ils/elles	aient	ouï

Plus-que-parfait		
que j'	eusse	ouï
que tu	eusses	ouï
qu' il/elle	eût	ouï
que nous	eussions	ouï
que vous	eussiez	ouï
qu' ils/elles	eussent	ouï

CONDITIONNEL

Présent		Passé 1ʳᵉ forme			Passé 2ᵉ forme		
j'	ouïrais	j'	aurais	ouï	j'	eusse	ouï
tu	ouïrais	tu	aurais	ouï	tu	eusses	ouï
il/elle	ouïrait	il/elle	aurait	ouï	il/elle	eût	ouï
nous	ouïrions	nous	aurions	ouï	nous	eussions	ouï
vous	ouïriez	vous	auriez	ouï	vous	eussiez	ouï
ils/elles	ouïraient	ils/elles	auraient	ouï	ils/elles	eussent	ouï

IMPÉRATIF

Présent			Passé		
ois	oyons	oyez	aie ouï	ayons ouï	ayez ouï

INFINITIF

Présent	Passé
ouïr	avoir ouï

PARTICIPE

Présent	Passé	Passé composé
oyant	ouï (e, s, es)	ayant ouï

Tableaux de conjugaison types

Ainsi se conjuguent tous les verbes dont l'infinitif se termine par *-cevoir*. Ils prennent une cédille devant *u* et *o* pour que le *c* garde sa valeur de [s] (Ex. : *je reçois, je reçus*).

INDICATIF

Présent		Passé composé		
je	reçois	j'	ai	reçu
tu	reçois	tu	as	reçu
il/elle	reçoit	il/elle	a	reçu
nous	recevons	nous	avons	reçu
vous	recevez	vous	avez	reçu
ils/elles	reçoivent	ils/elles	ont	reçu

Imparfait		Plus-que-parfait		
je	recevais	j'	avais	reçu
tu	recevais	tu	avais	reçu
il/elle	recevait	il/elle	avait	reçu
nous	recevions	nous	avions	reçu
vous	receviez	vous	aviez	reçu
ils/elles	recevaient	ils/elles	avaient	reçu

Passé simple		Passé antérieur		
je	reçus	j'	eus	reçu
tu	reçus	tu	eus	reçu
il/elle	reçut	il/elle	eut	reçu
nous	reçûmes	nous	eûmes	reçu
vous	reçûtes	vous	eûtes	reçu
ils/elles	reçurent	ils/elles	eurent	reçu

Futur simple		Futur antérieur		
je	recevrai	j'	aurai	reçu
tu	recevras	tu	auras	reçu
il/elle	recevra	il/elle	aura	reçu
nous	recevrons	nous	aurons	reçu
vous	recevrez	vous	aurez	reçu
ils/elles	recevront	ils/elles	auront	reçu

SUBJONCTIF

Présent		
que	je	reçoive
que	tu	reçoives
qu'	il/elle	reçoive
que	nous	recevions
que	vous	receviez
qu'	ils/elles	reçoivent

Imparfait		
que	je	reçusse
que	tu	reçusses
qu'	il/elle	reçût
que	nous	reçussions
que	vous	reçussiez
qu'	ils/elles	reçussent

Passé			
que	j'	aie	reçu
que	tu	aies	reçu
qu'	il/elle	ait	reçu
que	nous	ayons	reçu
que	vous	ayez	reçu
qu'	ils/elles	aient	reçu

Plus-que-parfait			
que	j'	eusse	reçu
que	tu	eusses	reçu
qu'	il/elle	eût	reçu
que	nous	eussions	reçu
que	vous	eussiez	reçu
qu'	ils/elles	eussent	reçu

CONDITIONNEL

Présent		Passé 1ʳᵉ forme			Passé 2ᵉ forme		
je	recevrais	j'	aurais	reçu	j'	eusse	reçu
tu	recevrais	tu	aurais	reçu	tu	eusses	reçu
il/elle	recevrait	il/elle	aurait	reçu	il/elle	eût	reçu
nous	recevrions	nous	aurions	reçu	nous	eussions	reçu
vous	recevriez	vous	auriez	reçu	vous	eussiez	reçu
ils/elles	recevraient	ils/elles	auraient	reçu	ils/elles	eussent	reçu

IMPÉRATIF

Présent			Passé		
reçois	recevons	recevez	aie reçu	ayons reçu	ayez reçu

INFINITIF

Présent	Passé
recevoir	avoir reçu

PARTICIPE

Présent	Passé	Passé composé
recevant	reçu (e, s, es)	ayant reçu

Ainsi se conjuguent *entrevoir* et *revoir*.

Remarques : 1. *Prévoir* a une conjugaison différente de *voir* au futur simple et au présent du conditionnel (voir modèle **38**). **2.** Ne pas oublier le *i* de la terminaison qui suit le *y* du radical aux deux premières personnes du pluriel de l'imparfait de l'indicatif et du présent du subjonctif *(nous voyions, vous voyiez)*. **3.** À la 3ᵉ personne du pluriel du présent de l'indicatif, aux trois personnes du singulier et à la 3ᵉ personne du pluriel du présent du subjonctif, on doit placer un *i* et non un *y* ; erreur très fréquente, surtout à l'oral.

INDICATIF

Présent		Passé composé		
je	vois	j'	ai	vu
tu	vois	tu	as	vu
il/elle	voit	il/elle	a	vu
nous	voyons	nous	avons	vu
vous	voyez	vous	avez	vu
ils/elles	voient	ils/elles	ont	vu

Imparfait		Plus-que-parfait		
je	voyais	j'	avais	vu
tu	voyais	tu	avais	vu
il/elle	voyait	il/elle	avait	vu
nous	voyions	nous	avions	vu
vous	voyiez	vous	aviez	vu
ils/elles	voyaient	ils/elles	avaient	vu

Passé simple		Passé antérieur		
je	vis	j'	eus	vu
tu	vis	tu	eus	vu
il/elle	vit	il/elle	eut	vu
nous	vîmes	nous	eûmes	vu
vous	vîtes	vous	eûtes	vu
ils/elles	virent	ils/elles	eurent	vu

Futur simple		Futur antérieur		
je	verrai	j'	aurai	vu
tu	verras	tu	auras	vu
il/elle	verra	il/elle	aura	vu
nous	verrons	nous	aurons	vu
vous	verrez	vous	aurez	vu
ils/elles	verront	ils/elles	auront	vu

SUBJONCTIF

Présent		
que	je	voie
que	tu	voies
qu'	il/elle	voie
que	nous	voyions
que	vous	voyiez
qu'	ils/elles	voient

Imparfait		
que	je	visse
que	tu	visses
qu'	il/elle	vît
que	nous	vissions
que	vous	vissiez
qu'	ils/elles	vissent

Passé		
que	j'	aie	vu
que	tu	aies	vu
qu'	il/elle	ait	vu
que	nous	ayons	vu
que	vous	ayez	vu
qu'	ils/elles	aient	vu

Plus-que-parfait		
que	j'	eusse	vu
que	tu	eusses	vu
qu'	il/elle	eût	vu
que	nous	eussions	vu
que	vous	eussiez	vu
qu'	ils/elles	eussent	vu

CONDITIONNEL

Présent		Passé 1ʳᵉ forme			Passé 2ᵉ forme		
je	verrais	j'	aurais	vu	j'	eusse	vu
tu	verrais	tu	aurais	vu	tu	eusses	vu
il/elle	verrait	il/elle	aurait	vu	il/elle	eût	vu
nous	verrions	nous	aurions	vu	nous	eussions	vu
vous	verriez	vous	auriez	vu	vous	eussiez	vu
ils/elles	verraient	ils/elles	auraient	vu	ils/elles	eussent	vu

IMPÉRATIF

Présent			Passé		
vois	voyons	voyez	aie vu	ayons vu	ayez vu

INFINITIF

Présent	Passé
voir	avoir vu

PARTICIPE

Présent	Passé	Passé composé
voyant	vu (e, s, es)	ayant vu

Tableaux de conjugaison types

PRÉVOIR

Prévoir a la même conjugaison que *voir* (voir modèle **37**), sauf au futur simple et au présent du conditionnel.
Aux deux premières personnes du pluriel de l'imparfait de l'indicatif et du présent du subjonctif, ne pas oublier le *i* après le *y*.

INDICATIF

Présent		Passé composé		
je	prévois	j'	ai	prévu
tu	prévois	tu	as	prévu
il/elle	prévoit	il/elle	a	prévu
nous	prévoyons	nous	avons	prévu
vous	prévoyez	vous	avez	prévu
ils/elles	prévoient	ils/elles	ont	prévu

Imparfait		Plus-que-parfait		
je	prévoyais	j'	avais	prévu
tu	prévoyais	tu	avais	prévu
il/elle	prévoyait	il/elle	avait	prévu
nous	prévoyions	nous	avions	prévu
vous	prévoyiez	vous	aviez	prévu
ils/elles	prévoyaient	ils/elles	avaient	prévu

Passé simple		Passé antérieur		
je	prévis	j'	eus	prévu
tu	prévis	tu	eus	prévu
il/elle	prévit	il/elle	eut	prévu
nous	prévîmes	nous	eûmes	prévu
vous	prévîtes	vous	eûtes	prévu
ils/elles	prévirent	ils/elles	eurent	prévu

Futur simple		Futur antérieur		
je	prévoirai	j'	aurai	prévu
tu	prévoiras	tu	auras	prévu
il/elle	prévoira	il/elle	aura	prévu
nous	prévoirons	nous	aurons	prévu
vous	prévoirez	vous	aurez	prévu
ils/elles	prévoiront	ils/elles	auront	prévu

SUBJONCTIF

Présent		
que	je	prévoie
que	tu	prévoies
qu'	il/elle	prévoie
que	nous	prévoyions
que	vous	prévoyiez
qu'	ils/elles	prévoient

Imparfait		
que	je	prévisse
que	tu	prévisses
qu'	il/elle	prévît
que	nous	prévissions
que	vous	prévissiez
qu'	ils/elles	prévissent

Passé			
que	j'	aie	prévu
que	tu	aies	prévu
qu'	il/elle	ait	prévu
que	nous	ayons	prévu
que	vous	ayez	prévu
qu'	ils/elles	aient	prévu

Plus-que-parfait			
que	j'	eusse	prévu
que	tu	eusses	prévu
qu'	il/elle	eût	prévu
que	nous	eussions	prévu
que	vous	eussiez	prévu
qu'	ils/elles	eussent	prévu

CONDITIONNEL

Présent		Passé 1ʳᵉ forme			Passé 2ᵉ forme		
je	prévoirais	j'	aurais	prévu	j'	eusse	prévu
tu	prévoirais	tu	aurais	prévu	tu	eusses	prévu
il/elle	prévoirait	il/elle	aurait	prévu	il/elle	eût	prévu
nous	prévoirions	nous	aurions	prévu	nous	eussions	prévu
vous	prévoiriez	vous	auriez	prévu	vous	eussiez	prévu
ils/elles	prévoiraient	ils/elles	auraient	prévu	ils/elles	eussent	prévu

IMPÉRATIF

Présent			Passé		
prévois	prévoyons	prévoyez	aie prévu	ayons prévu	ayez prévu

INFINITIF

Présent	Passé
prévoir	avoir prévu

PARTICIPE

Présent	Passé	Passé composé
prévoyant	prévu (e, s, es)	ayant prévu

Pourvoir a la même conjugaison que *prévoir* (voir modèle **38**), sauf au passé simple et à l'imparfait du subjonctif qui sont en *-u-* et non en *-i-*.
Même si des grammaires et des dictionnaires mentionnent le verbe *dépourvoir* (se conjuguant sur le modèle de *pourvoir*), il est désormais inusité ; seul le participe passé *dépourvu* est attesté.

INDICATIF

Présent		Passé composé		
je	pourvois	j'	ai	pourvu
tu	pourvois	tu	as	pourvu
il/elle	pourvoit	il/elle	a	pourvu
nous	pourvoyons	nous	avons	pourvu
vous	pourvoyez	vous	avez	pourvu
ils/elles	pourvoient	ils/elles	ont	pourvu

Imparfait		Plus-que-parfait		
je	pourvoyais	j'	avais	pourvu
tu	pourvoyais	tu	avais	pourvu
il/elle	pourvoyait	il/elle	avait	pourvu
nous	pourvoyions	nous	avions	pourvu
vous	pourvoyiez	vous	aviez	pourvu
ils/elles	pourvoyaient	ils/elles	avaient	pourvu

Passé simple		Passé antérieur		
je	pourvus	j'	eus	pourvu
tu	pourvus	tu	eus	pourvu
il/elle	pourvut	il/elle	eut	pourvu
nous	pourvûmes	nous	eûmes	pourvu
vous	pourvûtes	vous	eûtes	pourvu
ils/elles	pourvurent	ils/elles	eurent	pourvu

Futur simple		Futur antérieur		
je	pourvoirai	j'	aurai	pourvu
tu	pourvoiras	tu	auras	pourvu
il/elle	pourvoira	il/elle	aura	pourvu
nous	pourvoirons	nous	aurons	pourvu
vous	pourvoirez	vous	aurez	pourvu
ils/elles	pourvoiront	ils/elles	auront	pourvu

SUBJONCTIF

Présent		
que	je	pourvoie
que	tu	pourvoies
qu'	il/elle	pourvoie
que	nous	pourvoyions
que	vous	pourvoyiez
qu'	ils/elles	pourvoient

Imparfait		
que	je	pourvusse
que	tu	pourvusses
qu'	il/elle	pourvût
que	nous	pourvussions
que	vous	pourvussiez
qu'	ils/elles	pourvussent

Passé			
que	j'	aie	pourvu
que	tu	aies	pourvu
qu'	il/elle	ait	pourvu
que	nous	ayons	pourvu
que	vous	ayez	pourvu
qu'	ils/elles	aient	pourvu

Plus-que-parfait			
que	j'	eusse	pourvu
que	tu	eusses	pourvu
qu'	il/elle	eût	pourvu
que	nous	eussions	pourvu
que	vous	eussiez	pourvu
qu'	ils/elles	eussent	pourvu

CONDITIONNEL

Présent		Passé 1ʳᵉ forme			Passé 2ᵉ forme		
je	pourvoirais	j'	aurais	pourvu	j'	eusse	pourvu
tu	pourvoirais	tu	aurais	pourvu	tu	eusses	pourvu
il/elle	pourvoirait	il/elle	aurait	pourvu	il/elle	eût	pourvu
nous	pourvoirions	nous	aurions	pourvu	nous	eussions	pourvu
vous	pourvoiriez	vous	auriez	pourvu	vous	eussiez	pourvu
ils/elles	pourvoiraient	ils/elles	auraient	pourvu	ils/elles	eussent	pourvu

IMPÉRATIF

Présent			Passé		
pourvois	pourvoyons	pourvoyez	aie pourvu	ayons pourvu	ayez pourvu

INFINITIF

Présent	Passé
pourvoir	avoir pourvu

PARTICIPE

Présent	Passé	Passé composé
pourvoyant	pourvu (e, s, es)	ayant pourvu

Tableaux de conjugaison types

La conjugaison en *-oi-/-oy-* est moins fréquente à l'écrit que la conjugaison en *-ie-/-ey-*.
Remarques : 1. L'infinitif est la seule forme présentant le *e* muet. **2.** Le verbe *surseoir* n'a qu'une seule conjugaison en *-oi-/-oy-* (voir modèle 41). **3.** *Seoir* au sens de « convenir » et *messeoir* n'ont qu'une conjugaison en *-ie-/-ey-* mais seulement aux 3ᵉˢ personnes des présents de l'indicatif, du subjonctif et du conditionnel, ainsi qu'à l'imparfait de l'indicatif et au futur simple.

INDICATIF

Présent *ou*

				Passé composé	
j'	assieds	assois	j'	ai	assis
tu	assieds	assois	tu	as	assis
il/elle	assied	assoit	il/elle	a	assis
nous	asseyons	assoyons	nous	avons	assis
vous	asseyez	assoyez	vous	avez	assis
ils/elles	asseyent	assoient	ils/elles	ont	assis

Imparfait *ou*

				Plus-que-parfait	
j'	asseyais	assoyais	j'	avais	assis
tu	asseyais	assoyais	tu	avais	assis
il/elle	asseyait	assoyait	il/elle	avait	assis
nous	asseyions	assoyions	nous	avions	assis
vous	asseyiez	assoyiez	vous	aviez	assis
ils/elles	asseyaient	assoyaient	ils/elles	avaient	assis

Passé simple

			Passé antérieur	
j'	assis	j'	eus	assis
tu	assis	tu	eus	assis
il/elle	assit	il/elle	eut	assis
nous	assîmes	nous	eûmes	assis
vous	assîtes	vous	eûtes	assis
ils/elles	assirent	ils/elles	eurent	assis

Futur simple *ou*

				Futur antérieur	
j'	assiérai	assoirai	j'	aurai	assis
tu	assiéras	assoiras	tu	auras	assis
il/elle	assiéra	assoira	il/elle	aura	assis
nous	assiérons	assoirons	nous	aurons	assis
vous	assiérez	assoirez	vous	aurez	assis
ils/elles	assiéront	assoiront	ils/elles	auront	assis

SUBJONCTIF

Présent *ou*

que	j'	asseye	assoie
que	tu	asseyes	assoies
qu'	il/elle	asseye	assoie
que	nous	asseyions	assoyions
que	vous	asseyiez	assoyiez
qu'	ils/elles	asseyent	assoient

Imparfait

que	j'	assisse
que	tu	assisses
qu'	il/elle	assît
que	nous	assissions
que	vous	assissiez
qu'	ils/elles	assissent

Passé

que	j'	aie	assis
que	tu	aies	assis
qu'	il/elle	ait	assis
que	nous	ayons	assis
que	vous	ayez	assis
qu'	ils/elles	aient	assis

Plus-que-parfait

que	j'	eusse	assis
que	tu	eusses	assis
qu'	il/elle	eût	assis
que	nous	eussions	assis
que	vous	eussiez	assis
qu'	ils/elles	eussent	assis

CONDITIONNEL

Présent *ou*

				Passé 1ʳᵉ forme			Passé 2ᵉ forme	
j'	assiérais	assoirais	j'	aurais	assis	j'	eusse	assis
tu	assiérais	assoirais	tu	aurais	assis	tu	eusses	assis
il/elle	assiérait	assoirait	il/elle	aurait	assis	il/elle	eût	assis
nous	assiérions	assoirions	nous	aurions	assis	nous	eussions	assis
vous	assiériez	assoiriez	vous	auriez	assis	vous	eussiez	assis
ils/elles	assiéraient	assoiraient	ils/elles	auraient	assis	ils/elles	eussent	assis

IMPÉRATIF

Présent			Passé		
assieds	asseyons	asseyez	aie assis	ayons assis	ayez assis
ou assois	*ou* assoyons	*ou* assoyez			

INFINITIF

Présent	Passé
asseoir	avoir assis

PARTICIPE

Présent	Passé	Passé composé
asseyant *ou* assoyant	assis (e, es)	ayant assis

Le *e* de l'infinitif disparaît dans la conjugaison, sauf au futur simple et au présent du conditionnel.

Remarque : Les rectifications de l'orthographe de 1990 conseillent l'emploi des graphies sans *e* (Ex. : *je sursoirai, sursoir*).

INDICATIF

Présent		Passé composé		
je	sursois	j'	ai	sursis
tu	sursois	tu	as	sursis
il/elle	sursoit	il/elle	a	sursis
nous	sursoyons	nous	avons	sursis
vous	sursoyez	vous	avez	sursis
ils/elles	sursoient	ils/elles	ont	sursis

Imparfait		Plus-que-parfait		
je	sursoyais	j'	avais	sursis
tu	sursoyais	tu	avais	sursis
il/elle	sursoyait	il/elle	avait	sursis
nous	sursoyions	nous	avions	sursis
vous	sursoyiez	vous	aviez	sursis
ils/elles	sursoyaient	ils/elles	avaient	sursis

Passé simple		Passé antérieur		
je	sursis	j'	eus	sursis
tu	sursis	tu	eus	sursis
il/elle	sursit	il/elle	eut	sursis
nous	sursîmes	nous	eûmes	sursis
vous	sursîtes	vous	eûtes	sursis
ils/elles	sursirent	ils/elles	eurent	sursis

Futur simple		Futur antérieur		
je	surseoirai	j'	aurai	sursis
tu	surseoiras	tu	auras	sursis
il/elle	surseoira	il/elle	aura	sursis
nous	surseoirons	nous	aurons	sursis
vous	surseoirez	vous	aurez	sursis
ils/elles	surseoiront	ils/elles	auront	sursis

SUBJONCTIF

Présent		
que	je	sursoie
que	tu	sursoies
qu'	il/elle	sursoie
que	nous	sursoyions
que	vous	sursoyiez
qu'	ils/elles	sursoient

Imparfait		
que	je	sursisse
que	tu	sursisses
qu'	il/elle	sursît
que	nous	sursissions
que	vous	sursissiez
qu'	ils/elles	sursissent

Passé			
que	j'	aie	sursis
que	tu	aies	sursis
qu'	il/elle	ait	sursis
que	nous	ayons	sursis
que	vous	ayez	sursis
qu'	ils/elles	aient	sursis

Plus-que-parfait			
que	j'	eusse	sursis
que	tu	eusses	sursis
qu'	il/elle	eût	sursis
que	nous	eussions	sursis
que	vous	eussiez	sursis
qu'	ils/elles	eussent	sursis

CONDITIONNEL

Présent		Passé 1ʳᵉ forme			Passé 2ᵉ forme		
je	surseoirais	j'	aurais	sursis	j'	eusse	sursis
tu	surseoirais	tu	aurais	sursis	tu	eusses	sursis
il/elle	surseoirait	il/elle	aurait	sursis	il/elle	eût	sursis
nous	surseoirions	nous	aurions	sursis	nous	eussions	sursis
vous	surseoiriez	vous	auriez	sursis	vous	eussiez	sursis
ils/elles	surseoiraient	ils/elles	auraient	sursis	ils/elles	eussent	sursis

IMPÉRATIF

Présent			Passé		
sursois	sursoyons	sursoyez	aie sursis	ayons sursis	ayez sursis

INFINITIF

Présent	Passé
surseoir	avoir sursis

PARTICIPE

Présent	Passé	Passé composé
sursoyant	sursis (e, es)	ayant sursis

Tableaux de conjugaison types

Savoir est le seul verbe à se conjuguer ainsi.

Remarque : Ne pas confondre les formes du futur simple et du présent du conditionnel avec celles, presque homophones, du verbe *être (je serai, tu serais)*.

Le présent du subjonctif, le participe présent et le présent de l'impératif se forment sur le radical *sach-*.

INDICATIF

Présent		Passé composé		
je	sais	j'	ai	su
tu	sais	tu	as	su
il/elle	sait	il/elle	a	su
nous	savons	nous	avons	su
vous	savez	vous	avez	su
ils/elles	savent	ils/elles	ont	su

Imparfait		Plus-que-parfait		
je	savais	j'	avais	su
tu	savais	tu	avais	su
il/elle	savait	il/elle	avait	su
nous	savions	nous	avions	su
vous	saviez	vous	aviez	su
ils/elles	savaient	ils/elles	avaient	su

Passé simple		Passé antérieur		
je	sus	j'	eus	su
tu	sus	tu	eus	su
il/elle	sut	il/elle	eut	su
nous	sûmes	nous	eûmes	su
vous	sûtes	vous	eûtes	su
ils/elles	surent	ils/elles	eurent	su

Futur simple		Futur antérieur		
je	saurai	j'	aurai	su
tu	sauras	tu	auras	su
il/elle	saura	il/elle	aura	su
nous	saurons	nous	aurons	su
vous	saurez	vous	aurez	su
ils/elles	sauront	ils/elles	auront	su

SUBJONCTIF

Présent		
que je	sache	
que tu	saches	
qu' il/elle	sache	
que nous	sachions	
que vous	sachiez	
qu' ils/elles	sachent	

Imparfait		
que je	susse	
que tu	susses	
qu' il/elle	sût	
que nous	sussions	
que vous	sussiez	
qu' ils/elles	sussent	

Passé		
que j'	aie	su
que tu	aies	su
qu' il/elle	ait	su
que nous	ayons	su
que vous	ayez	su
qu' ils/elles	aient	su

Plus-que-parfait		
que j'	eusse	su
que tu	eusses	su
qu' il/elle	eût	su
que nous	eussions	su
que vous	eussiez	su
qu' ils/elles	eussent	su

CONDITIONNEL

Présent		Passé 1re forme			Passé 2e forme		
je	saurais	j'	aurais	su	j'	eusse	su
tu	saurais	tu	aurais	su	tu	eusses	su
il/elle	saurait	il/elle	aurait	su	il/elle	eût	su
nous	saurions	nous	aurions	su	nous	eussions	su
vous	sauriez	vous	auriez	su	vous	eussiez	su
ils/elles	sauraient	ils/elles	auraient	su	ils/elles	eussent	su

IMPÉRATIF

Présent			Passé		
sache	sachons	sachez	aie su	ayons su	ayez su

INFINITIF

Présent	Passé
savoir	avoir su

PARTICIPE

Présent	Passé	Passé composé
sachant	su (e, s, es)	ayant su

L'accent circonflexe sur le *u* du participe passé disparaît au féminin et au pluriel : *dû, due, dus, dues*.

Seul le verbe *redevoir* se conjugue sur ce modèle.

Remarque : Le participe passé du verbe *redevoir*, *redû*, n'ayant pas d'homophone, les rectifications de l'orthographe de 1990 proposent la suppression de l'accent circonflexe : *redu*.

INDICATIF

Présent		Passé composé		
je	dois	j'	ai	dû
tu	dois	tu	as	dû
il/elle	doit	il/elle	a	dû
nous	devons	nous	avons	dû
vous	devez	vous	avez	dû
ils/elles	doivent	ils/elles	ont	dû

Imparfait		Plus-que-parfait		
je	devais	j'	avais	dû
tu	devais	tu	avais	dû
il/elle	devait	il/elle	avait	dû
nous	devions	nous	avions	dû
vous	deviez	vous	aviez	dû
ils/elles	devaient	ils/elles	avaient	dû

Passé simple		Passé antérieur		
je	dus	j'	eus	dû
tu	dus	tu	eus	dû
il/elle	dut	il/elle	eut	dû
nous	dûmes	nous	eûmes	dû
vous	dûtes	vous	eûtes	dû
ils/elles	durent	ils/elles	eurent	dû

Futur simple		Futur antérieur		
je	devrai	j'	aurai	dû
tu	devras	tu	auras	dû
il/elle	devra	il/elle	aura	dû
nous	devrons	nous	aurons	dû
vous	devrez	vous	aurez	dû
ils/elles	devront	ils/elles	auront	dû

SUBJONCTIF

Présent		
que	je	doive
que	tu	doives
qu'	il/elle	doive
que	nous	devions
que	vous	deviez
qu'	ils/elles	doivent

Imparfait		
que	je	dusse
que	tu	dusses
qu'	il/elle	dût
que	nous	dussions
que	vous	dussiez
qu'	ils/elles	dussent

Passé			
que	j'	aie	dû
que	tu	aies	dû
qu'	il/elle	ait	dû
que	nous	ayons	dû
que	vous	ayez	dû
qu'	ils/elles	aient	dû

Plus-que-parfait			
que	j'	eusse	dû
que	tu	eusses	dû
qu'	il/elle	eût	dû
que	nous	eussions	dû
que	vous	eussiez	dû
qu'	ils/elles	eussent	dû

CONDITIONNEL

Présent		Passé 1ʳᵉ forme			Passé 2ᵉ forme		
je	devrais	j'	aurais	dû	j'	eusse	dû
tu	devrais	tu	aurais	dû	tu	eusses	dû
il/elle	devrait	il/elle	aurait	dû	il/elle	eût	dû
nous	devrions	nous	aurions	dû	nous	eussions	dû
vous	devriez	vous	auriez	dû	vous	eussiez	dû
ils/elles	devraient	ils/elles	auraient	dû	ils/elles	eussent	dû

IMPÉRATIF

Présent	Passé
inusité	*inusité*

INFINITIF

Présent	Passé
devoir	avoir dû

PARTICIPE

Présent	Passé	Passé composé
devant	dû (due, dus, dues)	ayant dû

Tableaux de conjugaison types

■■■■■ **POUVOIR**

Au présent de l'indicatif, *je peux* est plus courant, *je puis* plus littéraire. Lorsque le pronom sujet est inversé, seul *puis-je* est possible.
Au présent du subjonctif, lorsque le pronom sujet est inversé, on a *puissé-je*.
Le participe passé *pu* est toujours invariable et ne prend pas d'accent circonflexe.
Remarque : Noter les terminaisons du présent de l'indicatif en *-x* et non en *-s* comme pour les verbes du 3ᵉ groupe.

INDICATIF					SUBJONCTIF		
Présent		**Passé composé**			**Présent**		
je	peux *ou* je puis	j'	ai	pu	que	je	puisse
tu	peux	tu	as	pu	que	tu	puisses
il/elle	peut	il/elle	a	pu	qu'	il/elle	puisse
nous	pouvons	nous	avons	pu	que	nous	puissions
vous	pouvez	vous	avez	pu	que	vous	puissiez
ils/elles	peuvent	ils/elles	ont	pu	qu'	ils/elles	puissent
Imparfait		**Plus-que-parfait**			**Imparfait**		
je	pouvais	j'	avais	pu	que	je	pusse
tu	pouvais	tu	avais	pu	que	tu	pusses
il/elle	pouvait	il/elle	avait	pu	qu'	il/elle	pût
nous	pouvions	nous	avions	pu	que	nous	pussions
vous	pouviez	vous	aviez	pu	que	vous	pussiez
ils/elles	pouvaient	ils/elles	avaient	pu	qu'	ils/elles	pussent
Passé simple		**Passé antérieur**			**Passé**		
je	pus	j'	eus	pu	que	j'	aie	pu
tu	pus	tu	eus	pu	que	tu	aies	pu
il/elle	put	il/elle	eut	pu	qu'	il/elle	ait	pu
nous	pûmes	nous	eûmes	pu	que	nous	ayons	pu
vous	pûtes	vous	eûtes	pu	que	vous	ayez	pu
ils/elles	purent	ils/elles	eurent	pu	qu'	ils/elles	aient	pu
Futur simple		**Futur antérieur**			**Plus-que-parfait**		
je	pourrai	j'	aurai	pu	que	j'	eusse	pu
tu	pourras	tu	auras	pu	que	tu	eusses	pu
il/elle	pourra	il/elle	aura	pu	qu'	il/elle	eût	pu
nous	pourrons	nous	aurons	pu	que	nous	eussions	pu
vous	pourrez	vous	aurez	pu	que	vous	eussiez	pu
ils/elles	pourront	ils/elles	auront	pu	qu'	ils/elles	eussent	pu

CONDITIONNEL							
Présent		**Passé 1ʳᵉ forme**			**Passé 2ᵉ forme**		
je	pourrais	j'	aurais	pu	j'	eusse	pu
tu	pourrais	tu	aurais	pu	tu	eusses	pu
il/elle	pourrait	il/elle	aurait	pu	il/elle	eût	pu
nous	pourrions	nous	aurions	pu	nous	eussions	pu
vous	pourriez	vous	auriez	pu	vous	eussiez	pu
ils/elles	pourraient	ils/elles	auraient	pu	ils/elles	eussent	pu

IMPÉRATIF	
Présent	**Passé**
inusité	*inusité*

INFINITIF	
Présent	**Passé**
pouvoir	avoir pu

PARTICIPE		
Présent	**Passé**	**Passé composé**
pouvant	pu	ayant pu

Le présent de l'impératif est rare en dehors des expressions *ne m'en veux pas, ne m'en voulez pas* que l'on trouve aussi sous la forme *ne m'en veuille pas, ne m'en veuillez pas*. La 2ᵉ personne du pluriel du présent de l'impératif est employée couramment dans les formules de politesse *(veuillez agréer, veuillez recevoir...)*.

Le participe passé du verbe *s'en vouloir (ils s'en sont voulu)* demeure invariable.

Remarque : Noter les terminaisons du présent de l'indicatif en -*x* et non en -*s* comme pour les verbes du 3ᵉ groupe.

INDICATIF

Présent		Passé composé		
je	veux	j'	ai	voulu
tu	veux	tu	as	voulu
il/elle	veut	il/elle	a	voulu
nous	voulons	nous	avons	voulu
vous	voulez	vous	avez	voulu
ils/elles	veulent	ils/elles	ont	voulu

Imparfait		Plus-que-parfait		
je	voulais	j'	avais	voulu
tu	voulais	tu	avais	voulu
il/elle	voulait	il/elle	avait	voulu
nous	voulions	nous	avions	voulu
vous	vouliez	vous	aviez	voulu
ils/elles	voulaient	ils/elles	avaient	voulu

Passé simple		Passé antérieur		
je	voulus	j'	eus	voulu
tu	voulus	tu	eus	voulu
il/elle	voulut	il/elle	eut	voulu
nous	voulûmes	nous	eûmes	voulu
vous	voulûtes	vous	eûtes	voulu
ils/elles	voulurent	ils/elles	eurent	voulu

Futur simple		Futur antérieur		
je	voudrai	j'	aurai	voulu
tu	voudras	tu	auras	voulu
il/elle	voudra	il/elle	aura	voulu
nous	voudrons	nous	aurons	voulu
vous	voudrez	vous	aurez	voulu
ils/elles	voudront	ils/elles	auront	voulu

SUBJONCTIF

Présent		
que	je	veuille
que	tu	veuilles
qu'	il/elle	veuille
que	nous	voulions
que	vous	vouliez
qu'	ils/elles	veuillent

Imparfait		
que	je	voulusse
que	tu	voulusses
qu'	il/elle	voulût
que	nous	voulussions
que	vous	voulussiez
qu'	ils/elles	voulussent

Passé			
que	j'	aie	voulu
que	tu	aies	voulu
qu'	il/elle	ait	voulu
que	nous	ayons	voulu
que	vous	ayez	voulu
qu'	ils/elles	aient	voulu

Plus-que-parfait			
que	j'	eusse	voulu
que	tu	eusses	voulu
qu'	il/elle	eût	voulu
que	nous	eussions	voulu
que	vous	eussiez	voulu
qu'	ils/elles	eussent	voulu

CONDITIONNEL

Présent		Passé 1ʳᵉ forme			Passé 2ᵉ forme		
je	voudrais	j'	aurais	voulu	j'	eusse	voulu
tu	voudrais	tu	aurais	voulu	tu	eusses	voulu
il/elle	voudrait	il/elle	aurait	voulu	il/elle	eût	voulu
nous	voudrions	nous	aurions	voulu	nous	eussions	voulu
vous	voudriez	vous	auriez	voulu	vous	eussiez	voulu
ils/elles	voudraient	ils/elles	auraient	voulu	ils/elles	eussent	voulu

IMPÉRATIF

Présent			Passé		
veux	voulons	voulez	aie voulu	ayons voulu	ayez voulu
ou veuille		*ou* veuillez			

INFINITIF

Présent	Passé
vouloir	avoir voulu

PARTICIPE

Présent	Passé	Passé composé
voulant	voulu (e, s, es)	ayant voulu

Tableaux de conjugaison types

L'impératif est rare.

Ainsi se conjuguent *équivaloir* et *revaloir*.

Remarques : 1. Noter les terminaisons du présent de l'indicatif en *-x* et non en *-s* comme pour les verbes du 3ᵉ groupe. **2.** *Prévaloir* est différent de *valoir* au présent du subjonctif (voir modèle 47).

INDICATIF

Présent		Passé composé		
je	vaux	j'	ai	valu
tu	vaux	tu	as	valu
il/elle	vaut	il/elle	a	valu
nous	valons	nous	avons	valu
vous	valez	vous	avez	valu
ils/elles	valent	ils/elles	ont	valu

Imparfait		Plus-que-parfait		
je	valais	j'	avais	valu
tu	valais	tu	avais	valu
il/elle	valait	il/elle	avait	valu
nous	valions	nous	avions	valu
vous	valiez	vous	aviez	valu
ils/elles	valaient	ils/elles	avaient	valu

Passé simple		Passé antérieur		
je	valus	j'	eus	valu
tu	valus	tu	eus	valu
il/elle	valut	il/elle	eut	valu
nous	valûmes	nous	eûmes	valu
vous	valûtes	vous	eûtes	valu
ils/elles	valurent	ils/elles	eurent	valu

Futur simple		Futur antérieur		
je	vaudrai	j'	aurai	valu
tu	vaudras	tu	auras	valu
il/elle	vaudra	il/elle	aura	valu
nous	vaudrons	nous	aurons	valu
vous	vaudrez	vous	aurez	valu
ils/elles	vaudront	ils/elles	auront	valu

SUBJONCTIF

Présent		
que je	vaille	
que tu	vailles	
qu' il/elle	vaille	
que nous	valions	
que vous	valiez	
qu' ils/elles	vaillent	

Imparfait		
que je	valusse	
que tu	valusses	
qu' il/elle	valût	
que nous	valussions	
que vous	valussiez	
qu' ils/elles	valussent	

Passé		
que j'	aie	valu
que tu	aies	valu
qu' il/elle	ait	valu
que nous	ayons	valu
que vous	ayez	valu
qu' ils/elles	aient	valu

Plus-que-parfait		
que j'	eusse	valu
que tu	eusses	valu
qu' il/elle	eût	valu
que nous	eussions	valu
que vous	eussiez	valu
qu' ils/elles	eussent	valu

CONDITIONNEL

Présent		Passé 1ʳᵉ forme			Passé 2ᵉ forme		
je	vaudrais	j'	aurais	valu	j'	eusse	valu
tu	vaudrais	tu	aurais	valu	tu	eusses	valu
il/elle	vaudrait	il/elle	aurait	valu	il/elle	eût	valu
nous	vaudrions	nous	aurions	valu	nous	eussions	valu
vous	vaudriez	vous	auriez	valu	vous	eussiez	valu
ils/elles	vaudraient	ils/elles	auraient	valu	ils/elles	eussent	valu

IMPÉRATIF

Présent			Passé		
vaux	valons	valez	aie valu	ayons valu	ayez valu

INFINITIF

Présent	Passé
valoir	avoir valu

PARTICIPE

Présent	Passé	Passé composé
valant	valu (e, s, es)	ayant valu

Prévaloir se distingue de *valoir* uniquement au présent du subjonctif.
Son participe passé est invariable.

INDICATIF					SUBJONCTIF			
Présent		**Passé composé**			**Présent**			
je	prévaux	j'	ai	prévalu	que	je	prévale	
tu	prévaux	tu	as	prévalu	que	tu	prévales	
il/elle	prévaut	il/elle	a	prévalu	qu'	il/elle	prévale	
nous	prévalons	nous	avons	prévalu	que	nous	prévalions	
vous	prévalez	vous	avez	prévalu	que	vous	prévaliez	
ils/elles	prévalent	ils/elles	ont	prévalu	qu'	ils/elles	prévalent	
Imparfait		**Plus-que-parfait**			**Imparfait**			
je	prévalais	j'	avais	prévalu	que	je	prévalusse	
tu	prévalais	tu	avais	prévalu	que	tu	prévalusses	
il/elle	prévalait	il/elle	avait	prévalu	qu'	il/elle	prévalût	
nous	prévalions	nous	avions	prévalu	que	nous	prévalussions	
vous	prévaliez	vous	aviez	prévalu	que	vous	prévalussiez	
ils/elles	prévalaient	ils/elles	avaient	prévalu	qu'	ils/elles	prévalussent	
Passé simple		**Passé antérieur**			**Passé**			
je	prévalus	j'	eus	prévalu	que	j'	aie	prévalu
tu	prévalus	tu	eus	prévalu	que	tu	aies	prévalu
il/elle	prévalut	il/elle	eut	prévalu	qu'	il/elle	ait	prévalu
nous	prévalûmes	nous	eûmes	prévalu	que	nous	ayons	prévalu
vous	prévalûtes	vous	eûtes	prévalu	que	vous	ayez	prévalu
ils/elles	prévalurent	ils/elles	eurent	prévalu	qu'	ils/elles	aient	prévalu
Futur simple		**Futur antérieur**			**Plus-que-parfait**			
je	prévaudrai	j'	aurai	prévalu	que	j'	eusse	prévalu
tu	prévaudras	tu	auras	prévalu	que	tu	eusses	prévalu
il/elle	prévaudra	il/elle	aura	prévalu	qu'	il/elle	eût	prévalu
nous	prévaudrons	nous	aurons	prévalu	que	nous	eussions	prévalu
vous	prévaudrez	vous	aurez	prévalu	que	vous	eussiez	prévalu
ils/elles	prévaudront	ils/elles	auront	prévalu	qu'	ils/elles	eussent	prévalu

CONDITIONNEL							
Présent		**Passé 1ʳᵉ forme**			**Passé 2ᵉ forme**		
je	prévaudrais	j'	aurais	prévalu	j'	eusse	prévalu
tu	prévaudrais	tu	aurais	prévalu	tu	eusses	prévalu
il/elle	prévaudrait	il/elle	aurait	prévalu	il/elle	eût	prévalu
nous	prévaudrions	nous	aurions	prévalu	nous	eussions	prévalu
vous	prévaudriez	vous	auriez	prévalu	vous	eussiez	prévalu
ils/elles	prévaudraient	ils/elles	auraient	prévalu	ils/elles	eussent	prévalu

IMPÉRATIF					
Présent			**Passé**		
prévaux	prévalons	prévalez	aie prévalu	ayons prévalu	ayez prévalu

INFINITIF			PARTICIPE		
Présent	**Passé**		**Présent**	**Passé**	**Passé composé**
prévaloir	avoir prévalu		prévalant	prévalu	ayant prévalu

Tableaux de conjugaison types

L'accent circonflexe sur le *u* du participe passé disparaît au féminin et au pluriel : *mû, mue, mus, mues.* Ainsi se conjuguent *émouvoir* et *promouvoir*, mais leur participe passé ne prend pas d'accent circonflexe : *ému, promu.*

Les rectifications de l'orthographe de 1990 acceptent la suppression de l'accent circonflexe sur le participe passé masculin singulier : *mu.*

Remarque : En raison de leur conjugaison irrégulière, *émouvoir* et *promouvoir* sont souvent en concurrence avec *émotionner* et *promotionner.*

INDICATIF

Présent		Passé composé		
je	meus	j'	ai	mû
tu	meus	tu	as	mû
il/elle	meut	il/elle	a	mû
nous	mouvons	nous	avons	mû
vous	mouvez	vous	avez	mû
ils/elles	meuvent	ils/elles	ont	mû

Imparfait		Plus-que-parfait		
je	mouvais	j'	avais	mû
tu	mouvais	tu	avais	mû
il/elle	mouvait	il/elle	avait	mû
nous	mouvions	nous	avions	mû
vous	mouviez	vous	aviez	mû
ils/elles	mouvaient	ils/elles	avaient	mû

Passé simple		Passé antérieur		
je	mus	j'	eus	mû
tu	mus	tu	eus	mû
il/elle	mut	il/elle	eut	mû
nous	mûmes	nous	eûmes	mû
vous	mûtes	vous	eûtes	mû
ils/elles	murent	ils/elles	eurent	mû

Futur simple		Futur antérieur		
je	mouvrai	j'	aurai	mû
tu	mouvras	tu	auras	mû
il/elle	mouvra	il/elle	aura	mû
nous	mouvrons	nous	aurons	mû
vous	mouvrez	vous	aurez	mû
ils/elles	mouvront	ils/elles	auront	mû

SUBJONCTIF

Présent		
que	je	meuve
que	tu	meuves
qu'	il/elle	meuve
que	nous	mouvions
que	vous	mouviez
qu'	ils/elles	meuvent

Imparfait		
que	je	musse
que	tu	musses
qu'	il/elle	mût
que	nous	mussions
que	vous	mussiez
qu'	ils/elles	mussent

Passé			
que	j'	aie	mû
que	tu	aies	mû
qu'	il/elle	ait	mû
que	nous	ayons	mû
que	vous	ayez	mû
qu'	ils/elles	aient	mû

Plus-que-parfait			
que	j'	eusse	mû
que	tu	eusses	mû
qu'	il/elle	eût	mû
que	nous	eussions	mû
que	vous	eussiez	mû
qu'	ils/elles	eussent	mû

CONDITIONNEL

Présent		Passé 1ʳᵉ forme			Passé 2ᵉ forme		
je	mouvrais	j'	aurais	mû	j'	eusse	mû
tu	mouvrais	tu	aurais	mû	tu	eusses	mû
il/elle	mouvrait	il/elle	aurait	mû	il/elle	eût	mû
nous	mouvrions	nous	aurions	mû	nous	eussions	mû
vous	mouvriez	vous	auriez	mû	vous	eussiez	mû
ils/elles	mouvraient	ils/elles	auraient	mû	ils/elles	eussent	mû

IMPÉRATIF

Présent			Passé		
meus	mouvons	mouvez	aie mû	ayons mû	ayez mû

INFINITIF

Présent	Passé
mouvoir	avoir mû

PARTICIPE

Présent	Passé	Passé composé
mouvant	mû (mue, mus, mues)	ayant mû

Falloir est un verbe impersonnel qui ne se conjugue donc qu'à la 3ᵉ personne du singulier. Il n'a pas de participe présent ni d'impératif.

INDICATIF		SUBJONCTIF	
Présent	**Passé composé**	**Présent**	
il faut	il a fallu	qu'il faille	
Imparfait	**Plus-que-parfait**	**Imparfait**	
il fallait	il avait fallu	qu'il fallût	
Passé simple	**Passé antérieur**	**Passé**	
il fallut	il eut fallu	qu'il ait fallu	
Futur simple	**Futur antérieur**	**Plus-que-parfait**	
il faudra	il aura fallu	qu'il eût fallu	

CONDITIONNEL		
Présent	**Passé 1ʳᵉ forme**	**Passé 2ᵉ forme**
il faudrait	il aurait fallu	il eût fallu

IMPÉRATIF	
Présent	**Passé**
inusité	*inusité*

INFINITIF		PARTICIPE		
Présent	**Passé**	**Présent**	**Passé**	**Passé composé**
falloir	avoir fallu	*inusité*	**fallu**	ayant fallu

Tableaux de conjugaison types

Pleuvoir se conjugue à la 3ᵉ personne du singulier au sens concret et à la 3ᵉ personne du pluriel au sens figuré (Ex. : *Les coups pleuvent*).

INDICATIF

Présent		Passé composé		
il	pleut	il	a	plu
ils/elles	pleuvent	ils/elles	ont	plu

Imparfait		Plus-que-parfait		
il	pleuvait	il	avait	plu
ils/elles	pleuvaient	ils/elles	avaient	plu

Passé simple		Passé antérieur		
il	plut	il	eut	plu
ils/elles	plurent	ils/elles	eurent	plu

Futur simple		Futur antérieur		
il	pleuvra	il	aura	plu
ils/elles	pleuvront	ils/elles	auront	plu

SUBJONCTIF

Présent		
qu' il	pleuve	
qu' ils/elles	pleuvent	

Imparfait		
qu' il	plût	
qu' ils/elles	plussent	

Passé		
qu' il	ait	plu
qu' ils/elles	aient	plu

Plus-que-parfait		
qu' il	eût	plu
qu' ils/elles	eussent	plu

CONDITIONNEL

Présent		Passé 1ʳᵉ forme			Passé 2ᵉ forme		
il	pleuvrait	il	aurait	plu	il	eût	plu
ils/elles	pleuvraient	ils/elles	auraient	plu	ils/elles	eussent	plu

IMPÉRATIF

Présent	Passé
inusité	*inusité*

INFINITIF

Présent	Passé
pleuvoir	avoir plu

PARTICIPE

Présent	Passé	Passé composé
pleuvant	plu	ayant plu

Ainsi se conjuguent *choir* et *échoir*.

Choir et *déchoir* n'ont pas d'imparfait de l'indicatif, et *choir* n'a pas de présent du subjonctif. *Échoir* se trouve parfois à l'imparfait *(il échéait, il échoyait)*. Les formes en *-err-* du futur simple et du présent du conditionnel sont rares. *Choir* se conjugue, aujourd'hui, plus souvent avec *avoir* qu'avec *être*. *Échoir* se conjugue avec *être*, et *déchoir* avec *être* ou *avoir*.

Le participe présent de *échoir (échéant)* apparaît dans la locution *le cas échéant*.

INDICATIF

Présent		Passé composé		
je	déchois	j'	ai	déchu
tu	déchois	tu	as	déchu
il/elle	déchoit	il/elle	a	déchu
nous	déchoyons	nous	avons	déchu
vous	déchoyez	vous	avez	déchu
ils/elles	déchoient	ils/elles	ont	déchu

Imparfait	Plus-que-parfait		
inusité	j'	avais	déchu
	tu	avais	déchu
	il/elle	avait	déchu
	nous	avions	déchu
	vous	aviez	déchu
	ils/elles	avaient	déchu

Passé simple		Passé antérieur		
je	déchus	j'	eus	déchu
tu	déchus	tu	eus	déchu
il/elle	déchut	il/elle	eut	déchu
nous	déchûmes	nous	eûmes	déchu
vous	déchûtes	vous	eûtes	déchu
ils/elles	déchurent	ils/elles	eurent	déchu

Futur simple	ou	Futur antérieur		
je	déchoirai	décherrai	j'	aurai déchu
tu	déchoiras	décherras	tu	auras déchu
il/elle	déchoira	décherra	il/elle	aura déchu
nous	déchoirons	décherrons	nous	aurons déchu
vous	déchoirez	décherrez	vous	aurez déchu
ils/elles	déchoiront	décherront	ils/elles	auront déchu

SUBJONCTIF

Présent		
que	je	déchoie
que	tu	déchoies
qu'	il	déchoie
que	nous	déchoyions
que	vous	déchoyiez
qu'	ils	déchoient

Imparfait		
que	je	déchusse
que	tu	déchusses
qu'	il	déchût
que	nous	déchussions
que	vous	déchussiez
qu'	ils	déchussent

Passé			
que	j'	aie	déchu
que	tu	aies	déchu
qu'	il	ait	déchu
que	nous	ayons	déchu
que	vous	ayez	déchu
qu'	ils	aient	déchu

Plus-que-parfait			
que	j'	eusse	déchu
que	tu	eusses	déchu
qu'	il/elle	eût	déchu
que	nous	eussions	déchu
que	vous	eussiez	déchu
qu'	ils/elles	eussent	déchu

CONDITIONNEL

Présent	ou	Passé 1ʳᵉ forme		Passé 2ᵉ forme		
je	déchoirais	décherrais	j'	aurais déchu	j'	eusse déchu
tu	déchoirais	décherrais	tu	aurais déchu	tu	eusses déchu
il/elle	déchoirait	décherrait	il/elle	aurait déchu	il/elle	eût déchu
nous	déchoirions	décherrions	nous	aurions déchu	nous	eussions déchu
vous	déchoiriez	décherriez	vous	auriez déchu	vous	eussiez déchu
ils/elles	déchoiraient	décherraient	ils/elles	auraient déchu	ils/elles	eussent déchu

IMPÉRATIF

Présent	Passé
inusité	*inusité*

INFINITIF

Présent	Passé
déchoir	avoir déchu

PARTICIPE

Présent	Passé	Passé composé
déchéant *(rare)*	déchu (e, s, es)	ayant déchu

Tableaux de conjugaison types

Les verbes en -*dre,* sauf les verbes formés sur le radical *prendre* (voir modèle **53**), les verbes en -*indre* (voir modèles **54**, **55** et **56**) et les verbes en -*soudre* (voir modèle **57**) gardent le *d* de l'infinitif au singulier du présent de l'indicatif et de l'impératif. À la 3ᵉ personne du singulier de l'indicatif, ce *d* exclut la terminaison -*t* (*il ren**d***).

INDICATIF

Présent		Passé composé			
je	rends	j'	ai		rendu
tu	rends	tu	as		rendu
il/elle	rend	il/elle	a		rendu
nous	rendons	nous	avons		rendu
vous	rendez	vous	avez		rendu
ils/elles	rendent	ils/elles	ont		rendu

Imparfait		Plus-que-parfait		
je	rendais	j'	avais	rendu
tu	rendais	tu	avais	rendu
il/elle	rendait	il/elle	avait	rendu
nous	rendions	nous	avions	rendu
vous	rendiez	vous	aviez	rendu
ils/elles	rendaient	ils/elles	avaient	rendu

Passé simple		Passé antérieur		
je	rendis	j'	eus	rendu
tu	rendis	tu	eus	rendu
il/elle	rendit	il/elle	eut	rendu
nous	rendîmes	nous	eûmes	rendu
vous	rendîtes	vous	eûtes	rendu
ils/elles	rendirent	ils/elles	eurent	rendu

Futur simple		Futur antérieur		
je	rendrai	j'	aurai	rendu
tu	rendras	tu	auras	rendu
il/elle	rendra	il/elle	aura	rendu
nous	rendrons	nous	aurons	rendu
vous	rendrez	vous	aurez	rendu
ils/elles	rendront	ils/elles	auront	rendu

SUBJONCTIF

Présent		
que	je	rende
que	tu	rendes
qu'	il/elle	rende
que	nous	rendions
que	vous	rendiez
qu'	ils/elles	rendent

Imparfait		
que	je	rendisse
que	tu	rendisses
qu'	il/elle	rendît
que	nous	rendissions
que	vous	rendissiez
qu'	ils/elles	rendissent

Passé			
que	j'	aie	rendu
que	tu	aies	rendu
qu'	il/elle	ait	rendu
que	nous	ayons	rendu
que	vous	ayez	rendu
qu'	ils/elles	aient	rendu

Plus-que-parfait			
que	j'	eusse	rendu
que	tu	eusses	rendu
qu'	il/elle	eût	rendu
que	nous	eussions	rendu
que	vous	eussiez	rendu
qu'	ils/elles	eussent	rendu

CONDITIONNEL

Présent		Passé 1ʳᵉ forme			Passé 2ᵉ forme		
je	rendrais	j'	aurais	rendu	j'	eusse	rendu
tu	rendrais	tu	aurais	rendu	tu	eusses	rendu
il/elle	rendrait	il/elle	aurait	rendu	il/elle	eût	rendu
nous	rendrions	nous	aurions	rendu	nous	eussions	rendu
vous	rendriez	vous	auriez	rendu	vous	eussiez	rendu
ils/elles	rendraient	ils/elles	auraient	rendu	ils/elles	eussent	rendu

IMPÉRATIF

Présent			Passé		
rends	rendons	rendez	aie rendu	ayons rendu	ayez rendu

INFINITIF

Présent	Passé
rendre	avoir rendu

PARTICIPE

Présent	Passé	Passé composé
rendant	rendu (e, s, es)	ayant rendu

Ainsi se conjuguent les verbes qui se terminent par -*prendre* (*apprendre, se méprendre, surprendre, comprendre, entreprendre*, etc.).

INDICATIF				
Présent		**Passé composé**		
je	prends	j'	ai	pris
tu	prends	tu	as	pris
il/elle	prend	il/elle	a	pris
nous	prenons	nous	avons	pris
vous	prenez	vous	avez	pris
ils/elles	prennent	ils/elles	ont	pris
Imparfait		**Plus-que-parfait**		
je	prenais	j'	avais	pris
tu	prenais	tu	avais	pris
il/elle	prenait	il/elle	avait	pris
nous	prenions	nous	avions	pris
vous	preniez	vous	aviez	pris
ils/elles	prenaient	ils/elles	avaient	pris
Passé simple		**Passé antérieur**		
je	pris	j'	eus	pris
tu	pris	tu	eus	pris
il/elle	prit	il/elle	eut	pris
nous	prîmes	nous	eûmes	pris
vous	prîtes	vous	eûtes	pris
ils/elles	prirent	ils/elles	eurent	pris
Futur simple		**Futur antérieur**		
je	prendrai	j'	aurai	pris
tu	prendras	tu	auras	pris
il/elle	prendra	il/elle	aura	pris
nous	prendrons	nous	aurons	pris
vous	prendrez	vous	aurez	pris
ils/elles	prendront	ils/elles	auront	pris

SUBJONCTIF			
Présent			
que je	prenne		
que tu	prennes		
qu' il/elle	prenne		
que nous	prenions		
que vous	preniez		
qu' ils/elles	prennent		
Imparfait			
que je	prisse		
que tu	prisses		
qu' il/elle	prît		
que nous	prissions		
que vous	prissiez		
qu' ils/elles	prissent		
Passé			
que j'	aie	pris	
que tu	aies	pris	
qu' il/elle	ait	pris	
que nous	ayons	pris	
que vous	ayez	pris	
qu' ils/elles	aient	pris	
Plus-que-parfait			
que j'	eusse	pris	
que tu	eusses	pris	
qu' il/elle	eût	pris	
que nous	eussions	pris	
que vous	eussiez	pris	
qu' ils/elles	eussent	pris	

CONDITIONNEL							
Présent		**Passé 1ʳᵉ forme**			**Passé 2ᵉ forme**		
je	prendrais	j'	aurais	pris	j'	eusse	pris
tu	prendrais	tu	aurais	pris	tu	eusses	pris
il/elle	prendrait	il/elle	aurait	pris	il/elle	eût	pris
nous	prendrions	nous	aurions	pris	nous	eussions	pris
vous	prendriez	vous	auriez	pris	vous	eussiez	pris
ils/elles	prendraient	ils/elles	auraient	pris	ils/elles	eussent	pris

IMPÉRATIF					
Présent			**Passé**		
prends	prenons	prenez	aie pris	ayons pris	ayez pris

INFINITIF	
Présent	**Passé**
prendre	avoir pris

PARTICIPE		
Présent	**Passé**	**Passé composé**
prenant	pris (e, es)	ayant pris

Tableaux de conjugaison types

Contrairement aux autres verbes en -*dre* (voir modèle **52**), les verbes qui se conjuguent sur ce modèle perdent le *d* de l'infinitif, sauf au futur simple et au présent du conditionnel. Ils prennent donc la terminaison -*t* à la 3ᵉ personne du singulier du présent de l'indicatif *(il craint)*.

Ainsi se conjuguent *contraindre* et *plaindre*.

Aux deux premières personnes du pluriel de l'imparfait de l'indicatif et du présent du subjonctif, ne pas oublier le *i* après *gn*.

INDICATIF

Présent		Passé composé		
je	crains	j'	ai	craint
tu	crains	tu	as	craint
il/elle	craint	il/elle	a	craint
nous	craignons	nous	avons	craint
vous	craignez	vous	avez	craint
ils/elles	craignent	ils/elles	ont	craint

Imparfait		Plus-que-parfait		
je	craignais	j'	avais	craint
tu	craignais	tu	avais	craint
il/elle	craignait	il/elle	avait	craint
nous	craignions	nous	avions	craint
vous	craigniez	vous	aviez	craint
ils/elles	craignaient	ils/elles	avaient	craint

Passé simple		Passé antérieur		
je	craignis	j'	eus	craint
tu	craignis	tu	eus	craint
il/elle	craignit	il/elle	eut	craint
nous	craignîmes	nous	eûmes	craint
vous	craignîtes	vous	eûtes	craint
ils/elles	craignirent	ils/elles	eurent	craint

Futur simple		Futur antérieur		
je	craindrai	j'	aurai	craint
tu	craindras	tu	auras	craint
il/elle	craindra	il/elle	aura	craint
nous	craindrons	nous	aurons	craint
vous	craindrez	vous	aurez	craint
ils/elles	craindront	ils/elles	auront	craint

SUBJONCTIF

Présent		
que	je	craigne
que	tu	craignes
qu'	il/elle	craigne
que	nous	craignions
que	vous	craigniez
qu'	ils/elles	craignent

Imparfait		
que	je	craignisse
que	tu	craignisses
qu'	il/elle	craignît
que	nous	craignissions
que	vous	craignissiez
qu'	ils/elles	craignissent

Passé			
que	j'	aie	craint
que	tu	aies	craint
qu'	il/elle	ait	craint
que	nous	ayons	craint
que	vous	ayez	craint
qu'	ils/elles	aient	craint

Plus-que-parfait			
que	j'	eusse	craint
que	tu	eusses	craint
qu'	il/elle	eût	craint
que	nous	eussions	craint
que	vous	eussiez	craint
qu'	ils/elles	eussent	craint

CONDITIONNEL

Présent		Passé 1ʳᵉ forme			Passé 2ᵉ forme		
je	craindrais	j'	aurais	craint	j'	eusse	craint
tu	craindrais	tu	aurais	craint	tu	eusses	craint
il/elle	craindrait	il/elle	aurait	craint	il/elle	eût	craint
nous	craindrions	nous	aurions	craint	nous	eussions	craint
vous	craindriez	vous	auriez	craint	vous	eussiez	craint
ils/elles	craindraient	ils/elles	auraient	craint	ils/elles	eussent	craint

IMPÉRATIF

Présent			Passé		
crains	craignons	craignez	aie craint	ayons craint	ayez craint

INFINITIF

Présent	Passé
craindre	avoir craint

PARTICIPE

Présent	Passé	Passé composé
craignant	craint (e, s, es)	ayant craint

55 ▭ PEINDRE

Contrairement aux autres verbes en -dre (voir modèle **52**), les verbes qui se conjuguent sur ce modèle perdent le *d* de l'infinitif, sauf au futur simple et au présent du conditionnel. Ils prennent donc la terminaison -*t* à la 3ᵉ personne du singulier du présent de l'indicatif *(il peint).*
Ainsi se conjuguent tous les verbes qui se terminent par -*eindre.*
Aux deux premières personnes du pluriel de l'imparfait de l'indicatif et du présent du subjonctif, ne pas oublier le *i* après *gn.*

INDICATIF

Présent		Passé composé		
je	peins	j'	ai	peint
tu	peins	tu	as	peint
il/elle	peint	il/elle	a	peint
nous	peignons	nous	avons	peint
vous	peignez	vous	avez	peint
ils/elles	peignent	ils/elles	ont	peint

Imparfait		Plus-que-parfait		
je	peignais	j'	avais	peint
tu	peignais	tu	avais	peint
il/elle	peignait	il/elle	avait	peint
nous	peignions	nous	avions	peint
vous	peigniez	vous	aviez	peint
ils/elles	peignaient	ils/elles	avaient	peint

Passé simple		Passé antérieur		
je	peignis	j'	eus	peint
tu	peignis	tu	eus	peint
il/elle	peignit	il/elle	eut	peint
nous	peignîmes	nous	eûmes	peint
vous	peignîtes	vous	eûtes	peint
ils/elles	peignirent	ils/elles	eurent	peint

Futur simple		Futur antérieur		
je	peindrai	j'	aurai	peint
tu	peindras	tu	auras	peint
il/elle	peindra	il/elle	aura	peint
nous	peindrons	nous	aurons	peint
vous	peindrez	vous	aurez	peint
ils/elles	peindront	ils/elles	auront	peint

SUBJONCTIF

Présent		
que	je	peigne
que	tu	peignes
qu'	il/elle	peigne
que	nous	peignions
que	vous	peigniez
qu'	ils/elles	peignent

Imparfait		
que	je	peignisse
que	tu	peignisses
qu'	il/elle	peignît
que	nous	peignissions
que	vous	peignissiez
qu'	ils/elles	peignissent

Passé			
que	j'	aie	peint
que	tu	aies	peint
qu'	il/elle	ait	peint
que	nous	ayons	peint
que	vous	ayez	peint
qu'	ils/elles	aient	peint

Plus-que-parfait			
que	j'	eusse	peint
que	tu	eusses	peint
qu'	il/elle	eût	peint
que	nous	eussions	peint
que	vous	eussiez	peint
qu'	ils/elles	eussent	peint

CONDITIONNEL

Présent		Passé 1ʳᵉ forme			Passé 2ᵉ forme		
je	peindrais	j'	aurais	peint	j'	eusse	peint
tu	peindrais	tu	aurais	peint	tu	eusses	peint
il/elle	peindrait	il/elle	aurait	peint	il/elle	eût	peint
nous	peindrions	nous	aurions	peint	nous	eussions	peint
vous	peindriez	vous	auriez	peint	vous	eussiez	peint
ils/elles	peindraient	ils/elles	auraient	peint	ils/elles	eussent	peint

IMPÉRATIF

Présent			Passé		
peins	peignons	peignez	aie peint	ayons peint	ayez peint

INFINITIF

Présent	Passé
peindre	avoir peint

PARTICIPE

Présent	Passé	Passé composé
peignant	peint (e, s, es)	ayant peint

Tableaux de conjugaison types

Ainsi se conjuguent les verbes *adjoindre, conjoindre, disjoindre, enjoindre, rejoindre* et aussi *oindre* et *poindre,* rares aujourd'hui.

Contrairement aux autres verbes en -*dre* (voir modèle **52**), ces verbes perdent le *d* de l'infinitif, sauf au futur simple et au présent du conditionnel. Ils prennent donc la terminaison -*t* à la 3ᵉ personne du singulier du présent de l'indicatif *(je joins, il joint).*

Aux deux premières personnes du pluriel de l'imparfait de l'indicatif et du présent du subjonctif, ne pas oublier le *i* après *gn*.

INDICATIF

Présent		Passé composé		
je	joins	j'	ai	joint
tu	joins	tu	as	joint
il/elle	joint	il/elle	a	joint
nous	joignons	nous	avons	joint
vous	joignez	vous	avez	joint
ils/elles	joignent	ils/elles	ont	joint

Imparfait		Plus-que-parfait		
je	joignais	j'	avais	joint
tu	joignais	tu	avais	joint
il/elle	joignait	il/elle	avait	joint
nous	joignions	nous	avions	joint
vous	joigniez	vous	aviez	joint
ils/elles	joignaient	ils/elles	avaient	joint

Passé simple		Passé antérieur		
je	joignis	j'	eus	joint
tu	joignis	tu	eus	joint
il/elle	joignit	il/elle	eut	joint
nous	joignîmes	nous	eûmes	joint
vous	joignîtes	vous	eûtes	joint
ils/elles	joignirent	ils/elles	eurent	joint

Futur simple		Futur antérieur		
je	joindrai	j'	aurai	joint
tu	joindras	tu	auras	joint
il/elle	joindra	il/elle	aura	joint
nous	joindrons	nous	aurons	joint
vous	joindrez	vous	aurez	joint
ils/elles	joindront	ils/elles	auront	joint

SUBJONCTIF

Présent		
que	je	joigne
que	tu	joignes
qu'	il/elle	joigne
que	nous	joignions
que	vous	joigniez
qu'	ils/elles	joignent

Imparfait		
que	je	joignisse
que	tu	joignisses
qu'	il/elle	joignît
que	nous	joignissions
que	vous	joignissiez
qu'	ils/elles	joignissent

Passé			
que	j'	aie	joint
que	tu	aies	joint
qu'	il/elle	ait	joint
que	nous	ayons	joint
que	vous	ayez	joint
qu'	ils/elles	aient	joint

Plus-que-parfait			
que	j'	eusse	joint
que	tu	eusses	joint
qu'	il/elle	eût	joint
que	nous	eussions	joint
que	vous	eussiez	joint
qu'	ils/elles	eussent	joint

CONDITIONNEL

Présent		Passé 1ʳᵉ forme			Passé 2ᵉ forme		
je	joindrais	j'	aurais	joint	j'	eusse	joint
tu	joindrais	tu	aurais	joint	tu	eusses	joint
il/elle	joindrait	il/elle	aurait	joint	il/elle	eût	joint
nous	joindrions	nous	aurions	joint	nous	eussions	joint
vous	joindriez	vous	auriez	joint	vous	eussiez	joint
ils/elles	joindraient	ils/elles	auraient	joint	ils/elles	eussent	joint

IMPÉRATIF

Présent			Passé		
joins	joignons	joignez	aie joint	ayons joint	ayez joint

INFINITIF

Présent	Passé
joindre	avoir joint

PARTICIPE

Présent	Passé	Passé composé
joignant	joint (e, s, es)	ayant joint

Contrairement aux autres verbes en -dre (voir modèle **52**), les verbes qui se conjuguent sur ce modèle perdent le *d* de l'infinitif, sauf au futur simple et au présent du conditionnel. Ils prennent donc la terminaison -*t* à la 3ᵉ personne du singulier du présent de l'indicatif *(il résout)*.

Ainsi se conjuguent *absoudre* et *dissoudre*. Mais leur participe passé est *absous, absoute(s)* et *dissous, dissoute(s)* (et non pas en -*u*).

INDICATIF

Présent
je	résous
tu	résous
il/elle	résout
nous	résolvons
vous	résolvez
ils/elles	résolvent

Passé composé
j'	ai	résolu
tu	as	résolu
il/elle	a	résolu
nous	avons	résolu
vous	avez	résolu
ils/elles	ont	résolu

Imparfait
je	résolvais
tu	résolvais
il/elle	résolvait
nous	résolvions
vous	résolviez
ils/elles	résolvaient

Plus-que-parfait
j'	avais	résolu
tu	avais	résolu
il/elle	avait	résolu
nous	avions	résolu
vous	aviez	résolu
ils/elles	avaient	résolu

Passé simple
je	résolus
tu	résolus
il/elle	résolut
nous	résolûmes
vous	résolûtes
ils/elles	résolurent

Passé antérieur
j'	eus	résolu
tu	eus	résolu
il/elle	eut	résolu
nous	eûmes	résolu
vous	eûtes	résolu
ils/elles	eurent	résolu

Futur simple
je	résoudrai
tu	résoudras
il/elle	résoudra
nous	résoudrons
vous	résoudrez
ils/elles	résoudront

Futur antérieur
j'	aurai	résolu
tu	auras	résolu
il/elle	aura	résolu
nous	aurons	résolu
vous	aurez	résolu
ils/elles	auront	résolu

SUBJONCTIF

Présent
que	je	résolve
que	tu	résolves
qu'	il/elle	résolve
que	nous	résolvions
que	vous	résolviez
qu'	ils/elles	résolvent

Imparfait
que	je	résolusse
que	tu	résolusses
qu'	il/elle	résolût
que	nous	résolussions
que	vous	résolussiez
qu'	ils/elles	résolussent

Passé
que	j'	aie	résolu
que	tu	aies	résolu
qu'	il/elle	ait	résolu
que	nous	ayons	résolu
que	vous	ayez	résolu
qu'	ils/elles	aient	résolu

Plus-que-parfait
que	j'	eusse	résolu
que	tu	eusses	résolu
qu'	il/elle	eût	résolu
que	nous	eussions	résolu
que	vous	eussiez	résolu
qu'	ils/elles	eussent	résolu

CONDITIONNEL

Présent
je	résoudrais
tu	résoudrais
il/elle	résoudrait
nous	résoudrions
vous	résoudriez
ils/elles	résoudraient

Passé 1ʳᵉ forme
j'	aurais	résolu
tu	aurais	résolu
il/elle	aurait	résolu
nous	aurions	résolu
vous	auriez	résolu
ils/elles	auraient	résolu

Passé 2ᵉ forme
j'	eusse	résolu
tu	eusses	résolu
il/elle	eût	résolu
nous	eussions	résolu
vous	eussiez	résolu
ils/elles	eussent	résolu

IMPÉRATIF

Présent			Passé		
résous	résolvons	résolvez	aie résolu	ayons résolu	ayez résolu

INFINITIF

Présent	Passé
résoudre	avoir résolu

PARTICIPE

Présent	Passé	Passé composé
résolvant	résolu (e, s, es)	ayant résolu

Tableaux de conjugaison types

COUDRE

Ainsi se conjuguent *découdre* et *recoudre*.

Ces verbes gardent le *d* de l'infinitif au singulier des présents de l'indicatif et de l'impératif. À la 3ᵉ personne du singulier, ce *d* exclut la terminaison -*t* (*il coud*).

INDICATIF

Présent		Passé composé		
je	couds	j'	ai	cousu
tu	couds	tu	as	cousu
il/elle	coud	il/elle	a	cousu
nous	cousons	nous	avons	cousu
vous	cousez	vous	avez	cousu
ils/elles	cousent	ils/elles	ont	cousu

Imparfait		Plus-que-parfait		
je	cousais	j'	avais	cousu
tu	cousais	tu	avais	cousu
il/elle	cousait	il/elle	avait	cousu
nous	cousions	nous	avions	cousu
vous	cousiez	vous	aviez	cousu
ils/elles	cousaient	ils/elles	avaient	cousu

Passé simple		Passé antérieur		
je	cousis	j'	eus	cousu
tu	cousis	tu	eus	cousu
il/elle	cousit	il/elle	eut	cousu
nous	cousîmes	nous	eûmes	cousu
vous	cousîtes	vous	eûtes	cousu
ils/elles	cousirent	ils/elles	eurent	cousu

Futur simple		Futur antérieur		
je	coudrai	j'	aurai	cousu
tu	coudras	tu	auras	cousu
il/elle	coudra	il/elle	aura	cousu
nous	coudrons	nous	aurons	cousu
vous	coudrez	vous	aurez	cousu
ils/elles	coudront	ils/elles	auront	cousu

SUBJONCTIF

Présent		
que	je	couse
que	tu	couses
qu'	il/elle	couse
que	nous	cousions
que	vous	cousiez
qu'	ils/elles	cousent

Imparfait		
que	je	cousisse
que	tu	cousisses
qu'	il/elle	cousît
que	nous	cousissions
que	vous	cousissiez
qu'	ils/elles	cousissent

Passé			
que	j'	aie	cousu
que	tu	aies	cousu
qu'	il/elle	ait	cousu
que	nous	ayons	cousu
que	vous	ayez	cousu
qu'	ils/elles	aient	cousu

Plus-que-parfait			
que	j'	eusse	cousu
que	tu	eusses	cousu
qu'	il/elle	eût	cousu
que	nous	eussions	cousu
que	vous	eussiez	cousu
qu'	ils/elles	eussent	cousu

CONDITIONNEL

Présent		Passé 1ʳᵉ forme			Passé 2ᵉ forme		
je	coudrais	j'	aurais	cousu	j'	eusse	cousu
tu	coudrais	tu	aurais	cousu	tu	eusses	cousu
il/elle	coudrait	il/elle	aurait	cousu	il/elle	eût	cousu
nous	coudrions	nous	aurions	cousu	nous	eussions	cousu
vous	coudriez	vous	auriez	cousu	vous	eussiez	cousu
ils/elles	coudraient	ils/elles	auraient	cousu	ils/elles	eussent	cousu

IMPÉRATIF

Présent			Passé		
couds	cousons	cousez	aie cousu	ayons cousu	ayez cousu

INFINITIF

Présent	Passé
coudre	avoir cousu

PARTICIPE

Présent	Passé	Passé composé
cousant	cousu (e, s, es)	ayant cousu

Ainsi se conjuguent *émoudre* (rare) et *remoudre*.
Ces verbes gardent le *d* de l'infinitif au singulier des présents de l'indicatif et de l'impératif. À la 3ᵉ personne du singulier, ce *d* exclut la terminaison -*t (il mou**d**)*.
Certaines formes en -*l*- sont homographes des formes correspondantes du verbe du 1ᵉʳ groupe *mouler*.

INDICATIF

Présent		Passé composé		
je	mouds	j'	ai	moulu
tu	mouds	tu	as	moulu
il/elle	moud	il/elle	a	moulu
nous	moulons	nous	avons	moulu
vous	moulez	vous	avez	moulu
ils/elles	moulent	ils/elles	ont	moulu

Imparfait		Plus-que-parfait		
je	moulais	j'	avais	moulu
tu	moulais	tu	avais	moulu
il/elle	moulait	il/elle	avait	moulu
nous	moulions	nous	avions	moulu
vous	mouliez	vous	aviez	moulu
ils/elles	moulaient	ils/elles	avaient	moulu

Passé simple		Passé antérieur		
je	moulus	j'	eus	moulu
tu	moulus	tu	eus	moulu
il/elle	moulut	il/elle	eut	moulu
nous	moulûmes	nous	eûmes	moulu
vous	moulûtes	vous	eûtes	moulu
ils/elles	moulurent	ils/elles	eurent	moulu

Futur simple		Futur antérieur		
je	moudrai	j'	aurai	moulu
tu	moudras	tu	auras	moulu
il/elle	moudra	il/elle	aura	moulu
nous	moudrons	nous	aurons	moulu
vous	moudrez	vous	aurez	moulu
ils/elles	moudront	ils/elles	auront	moulu

SUBJONCTIF

Présent		
que	je	moule
que	tu	moules
qu'	il/elle	moule
que	nous	moulions
que	vous	mouliez
qu'	ils/elles	moulent

Imparfait		
que	je	moulusse
que	tu	moulusses
qu'	il/elle	moulût
que	nous	moulussions
que	vous	moulussiez
qu'	ils/elles	moulussent

Passé			
que	j'	aie	moulu
que	tu	aies	moulu
qu'	il/elle	ait	moulu
que	nous	ayons	moulu
que	vous	ayez	moulu
qu'	ils/elles	aient	moulu

Plus-que-parfait			
que	j'	eusse	moulu
que	tu	eusses	moulu
qu'	il/elle	eût	moulu
que	nous	eussions	moulu
que	vous	eussiez	moulu
qu'	ils/elles	eussent	moulu

CONDITIONNEL

Présent		Passé 1ʳᵉ forme			Passé 2ᵉ forme		
je	moudrais	j'	aurais	moulu	j'	eusse	moulu
tu	moudrais	tu	aurais	moulu	tu	eusses	moulu
il/elle	moudrait	il/elle	aurait	moulu	il/elle	eût	moulu
nous	moudrions	nous	aurions	moulu	nous	eussions	moulu
vous	moudriez	vous	auriez	moulu	vous	eussiez	moulu
ils/elles	moudraient	ils/elles	auraient	moulu	ils/elles	eussent	moulu

IMPÉRATIF

Présent			Passé		
mouds	moulons	moulez	aie moulu	ayons moulu	ayez moulu

INFINITIF

Présent	Passé
moudre	avoir moulu

PARTICIPE

Présent	Passé	Passé composé
moulant	moulu (e, s, es)	ayant moulu

Tableaux de conjugaison types

Ces verbes gardent le *p* de l'infinitif dans toute leur conjugaison. Mais, à la différence des verbes en -*dre* (voir modèle **52**), le *p* est compatible avec la terminaison -*t* de la 3ᵉ personne du singulier *(il rompt)*.
Ainsi se conjuguent *corrompre* et *interrompre*.

INDICATIF

Présent		Passé composé		
je	romps	j'	ai	rompu
tu	romps	tu	as	rompu
il/elle	rompt	il/elle	a	rompu
nous	rompons	nous	avons	rompu
vous	rompez	vous	avez	rompu
ils/elles	rompent	ils/elles	ont	rompu

Imparfait		Plus-que-parfait		
je	rompais	j'	avais	rompu
tu	rompais	tu	avais	rompu
il/elle	rompait	il/elle	avait	rompu
nous	rompions	nous	avions	rompu
vous	rompiez	vous	aviez	rompu
ils/elles	rompaient	ils/elles	avaient	rompu

Passé simple		Passé antérieur		
je	rompis	j'	eus	rompu
tu	rompis	tu	eus	rompu
il/elle	rompit	il/elle	eut	rompu
nous	rompîmes	nous	eûmes	rompu
vous	rompîtes	vous	eûtes	rompu
ils/elles	rompirent	ils/elles	eurent	rompu

Futur simple		Futur antérieur		
je	romprai	j'	aurai	rompu
tu	rompras	tu	auras	rompu
il/elle	rompra	il/elle	aura	rompu
nous	romprons	nous	aurons	rompu
vous	romprez	vous	aurez	rompu
ils/elles	rompront	ils/elles	auront	rompu

SUBJONCTIF

Présent		
que	je	rompe
que	tu	rompes
qu'	il/elle	rompe
que	nous	rompions
que	vous	rompiez
qu'	ils/elles	rompent

Imparfait		
que	je	rompisse
que	tu	rompisses
qu'	il/elle	rompît
que	nous	rompissions
que	vous	rompissiez
qu'	ils/elles	rompissent

Passé			
que	j'	aie	rompu
que	tu	aies	rompu
qu'	il/elle	ait	rompu
que	nous	ayons	rompu
que	vous	ayez	rompu
qu'	ils/elles	aient	rompu

Plus-que-parfait			
que	j'	eusse	rompu
que	tu	eusses	rompu
qu'	il/elle	eût	rompu
que	nous	eussions	rompu
que	vous	eussiez	rompu
qu'	ils/elles	eussent	rompu

CONDITIONNEL

Présent		Passé 1ʳᵉ forme			Passé 2ᵉ forme		
je	romprais	j'	aurais	rompu	j'	eusse	rompu
tu	romprais	tu	aurais	rompu	tu	eusses	rompu
il/elle	romprait	il/elle	aurait	rompu	il/elle	eût	rompu
nous	romprions	nous	aurions	rompu	nous	eussions	rompu
vous	rompriez	vous	auriez	rompu	vous	eussiez	rompu
ils/elles	rompraient	ils/elles	auraient	rompu	ils/elles	eussent	rompu

IMPÉRATIF

Présent			Passé		
romps	rompons	rompez	aie rompu	ayons rompu	ayez rompu

INFINITIF

Présent	Passé
rompre	avoir rompu

PARTICIPE

Présent	Passé	Passé composé
rompant	rompu (e, s, es)	ayant rompu

VAINCRE

Le *c* de l'infinitif se change en *qu* devant une voyelle autre que *u (il vainquit, que je vainque)*.
À la 3ᵉ personne du singulier du présent de l'indicatif, le maintien du *c* de l'infinitif exclut la terminaison -*t (il vainc)*.
Ainsi se conjugue *convaincre*.

INDICATIF

Présent		Passé composé		
je	vaincs	j'	ai	vaincu
tu	vaincs	tu	as	vaincu
il/elle	vainc	il/elle	a	vaincu
nous	vainquons	nous	avons	vaincu
vous	vainquez	vous	avez	vaincu
ils/elles	vainquent	ils/elles	ont	vaincu

Imparfait		Plus-que-parfait		
je	vainquais	j'	avais	vaincu
tu	vainquais	tu	avais	vaincu
il/elle	vainquait	il/elle	avait	vaincu
nous	vainquions	nous	avions	vaincu
vous	vainquiez	vous	aviez	vaincu
ils/elles	vainquaient	ils/elles	avaient	vaincu

Passé simple		Passé antérieur		
je	vainquis	j'	eus	vaincu
tu	vainquis	tu	eus	vaincu
il/elle	vainquit	il/elle	eut	vaincu
nous	vainquîmes	nous	eûmes	vaincu
vous	vainquîtes	vous	eûtes	vaincu
ils/elles	vainquirent	ils/elles	eurent	vaincu

Futur simple		Futur antérieur		
je	vaincrai	j'	aurai	vaincu
tu	vaincras	tu	auras	vaincu
il/elle	vaincra	il/elle	aura	vaincu
nous	vaincrons	nous	aurons	vaincu
vous	vaincrez	vous	aurez	vaincu
ils/elles	vaincront	ils/elles	auront	vaincu

SUBJONCTIF

Présent		
que	je	vainque
que	tu	vainques
qu'	il/elle	vainque
que	nous	vainquions
que	vous	vainquiez
qu'	ils/elles	vainquent

Imparfait		
que	je	vainquisse
que	tu	vainquisses
qu'	il/elle	vainquît
que	nous	vainquissions
que	vous	vainquissiez
qu'	ils/elles	vainquissent

Passé			
que	j'	aie	vaincu
que	tu	aies	vaincu
qu'	il/elle	ait	vaincu
que	nous	ayons	vaincu
que	vous	ayez	vaincu
qu'	ils/elles	aient	vaincu

Plus-que-parfait			
que	j'	eusse	vaincu
que	tu	eusses	vaincu
qu'	il/elle	eût	vaincu
que	nous	eussions	vaincu
que	vous	eussiez	vaincu
qu'	ils/elles	eussent	vaincu

CONDITIONNEL

Présent		Passé 1ʳᵉ forme			Passé 2ᵉ forme		
je	vaincrais	j'	aurais	vaincu	j'	eusse	vaincu
tu	vaincrais	tu	aurais	vaincu	tu	eusses	vaincu
il/elle	vaincrait	il/elle	aurait	vaincu	il/elle	eût	vaincu
nous	vaincrions	nous	aurions	vaincu	nous	eussions	vaincu
vous	vaincriez	vous	auriez	vaincu	vous	eussiez	vaincu
ils/elles	vaincraient	ils/elles	auraient	vaincu	ils/elles	eussent	vaincu

IMPÉRATIF

Présent			Passé		
vaincs	vainquons	vainquez	aie vaincu	ayons vaincu	ayez vaincu

INFINITIF

Présent	Passé
vaincre	avoir vaincu

PARTICIPE

Présent	Passé	Passé composé
vainquant	vaincu (e, s, es)	ayant vaincu

Tableaux de conjugaison types

BATTRE

Tous les verbes de la famille de *battre* se conjuguent sur ce modèle (*combattre, rabattre,* etc.).

Les formes du singulier des présents de l'indicatif et de l'impératif perdent un *t* du radical.

Foutre et *se contrefoutre* (familiers) se conjuguent sur ce modèle.

INDICATIF

Présent		Passé composé		
je	bats	j'	ai	battu
tu	bats	tu	as	battu
il/elle	bat	il/elle	a	battu
nous	battons	nous	avons	battu
vous	battez	vous	avez	battu
ils/elles	battent	ils/elles	ont	battu

Imparfait		Plus-que-parfait		
je	battais	j'	avais	battu
tu	battais	tu	avais	battu
il/elle	battait	il/elle	avait	battu
nous	battions	nous	avions	battu
vous	battiez	vous	aviez	battu
ils/elles	battaient	ils/elles	avaient	battu

Passé simple		Passé antérieur		
je	battis	j'	eus	battu
tu	battis	tu	eus	battu
il/elle	battit	il/elle	eut	battu
nous	battîmes	nous	eûmes	battu
vous	battîtes	vous	eûtes	battu
ils/elles	battirent	ils/elles	eurent	battu

Futur simple		Futur antérieur		
je	battrai	j'	aurai	battu
tu	battras	tu	auras	battu
il/elle	battra	il/elle	aura	battu
nous	battrons	nous	aurons	battu
vous	battrez	vous	aurez	battu
ils/elles	battront	ils/elles	auront	battu

SUBJONCTIF

Présent		
que	je	batte
que	tu	battes
qu'	il/elle	batte
que	nous	battions
que	vous	battiez
qu'	ils/elles	battent

Imparfait		
que	je	battisse
que	tu	battisses
qu'	il/elle	battît
que	nous	battissions
que	vous	battissiez
qu'	ils/elles	battissent

Passé			
que	j'	aie	battu
que	tu	aies	battu
qu'	il/elle	ait	battu
que	nous	ayons	battu
que	vous	ayez	battu
qu'	ils/elles	aient	battu

Plus-que-parfait			
que	j'	eusse	battu
que	tu	eusses	battu
qu'	il/elle	eût	battu
que	nous	eussions	battu
que	vous	eussiez	battu
qu'	ils/elles	eussent	battu

CONDITIONNEL

Présent		Passé 1ʳᵉ forme			Passé 2ᵉ forme		
je	battrais	j'	aurais	battu	j'	eusse	battu
tu	battrais	tu	aurais	battu	tu	eusses	battu
il/elle	battrait	il/elle	aurait	battu	il/elle	eût	battu
nous	battrions	nous	aurions	battu	nous	eussions	battu
vous	battriez	vous	auriez	battu	vous	eussiez	battu
ils/elles	battraient	ils/elles	auraient	battu	ils/elles	eussent	battu

IMPÉRATIF

Présent			Passé		
bats	battons	battez	aie battu	ayons battu	ayez battu

INFINITIF

Présent	Passé
battre	avoir battu

PARTICIPE

Présent	Passé	Passé composé
battant	battu (e, s, es)	ayant battu

METTRE

Tous les verbes de la famille de *mettre* se conjuguent sur ce modèle (*commettre*, *remettre*, etc.).

Les formes du singulier des présents de l'indicatif et de l'impératif perdent un *t* du radical.

Le participe passé masculin singulier prend toujours un *s*.

INDICATIF

Présent		Passé composé		
je	mets	j'	ai	mis
tu	mets	tu	as	mis
il/elle	met	il/elle	a	mis
nous	mettons	nous	avons	mis
vous	mettez	vous	avez	mis
ils/elles	mettent	ils/elles	ont	mis

Imparfait		Plus-que-parfait		
je	mettais	j'	avais	mis
tu	mettais	tu	avais	mis
il/elle	mettait	il/elle	avait	mis
nous	mettions	nous	avions	mis
vous	mettiez	vous	aviez	mis
ils/elles	mettaient	ils/elles	avaient	mis

Passé simple		Passé antérieur		
je	mis	j'	eus	mis
tu	mis	tu	eus	mis
il/elle	mit	il/elle	eut	mis
nous	mîmes	nous	eûmes	mis
vous	mîtes	vous	eûtes	mis
ils/elles	mirent	ils/elles	eurent	mis

Futur simple		Futur antérieur		
je	mettrai	j'	aurai	mis
tu	mettras	tu	auras	mis
il/elle	mettra	il/elle	aura	mis
nous	mettrons	nous	aurons	mis
vous	mettrez	vous	aurez	mis
ils/elles	mettront	ils/elles	auront	mis

SUBJONCTIF

Présent		
que	je	mette
que	tu	mettes
qu'	il/elle	mette
que	nous	mettions
que	vous	mettiez
qu'	ils/elles	mettent

Imparfait		
que	je	misse
que	tu	misses
qu'	il/elle	mît
que	nous	missions
que	vous	missiez
qu'	ils/elles	missent

Passé			
que	j'	aie	mis
que	tu	aies	mis
qu'	il/elle	ait	mis
que	nous	ayons	mis
que	vous	ayez	mis
qu'	ils/elles	aient	mis

Plus-que-parfait			
que	j'	eusse	mis
que	tu	eusses	mis
qu'	il/elle	eût	mis
que	nous	eussions	mis
que	vous	eussiez	mis
qu'	ils/elles	eussent	mis

CONDITIONNEL

Présent		Passé 1ʳᵉ forme			Passé 2ᵉ forme		
je	mettrais	j'	aurais	mis	j'	eusse	mis
tu	mettrais	tu	aurais	mis	tu	eusses	mis
il/elle	mettrait	il/elle	aurait	mis	il/elle	eût	mis
nous	mettrions	nous	aurions	mis	nous	eussions	mis
vous	mettriez	vous	auriez	mis	vous	eussiez	mis
ils/elles	mettraient	ils/elles	auraient	mis	ils/elles	eussent	mis

IMPÉRATIF

Présent			Passé		
mets	mettons	mettez	aie mis	ayons mis	ayez mis

INFINITIF

Présent	Passé
mettre	avoir mis

PARTICIPE

Présent	Passé	Passé composé
mettant	mis (e, es)	ayant mis

Tableaux de conjugaison types

Se conjuguent sur ce modèle *paraître*, *paître* et les verbes de leur famille.
Tous les verbes en *-aître* prennent un accent circonflexe sur le *i* du radical qui précède un *t (il connaît, il paraîtra)*.
Remarques : 1. Les rectifications de l'orthographe de 1990 proposent d'harmoniser la conjugaison de ces verbes en écrivant *i* sans accent à toutes les formes *(il connait, il paraitra)*. **2.** *Paître* n'est employé ni aux temps composés, ni au passé simple, ni à l'imparfait du subjonctif.

INDICATIF

Présent		Passé composé		
je	connais	j'	ai	connu
tu	connais	tu	as	connu
il/elle	connaît	il/elle	a	connu
nous	connaissons	nous	avons	connu
vous	connaissez	vous	avez	connu
ils/elles	connaissent	ils/elles	ont	connu

Imparfait		Plus-que-parfait		
je	connaissais	j'	avais	connu
tu	connaissais	tu	avais	connu
il/elle	connaissait	il/elle	avait	connu
nous	connaissions	nous	avions	connu
vous	connaissiez	vous	aviez	connu
ils/elles	connaissaient	ils/elles	avaient	connu

Passé simple		Passé antérieur		
je	connus	j'	eus	connu
tu	connus	tu	eus	connu
il/elle	connut	il/elle	eut	connu
nous	connûmes	nous	eûmes	connu
vous	connûtes	vous	eûtes	connu
ils/elles	connurent	ils/elles	eurent	connu

Futur simple		Futur antérieur		
je	connaîtrai	j'	aurai	connu
tu	connaîtras	tu	auras	connu
il/elle	connaîtra	il/elle	aura	connu
nous	connaîtrons	nous	aurons	connu
vous	connaîtrez	vous	aurez	connu
ils/elles	connaîtront	ils/elles	auront	connu

SUBJONCTIF

Présent		
que	je	connaisse
que	tu	connaisses
qu'	il/elle	connaisse
que	nous	connaissions
que	vous	connaissiez
qu'	ils/elles	connaissent

Imparfait		
que	je	connusse
que	tu	connusses
qu'	il/elle	connût
que	nous	connussions
que	vous	connussiez
qu'	ils/elles	connussent

Passé			
que	j'	aie	connu
que	tu	aies	connu
qu'	il/elle	ait	connu
que	nous	ayons	connu
que	vous	ayez	connu
qu'	ils/elles	aient	connu

Plus-que-parfait			
que	j'	eusse	connu
que	tu	eusses	connu
qu'	il/elle	eût	connu
que	nous	eussions	connu
que	vous	eussiez	connu
qu'	ils/elles	eussent	connu

CONDITIONNEL

Présent		Passé 1ʳᵉ forme			Passé 2ᵉ forme		
je	connaîtrais	j'	aurais	connu	j'	eusse	connu
tu	connaîtrais	tu	aurais	connu	tu	eusses	connu
il/elle	connaîtrait	il/elle	aurait	connu	il/elle	eût	connu
nous	connaîtrions	nous	aurions	connu	nous	eussions	connu
vous	connaîtriez	vous	auriez	connu	vous	eussiez	connu
ils/elles	connaîtraient	ils/elles	auraient	connu	ils/elles	eussent	connu

IMPÉRATIF

Présent			Passé		
connais	connaissons	connaissez	aie connu	ayons connu	ayez connu

INFINITIF

Présent	Passé
connaître	avoir connu

PARTICIPE

Présent	Passé	Passé composé
connaissant	connu (e, s, es)	ayant connu

Naître et *renaître* prennent un accent circonflexe sur le *i* du radical qui précède un *t* (*il naît, il renaîtra*).

Remarque : Les rectifications de l'orthographe de 1990 proposent d'harmoniser la conjugaison de ces verbes en écrivant *i* sans accent à toutes les formes (*il nait, il renaitra*).

À noter : la forme particulière du participe passé *né*.

INDICATIF					SUBJONCTIF		
Présent		**Passé composé**			**Présent**		
je	nais	je	suis	né(e)	que	je	naisse
tu	nais	tu	es	né(e)	que	tu	naisses
il/elle	naît	il/elle	est	né(e)	qu'	il/elle	naisse
nous	naissons	nous	sommes	né(e)s	que	nous	naissions
vous	naissez	vous	êtes	né(e)s	que	vous	naissiez
ils/elles	naissent	ils/elles	sont	né(e)s	qu'	ils/elles	naissent
Imparfait		**Plus-que-parfait**			**Imparfait**		
je	naissais	j'	étais	né(e)	que	je	naquisse
tu	naissais	tu	étais	né(e)	que	tu	naquisses
il/elle	naissait	il/elle	était	né(e)	qu'	il/elle	naquît
nous	naissions	nous	étions	né(e)s	que	nous	naquissions
vous	naissiez	vous	étiez	né(e)s	que	vous	naquissiez
ils/elles	naissaient	ils/elles	étaient	né(e)s	qu'	ils/elles	naquissent
Passé simple		**Passé antérieur**			**Passé**		
je	naquis	je	fus	né(e)	que	je	sois	né(e)
tu	naquis	tu	fus	né(e)	que	tu	sois	né(e)
il/elle	naquit	il/elle	fut	né(e)	qu'	il/elle	soit	né(e)
nous	naquîmes	nous	fûmes	né(e)s	que	nous	soyons	né(e)s
vous	naquîtes	vous	fûtes	né(e)s	que	vous	soyez	né(e)s
ils/elles	naquirent	ils/elles	furent	né(e)s	qu'	ils/elles	soient	né(e)s
Futur simple		**Futur antérieur**			**Plus-que-parfait**		
je	naîtrai	je	serai	né(e)	que	je	fusse	né(e)
tu	naîtras	tu	seras	né(e)	que	tu	fusses	né(e)
il/elle	naîtra	il/elle	sera	né(e)	qu'	il/elle	fût	né(e)
nous	naîtrons	nous	serons	né(e)s	que	nous	fussions	né(e)s
vous	naîtrez	vous	serez	né(e)s	que	vous	fussiez	né(e)s
ils/elles	naîtront	ils/elles	seront	né(e)s	qu'	ils/elles	fussent	né(e)s

CONDITIONNEL							
Présent		**Passé 1ʳᵉ forme**			**Passé 2ᵉ forme**		
je	naîtrais	je	serais	né(e)	je	fusse	né(e)
tu	naîtrais	tu	serais	né(e)	tu	fusses	né(e)
il/elle	naîtrait	il/elle	serait	né(e)	il/elle	fût	né(e)
nous	naîtrions	nous	serions	né(e)s	nous	fussions	né(e)s
vous	naîtriez	vous	seriez	né(e)s	vous	fussiez	né(e)s
ils/elles	naîtraient	ils/elles	seraient	né(e)s	ils/elles	fussent	né(e)s

IMPÉRATIF					
Présent			**Passé**		
nais	naissons	naissez	sois né(e)	soyons né(e)s	soyez né(e)s

INFINITIF	
Présent	**Passé**
naître	être né (e, s, es)

PARTICIPE		
Présent	**Passé**	**Passé composé**
naissant	né (e, s, es)	étant né (e, s, es)

Tableaux de conjugaison types

Le verbe *croître* maintient l'accent circonflexe sur le *i* quand celui-ci est suivi d'un *t* (toutes les personnes du futur simple et du conditionnel présent) ainsi que pour toutes les formes homophones de celles de *croire* (*croître : il croît, il a crû – croire : il croit, il a cru*).

Ainsi se conjuguent *accroître*, *décroître* et *recroître*. Mais ces verbes ne prennent un accent circonflexe sur le *i* du radical que s'il précède un *t* (*il accroît*). Les participes passés de *accroître* et *décroître* s'écrivent sans accent circonflexe (*accru, décru*).

INDICATIF

Présent		Passé composé		
je	croîs	j'	ai	crû
tu	croîs	tu	as	crû
il/elle	croît	il/elle	a	crû
nous	croissons	nous	avons	crû
vous	croissez	vous	avez	crû
ils/elles	croissent	ils/elles	ont	crû

Imparfait		Plus-que-parfait		
je	croissais	j'	avais	crû
tu	croissais	tu	avais	crû
il/elle	croissait	il/elle	avait	crû
nous	croissions	nous	avions	crû
vous	croissiez	vous	aviez	crû
ils/elles	croissaient	ils/elles	avaient	crû

Passé simple		Passé antérieur		
je	crûs	j'	eus	crû
tu	crûs	tu	eus	crû
il/elle	crût	il/elle	eut	crû
nous	crûmes	nous	eûmes	crû
vous	crûtes	vous	eûtes	crû
ils/elles	crûrent	ils/elles	eurent	crû

Futur simple		Futur antérieur		
je	croîtrai	j'	aurai	crû
tu	croîtras	tu	auras	crû
il/elle	croîtra	il/elle	aura	crû
nous	croîtrons	nous	aurons	crû
vous	croîtrez	vous	aurez	crû
ils/elles	croîtront	ils/elles	auront	crû

SUBJONCTIF

Présent		
que	je	croisse
que	tu	croisses
qu'	il/elle	croisse
que	nous	croissions
que	vous	croissiez
qu'	ils/elles	croissent

Imparfait		
que	je	crûsse
que	tu	crûsses
qu'	il/elle	crût
que	nous	crûssions
que	vous	crûssiez
qu'	ils/elles	crûssent

Passé			
que	j'	aie	crû
que	tu	aies	crû
qu'	il/elle	ait	crû
que	nous	ayons	crû
que	vous	ayez	crû
qu'	ils/elles	aient	crû

Plus-que-parfait			
que	j'	eusse	crû
que	tu	eusses	crû
qu'	il/elle	eût	crû
que	nous	eussions	crû
que	vous	eussiez	crû
qu'	ils/elles	eussent	crû

CONDITIONNEL

Présent		Passé 1ʳᵉ forme			Passé 2ᵉ forme		
je	croîtrais	j'	aurais	crû	j'	eusse	crû
tu	croîtrais	tu	aurais	crû	tu	eusses	crû
il/elle	croîtrait	il/elle	aurait	crû	il/elle	eût	crû
nous	croîtrions	nous	aurions	crû	nous	eussions	crû
vous	croîtriez	vous	auriez	crû	vous	eussiez	crû
ils/elles	croîtraient	ils/elles	auraient	crû	ils/elles	eussent	crû

IMPÉRATIF

Présent			Passé		
croîs	croissons	croissez	aie crû	ayons crû	ayez crû

INFINITIF

Présent	Passé
croître	avoir crû

PARTICIPE

Présent	Passé	Passé composé
croissant	crû (e, s, es)	ayant crû

Seul le verbe *croire* se conjugue sur ce modèle.

On ne place jamais d'accent circonflexe sur les formes de ce verbe, sauf aux deux premières personnes du pluriel du passé simple et à la 3ᵉ personne du singulier de l'imparfait du subjonctif qui sont alors homographes de celles du verbe *croître*.

Aux 3ᵉˢ personnes du pluriel du présent de l'indicatif et du présent du subjonctif, on doit placer un *i* et non un *y* ; erreur très fréquente, surtout à l'oral.

Accroire ne s'utilise qu'à l'infinitif.

INDICATIF

Présent		Passé composé		
je	crois	j'	ai	cru
tu	crois	tu	as	cru
il/elle	croit	il/elle	a	cru
nous	croyons	nous	avons	cru
vous	croyez	vous	avez	cru
ils/elles	croient	ils/elles	ont	cru

Imparfait		Plus-que-parfait		
je	croyais	j'	avais	cru
tu	croyais	tu	avais	cru
il/elle	croyait	il/elle	avait	cru
nous	croyions	nous	avions	cru
vous	croyiez	vous	aviez	cru
ils/elles	croyaient	ils/elles	avaient	cru

Passé simple		Passé antérieur		
je	crus	j'	eus	cru
tu	crus	tu	eus	cru
il/elle	crut	il/elle	eut	cru
nous	crûmes	nous	eûmes	cru
vous	crûtes	vous	eûtes	cru
ils/elles	crurent	ils/elles	eurent	cru

Futur simple		Futur antérieur		
je	croirai	j'	aurai	cru
tu	croiras	tu	auras	cru
il/elle	croira	il/elle	aura	cru
nous	croirons	nous	aurons	cru
vous	croirez	vous	aurez	cru
ils/elles	croiront	ils/elles	auront	cru

SUBJONCTIF

Présent		
que	je	croie
que	tu	croies
qu'	il/elle	croie
que	nous	croyions
que	vous	croyiez
qu'	ils/elles	croient

Imparfait		
que	je	crusse
que	tu	crusses
qu'	il/elle	crût
que	nous	crussions
que	vous	crussiez
qu'	ils/elles	crussent

Passé			
que	j'	aie	cru
que	tu	aies	cru
qu'	il/elle	ait	cru
que	nous	ayons	cru
que	vous	ayez	cru
qu'	ils/elles	aient	cru

Plus-que-parfait			
que	j'	eusse	cru
que	tu	eusses	cru
qu'	il/elle	eût	cru
que	nous	eussions	cru
que	vous	eussiez	cru
qu'	ils/elles	eussent	cru

CONDITIONNEL

Présent		Passé 1ʳᵉ forme			Passé 2ᵉ forme		
je	croirais	j'	aurais	cru	j'	eusse	cru
tu	croirais	tu	aurais	cru	tu	eusses	cru
il/elle	croirait	il/elle	aurait	cru	il/elle	eût	cru
nous	croirions	nous	aurions	cru	nous	eussions	cru
vous	croiriez	vous	auriez	cru	vous	eussiez	cru
ils/elles	croiraient	ils/elles	auraient	cru	ils/elles	eussent	cru

IMPÉRATIF

Présent			Passé		
crois	croyons	croyez	aie cru	ayons cru	ayez cru

INFINITIF

Présent	Passé
croire	avoir cru

PARTICIPE

Présent	Passé	Passé composé
croyant	cru (e, s, es)	ayant cru

Tableaux de conjugaison types

Ainsi se conjuguent *complaire, déplaire* et *taire*. Ce dernier ne prend pas d'accent circonflexe à la 3ᵉ personne du singulier du présent de l'indicatif *(il tait)* et a un participe passé variable *(elles se sont tues)*, alors que ceux de *plaire, déplaire, complaire* sont invariables *(elles se sont plu)*.

Remarque : Les rectifications de l'orthographe de 1990 proposent d'écrire *i* sans accent *(il plait)*.

INDICATIF

Présent		Passé composé		
je	plais	j'	ai	plu
tu	plais	tu	as	plu
il/elle	plaît	il/elle	a	plu
nous	plaisons	nous	avons	plu
vous	plaisez	vous	avez	plu
ils/elles	plaisent	ils/elles	ont	plu

Imparfait		Plus-que-parfait		
je	plaisais	j'	avais	plu
tu	plaisais	tu	avais	plu
il/elle	plaisait	il/elle	avait	plu
nous	plaisions	nous	avions	plu
vous	plaisiez	vous	aviez	plu
ils/elles	plaisaient	ils/elles	avaient	plu

Passé simple		Passé antérieur		
je	plus	j'	eus	plu
tu	plus	tu	eus	plu
il/elle	plut	il/elle	eut	plu
nous	plûmes	nous	eûmes	plu
vous	plûtes	vous	eûtes	plu
ils/elles	plurent	ils/elles	eurent	plu

Futur simple		Futur antérieur		
je	plairai	j'	aurai	plu
tu	plairas	tu	auras	plu
il/elle	plaira	il/elle	aura	plu
nous	plairons	nous	aurons	plu
vous	plairez	vous	aurez	plu
ils/elles	plairont	ils/elles	auront	plu

SUBJONCTIF

Présent		
que	je	plaise
que	tu	plaises
qu'	il/elle	plaise
que	nous	plaisions
que	vous	plaisiez
qu'	ils/elles	plaisent

Imparfait		
que	je	plusse
que	tu	plusses
qu'	il/elle	plût
que	nous	plussions
que	vous	plussiez
qu'	ils/elles	plussent

Passé			
que	j'	aie	plu
que	tu	aies	plu
qu'	il/elle	ait	plu
que	nous	ayons	plu
que	vous	ayez	plu
qu'	ils/elles	aient	plu

Plus-que-parfait			
que	j'	eusse	plu
que	tu	eusses	plu
qu'	il/elle	eût	plu
que	nous	eussions	plu
que	vous	eussiez	plu
qu'	ils/elles	eussent	plu

CONDITIONNEL

Présent		Passé 1ʳᵉ forme			Passé 2ᵉ forme		
je	plairais	j'	aurais	plu	j'	eusse	plu
tu	plairais	tu	aurais	plu	tu	eusses	plu
il/elle	plairait	il/elle	aurait	plu	il/elle	eût	plu
nous	plairions	nous	aurions	plu	nous	eussions	plu
vous	plairiez	vous	auriez	plu	vous	eussiez	plu
ils/elles	plairaient	ils/elles	auraient	plu	ils/elles	eussent	plu

IMPÉRATIF

Présent			Passé		
plais	plaisons	plaisez	aie plu	ayons plu	ayez plu

INFINITIF

Présent	Passé
plaire	avoir plu

PARTICIPE

Présent	Passé	Passé composé
plaisant	plu	ayant plu

Ainsi se conjuguent les verbes de la famille de *traire* (*extraire*, *abstraire*, etc.) et *braire*, qui ne s'emploie qu'aux troisièmes personnes du présent de l'indicatif, du futur simple et du présent du conditionnel.

Aux 3ᵉˢ personnes du pluriel du présent de l'indicatif et du présent du subjonctif, on doit placer un *i* et non un *y*.

INDICATIF					SUBJONCTIF			
Présent		**Passé composé**			**Présent**			
je	trais	j'	ai	trait	que	je	traie	
tu	trais	tu	as	trait	que	tu	traies	
il/elle	trait	il/elle	a	trait	qu'	il/elle	traie	
nous	trayons	nous	avons	trait	que	nous	trayions	
vous	trayez	vous	avez	trait	que	vous	trayiez	
ils/elles	traient	ils/elles	ont	trait	qu'	ils/elles	traient	
Imparfait		**Plus-que-parfait**			**Imparfait**			
je	trayais	j'	avais	trait	*inusité*			
tu	trayais	tu	avais	trait				
il/elle	trayait	il/elle	avait	trait				
nous	trayions	nous	avions	trait				
vous	trayiez	vous	aviez	trait				
ils/elles	trayaient	ils/elles	avaient	trait				
Passé simple		**Passé antérieur**			**Passé**			
inusité		j'	eus	trait	que	j'	aie	trait
		tu	eus	trait	que	tu	aies	trait
		il/elle	eut	trait	qu'	il/elle	ait	trait
		nous	eûmes	trait	que	nous	ayons	trait
		vous	eûtes	trait	que	vous	ayez	trait
		ils/elles	eurent	trait	qu'	ils/elles	aient	trait
Futur simple		**Futur antérieur**			**Plus-que-parfait**			
je	trairai	j'	aurai	trait	que	j'	eusse	trait
tu	trairas	tu	auras	trait	que	tu	eusses	trait
il/elle	traira	il/elle	aura	trait	qu'	il/elle	eût	trait
nous	trairons	nous	aurons	trait	que	nous	eussions	trait
vous	trairez	vous	aurez	trait	que	vous	eussiez	trait
ils/elles	trairont	ils/elles	auront	trait	qu'	ils/elles	eussent	trait

CONDITIONNEL							
Présent		**Passé 1ʳᵉ forme**			**Passé 2ᵉ forme**		
je	trairais	j'	aurais	trait	j'	eusse	trait
tu	trairais	tu	aurais	trait	tu	eusses	trait
il/elle	trairait	il/elle	aurait	trait	il/elle	eût	trait
nous	trairions	nous	aurions	trait	nous	eussions	trait
vous	trairiez	vous	auriez	trait	vous	eussiez	trait
ils/elles	trairaient	ils/elles	auraient	trait	ils/elles	eussent	trait

IMPÉRATIF					
Présent			**Passé**		
trais	trayons	trayez	aie trait	ayons trait	ayez trait

INFINITIF		PARTICIPE		
Présent	**Passé**	**Présent**	**Passé**	**Passé composé**
traire	avoir trait	trayant	trait (e, s, es)	ayant trait

Tableaux de conjugaison types

Se conjuguent sur ce modèle *poursuivre* et *s'ensuivre*.

Remarques : 1. La forme *je suis* est homographe de la 1ʳᵉ personne du singulier du présent de l'indicatif du verbe *être*. **2.** *S'ensuivre* ne se conjugue qu'à la 3ᵉ personne (du singulier ou du pluriel) et plus particulièrement dans l'expression *et tout ce qui s'ensuit.*

INDICATIF					SUBJONCTIF			
Présent		**Passé composé**			**Présent**			
je	suis	j'	ai	suivi	que	je	suive	
tu	suis	tu	as	suivi	que	tu	suives	
il/elle	suit	il/elle	a	suivi	qu'	il/elle	suive	
nous	suivons	nous	avons	suivi	que	nous	suivions	
vous	suivez	vous	avez	suivi	que	vous	suiviez	
ils/elles	suivent	ils/elles	ont	suivi	qu'	ils/elles	suivent	
Imparfait		**Plus-que-parfait**			**Imparfait**			
je	suivais	j'	avais	suivi	que	je	suivisse	
tu	suivais	tu	avais	suivi	que	tu	suivisses	
il/elle	suivait	il/elle	avait	suivi	qu'	il/elle	suivît	
nous	suivions	nous	avions	suivi	que	nous	suivissions	
vous	suiviez	vous	aviez	suivi	que	vous	suivissiez	
ils/elles	suivaient	ils/elles	avaient	suivi	qu'	ils/elles	suivissent	
Passé simple		**Passé antérieur**			**Passé**			
je	suivis	j'	eus	suivi	que	j'	aie	suivi
tu	suivis	tu	eus	suivi	que	tu	aies	suivi
il/elle	suivit	il/elle	eut	suivi	qu'	il/elle	ait	suivi
nous	suivîmes	nous	eûmes	suivi	que	nous	ayons	suivi
vous	suivîtes	vous	eûtes	suivi	que	vous	ayez	suivi
ils/elles	suivirent	ils/elles	eurent	suivi	qu'	ils/elles	aient	suivi
Futur simple		**Futur antérieur**			**Plus-que-parfait**			
je	suivrai	j'	aurai	suivi	que	j'	eusse	suivi
tu	suivras	tu	auras	suivi	que	tu	eusses	suivi
il/elle	suivra	il/elle	aura	suivi	qu'	il/elle	eût	suivi
nous	suivrons	nous	aurons	suivi	que	nous	eussions	suivi
vous	suivrez	vous	aurez	suivi	que	vous	eussiez	suivi
ils/elles	suivront	ils/elles	auront	suivi	qu'	ils/elles	eussent	suivi

CONDITIONNEL							
Présent		**Passé 1ʳᵉ forme**			**Passé 2ᵉ forme**		
je	suivrais	j'	aurais	suivi	j'	eusse	suivi
tu	suivrais	tu	aurais	suivi	tu	eusses	suivi
il/elle	suivrait	il/elle	aurait	suivi	il/elle	eût	suivi
nous	suivrions	nous	aurions	suivi	nous	eussions	suivi
vous	suivriez	vous	auriez	suivi	vous	eussiez	suivi
ils/elles	suivraient	ils/elles	auraient	suivi	ils/elles	eussent	suivi

IMPÉRATIF					
Présent			**Passé**		
suis	suivons	suivez	aie suivi	ayons suivi	ayez suivi

INFINITIF		PARTICIPE		
Présent	**Passé**	**Présent**	**Passé**	**Passé composé**
suivre	avoir suivi	suivant	suivi (e, s, es)	ayant suivi

Ainsi se conjuguent *revivre* et *survivre*.
Le participe passé de *survivre (survécu)* est invariable.

INDICATIF				SUBJONCTIF			
Présent		**Passé composé**		**Présent**			
je	vis	j'	ai vécu	que	je	vive	
tu	vis	tu	as vécu	que	tu	vives	
il/elle	vit	il/elle	a vécu	qu'	il/elle	vive	
nous	vivons	nous	avons vécu	que	nous	vivions	
vous	vivez	vous	avez vécu	que	vous	viviez	
ils/elles	vivent	ils/elles	ont vécu	qu'	ils/elles	vivent	
Imparfait		**Plus-que-parfait**		**Imparfait**			
je	vivais	j'	avais vécu	que	je	vécusse	
tu	vivais	tu	avais vécu	que	tu	vécusses	
il/elle	vivait	il/elle	avait vécu	qu'	il/elle	vécût	
nous	vivions	nous	avions vécu	que	nous	vécussions	
vous	viviez	vous	aviez vécu	que	vous	vécussiez	
ils/elles	vivaient	ils/elles	avaient vécu	qu'	ils/elles	vécussent	
Passé simple		**Passé antérieur**		**Passé**			
je	vécus	j'	eus vécu	que	j'	aie vécu	
tu	vécus	tu	eus vécu	que	tu	aies vécu	
il/elle	vécut	il/elle	eut vécu	qu'	il/elle	ait vécu	
nous	vécûmes	nous	eûmes vécu	que	nous	ayons vécu	
vous	vécûtes	vous	eûtes vécu	que	vous	ayez vécu	
ils/elles	vécurent	ils/elles	eurent vécu	qu'	ils/elles	aient vécu	
Futur simple		**Futur antérieur**		**Plus-que-parfait**			
je	vivrai	j'	aurai vécu	que	j'	eusse vécu	
tu	vivras	tu	auras vécu	que	tu	eusses vécu	
il/elle	vivra	il/elle	aura vécu	qu'	il/elle	eût vécu	
nous	vivrons	nous	aurons vécu	que	nous	eussions vécu	
vous	vivrez	vous	aurez vécu	que	vous	eussiez vécu	
ils/elles	vivront	ils/elles	auront vécu	qu'	ils/elles	eussent vécu	

CONDITIONNEL					
Présent		**Passé 1ʳᵉ forme**		**Passé 2ᵉ forme**	
je	vivrais	j'	aurais vécu	j'	eusse vécu
tu	vivrais	tu	aurais vécu	tu	eusses vécu
il/elle	vivrait	il/elle	aurait vécu	il/elle	eût vécu
nous	vivrions	nous	aurions vécu	nous	eussions vécu
vous	vivriez	vous	auriez vécu	vous	eussiez vécu
ils/elles	vivraient	ils/elles	auraient vécu	ils/elles	eussent vécu

IMPÉRATIF					
Présent			**Passé**		
vis	vivons	vivez	aie vécu	ayons vécu	ayez vécu

INFINITIF		PARTICIPE		
Présent	**Passé**	**Présent**	**Passé**	**Passé composé**
vivre	avoir vécu	vivant	vécu (e, s, es)	ayant vécu

Tableaux de conjugaison types

Se conjuguent sur ce modèle *confire*, *frire*, mais leur participe passé est en *-it (confit, confite ; frit, frite)*, et *circoncire*, mais son participe passé est en *-is (circoncis, circoncise)*.
Remarque : *Frire* ne s'emploie couramment qu'à l'infinitif et au participe passé. On trouve parfois le présent de l'indicatif (mais seulement au singulier), le futur simple et les temps composés.
Le participe passé *suffi* est invariable, même à la forme pronominale : *Ils se sont suffi à eux-mêmes.*

INDICATIF

Présent		Passé composé		
je	suffis	j'	ai	suffi
tu	suffis	tu	as	suffi
il/elle	suffit	il/elle	a	suffi
nous	suffisons	nous	avons	suffi
vous	suffisez	vous	avez	suffi
ils/elles	suffisent	ils/elles	ont	suffi

Imparfait		Plus-que-parfait		
je	suffisais	j'	avais	suffi
tu	suffisais	tu	avais	suffi
il/elle	suffisait	il/elle	avait	suffi
nous	suffisions	nous	avions	suffi
vous	suffisiez	vous	aviez	suffi
ils/elles	suffisaient	ils/elles	avaient	suffi

Passé simple		Passé antérieur		
je	suffis	j'	eus	suffi
tu	suffis	tu	eus	suffi
il/elle	suffit	il/elle	eut	suffi
nous	suffîmes	nous	eûmes	suffi
vous	suffîtes	vous	eûtes	suffi
ils/elles	suffirent	ils/elles	eurent	suffi

Futur simple		Futur antérieur		
je	suffirai	j'	aurai	suffi
tu	suffiras	tu	auras	suffi
il/elle	suffira	il/elle	aura	suffi
nous	suffirons	nous	aurons	suffi
vous	suffirez	vous	aurez	suffi
ils/elles	suffiront	ils/elles	auront	suffi

SUBJONCTIF

Présent		
que	je	suffise
que	tu	suffises
qu'	il	suffise
que	nous	suffisions
que	vous	suffisiez
qu'	ils/elles	suffisent

Imparfait		
que	je	suffisse
que	tu	suffisses
qu'	il	suffît
que	nous	suffissions
que	vous	suffissiez
qu'	ils/elles	suffissent

Passé			
que	j'	aie	suffi
que	tu	aies	suffi
qu'	il	ait	suffi
que	nous	ayons	suffi
que	vous	ayez	suffi
qu'	ils/elles	aient	suffi

Plus-que-parfait			
que	j'	eusse	suffi
que	tu	eusses	suffi
qu'	il	eût	suffi
que	nous	eussions	suffi
que	vous	eussiez	suffi
qu'	ils/elles	eussent	suffi

CONDITIONNEL

Présent		Passé 1ʳᵉ forme			Passé 2ᵉ forme		
je	suffirais	j'	aurais	suffi	j'	eusse	suffi
tu	suffirais	tu	aurais	suffi	tu	eusses	suffi
il	suffirait	il	aurait	suffi	il	eût	suffi
nous	suffirions	nous	aurions	suffi	nous	eussions	suffi
vous	suffiriez	vous	auriez	suffi	vous	eussiez	suffi
ils/elles	suffiraient	ils/elles	auraient	suffi	ils/elles	eussent	suffi

IMPÉRATIF

Présent			Passé		
suffis	suffisons	suffisez	aie suffi	ayons suffi	ayez suffi

INFINITIF

Présent	Passé
suffire	avoir suffi

PARTICIPE

Présent	Passé	Passé composé
suffisant	suffi	ayant suffi

Dire (et *redire*) ont la particularité d'avoir leurs 2ᵉˢ personnes du pluriel des présents de l'indicatif et de l'impératif en *-tes*, et non en *-ez*.

Les autres verbes qui se conjuguent sur ce modèle (*contredire, dédire, interdire, médire* et *prédire*) font bien leur 2ᵉ personne du pluriel en *-ez* (Ex. : *vous contredisez, vous prédisez*).

INDICATIF

Présent		Passé composé		
je	dis	j'	ai	dit
tu	dis	tu	as	dit
il/elle	dit	il/elle	a	dit
nous	disons	nous	avons	dit
vous	**dites**	vous	avez	dit
ils/elles	disent	ils/elles	ont	dit

Imparfait		Plus-que-parfait		
je	disais	j'	avais	dit
tu	disais	tu	avais	dit
il/elle	disait	il/elle	avait	dit
nous	disions	nous	avions	dit
vous	disiez	vous	aviez	dit
ils/elles	disaient	ils/elles	avaient	dit

Passé simple		Passé antérieur		
je	dis	j'	eus	dit
tu	dis	tu	eus	dit
il/elle	dit	il/elle	eut	dit
nous	dîmes	nous	eûmes	dit
vous	dîtes	vous	eûtes	dit
ils/elles	dirent	ils/elles	eurent	dit

Futur simple		Futur antérieur		
je	dirai	j'	aurai	dit
tu	diras	tu	auras	dit
il/elle	dira	il/elle	aura	dit
nous	dirons	nous	aurons	dit
vous	direz	vous	aurez	dit
ils/elles	diront	ils/elles	auront	dit

SUBJONCTIF

Présent		
que	je	dise
que	tu	dises
qu'	il/elle	dise
que	nous	disions
que	vous	disiez
qu'	ils/elles	disent

Imparfait		
que	je	disse
que	tu	disses
qu'	il/elle	dît
que	nous	dissions
que	vous	dissiez
qu'	ils/elles	dissent

Passé			
que	j'	aie	dit
que	tu	aies	dit
qu'	il/elle	ait	dit
que	nous	ayons	dit
que	vous	ayez	dit
qu'	ils/elles	aient	dit

Plus-que-parfait			
que	j'	eusse	dit
que	tu	eusses	dit
qu'	il/elle	eût	dit
que	nous	eussions	dit
que	vous	eussiez	dit
qu'	ils/elles	eussent	dit

CONDITIONNEL

Présent		Passé 1ʳᵉ forme			Passé 2ᵉ forme		
je	dirais	j'	aurais	dit	j'	eusse	dit
tu	dirais	tu	aurais	dit	tu	eusses	dit
il/elle	dirait	il/elle	aurait	dit	il/elle	eût	dit
nous	dirions	nous	aurions	dit	nous	eussions	dit
vous	diriez	vous	auriez	dit	vous	eussiez	dit
ils/elles	diraient	ils/elles	auraient	dit	ils/elles	eussent	dit

IMPÉRATIF

Présent			Passé		
dis	disons	**dites**	aie dit	ayons dit	ayez dit

INFINITIF

Présent	Passé
dire	avoir dit

PARTICIPE

Présent	Passé	Passé composé
disant	dit (e, s, es)	ayant dit

Tableaux de conjugaison types

MAUDIRE

Bien que construit sur *dire*, *maudire* ne garde de ce verbe que l'infinitif et le participe passé. Tout le reste de sa conjugaison se fait sur le modèle des verbes du 2ᵉ groupe (voir modèle **20**) : *nous maudissons, maudissant.*

INDICATIF

Présent		Passé composé		
je	maudis	j'	ai	maudit
tu	maudis	tu	as	maudit
il/elle	maudit	il/elle	a	maudit
nous	maudissons	nous	avons	maudit
vous	maudissez	vous	avez	maudit
ils/elles	maudissent	ils	ont	maudit

Imparfait		Plus-que-parfait		
je	maudissais	j'	avais	maudit
tu	maudissais	tu	avais	maudit
il/elle	maudissait	il/elle	avait	maudit
nous	maudissions	nous	avions	maudit
vous	maudissiez	vous	aviez	maudit
ils/elles	maudissaient	ils	avaient	maudit

Passé simple		Passé antérieur		
je	maudis	j'	eus	maudit
tu	maudis	tu	eus	maudit
il/elle	maudit	il/elle	eut	maudit
nous	maudîmes	nous	eûmes	maudit
vous	maudîtes	vous	eûtes	maudit
ils/elles	maudirent	ils	eurent	maudit

Futur simple		Futur antérieur		
je	maudirai	j'	aurai	maudit
tu	maudiras	tu	auras	maudit
il/elle	maudira	il/elle	aura	maudit
nous	maudirons	nous	aurons	maudit
vous	maudirez	vous	aurez	maudit
ils/elles	maudiront	ils	auront	maudit

SUBJONCTIF

Présent		
que	je	maudisse
que	tu	maudisses
qu'	il/elle	maudisse
que	nous	maudissions
que	vous	maudissiez
qu'	ils/elles	maudissent

Imparfait		
que	je	maudisse
que	tu	maudisses
qu'	il/elle	maudît
que	nous	maudissions
que	vous	maudissiez
qu'	ils/elles	maudissent

Passé			
que	j'	aie	maudit
que	tu	aies	maudit
qu'	il/elle	ait	maudit
que	nous	ayons	maudit
que	vous	ayez	maudit
qu'	ils/elles	aient	maudit

Plus-que-parfait			
que	j'	eusse	maudit
que	tu	eusses	maudit
qu'	il/elle	eût	maudit
que	nous	eussions	maudit
que	vous	eussiez	maudit
qu'	ils/elles	eussent	maudit

CONDITIONNEL

Présent		Passé 1ʳᵉ forme			Passé 2ᵉ forme		
je	maudirais	j'	aurais	maudit	j'	eusse	maudit
tu	maudirais	tu	aurais	maudit	tu	eusses	maudit
il/elle	maudirait	il/elle	aurait	maudit	il/elle	eût	maudit
nous	maudirions	nous	aurions	maudit	nous	eussions	maudit
vous	maudiriez	vous	auriez	maudit	vous	eussiez	maudit
ils/elles	maudiraient	ils/elles	auraient	maudit	ils/elles	eussent	maudit

IMPÉRATIF

Présent			Passé		
maudis	maudissons	maudissez	aie maudit	ayons maudit	ayez maudit

INFINITIF

Présent	Passé
maudire	avoir maudit

PARTICIPE

Présent	Passé	Passé composé
maudissant	maudit (e, s, es)	ayant maudit

Ainsi se conjuguent *relire, élire* et *réélire*.

Remarque : *Élire* et *réélire* ont bien un passé simple en *-u- (ils élurent)* et non pas en *-i-* comme on le rencontre parfois, peut-être par confusion avec son synonyme *choisir.*

INDICATIF

Présent		Passé composé		
je	lis	j'	ai	lu
tu	lis	tu	as	lu
il/elle	lit	il/elle	a	lu
nous	lisons	nous	avons	lu
vous	lisez	vous	avez	lu
ils/elles	lisent	ils/elles	ont	lu

Imparfait		Plus-que-parfait		
je	lisais	j'	avais	lu
tu	lisais	tu	avais	lu
il/elle	lisait	il/elle	avait	lu
nous	lisions	nous	avions	lu
vous	lisiez	vous	aviez	lu
ils/elles	lisaient	ils/elles	avaient	lu

Passé simple		Passé antérieur		
je	lus	j'	eus	lu
tu	lus	tu	eus	lu
il/elle	lut	il/elle	eut	lu
nous	lûmes	nous	eûmes	lu
vous	lûtes	vous	eûtes	lu
ils/elles	lurent	ils/elles	eurent	lu

Futur simple		Futur antérieur		
je	lirai	j'	aurai	lu
tu	liras	tu	auras	lu
il/elle	lira	il/elle	aura	lu
nous	lirons	nous	aurons	lu
vous	lirez	vous	aurez	lu
ils/elles	liront	ils/elles	auront	lu

SUBJONCTIF

Présent		
que	je	lise
que	tu	lises
qu'	il/elle	lise
que	nous	lisions
que	vous	lisiez
qu'	ils/elles	lisent

Imparfait		
que	je	lusse
que	tu	lusses
qu'	il/elle	lût
que	nous	lussions
que	vous	lussiez
qu'	ils/elles	lussent

Passé			
que	j'	aie	lu
que	tu	aies	lu
qu'	il/elle	ait	lu
que	nous	ayons	lu
que	vous	ayez	lu
qu'	ils/elles	aient	lu

Plus-que-parfait			
que	j'	eusse	lu
que	tu	eusses	lu
qu'	il/elle	eût	lu
que	nous	eussions	lu
que	vous	eussiez	lu
qu'	ils/elles	eussent	lu

CONDITIONNEL

Présent		Passé 1ʳᵉ forme			Passé 2ᵉ forme		
je	lirais	j'	aurais	lu	j'	eusse	lu
tu	lirais	tu	aurais	lu	tu	eusses	lu
il/elle	lirait	il/elle	aurait	lu	il/elle	eût	lu
nous	lirions	nous	aurions	lu	nous	eussions	lu
vous	liriez	vous	auriez	lu	vous	eussiez	lu
ils/elles	liraient	ils/elles	auraient	lu	ils/elles	eussent	lu

IMPÉRATIF

Présent			Passé		
lis	lisons	lisez	aie lu	ayons lu	ayez lu

INFINITIF

Présent	Passé
lire	avoir lu

PARTICIPE

Présent	Passé	Passé composé
lisant	lu (e, s, es)	ayant lu

Tableaux de conjugaison types

Ainsi se conjuguent tous les verbes qui se terminent par *-crire* (*inscrire, prescrire, réécrire, transcrire, souscrire*, etc.).

INDICATIF

Présent		Passé composé		
j'	écris	j'	ai	écrit
tu	écris	tu	as	écrit
il/elle	écrit	il/elle	a	écrit
nous	écrivons	nous	avons	écrit
vous	écrivez	vous	avez	écrit
ils/elles	écrivent	ils/elles	ont	écrit

Imparfait		Plus-que-parfait		
j'	écrivais	j'	avais	écrit
tu	écrivais	tu	avais	écrit
il/elle	écrivait	il/elle	avait	écrit
nous	écrivions	nous	avions	écrit
vous	écriviez	vous	aviez	écrit
ils/elles	écrivaient	ils/elles	avaient	écrit

Passé simple		Passé antérieur		
j'	écrivis	j'	eus	écrit
tu	écrivis	tu	eus	écrit
il/elle	écrivit	il/elle	eut	écrit
nous	écrivîmes	nous	eûmes	écrit
vous	écrivîtes	vous	eûtes	écrit
ils/elles	écrivirent	ils/elles	eurent	écrit

Futur simple		Futur antérieur		
j'	écrirai	j'	aurai	écrit
tu	écriras	tu	auras	écrit
il/elle	écrira	il/elle	aura	écrit
nous	écrirons	nous	aurons	écrit
vous	écrirez	vous	aurez	écrit
ils/elles	écriront	ils/elles	auront	écrit

SUBJONCTIF

Présent		
que	j'	écrive
que	tu	écrives
qu'	il/elle	écrive
que	nous	écrivions
que	vous	écriviez
qu'	ils/elles	écrivent

Imparfait		
que	j'	écrivisse
que	tu	écrivisses
qu'	il/elle	écrivît
que	nous	écrivissions
que	vous	écrivissiez
qu'	ils/elles	écrivissent

Passé			
que	j'	aie	écrit
que	tu	aies	écrit
qu'	il/elle	ait	écrit
que	nous	ayons	écrit
que	vous	ayez	écrit
qu'	ils/elles	aient	écrit

Plus-que-parfait			
que	j'	eusse	écrit
que	tu	eusses	écrit
qu'	il/elle	eût	écrit
que	nous	eussions	écrit
que	vous	eussiez	écrit
qu'	ils/elles	eussent	écrit

CONDITIONNEL

Présent		Passé 1re forme			Passé 2e forme		
j'	écrirais	j'	aurais	écrit	j'	eusse	écrit
tu	écrirais	tu	aurais	écrit	tu	eusses	écrit
il/elle	écrirait	il/elle	aurait	écrit	il/elle	eût	écrit
nous	écririons	nous	aurions	écrit	nous	eussions	écrit
vous	écririez	vous	auriez	écrit	vous	eussiez	écrit
ils/elles	écriraient	ils/elles	auraient	écrit	ils/elles	eussent	écrit

IMPÉRATIF

Présent			Passé		
écris	écrivons	écrivez	aie écrit	ayons écrit	ayez écrit

INFINITIF

Présent	Passé
écrire	avoir écrit

PARTICIPE

Présent	Passé	Passé composé
écrivant	écrit (e, s, es)	ayant écrit

Ainsi se conjugue le verbe *sourire*.
Remarque : Noter le participe passé invariable des deux verbes *(Elles se sont souri en se reconnaissant* et *Ils se sont ri des difficultés).*
Aux deux premières personnes du pluriel de l'imparfait de l'indicatif et du présent du subjonctif, ne pas oublier les deux *i* : un pour le radical et un pour la terminaison.

INDICATIF				SUBJONCTIF		
Présent		**Passé composé**		**Présent**		
je	ris	j'	ai ri	que	je	rie
tu	ris	tu	as ri	que	tu	ries
il/elle	rit	il/elle	a ri	qu'	il/elle	rie
nous	rions	nous	avons ri	que	nous	riions
vous	riez	vous	avez ri	que	vous	riiez
ils/elles	rient	ils/elles	ont ri	qu'	ils/elles	rient
Imparfait		**Plus-que-parfait**		**Imparfait**		
je	riais	j'	avais ri	que	je	risse
tu	riais	tu	avais ri	que	tu	risses
il/elle	riait	il/elle	avait ri	qu'	il/elle	rît
nous	riions	nous	avions ri	que	nous	rissions
vous	riiez	vous	aviez ri	que	vous	rissiez
ils/elles	riaient	ils/elles	avaient ri	qu'	ils/elles	rissent
Passé simple		**Passé antérieur**		**Passé**		
je	ris	j'	eus ri	que	j'	aie ri
tu	ris	tu	eus ri	que	tu	aies ri
il/elle	rit	il/elle	eut ri	qu'	il/elle	ait ri
nous	rîmes	nous	eûmes ri	que	nous	ayons ri
vous	rîtes	vous	eûtes ri	que	vous	ayez ri
ils/elles	rirent	ils/elles	eurent ri	qu'	ils/elles	aient ri
Futur simple		**Futur antérieur**		**Plus-que-parfait**		
je	rirai	j'	aurai ri	que	j'	eusse ri
tu	riras	tu	auras ri	que	tu	eusses ri
il/elle	rira	il/elle	aura ri	qu'	il/elle	eût ri
nous	rirons	nous	aurons ri	que	nous	eussions ri
vous	rirez	vous	aurez ri	que	vous	eussiez ri
ils/elles	riront	ils/elles	auront ri	qu'	ils/elles	eussent ri

CONDITIONNEL					
Présent		**Passé 1ʳᵉ forme**		**Passé 2ᵉ forme**	
je	rirais	j'	aurais ri	j'	eusse ri
tu	rirais	tu	aurais ri	tu	eusses ri
il/elle	rirait	il/elle	aurait ri	il/elle	eût ri
nous	ririons	nous	aurions ri	nous	eussions ri
vous	ririez	vous	auriez ri	vous	eussiez ri
ils/elles	riraient	ils/elles	auraient ri	ils/elles	eussent ri

IMPÉRATIF					
Présent			**Passé**		
ris	rions	riez	aie ri	ayons ri	ayez ri

INFINITIF		PARTICIPE		
Présent	**Passé**	**Présent**	**Passé**	**Passé composé**
rire	avoir ri	riant	ri	ayant ri

Tableaux de conjugaison types

Ainsi se conjuguent tous les verbes en *-uire* (*construire, cuire, détruire, instruire, produire, séduire, traduire...*).

Remarques : 1. Le verbe *bruire* se conjugue sur le modèle du verbe *finir* (voir remarque modèle 20 p. 184).

2. *Luire, reluire* et *nuire* ont un participe passé invariable en *-ui (lui, relui, nui)*.

INDICATIF

Présent		Passé composé		
je	conduis	j'	ai	conduit
tu	conduis	tu	as	conduit
il/elle	conduit	il/elle	a	conduit
nous	conduisons	nous	avons	conduit
vous	conduisez	vous	avez	conduit
ils/elles	conduisent	ils/elles	ont	conduit

Imparfait		Plus-que-parfait		
je	conduisais	j'	avais	conduit
tu	conduisais	tu	avais	conduit
il/elle	conduisait	il/elle	avait	conduit
nous	conduisions	nous	avions	conduit
vous	conduisiez	vous	aviez	conduit
ils/elles	conduisaient	ils/elles	avaient	conduit

Passé simple		Passé antérieur		
je	conduisis	j'	eus	conduit
tu	conduisis	tu	eus	conduit
il/elle	conduisit	il/elle	eut	conduit
nous	conduisîmes	nous	eûmes	conduit
vous	conduisîtes	vous	eûtes	conduit
ils/elles	conduisirent	ils/elles	eurent	conduit

Futur simple		Futur antérieur		
je	conduirai	j'	aurai	conduit
tu	conduiras	tu	auras	conduit
il/elle	conduira	il/elle	aura	conduit
nous	conduirons	nous	aurons	conduit
vous	conduirez	vous	aurez	conduit
ils/elles	conduiront	ils/elles	auront	conduit

SUBJONCTIF

Présent		
que	je	conduise
que	tu	conduises
qu'	il/elle	conduise
que	nous	conduisions
que	vous	conduisiez
qu'	ils/elles	conduisent

Imparfait		
que	je	conduisisse
que	tu	conduisisses
qu'	il/elle	conduisît
que	nous	conduisissions
que	vous	conduisissiez
qu'	ils/elles	conduisissent

Passé			
que	j'	aie	conduit
que	tu	aies	conduit
qu'	il/elle	ait	conduit
que	nous	ayons	conduit
que	vous	ayez	conduit
qu'	ils/elles	aient	conduit

Plus-que-parfait			
que	j'	eusse	conduit
que	tu	eusses	conduit
qu'	il/elle	eût	conduit
que	nous	eussions	conduit
que	vous	eussiez	conduit
qu'	ils/elles	eussent	conduit

CONDITIONNEL

Présent		Passé 1re forme			Passé 2e forme		
je	conduirais	j'	aurais	conduit	j'	eusse	conduit
tu	conduirais	tu	aurais	conduit	tu	eusses	conduit
il/elle	conduirait	il/elle	aurait	conduit	il/elle	eût	conduit
nous	conduirions	nous	aurions	conduit	nous	eussions	conduit
vous	conduiriez	vous	auriez	conduit	vous	eussiez	conduit
ils/elles	conduiraient	ils/elles	auraient	conduit	ils/elles	eussent	conduit

IMPÉRATIF

Présent			Passé		
conduis	conduisons	conduisez	aie conduit	ayons conduit	ayez conduit

INFINITIF

Présent	Passé
conduire	avoir conduit

PARTICIPE

Présent	Passé	Passé composé
conduisant	conduit (e, s, es)	ayant conduit

Boire est le seul verbe à se conjuguer sur ce modèle.

INDICATIF					
Présent		**Passé composé**			
je	bois	j'	ai	bu	
tu	bois	tu	as	bu	
il/elle	boit	il/elle	a	bu	
nous	buvons	nous	avons	bu	
vous	buvez	vous	avez	bu	
ils/elles	boivent	ils/elles	ont	bu	
Imparfait		**Plus-que-parfait**			
je	buvais	j'	avais	bu	
tu	buvais	tu	avais	bu	
il/elle	buvait	il/elle	avait	bu	
nous	buvions	nous	avions	bu	
vous	buviez	vous	aviez	bu	
ils/elles	buvaient	ils/elles	avaient	bu	
Passé simple		**Passé antérieur**			
je	bus	j'	eus	bu	
tu	bus	tu	eus	bu	
il/elle	but	il/elle	eut	bu	
nous	bûmes	nous	eûmes	bu	
vous	bûtes	vous	eûtes	bu	
ils/elles	burent	ils/elles	eurent	bu	
Futur simple		**Futur antérieur**			
je	boirai	j'	aurai	bu	
tu	boiras	tu	auras	bu	
il/elle	boira	il/elle	aura	bu	
nous	boirons	nous	aurons	bu	
vous	boirez	vous	aurez	bu	
ils/elles	boiront	ils/elles	auront	bu	

SUBJONCTIF			
Présent			
que je	boive		
que tu	boives		
qu' il/elle	boive		
que nous	buvions		
que vous	buviez		
qu' ils/elles	boivent		
Imparfait			
que je	busse		
que tu	busses		
qu' il/elle	bût		
que nous	bussions		
que vous	bussiez		
qu' ils/elles	bussent		
Passé			
que j'	aie	bu	
que tu	aies	bu	
qu' il/elle	ait	bu	
que nous	ayons	bu	
que vous	ayez	bu	
qu' ils/elles	aient	bu	
Plus-que-parfait			
que j'	eusse	bu	
que tu	eusses	bu	
qu' il/elle	eût	bu	
que nous	eussions	bu	
que vous	eussiez	bu	
qu' ils/elles	eussent	bu	

CONDITIONNEL							
Présent		**Passé 1ʳᵉ forme**			**Passé 2ᵉ forme**		
je	boirais	j'	aurais	bu	j'	eusse	bu
tu	boirais	tu	aurais	bu	tu	eusses	bu
il/elle	boirait	il/elle	aurait	bu	il/elle	eût	bu
nous	boirions	nous	aurions	bu	nous	eussions	bu
vous	boiriez	vous	auriez	bu	vous	eussiez	bu
ils/elles	boiraient	ils/elles	auraient	bu	ils/elles	eussent	bu

IMPÉRATIF					
Présent			**Passé**		
bois	buvons	buvez	aie bu	ayons bu	ayez bu

INFINITIF	
Présent	**Passé**
boire	avoir bu

PARTICIPE		
Présent	**Passé**	**Passé composé**
buvant	bu (e, s, es)	ayant bu

Tableaux de conjugaison types

80 CONCLURE 3ᵉ GROUPE

Ainsi se conjuguent *exclure* et *inclure*, mais ce dernier a un participe passé en -us : *inclus, incluse*.

Attention aux formes homophones des personnes du singulier des présents de l'indicatif et du subjonctif !

Remarque : Au futur simple, veiller à ne pas conjuguer ces verbes comme des verbes en -uer du 1ᵉʳ groupe (*diluer* → *vous dilu**e**rez* / *conclure* → *vous conclurez*).

INDICATIF

Présent		Passé composé		
je	conclus	j'	ai	conclu
tu	conclus	tu	as	conclu
il/elle	conclut	il/elle	a	conclu
nous	concluons	nous	avons	conclu
vous	concluez	vous	avez	conclu
ils/elles	concluent	ils/elles	ont	conclu

Imparfait		Plus-que-parfait		
je	concluais	j'	avais	conclu
tu	concluais	tu	avais	conclu
il/elle	concluait	il/elle	avait	conclu
nous	concluions	nous	avions	conclu
vous	concluiez	vous	aviez	conclu
ils/elles	concluaient	ils/elles	avaient	conclu

Passé simple		Passé antérieur		
je	conclus	j'	eus	conclu
tu	conclus	tu	eus	conclu
il/elle	conclut	il/elle	eut	conclu
nous	conclûmes	nous	eûmes	conclu
vous	conclûtes	vous	eûtes	conclu
ils/elles	conclurent	ils/elles	eurent	conclu

Futur simple		Futur antérieur		
je	conclurai	j'	aurai	conclu
tu	concluras	tu	auras	conclu
il/elle	conclura	il/elle	aura	conclu
nous	conclurons	nous	aurons	conclu
vous	conclurez	vous	aurez	conclu
ils/elles	concluront	ils/elles	auront	conclu

SUBJONCTIF

Présent		
que je	conclue	
que tu	conclues	
qu' il/elle	conclue	
que nous	concluions	
que vous	concluiez	
qu' ils/elles	concluent	

Imparfait		
que je	conclusse	
que tu	conclusses	
qu' il/elle	conclût	
que nous	conclussions	
que vous	conclussiez	
qu' ils/elles	conclussent	

Passé		
que j'	aie	conclu
que tu	aies	conclu
qu' il/elle	ait	conclu
que nous	ayons	conclu
que vous	ayez	conclu
qu' ils/elles	aient	conclu

Plus-que-parfait		
que j'	eusse	conclu
que tu	eusses	conclu
qu' il/elle	eût	conclu
que nous	eussions	conclu
que vous	eussiez	conclu
qu' ils/elles	eussent	conclu

CONDITIONNEL

Présent		Passé 1ʳᵉ forme			Passé 2ᵉ forme		
je	conclurais	j'	aurais	conclu	j'	eusse	conclu
tu	conclurais	tu	aurais	conclu	tu	eusses	conclu
il/elle	conclurait	il/elle	aurait	conclu	il/elle	eût	conclu
nous	conclurions	nous	aurions	conclu	nous	eussions	conclu
vous	concluriez	vous	auriez	conclu	vous	eussiez	conclu
ils/elles	concluraient	ils/elles	auraient	conclu	ils/elles	eussent	conclu

IMPÉRATIF

Présent			Passé		
conclus	concluons	concluez	aie conclu	ayons conclu	ayez conclu

INFINITIF

Présent	Passé
conclure	avoir conclu

PARTICIPE

Présent	Passé	Passé composé
concluant	conclu (e, s, es)	ayant conclu

244

CLORE

À la 3ᵉ personne du singulier du présent de l'indicatif, *clore* prend un accent circonflexe sur le *o* qui précède le *t*. Pour les verbes *éclore* et *enclore* qui se conjuguent sur ce modèle, certains dictionnaires donnent les formes avec un accent circonflexe, d'autres sans. Pour mettre fin à ces hésitations, les rectifications de l'orthographe de 1990 proposent d'écrire toutes les formes sans accent circonflexe.

Remarque : *Éclore* ne s'emploie qu'à la 3ᵉ personne alors que *enclore* se rencontre aux deux premières personnes du pluriel *(nous enclosons, vous enclosez)*.

INDICATIF

Présent		Passé composé		
je	clos	j'	ai	clos
tu	clos	tu	as	clos
il/elle	clôt	il/elle	a	clos
	inusité	nous	avons	clos
	inusité	vous	avez	clos
ils/elles	closent	ils/elles	ont	clos

Imparfait		Plus-que-parfait		
	inusité	j'	avais	clos
		tu	avais	clos
		il/elle	avait	clos
		nous	avions	clos
		vous	aviez	clos
		ils/elles	avaient	clos

Passé simple		Passé antérieur		
	inusité	j'	eus	clos
		tu	eus	clos
		il/elle	eut	clos
		nous	eûmes	clos
		vous	eûtes	clos
		ils/elles	eurent	clos

Futur simple		Futur antérieur		
je	clorai	j'	aurai	clos
tu	cloras	tu	auras	clos
il/elle	clora	il/elle	aura	clos
nous	clorons	nous	aurons	clos
vous	clorez	vous	aurez	clos
ils/elles	cloront	ils/elles	auront	clos

SUBJONCTIF

Présent		
que	je	close
que	tu	closes
qu'	il/elle	close
que	nous	closions
que	vous	closiez
qu'	ils/elles	closent

Imparfait		
	inusité	

Passé			
que	j'	aie	clos
que	tu	aies	clos
qu'	il/elle	ait	clos
que	nous	ayons	clos
que	vous	ayez	clos
qu'	ils/elles	aient	clos

Plus-que-parfait			
que	j'	eusse	clos
que	tu	eusses	clos
qu'	il/elle	eût	clos
que	nous	eussions	clos
que	vous	eussiez	clos
qu'	ils/elles	eussent	clos

CONDITIONNEL

Présent		Passé 1ʳᵉ forme			Passé 2ᵉ forme		
je	clorais	j'	aurais	clos	j'	eusse	clos
tu	clorais	tu	aurais	clos	tu	eusses	clos
il/elle	clorait	il/elle	aurait	clos	il/elle	eût	clos
nous	clorions	nous	aurions	clos	nous	eussions	clos
vous	cloriez	vous	auriez	clos	vous	eussiez	clos
ils/elles	cloraient	ils/elles	auraient	clos	ils/elles	eussent	clos

IMPÉRATIF

Présent		Passé		
clos	*inusité*	aie clos	ayons clos	ayez clos

INFINITIF

Présent	Passé
clore	avoir clos

PARTICIPE

Présent	Passé	Passé composé
closant	clos (e, es)	ayant clos

Faire et les verbes de sa famille ont la particularité d'avoir leurs 2ᵉˢ personnes du pluriel du présent de l'indicatif et de l'impératif en *-tes*, et non en *-ez*.

Remarque : Noter la prononciation [fə] pour la 1ʳᵉ personne du pluriel du présent de l'indicatif, pour toutes les formes de l'imparfait de l'indicatif, pour la 1ʳᵉ personne du pluriel de l'impératif et pour le participe présent.

INDICATIF

Présent		Passé composé		
je	fais	j'	ai	fait
tu	fais	tu	as	fait
il/elle	fait	il/elle	a	fait
nous	faisons	nous	avons	fait
vous	faites	vous	avez	fait
ils/elles	font	ils/elles	ont	fait

Imparfait		Plus-que-parfait		
je	faisais	j'	avais	fait
tu	faisais	tu	avais	fait
il/elle	faisait	il/elle	avait	fait
nous	faisions	nous	avions	fait
vous	faisiez	vous	aviez	fait
ils/elles	faisaient	ils/elles	avaient	fait

Passé simple		Passé antérieur		
je	fis	j'	eus	fait
tu	fis	tu	eus	fait
il/elle	fit	il/elle	eut	fait
nous	fîmes	nous	eûmes	fait
vous	fîtes	vous	eûtes	fait
ils/elles	firent	ils/elles	eurent	fait

Futur simple		Futur antérieur		
je	ferai	j'	aurai	fait
tu	feras	tu	auras	fait
il/elle	fera	il/elle	aura	fait
nous	ferons	nous	aurons	fait
vous	ferez	vous	aurez	fait
ils/elles	feront	ils/elles	auront	fait

SUBJONCTIF

Présent		
que	je	fasse
que	tu	fasses
qu'	il/elle	fasse
que	nous	fassions
que	vous	fassiez
qu'	ils/elles	fassent

Imparfait		
que	je	fisse
que	tu	fisses
qu'	il/elle	fît
que	nous	fissions
que	vous	fissiez
qu'	ils/elles	fissent

Passé			
que	j'	aie	fait
que	tu	aies	fait
qu'	il/elle	ait	fait
que	nous	ayons	fait
que	vous	ayez	fait
qu'	ils/elles	aient	fait

Plus-que-parfait			
que	j'	eusse	fait
que	tu	eusses	fait
qu'	il/elle	eût	fait
que	nous	eussions	fait
que	vous	eussiez	fait
qu'	ils/elles	eussent	fait

CONDITIONNEL

Présent		Passé 1ʳᵉ forme			Passé 2ᵉ forme		
je	ferais	j'	aurais	fait	j'	eusse	fait
tu	ferais	tu	aurais	fait	tu	eusses	fait
il/elle	ferait	il/elle	aurait	fait	il/elle	eût	fait
nous	ferions	nous	aurions	fait	nous	eussions	fait
vous	feriez	vous	auriez	fait	vous	eussiez	fait
ils/elles	feraient	ils/elles	auraient	fait	ils/elles	eussent	fait

IMPÉRATIF

Présent			Passé		
fais	faisons	faites	aie fait	ayons fait	ayez fait

INFINITIF

Présent	Passé
faire	avoir fait

PARTICIPE

Présent	Passé	Passé composé
faisant	fait (e, s, es)	ayant fait

ALLER

L'impératif singulier s'écrit sans s (va), sauf si le verbe est suivi du pronom complément y (vas-y).
S'en aller se conjugue comme aller. Noter la 2ᵉ personne du singulier de l'impératif présent avec élision du pronom réfléchi : va-t'en.

INDICATIF

Présent		Passé composé		
je	vais	je	suis	allé(e)
tu	vas	tu	es	allé(e)
il/elle	va	il/elle	est	allé(e)
nous	allons	nous	sommes	allé(e)s
vous	allez	vous	êtes	allé(e)s
ils/elles	vont	ils/elles	sont	allé(e)s

Imparfait		Plus-que-parfait		
j'	allais	j'	étais	allé(e)
tu	allais	tu	étais	allé(e)
il/elle	allait	il/elle	était	allé(e)
nous	allions	nous	étions	allé(e)s
vous	alliez	vous	étiez	allé(e)s
ils/elles	allaient	ils/elles	étaient	allé(e)s

Passé simple		Passé antérieur		
j'	allai	je	fus	allé(e)
tu	allas	tu	fus	allé(e)
il/elle	alla	il/elle	fut	allé(e)
nous	allâmes	nous	fûmes	allé(e)s
vous	allâtes	vous	fûtes	allé(e)s
ils/elles	allèrent	ils/elles	furent	allé(e)s

Futur simple		Futur antérieur		
j'	irai	je	serai	allé(e)
tu	iras	tu	seras	allé(e)
il/elle	ira	il/elle	sera	allé(e)
nous	irons	nous	serons	allé(e)s
vous	irez	vous	serez	allé(e)s
ils/elles	iront	ils/elles	seront	allé(e)s

SUBJONCTIF

Présent		
que	j'	aille
que	tu	ailles
qu'	il/elle	aille
que	nous	allions
que	vous	alliez
qu'	ils/elles	aillent

Imparfait		
que	j'	allasse
que	tu	allasses
qu'	il/elle	allât
que	nous	allassions
que	vous	allassiez
qu'	ils/elles	allassent

Passé			
que	je	sois	allé(e)
que	tu	sois	allé(e)
qu'	il/elle	soit	allé(e)
que	nous	soyons	allé(e)s
que	vous	soyez	allé(e)s
qu'	ils/elles	soient	allé(e)s

Plus-que-parfait			
que	je	fusse	allé(e)
que	tu	fusses	allé(e)
qu'	il/elle	fût	allé(e)
que	nous	fussions	allé(e)s
que	vous	fussiez	allé(e)s
qu'	ils/elles	fussent	allé(e)s

CONDITIONNEL

Présent		Passé 1ʳᵉ forme			Passé 2ᵉ forme		
j'	irais	je	serais	allé(e)	je	fusse	allé(e)
tu	irais	tu	serais	allé(e)	tu	fusses	allé(e)
il/elle	irait	il/elle	serait	allé(e)	il/elle	fût	allé(e)
nous	irions	nous	serions	allé(e)s	nous	fussions	allé(e)s
vous	iriez	vous	seriez	allé(e)s	vous	fussiez	allé(e)s
ils/elles	iraient	ils/elles	seraient	allé(e)s	ils/elles	fussent	allé(e)s

IMPÉRATIF

Présent			Passé		
va	allons	allez	sois allé(e)	soyons allé(e)s	soyez allé(e)s

INFINITIF

Présent	Passé
aller	être allé (e, s, es)

PARTICIPE

Présent	Passé	Passé composé
allant	allé (e, s, es)	étant allé (e, s, es)

84 — VERBES PRONOMINAUX DONT LE PARTICIPE PASSÉ S'ACCORDE TOUJOURS AVEC LE SUJET

Le participe passé des verbes pronominaux suivants s'accorde toujours en genre et en nombre avec le sujet du verbe.

LES VERBES ESSENTIELLEMENT PRONOMINAUX

Les verbes essentiellement pronominaux n'existent que sous la forme pronominale.

Les verbes non réciproques

Ce sont les verbes pour lesquels le pronom personnel ne peut être considéré comme un complément d'objet direct : *s'absenter, se blottir, se désister, s'enfuir, s'envoler, s'évader, s'évanouir, s'exclamer, s'infiltrer, se méfier, se moquer, se réfugier, se raviser*, etc.

À la vue du sang, Laurent s'est évanoui.

À la vue du sang, Agnès s'est évanouie.

À la vue du sang, les êtres sensibles se sont évanouis.

À la vue du sang, les âmes sensibles se sont évanouies.

Exception : Le verbe *s'arroger*, essentiellement pronominal, est transitif direct. Son participe passé s'accorde avec le complément d'objet direct seulement si celui-ci est placé avant le participe passé.

Les insurgés se sont arrogé tous les pouvoirs.

Les pouvoirs que les insurgés se sont arrogés paraissent exorbitants.

Les verbes réciproques

Ce sont les verbes pour lesquels le pronom personnel renvoie aux personnes représentées par le sujet. Le verbe indique que ces personnes font une action les unes envers les autres.

Ces deux amies se sont entraidées.

Dans ce combat, les ennemis se sont entretués sans merci.

Devant le notaire, les héritiers se sont entredéchirés.

Exception : Le verbe *s'entrenuire*, essentiellement pronominal, est transitif indirect ; son participe passé est donc invariable.

Dans le règlement de cette affaire, les deux parties se sont entrenui.

LES VERBES PRONOMINAUX DE SENS PASSIF

Le sujet ne fait pas l'action, et le pronom réfléchi n'a pas de fonction particulière. L'agent de l'action n'est pas précisé.

Ces vêtements soldés se sont vendus en quelques heures.

Les pantalons à pattes d'éléphant se sont portés durant les années 1970.

Lors de ce repas, les vins se sont bus à température ambiante.

La piscine s'est vidée en une nuit.

LES VERBES PRONOMINAUX PAR GALLICISME

Ces verbes, généralement suivis d'une préposition, doivent être entendus hors du sens réciproque : *s'apercevoir de, s'attendre à, se porter vers, se résoudre à, se saisir de, s'imaginer, se taire*, etc.

Ces deux amis se sont connus au lycée.

Une épaisse fumée s'est échappée de la cage d'escalier.

VERBES PRONOMINAUX DONT LE PARTICIPE PASSÉ RESTE INVARIABLE

LES VERBES TRANSITIFS INDIRECTS

Le participe passé des verbes pronominaux toujours transitifs indirects est invariable : *se convenir, se mentir, se nuire, se parler, se plaire, se répondre, se ressembler, se rire, se sourire, se succéder, se suffire, se survivre,* etc.

Pour s'assurer que le verbe est bien transitif indirect, on peut poser la question en employant l'auxiliaire *avoir.*

Dès le premier regard, ces deux personnes se sont **plu.**

Ces deux personnes ont plu à qui ? À elles-mêmes (à *se*).

Se est bien complément d'objet indirect. *Plaire* est transitif indirect ; il n'admet jamais de complément d'objet direct.

Les Marseillais s'en sont **voulu** d'avoir laissé échapper la victoire.

Les Marseillais en ont voulu à qui ? À eux-mêmes (à *s'*).

*S'*est bien complément d'objet indirect. *S'en vouloir* est transitif indirect ; il n'admet jamais de complément d'objet direct.

VERBE SUIVI D'UNE PRÉPOSITION + INFINITIF

Le participe passé d'un verbe pronominal suivi d'une préposition et d'un infinitif est invariable.

Zoé s'est **promis** de parler à sa cousine au sujet de leur prochain voyage.

Pourquoi ces personnes se sont-elles **permis** d'entrer sans frapper ?

SE FAIRE SUIVI D'UN INFINITIF

Le participe passé de *se faire* suivi d'un infinitif est toujours invariable.

Mme Vallin s'est **fait** conduire à la gare en taxi.

Ces coureurs se sont **fait** distancer dès les premiers kilomètres.

LOCUTIONS VERBALES

Le participe passé des locutions verbales *se faire jour, se mettre à dos, se rendre compte, se rendre service, se faire fort de, s'en prendre à, s'y prendre* est invariable.

Des dissensions se sont **fait jour** parmi les membres de la majorité.

En prenant ses décisions seule, la directrice s'est **mis à dos** son équipe.

Ambre s'est **rendu compte** de son erreur.

Ces deux voisins se sont **rendu service.**

Les maçons se sont **fait fort** de terminer la maison en deux mois.

Les abeilles s'**en** sont **pris au** malheureux apiculteur.

La coiffeuse s'**y** est **pris** habilement et la cliente est contente.

Tableaux de conjugaison types

86 — VERBES PRONOMINAUX — DONT LE PARTICIPE PASSÉ S'ACCORDE SELON LE COMPLÉMENT D'OBJET DIRECT (COD)

Le participe passé des verbes occasionnellement pronominaux s'accorde en fonction de la présence et/ou de la place du complément d'objet direct qu'il convient de rechercher précisément.

PRONOM RÉFLÉCHI COMPLÉMENT D'OBJET DIRECT

Si le pronom réfléchi est complément d'objet direct, le participe passé s'accorde en genre et en nombre avec celui-ci.

Pour bien se déterminer, il faut construire ces verbes avec l'auxiliaire *avoir*.

Lisa s'est brûlée légèrement. Lisa a brûlé elle-même (*s'*) : accord.

Les employés se sont bien assurés. Les employés ont assuré eux-mêmes (*s'*) : accord.

Lisa s'est imaginée à l'hôpital. Lisa a imaginé elle-même (*s'*) à l'hôpital : accord.

Les joueurs se sont serrés contre le mur. Les joueurs ont serré eux-mêmes (*se*) contre le mur : accord.

PRONOM RÉFLÉCHI COMPLÉMENT D'OBJET INDIRECT

Si le verbe a un COD autre que le pronom réfléchi, ce pronom réfléchi devient complément d'objet indirect (COI). Le participe passé s'accorde alors en genre et en nombre avec le complément d'objet direct seulement quand celui-ci est placé avant le participe passé.

Lisa s'est **brûlé** les doigts. Lisa a brûlé ses doigts. → COD (*doigts*) après le participe passé : pas d'accord.

Lisa soigne les doigts qu'elle s'est brûlés. Lisa soigne les doigts qu'elle a brûlés. → COD (*qu'/doigts*) avant le participe passé : accord avec le COD.

Ces employés se sont **assuré** une retraite. Ces employés ont assuré leur retraite. → COD (*retraite*) après le participe passé : pas d'accord.

Ces employés touchent la retraite qu'ils se sont assurée.

Ces employés touchent la retraite qu'ils ont assurée. → COD (*qu'/retraite*) avant le participe passé : accord avec le COD.

Les joueurs se sont **serré** la main. Les joueurs ont serré la main (*de leurs adversaires*). → COD (*main*) après le participe passé : pas d'accord.

La brûlure, Fabien se l'était imaginée plus douloureuse. La brûlure, Fabien l'avait imaginée plus douloureuse. → COD (*l'/brûlure*) avant le participe passé : accord avec le COD.

VERBE PRONOMINAL SUIVI D'UN INFINITIF

Si le participe passé d'un verbe pronominal est suivi d'un infinitif, il s'accorde seulement si le sujet du verbe pronominal est aussi sujet de l'infinitif.

Agathe s'est vue pâlir. C'est bien Agathe qui pâlit. → Accord.

Agathe s'est **vu** remettre une ordonnance par le médecin. C'est le médecin qui remet l'ordonnance. → Pas d'accord.

SE LAISSER

Pour le verbe *se laisser*, l'usage admet désormais l'invariabilité dans tous les cas.

Agathe s'est **laissé** (ou bien : laissée) tomber sur le canapé.

Agathe s'est **laissé** soigner par le médecin.

6 000 VERBES CLASSÉS DE A À Z

Signification
des abréviations

1 à **83** : numéro du modèle de conjugaison du verbe

84 à **86** : numéro du modèle d'accord du participe passé des verbes pronominaux

I : verbe intransitif

T : verbe transitif

Ti : verbe transitif indirect

E : verbe formant les temps composés avec l'auxiliaire *être*

A/E : verbe formant les temps composés avec l'auxiliaire *avoir* ou *être*

JE : emploi du pronom *je* à la 1re personne du singulier (verbe commençant par un *h* aspiré)

J' : emploi du pronom *j'* à la 1re personne du singulier (verbe commençant par un *h* muet)

D : verbe défectif

Ip : verbe impersonnel

Liste des verbes

A

Liste des verbes

admirer .... T **3**
admonester .... T **3**
adonner (s') **84** **3**
adopter .... T **3**
adorer .... T **3**
adosser .... T **3**
adosser (s') **84** **3**
adouber .... T **3**
adoucir .... T **20**
adoucir (s') **86** **20**
adresser .... T **3**
adresser (s') **86** **3**
adsorber .... T **3**
aduler .... T **3**
adultérer .... T **9**
advenir .... I, E, Ip **27**
aérer .... T **9**
aérer (s') **86** **9**
affabuler .... I/T **3**
affadir .... T **20**
affadir (s') **84** **20**
affaiblir .... T **20**
affaiblir (s') **84** **20**
affairer (s') **84** **3**
affaisser .... T **3**
affaisser (s') **84** **3**
affaler .... T **3**
affaler (s') **84** **3**
affamer .... T **3**
affecter .... T **3**
affectionner .... T **3**
affermer .... T **3**
affermir .... T **20**
affermir (s') **84** **20**
afficher .... T **3**
afficher (s') **84** **3**
affiler .... T **3**
affilier .... T **4**
affilier (s') **84** **4**
affiner .... T **3**
affiner (s') **84** **3**
affirmer .... T **3**
affirmer (s') **84** **3**
affleurer .... I/T **3**
affliger .... T **7**

affliger (s') **84** **7**
afflouer .... T **3**
affluer .... I **3**
affoler .... T **3**
affoler (s') **84** **3**
affouiller .... T **3**
affour(r)ager .... T **7**
affourcher .... I **3**
affranchir .... T **20**
affranchir (s') **84** **20**
affréter .... T **9**
affriander .... T **3**
affrioler .... T **3**
affronter .... T **3**
affronter (s') **84** **3**
affubler .... T **3**
affubler (s') **84** **3**
affurer .... T **3**
affûter .... T **3**
africaniser .... T **3**
africaniser (s') **84** **3**
agacer .... T **6**
agencer .... T **6**
agenouiller (s') **84** **3**
agglomérer .... T **9**
agglomérer (s') **84** **9**
agglutiner .... T **3**
agglutiner (s') **84** **3**
aggraver .... T **3**
aggraver (s') **84** **3**
agioter .... I **3**
agir .... I **20**
agir (s') .... Ip **85** **20**
agiter .... T **3**
agiter (s') **84** **3**
agneler .... I **12**
agonir .... T **20**
agonir (s') **84** **20**
agoniser .... I **3**
agrafer .... T **3**
agrandir .... T **20**
agrandir (s') **84** **20**
agréer .... T/Ti **5**
agréger .... T **10**
agréger (s') **84** **10**

agrémenter .... T **3**
agrémenter (s') **84** **3**
agresser .... T **3**
agriffer (s') **84** **3**
agripper .... T **3**
agripper (s') **84** **3**
aguerrir .... T **20**
aguerrir (s') **84** **20**
aguicher .... T **3**
ahaner .... I **3**
ahurir .... T **20**
aicher .... T **3**
aider .... T/Ti **3**
aider (s') **84** **3**
aigrir .... I/T **20**
aigrir (s') **84** **20**
aiguiller .... T **3**
aiguilleter .... T **14**
aiguillonner .... T **3**
aiguiser .... T **3**
aiguiser (s') **84** **3**
ailler .... T **3**
aimanter .... T **3**
aimanter (s') **84** **3**
aimer .... T **3**
aimer (s') **84** **3**
airer .... I **3**
ajointer .... T **3**
ajourer .... T **3**
ajourner .... T **3**
ajouter .... T/Ti **3**
ajouter (s') **84** **3**
ajuster .... T **3**
ajuster (s') **84** **3**
alanguir .... T **20**
alanguir (s') **84** **20**
alarmer .... T **3**
alarmer (s') **84** **3**
alcaliniser .... T **3**
alcaliser .... T **3**
alcooliser .... T **3**
alcooliser (s') **84** **3**
alerter .... T **3**
aléser .... T **9**
aleviner .... T **3**

Liste des verbes

aliéner .... T 9
aliéner (s') 86 9
aligner .... T 3
aligner (s') 84 3
alimenter .... T 3
alimenter (s') 84 3
aliter .... T 3
aliter (s') 84 3
allaiter .... T 3
allécher .... T 9
alléger .... T 10
alléger (s') 84 10
allégoriser .... T 3
alléguer .... T 9
aller .... I, E 83
allier .... T 4
allier (s') 84 4
allonger .... I/T 7
allonger (s') 84 7
allouer .... T 3
allouer (s') 86 3
allumer .... T 3
allumer (s') 86 3
alluvionner .... I 3
alourdir .... T 20
alourdir (s') 84 20
alpaguer .... T 3
alphabétiser .... T 3
altérer .... T 9
altérer (s') 84 9
alterner .... I 3
aluminer .... T 3
aluner .... T 3
alunir .... I 20
amadouer .... T 3
amaigrir .... T 20
amaigrir (s') 84 20
amalgamer .... T 3
amalgamer (s') 84 3
amariner .... T 3
amariner (s') 84 3
amarrer .... T 3
amarrer (s') 84 3
amasser .... T 3
ambitionner .... T 3

ambler .... I 3
ambrer .... T 3
améliorer .... T 3
améliorer (s') 84 3
aménager .... T 7
aménager (s') 86 7
amender .... T 3
amender (s') 84 3
amener .... T 11
amenuiser .... T 3
amenuiser (s') 84 3
américaniser .... T 3
américaniser (s') 84 3
amerrir .... I 20
ameublir .... T 20
ameuter .... T 3
amidonner .... T 3
amincir .... T 20
amincir (s') 84 20
amnistier .... T 4
amocher .... T 3
amodier .... T 4
amoindrir .... T 20
amoindrir (s') 84 20
amollir .... T 20
amollir (s') 84 20
amonceler .... T 12
amonceler (s') 84 12
amorcer .... T 6
amortir .... T 20
amortir (s') 84 20
amouracher (s') 84 3
amplifier .... T 4
amplifier (s') 84 4
amputer .... T 3
amputer (s') 84 3
amuïr (s') 84 20
amurer .... T 3
amuser .... T 3
amuser (s') 84 3
analyser .... T 3
analyser (s') 84 3
anastomoser .... T 3
anastomoser (s') 84 3
anathématiser .... T 3

ancrer .... T 3
ancrer (s') 84 3
anéantir .... T 20
anéantir (s') 84 20
anémier .... T 4
anémier (s') 84 4
anesthésier .... T 4
anglaiser .... T 3
angliciser .... T 3
angliciser (s') 84 3
angoisser .... I/T 3
angoisser (s') 84 3
anhéler .... I 9
animaliser .... T 3
animaliser (s') 84 3
animer .... T 3
animer (s') 84 3
ankyloser .... T 3
ankyloser (s') 84 3
anneler .... T 12
annexer .... T 3
annexer (s') 86 3
annihiler .... T 3
annihiler (s') 84 3
annoncer .... T 6
annoncer (s') 84 6
annoter .... T 3
annualiser .... T 3
annuler .... T 3
anoblir .... T 20
anoblir (s') 84 20
anodiser .... T 3
ânonner .... I/T 3
anonymiser .... T 3
anordir .... I 20
antéposer .... T 3
anticiper .... T/Ti 3
antidater .... T 3
apaiser .... T 3
apaiser (s') 84 3
apercevoir .... T 36
apercevoir (s') 84 36
apeurer .... T 3
apiquer .... T 3
apitoyer .... T 18

255

6 000 verbes classés de A à Z

Liste des verbes

apitoyer (s')	84 18	approuver (s')	84 3
aplanir	T 20	approvisionner	T 3
aplanir (s')	84 20	approvisionner (s')	84 3
aplatir	T 20	appuyer	T/Ti 17
aplatir (s')	84 20	appuyer (s')	86 17
apostasier	I 4	apurer	T 3
apostiller	T 3	arabiser	T 3
apostropher	T 3	arabiser (s')	84 3
apparaître	I, E 64	araser	T 3
appareiller	T 3	arbitrer	T 3
apparenter (s')	84 3	arborer	T 3
apparier	T 4	arboriser	T 3
appartenir	Ti 27	arc-bouter	T 3
appartenir (s')	85 27	arc-bouter (s')	84 3
appâter	T 3	architecturer	T 3
appauvrir	T 20	archiver	T 3
appauvrir (s')	84 20	argenter	T 3
appeler	T 12	arguer	T/Ti 8
appeler (s')	84 12	argumenter	I 3
appendre	T 52	ariser	T 3
appesantir	T 20	armer	T 3
appesantir (s')	84 20	armer (s')	84 3
applaudir	I/T/Ti 20	armorier	T 4
applaudir (s')	84 20	arnaquer	T 3
appliquer	T 3	aromatiser	T 3
appliquer (s')	86 3	arpéger	T 10
appointer	T 3	arpenter	T 3
appointer (s')	84 3	arquer	I/T 3
apponter	I 3	arquer (s')	84 3
apporter	T 3	arracher	T 3
apposer	T 3	arracher (s')	86 3
apprécier	T 4	arraisonner	T 3
apprécier (s')	84 4	arranger	T 7
appréhender	T 3	arranger (s')	84 7
apprendre	T 53	arrenter	T 3
apprêter	T 3	arrenter (s')	86 3
apprêter (s')	84 3	arrérager	I 7
apprivoiser	T 3	arrérager (s')	84 7
apprivoiser (s')	84 3	arrêter	I/T 3
approcher	T/Ti 3	arrêter (s')	84 3
approcher (s')	84 3	arrimer	T 3
approfondir	T 20	arriser	T 3
approfondir (s')	84 20	arriver	I/Ti, E 3
approprier (s')	86 4	arroger (s')	86 7
approuver	T 3	arrondir	T 20

arrondir (s')	84 20
arroser	T 3
arroser (s')	84 3
arsouiller (s')	84 3
articuler	T 3
articuler (s')	84 3
ascensionner	T 3
aseptiser	T 3
asperger	T 7
asperger (s')	84 7
asphalter	T 3
asphyxier	T 4
asphyxier (s')	84 4
aspirer	T/Ti 3
assagir	T 20
assagir (s')	84 20
assaillir	T 31
assainir	T 20
assaisonner	T 3
assassiner	T 3
assécher	T 9
assécher (s')	84 9
assembler	T 3
assembler (s')	84 3
assener	T 11
asséner	T 9
asseoir	T 40
asseoir (s')	84 40
assermenter	T 3
asservir	T 20
asservir (s')	84 20
assiéger	T 10
assigner	T 3
assimiler	T 3
assimiler (s')	84 3
assister	T/Ti 3
associer	T 4
associer (s')	84 4
assoiffer	T 3
assoiffer (s')	84 3
assoler	T 3
assombrir	T 20
assombrir (s')	84 20
assommer	T 3
assommer (s')	84 3

Liste des verbes

assortir .... T **20**
assortir (s') **84** **20**
assoupir .... T **20**
assoupir (s') **84** **20**
assouplir .... T **20**
assourdir .... T **20**
assouvir .... T **20**
assouvir (s') **84** **20**
assujettir .... T **20**
assujettir (s') **84** **20**
assumer .... T **3**
assumer (s') **84** **3**
assurer .... I/T **3**
assurer (s') **86** **3**
asticoter .... T **3**
astiquer .... T **3**
astreindre .... T **55**
astreindre (s') **84** **55**
atermoyer .... I **18**
atomiser .... T **3**
atrophier .... T **4**
atrophier (s') **84** **4**
attabler (s') **84** **3**
attacher .... T **3**
attacher (s') **86** **3**
attaquer .... T **3**
attaquer (s') **84** **3**
attarder (s') **84** **3**
atteindre .... T/Ti **55**
atteler .... T **12**
atteler (s') **84** **12**
attendre .... T **52**
attendre (s') **84** **52**
attendrir .... T **20**
attendrir (s') **84** **20**
attenter .... I **3**
atténuer .... T **3**
atténuer (s') **84** **3**
atterrer .... T **3**
atterrir .... I **20**
attester .... T **3**
attiédir .... T **20**
attiédir (s') **84** **20**
attifer .... T **3**
attifer (s') **84** **3**

attiger .... I/T **7**
attirer .... T **3**
attirer (s') **86** **3**
attiser .... T **3**
attraper .... T **3**
attraper (s') **84** **3**
attribuer .... T **3**
attribuer (s') **86** **3**
attrister .... T **3**
attrister (s') **84** **3**
attrouper .... T **3**
attrouper (s') **84** **3**
auditer .... T **3**
auditionner .... I/T **3**
augmenter .... I/T **3**
augmenter (s') **84** **3**
augurer .... T **3**
auner .... T **3**
auréoler .... T **3**
auréoler (s') **84** **3**
aurifier .... T **4**
ausculter .... T **3**
authentifier .... T **4**
authentifier (s') **84** **4**
authentiquer .... T **3**
autocensurer (s') **84** **3**
autodéterminer (s') .. **84** **3**
autodétruire (s') **84** **78**
autofinancer (s') **84** **3**
autographier .... T **4**
autoguider .... T **3**
autoguider (s') **84** **3**
automatiser .... T **3**
autopsier .... T **4**
autoriser .... T **3**
autoriser (s') **86** **3**
avachir .... I/T **20**
avachir (s') **84** **20**
avaler .... T **3**
avaliser .... T **3**
avancer .... I/T **6**
avancer (s') **84** **6**
avantager .... T **7**
avarier .... T **4**
avarier (s') **84** **4**

aventurer .... T **3**
aventurer (s') **84** **3**
avérer .... T **9**
avérer (s') **84** **9**
avertir .... T **20**
aveugler .... T **3**
aveugler (s') **84** **3**
aveulir .... T **20**
aveulir (s') **84** **20**
avilir .... T **20**
avilir (s') **84** **20**
aviner .... T **3**
aviser .... I/T **3**
aviser (s') **84** **3**
avitailler .... T **3**
avitailler (s') **84** **3**
aviver .... T **3**
avoir .... T **1**
avoisiner .... T **3**
avorter .... I/T **3**
avouer .... T **3**
avouer (s') **85** **3**
avoyer .... T **18**
axer .... T **3**
axiomatiser .... T **3**
azurer .... T **3**

B

babiller .... I **3**
bâcher .... T **3**
bachoter .... I **3**
bâcler .... T **3**
badauder .... I **3**
bader .... I **3**
badger .... I **7**
badigeonner .... T **3**
badiner .... I **3**
bafouer .... T **3**
bafouiller .... I/T **3**
bâfrer .... I **3**
bagarrer .... I **3**
bagarrer (se) **84** **3**

Liste des verbes

baguenauder .... I 3
baguenauder (se) 84 3
baguer .... T 8
baigner .... I/T 3
baigner (se) 84 3
bailler .... T 3
bâiller .... I 3
bâillonner .... T 3
baiser .... T 3
baisoter .... T 3
baisser .... I/T 3
baisser (se) 84 3
balader .... T 3
balader (se) 84 3
balafrer .... T 3
balancer .... I/T 6
balancer (se) 84 6
balayer .... T 16
balbutier .... I/T 4
baliser .... I/T 3
balkaniser .... T 3
balkaniser (se) 84 3
ballaster .... T 3
ballonner .... T 3
ballotter .... I/T 3
bambocher .... I 3
banaliser .... T 3
bananer .... T 3
bancher .... T 3
bander .... I/T 3
bander (se) 86 3
banner .... T 3
bannir .... T 20
banquer .... I 3
banqueter .... I 14
baptiser .... T 3
baquer (se) 84 3
baragouiner .... I/T 3
baraquer .... I 3
baratiner .... I 3
baratter .... T 3
barber .... T 3
barbifier .... T 4
barboter .... I 3
barbouiller .... T 3

barder .... T 3
barguigner .... I 3
barioler .... T 3
baronner .... T 3
barouder .... I 3
barrer .... T 3
barrer (se) 84 3
barricader .... T 3
barricader (se) 84 3
barrir .... I 20
basaner .... T 3
basculer .... I/T 3
baser .... T 3
baser (se) 84 3
bassiner .... T 3
baster .... I 3
bastillonner .... T 3
bastonner .... T 3
bastonner (se) 84 3
batailler .... I 3
bateler .... T 12
bâter .... T 3
batifoler .... I 3
bâtir .... T 20
bâtir (se) 86 20
bâtonner .... T 3
battre .... I/T 62
battre (se) 86 62
bavarder .... I 3
bavasser .... I 3
baver .... I 3
bavocher .... I 3
bayer .... I 3
bazarder .... T 3
béatifier .... T 4
bêcher .... I/T 3
bêcheveter .... T 14
bécoter .... T 3
bécoter (se) 84 3
becqueter .... I/T 14
becter .... T 3
bedonner .... I 3
béer .... I 5
bégayer .... I/T 16
bégueter .... I 14

bêler .... I 3
bémoliser .... T 3
bénéficier .... Ti 4
bénir .... T 20
bénir (se) 84 20
béqueter .... T 14
béquiller .... T 3
bercer .... T 6
bercer (se) 84 6
berner .... T 3
besogner .... I 3
bêtifier .... I 4
bétonner .... I/T 3
beugler .... I/T 3
beurrer .... T 3
beurrer (se) 86 3
biaiser .... I/T 3
biberonner .... T 3
bicher .... I 3
bichonner .... T 3
bichonner (se) 84 3
bidonner (se) 84 3
bidouiller .... T 3
bienvenir .... I, D 27
biffer .... T 3
bifurquer .... I 3
bigarrer .... T 3
bigler .... I/T 3
bigophoner .... T 3
bigorner .... T 3
bigorner (se) 84 3
biler (se) 84 3
billebauder .... I 3
billonner .... T 3
biloquer .... T 3
biner .... I/T 3
biologiser .... T 3
biper .... Ti 3
biscuiter .... T 3
biseauter .... T 3
biser .... I/T 3
bisquer .... I 3
bisser .... T 3
bistourner .... T 3
bistrer .... T 3

Liste des verbes

bit(t)er .... T **3**
bit(t)urer (se) **84** **3**
bitumer .... T **3**
bivouaquer .... I **3**
bizuter .... T **3**
blackbouler .... T **3**
blaguer .... I **8**
blairer .... T **3**
blâmer .... T **3**
blâmer (se) **84** **3**
blanchir .... I/T **20**
blanchir (se) **84** **20**
blaser .... T **3**
blaser (se) **84** **3**
blasonner .... T **3**
blasphémer .... I/T **9**
blatérer .... I **9**
blêmir .... I **20**
bléser .... I **9**
blesser .... T **3**
blesser (se) **84** **3**
blettir .... I **20**
bleuir .... T **20**
blinder .... T **3**
blinder (se) **84** **3**
blondir .... I/T **20**
blondoyer .... I **18**
bloquer .... T **3**
bloquer (se) **84** **3**
blottir (se) **84** **20**
blouser .... I/T **3**
bluffer .... I/T **3**
bluter .... T **3**
bobiner .... T **3**
bocarder .... T **3**
boire .... T **79**
boiser .... T **3**
boiter .... I **3**
boitiller .... I **3**
bombarder .... T **3**
bomber .... I/T **3**
bondir .... I **20**
bondonner .... T **3**
bonifier .... T **4**
bonifier (se) **84** **4**

bonimenter .... T **3**
bonir .... T **20**
bordéliser .... T **3**
border .... T **3**
bordurer .... T **3**
borner .... T **3**
borner (se) **84** **3**
bornoyer .... I/T **18**
bosseler .... T **12**
bosseler (se) **84** **12**
bosser .... T **3**
bossuer .... T **3**
bostonner .... I **3**
botaniser .... I **3**
botteler .... T **12**
botter .... T **3**
boubouler .... I **3**
boucaner .... T **3**
boucharder .... T **3**
boucher .... T **3**
boucher (se) **86** **3**
bouchonner .... I/T **3**
bouchonner (se) **84** **3**
boucler .... I/T **3**
boucler (se) **84** **3**
bouder .... I/T **3**
boudiner .... T **3**
bouffer .... I/T **3**
bouffer (se) **86** **3**
bouffir .... I/T **20**
bouffonner .... I **3**
bouger .... I/T **7**
bouger (se) **86** **7**
bougonner .... I/T **3**
bouillir .... I/T **24**
bouillonner .... I **3**
bouillotter .... I **3**
boulanger .... I/T **7**
bouler .... I/T **3**
bouleverser .... T **3**
boulocher .... I **3**
boulonner .... T **3**
boulotter .... I **3**
boumer .... I **3**
bouquiner .... I **3**

bourdonner .... I **3**
bourgeonner .... I **3**
bourlinguer .... I **8**
bourreler .... T **12**
bourrer .... I/T **3**
bourrer (se) **84** **3**
boursicoter .... I **3**
boursoufler .... T **3**
boursoufler (se) **84** **3**
bousculer .... T **3**
bousculer (se) **84** **3**
bousiller .... T **3**
bouter .... T **3**
boutonner .... I/T **3**
boutonner (se) **84** **3**
bouturer .... I/T **3**
boxer .... I **3**
boyauter (se) **84** **3**
boycotter .... T **3**
braconner .... I **3**
brader .... T **3**
brailler .... I **3**
braire .... I, D **69**
braiser .... T **3**
bramer .... I **3**
brancarder .... T **3**
brancher .... I/T **3**
brancher (se) **84** **3**
brandiller .... I/T **3**
brandir .... T **20**
branler .... I/T **3**
braquer .... T **3**
braquer (se) **84** **3**
braser .... T **3**
brasiller .... I **3**
brasser .... T **3**
brasser (se) **84** **3**
brasseyer .... T **3**
braver .... T **3**
braver (se) **84** **3**
brayer .... T **16**
bredouiller .... I/T **3**
brêler .... T **3**
brésiller .... I/T **3**
brésiller (se) **84** **3**

6 000 verbes classés de A à Z

bretteler	T 12
breveter	T 14
bricoler	I/T 3
brider	T 3
bridger	I 7
briefer	T 3
brigander	I/T 3
briguer	T 8
brillanter	T 3
brillantiner	T 3
briller	I 3
brimbaler	I/T 3
brimer	T 3
brinquebaler	I/T 3
briquer	T 3
briqueter	T 14
briser	I/T 3
briser (se)	86 3
brocanter	I/T 3
brocarder	T 3
brocher	T 3
broder	T/Ti 3
bromer	I 3
broncher	I 3
bronzer	I/T 3
bronzer (se)	84 3
brosser	I/T 3
brosser (se)	86 3
brouetter	T 3
brouillasser	I, Ip 3
brouiller	T 3
brouiller (se)	84 3
brouter	I/T 3
broyer	T 18
bruiner	I, Ip 3
bruire	I, D 20
bruisser	I 3
bruiter	T 3
brûler	I/T 3
brûler (se)	86 3
brunir	I/T 20
brunir (se)	84 20
brusquer	T 3
brutaliser	T 3
bûcher	T 3

bûcheronner	I 3
budgéter	T 9
budgétiser	T 3
buller	I 3
buller (se)	84 3
bureaucratiser	T 3
bureaucratiser (se)	84 3
buriner	T 3
buriner (se)	84 3
buser	T 3
busquer	T 3
buter	I/T 3
butiner	I/T 3
butter	T 3

cabaner	T 3
câbler	T 3
cabosser	T 3
caboter	I 3
cabotiner	I 3
cabrer	T 3
cabrer (se)	84 3
cabrioler	I 3
cacaber	I 3
cacarder	I 3
cacher	T 3
cacher (se)	86 3
cacheter	T 14
cachetonner	I 3
cadancher	I 3
cadastrer	T 3
cadenasser	T 3
cadenasser (se)	84 3
cadencer	T 6
cadrer	I/T 3
cafarder	I 3
cafouiller	I 3
cafter	I 3
cahoter	I/T 3
caillasser	T 3
caillebotter	T 3

cailler	I/T 3
cailler (se)	84 3
caillouter	T 3
cajoler	I/T 3
cajoler (se)	84 3
calaminer (se)	84 3
calamistrer	T 3
calancher	I 3
calandrer	T 3
calcifier	T 4
calcifier (se)	84 4
calciner	T 3
calciner (se)	84 3
calculer	T 3
caler	I/T 3
caler (se)	84 3
calfater	T 3
calfater (se)	84 3
calfeutrer	T 3
calfeutrer (se)	84 3
calibrer	T 3
câliner	T 3
câliner (se)	84 3
calligraphier	T 4
calmer	T 3
calmer (se)	84 3
calmir	I 20
calomnier	T 4
calorifuger	T 7
calotter	T 3
calquer	T 3
calter	I 3
calter (se)	84 3
cambrer	T 3
cambrer (se)	84 3
cambrioler	T 3
camer (se)	84 3
camionner	T 3
camoufler	T 3
camoufler (se)	84 3
camper	I/T 3
camper (se)	84 3
canaliser	T 3
canarder	I/T 3
cancaner	I 3

Liste des verbes

cancériser (se) 84 3
candidater .... I 3
candir .... T 20
candir (se) 84 20
caner .... I 3
canneler .... T 12
canner .... T 3
cannibaliser .... T 3
canoniser .... T 3
canonner .... T 3
canoter .... I 3
cantiner .... T 3
cantiner (se) 84 3
cantonner .... T 3
cantonner (se) 84 3
canuler .... T 3
caoutchouter .... T 3
caparaçonner .... T 3
caparaçonner (se) 84 3
capeler .... T 12
capeyer .... I 3
capitaliser .... T 3
capitaliser (se) 84 3
capitonner .... T 3
capituler .... I 3
caponner .... I 3
caporaliser .... T 3
capoter .... I/T 3
capsuler .... T 3
capter .... T 3
captiver .... T 3
captiver (se) 84 3
capturer .... T 3
capuchonner .... T 3
caquer .... T 3
caqueter .... I 14
caracoler .... I 3
caractériser .... T 3
caractériser (se) 84 3
caramboler .... I 3
caramboler (se) 84 3
caraméliser .... T 3
caraméliser (se) 84 3
carapater (se) 84 3
carbonater .... T 3

carboniser .... T 3
carburer .... I/T 3
carcailler .... I 3
carder .... T 3
carencer .... T 6
caréner .... T 9
caresser .... T 3
caresser (se) 86 3
carguer .... T 8
caricaturer .... T 3
carier .... T 4
carier (se) 84 4
carillonner .... I/T 3
carnifier (se) 84 4
carotter .... T 3
carreler .... T 12
carrer .... T 3
carrer (se) 84 3
carrosser .... T 3
carroyer .... T 18
cartelliser .... T 3
carter .... T 3
cartographier .... T 4
cartonner .... I/T 3
cascader .... I 3
caséifier .... T 4
caser .... T 3
caser (se) 84 3
caserner .... T 3
casquer .... I 3
casse-croûter .... I 3
casser .... I/T 3
casser (se) 86 3
castagner (se) 84 3
castrer .... T 3
cataloguer .... T 8
catalyser .... T 3
catapulter .... T 3
catastropher .... T 3
catcher .... I 3
catéchiser .... T 3
catégoriser .... T 3
catir .... T 20
cauchemarder .... I 3
causaliser .... I 3

causer .... I/T/Ti 3
cautériser .... T 3
cautionner .... T 3
cavalcader .... I 3
cavaler .... I 3
cavaler (se) 84 3
caver .... I/T 3
caver (se) 84 3
caviarder .... T 3
céder .... I/T/Ti 9
ceindre .... T 55
ceinturer .... T 3
célébrer .... T 9
celer .... T 13
cémenter .... T 3
cendrer .... T 3
censurer .... T 3
centraliser .... T 3
centrer .... T 3
centrifuger .... T 7
centupler .... T 3
cercler .... T 3
cerner .... T 3
certifier .... T 4
césariser .... T 3
cesser .... I/T 3
chabler .... T 3
chagriner .... T 3
chahuter .... I/T 3
chaîner .... T 3
challenger .... T 7
chalouper .... I 3
chaluter .... I 3
chamailler (se) 84 3
chamarrer .... T 3
chambarder .... T 3
chambouler .... T 3
chambrer .... T 3
chamoiser .... T 3
champagniser .... T 3
champlever .... T 11
chanceler .... I 12
chancir .... I 20
chancir (se) 84 20
chanfreiner .... T 3

6 000 verbes classés de A à Z

Liste des verbes

changer .... I/T/Ti **7**
changer (se) **86** **7**
chansonner .... T **3**
chanter .... I/T **3**
chantonner .... T **3**
chantourner .... T **3**
chaparder .... T **3**
chapeauter .... T **3**
chapeler .... T **12**
chaperonner .... T **3**
chapitrer .... T **3**
chaponner .... T **3**
chaptaliser .... T **3**
charbonner .... I/T **3**
charcuter .... T **3**
charger .... T **7**
charmer .... I/T **3**
charpenter .... T **3**
charrier .... I/T **4**
charroyer .... T **18**
chartériser .... T **3**
chasser .... I/T **3**
châtaigner .... I **3**
châtier .... T **4**
chatonner .... I **3**
chatouiller .... T **3**
chatouiller (se) **86** **3**
chatoyer .... I **18**
châtrer .... T **3**
chatter .... I **3**
chauffer .... I/T **3**
chauffer (se) **86** **3**
chauler .... T **3**
chaumer .... I/T **3**
chausser .... T **3**
chausser (se) **84** **3**
chauvir .... I **20**
chavirer .... I/T **3**
cheminer .... I **3**
chemiser .... T **3**
chercher .... I/T **3**
chercher (se) **86** **3**
chérir .... T **20**
chérir (se) **84** **20**
cherrer .... I **3**

chevaler .... T **3**
chevaucher .... I/T **3**
chevaucher (se) **84** **3**
cheviller .... T **3**
chevreter .... I **14**
chevronner .... T **3**
chevroter .... I/T **3**
chiader .... T **3**
chialer .... I **3**
chicaner .... I/T **3**
chicoter .... I **3**
chienner .... I **3**
chier .... I **4**
chiffonner .... I/T **3**
chiffrer .... T **3**
chiffrer (se) .... D **84** **3**
chigner .... I **3**
chiner .... I/T **3**
chinoiser .... I **3**
chiper .... T **3**
chipoter .... I **3**
chipoter (se) **84** **3**
chiquer .... T **3**
chlinguer .... I **8**
chlorer .... T **3**
chloroformer .... T **3**
chlorurer .... T **3**
choir .... I, D **51**
choisir .... T **20**
chômer .... I/T **3**
choper .... T **3**
chopiner .... I **3**
chopper .... I **3**
choquer .... T **3**
chorégraphier .... T **4**
chosifier .... T **4**
chouchouter .... T **3**
chougner .... I **3**
chouiner .... I **3**
chouraver .... T **3**
choyer .... T **18**
christianiser .... T **3**
chromer .... T **3**
chroniquer .... T **3**
chronométrer .... T **9**

chronométrer (se) **84** **9**
chuchoter .... I/T **3**
chuinter .... I **3**
chuter .... I **3**
cibler .... T **3**
cicatriser .... I/T **3**
cicatriser (se) **84** **3**
ciller .... T **3**
cimenter .... T **3**
cinématographier .... T **4**
cingler .... I/T **3**
cintrer .... T **3**
circoncire .... T **72**
circonscrire .... T **76**
circonscrire (se) **84** **76**
circonstancier .... T **4**
circonvenir .... T **27**
circulariser .... T **3**
circuler .... I **3**
cirer .... T **3**
cisailler .... T **3**
ciseler .... T **13**
citer .... T **3**
civiliser .... T **3**
civiliser (se) **84** **3**
clabauder .... T **3**
claboter .... I **3**
claironner .... I **3**
clamecer .... I **3**
clamer .... T **3**
clamper .... T **3**
clamser .... I **3**
clapoter .... I **3**
clapper .... I **3**
claquemurer .... T **3**
claquer .... I/T **3**
claquer (se) **86** **3**
claqueter .... I **14**
clarifier .... T **4**
classer .... T **3**
classer (se) **84** **3**
classifier .... T **4**
claudiquer .... I **3**
claustrer .... T **3**
claveter .... T **14**

Liste des verbes

clayonner .... T 3
cléricaliser .... T 3
cligner .... T 3
clignoter .... I 3
climatiser .... T 3
cliquer .... I 3
cliqueter .... I 14
clisser .... T 3
cliver .... T 3
cliver (se) 84 3
clochardiser .... T 3
clochardiser (se) 84 3
clocher .... I 3
cloisonner .... T 3
cloîtrer .... T 3
cloîtrer (se) 84 3
cloner .... T 3
cloper .... I 3
clopiner .... I 3
cloquer .... I/T 3
clore .... T, D 81
clôturer .... I/T 3
clouer .... T 3
clouter .... T 3
coacher .... T 3
coaguler .... I/T 3
coaguler (se) 84 3
coaliser .... T 3
coaliser (se) 84 3
coasser .... I 3
cocher .... T 3
côcher .... T 3
cochonner .... T 3
cocooner .... I 3
cocot(t)er .... I 3
cocufier .... T 4
coder .... T 3
codifier .... T 4
coéditer .... T 3
coexister .... I 3
coffrer .... T 3
cogiter .... I 3
cogner .... I/T 3
cogner (se) 84 3
cohabiter .... I 3

cohériter .... I 3
coiffer .... T 3
coiffer (se) 84 3
coincer .... I/T 6
coincer (se) 86 6
coincher .... I 3
coïncider .... I 3
coïter .... I 3
cokéfier .... T 4
collaborer .... I 3
collapser .... I 3
collationner .... T 3
collecter .... T 3
collecter (se) 84 3
collectionner .... T 3
collectiviser .... T 3
coller .... I/T/Ti 3
coller (se) 86 3
colleter (se) 84 14
colliger .... T 7
colloquer .... T 3
colmater .... T 3
coloniser .... T 3
colorer .... T 3
colorer (se) 84 3
colorier .... T 4
coloriser .... T 3
colporter .... T 3
coltiner .... T 3
combattre .... I/T 62
combiner .... T 3
combler .... T 3
commander .... I/T/Ti 3
commander (se) 86 3
commanditer .... T 3
commémorer .... T 3
commencer .... I/T 6
commenter .... T 3
commercer .... I 6
commercialiser .... T 3
commettre .... T 63
commettre (se) 84 63
commissionner .... T 3
commotionner .... T 3
commuer .... T 3

communaliser .... T 3
communautariser .... T 3
communier .... I 4
communiquer .... I/T 3
communiquer (se) 86 3
commuter .... T 3
compacter .... T 3
comparaître .... I 64
comparer .... T 3
comparer (se) 84 3
compartimenter .... T 3
compasser .... T 3
compatir .... Ti 20
compenser .... T 3
compéter .... I 9
compiler .... T 3
compisser .... T 3
complaire .... Ti 68
complaire (se) 85 68
compléter .... T 9
complexer .... T 3
complexifier .... T 4
complimenter .... T 3
compliquer .... T 3
compliquer (se) 84 3
comploter .... I 3
comporter .... T 3
comporter (se) 84 3
composer .... I/T 3
composer (se) 86 3
composter .... T 3
comprendre .... T 53
comprendre (se) 84 53
compresser .... T 3
comprimer .... T 3
compromettre .... T 63
compromettre (se) ... 84 63
comptabiliser .... T 3
compter .... I/T 3
compter (se) 84 3
compulser .... T 3
concasser .... T 3
concéder .... T 9
concélébrer .... T 9
concentrer .... T 3

6 000 verbes classés de A à Z

Liste des verbes

concentrer (se) **84** **3**
conceptualiser .... T **3**
concerner .... T **3**
concerter .... T **3**
concerter (se) **84** **3**
concevoir .... T **36**
concilier .... T **4**
concilier (se) **86** **4**
conclure .... T/Ti **80**
concocter .... T **3**
concorder .... I **3**
concourir .... I/Ti **25**
concréter .... T **9**
concrétiser .... I/T **3**
concrétiser (se) **84** **3**
concurrencer .... T **6**
condamner .... T **3**
condenser .... T **3**
condescendre .... Ti **52**
conditionner .... T **3**
conduire .... T **78**
conduire (se) **84** **78**
confectionner .... T **3**
confectionner (se) **86** **3**
confédérer .... T **9**
conférer .... I/T **9**
confesser .... T **3**
confesser (se) **84** **3**
confier .... T **4**
confier (se) **86** **4**
configurer .... T **3**
confiner .... T/Ti **3**
confiner (se) **84** **3**
confire .... T **72**
confire (se) **84** **72**
confirmer .... T **3**
confirmer (se) **84** **3**
confisquer .... T **3**
confluer .... I **3**
confondre .... T **52**
confondre (se) **84** **52**
conformer .... T **3**
conformer (se) **84** **3**
conforter .... T **3**
confronter .... T **3**

congédier .... T **4**
congeler .... T **13**
congeler (se) **84** **13**
congestionner .... T **3**
congestionner (se) **84** **3**
conglomérer .... T **9**
conglutiner .... T **3**
congratuler .... T **3**
congratuler (se) **84** **3**
congréer .... T **5**
conjecturer .... T **3**
conjoindre .... T **56**
conjuguer .... T **8**
conjuguer (se) **84** **8**
conjurer .... T **3**
conjurer (se) **84** **3**
connaître .... T/Ti **64**
connaître (se) **84** **64**
connecter .... T **3**
connecter (se) **84** **3**
connoter .... T **3**
conquérir .... T **28**
consacrer .... T **3**
consacrer (se) **84** **3**
conscientiser .... T **3**
conseiller .... T **3**
consentir .... Ti **22**
conserver .... T **3**
conserver (se) **84** **3**
considérer .... T **9**
considérer (se) **84** **9**
consigner .... T **3**
consister .... I **3**
consoler .... T **3**
consoler (se) **84** **3**
consolider .... T **3**
consommer .... I/T **3**
consoner .... I **3**
conspirer .... I/T **3**
conspuer .... T **3**
constater .... T **3**
consteller .... T **3**
consteller (se) **84** **3**
consterner .... T **3**
constiper .... I/T **3**

constituer .... T **3**
constituer (se) **86** **3**
constitutionnaliser ...... T **3**
construire .... T **78**
consulter .... I/T **3**
consulter (se) **84** **3**
consumer .... T **3**
consumer (se) **84** **3**
contacter .... T **3**
contaminer .... T **3**
contempler .... T **3**
conteneuriser .... T **3**
contenir .... T **27**
contenir (se) **84** **27**
contenter .... T **3**
contenter (se) **84** **3**
conter .... T **3**
contester .... T **3**
contextualiser .... T **3**
contingenter .... T **3**
continuer .... I/T **3**
continuer (se) **84** **3**
contorsionner (se) **84** **3**
contourner .... T **3**
contracter .... T **3**
contracter (se) **84** **3**
contractualiser .... T **3**
contracturer .... T **3**
contraindre .... T **54**
contraindre (se) **84** **54**
contrarier .... T **4**
contraster .... I/T **3**
contre-attaquer .... T **3**
contrebalancer .... T **6**
contrebraquer .... I **3**
contrebuter .... T **3**
contrecarrer .... T **3**
contrecoller .... T **3**
contredire .... T **73**
contredire (se) **84** **73**
contrefaire .... T **82**
contreficher (se) **84** **3**
contrefoutre (se) .. D **84** **62**
contre-indiquer .... T **3**
contre-manifester .... I **3**

264

Liste des verbes

contre-passer .... T 3
contre-plaquer .... T 3
contrer .... I 3
contresigner .... T 3
contrevenir .... Ti 27
contreventer .... T 3
contribuer .... Ti 3
contrister .... T 3
contrôler .... T 3
contrôler (se) 84 3
controverser .... T 3
contusionner .... T 3
convaincre .... T 61
convaincre (se) 84 61
convenir .... Ti 27
convenir (se) 85 27
conventionner .... T 3
converger .... I 7
converser .... I 3
convertir .... T 20
convertir (se) 84 20
convier .... T 4
convivialiser .... I/T 3
convoiter .... T 3
convoler .... I 3
convoquer .... T 3
convoyer .... T 18
convulser .... T 3
convulser (se) 84 3
convulsionner .... T 3
coopérer .... I 9
coopter .... T 3
coordonner .... T 3
copartager .... T 7
coparticiper .... Ti 3
copermuter .... T 3
copier .... I/T 4
copiner .... I 3
coposséder .... T 9
coprésider .... T 3
coproduire .... T 78
copuler .... I 3
coqueter .... I 3
cordeler .... T 12
corder .... T 3

corder (se) 84 3
cordonner .... T 3
cornaquer .... T 3
corner .... I/T 3
correctionnaliser .... T 3
corréler .... T 9
correspondre .... I/Ti 52
correspondre (se) .. 85 52
corriger .... T 7
corriger (se) 84 7
corroborer .... T 3
corroder .... T 3
corrompre .... T 60
corrompre (se) 84 60
corroyer .... T 18
corser .... T 3
corser (se) 84 3
corseter .... T 15
cosigner .... T 3
costumer .... T 3
costumer (se) 84 3
coter .... T 3
cotir .... T 20
cotiser .... I 3
cotiser (se) 84 3
cotonner (se) 84 3
côtoyer .... T 18
couchailler .... I 3
coucher .... I/T 3
coucher (se) 84 3
couder .... T 3
coudoyer .... T 18
coudre .... T 58
couillonner .... T 3
couiner .... I 3
couler .... I/T 3
couler (se) 84 3
coulisser .... I/T 3
coupailler .... T 3
coupeller .... T 3
couper .... I/T/Ti 3
couper (se) 86 3
coupler .... T 3
courailler .... I 3
courbaturer .... T, E 3

courber .... I/T 3
courber (se) 84 3
courir .... I/T 25
couronner .... T 3
couronner (se) 84 3
courroucer .... T 6
courroucer (se) 84 6
courser .... T 3
court-circuiter .... T 3
courtauder .... T 3
courtiser .... T 3
cousiner .... I 3
coûter .... I/T 3
couver .... I/T 3
couvrir .... T 29
craboter .... T 3
cracher .... I/T 3
cracher (se) 84 3
crachiner .... I, Ip 3
crachoter .... I 3
crailler .... I 3
craindre .... T 54
cramer .... I/T 3
cramponner .... T 3
cramponner (se) 84 3
crâner .... I 3
cranter .... T 3
crapahuter .... I 3
crapahuter (se) 84 3
crapuler .... I 3
craqueler .... T 12
craqueler (se) 84 12
craquer .... I/T 3
craqueter .... I 14
crasher (se) 84 3
cravacher .... T 3
cravater .... T 3
cravater (se) 84 3
crawler .... I 3
crayonner .... T 3
crécher .... I 9
crédibiliser .... T 3
créditer .... T 3
créer .... T 5
crémer .... I/T 9

6 000 verbes classés de A à Z

Liste des verbes

crêneler .... T 12
créoliser (se) 84 3
crêper .... T 3
crêper (se) 86 3
crépir .... T 20
crépiter .... I 3
crétiniser .... T 3
creuser .... T 3
creuser (se) 84 3
crevasser .... T 3
crevasser (se) 84 3
crever .... I/T, A/E 11
crever (se) 86 11
criailler .... T 3
cribler .... T 3
crier .... I/T 4
criminaliser .... T 3
criquer .... I 3
crisper .... T 3
crisper (se) 84 3
crisser .... I 3
cristalliser .... I/T 3
cristalliser (se) 84 3
criticailler .... I/T 3
critiquer .... T 3
croasser .... I 3
crocher .... I/T 3
crocheter .... T 15
croire .... I/T/Ti 67
croire (se) 86 67
croiser .... I/T 3
croiser (se) 86 3
croître .... I 66
croquer .... I/T 3
crosser .... T 3
crotter .... T 3
crouler .... I 3
croupir .... I, A/E 20
croustiller .... I 3
croûter .... I 3
crucifier .... T 4
crypter .... T 3
cryptographier .... T 4
cuber .... I/T 3
cueillir .... T 30

cuirasser .... T 3
cuirasser (se) 84 3
cuire .... I/T 78
cuisiner .... I/T 3
cuiter (se) 84 3
cuivrer .... T 3
culbuter .... I/T 3
culer .... I 3
culminer .... I 3
culotter .... T 3
culotter (se) 84 3
culpabiliser .... I/T 3
cultiver .... T 3
cultiver (se) 84 3
cumuler .... T 3
curer .... T 3
curer (se) 86 3
cureter .... T 14
cuveler .... T 12
cuver .... I/T 3
cyanoser .... T 3
cyanurer .... T 3
cylindrer .... T 3

dactylographier .... T 4
daguer .... T 8
daigner .... T 3
daller .... T 3
damasquiner .... T 3
damasser .... T 3
damer .... T 3
damner .... T 3
damner (se) 84 3
dandiner .... I 3
dandiner (se) 84 3
danser .... I/T 3
dansot(t)er .... I 3
darder .... T 3
darder (se) 84 3
dater .... I/T 3
dauber .... I/T 3

dealer .... T 3
déambuler .... I 3
débâcher .... T 3
débâcler .... I 3
débagouler .... I/T 3
débâillonner .... T 3
déballer .... T 3
déballonner (se) 84 3
débanaliser .... T 3
débander .... I/T 3
débander (se) 84 3
débaptiser .... T 3
débarbouiller .... T 3
débarbouiller (se) 86 3
débarder .... T 3
débarquer .... I/T 3
débarrasser .... T 3
débarrasser (se) 84 3
débâter .... T 3
débâtir .... T 20
débattre .... T 62
débattre (se) 84 62
débaucher .... T 3
débaucher (se) 84 3
débecqueter .... T 14
débecter .... T 3
débiliter .... T 3
débillarder .... T 3
débiner .... T 3
débiner (se) 84 3
débiter .... T 3
déblatérer .... I 9
déblayer .... T 16
débloquer .... T 3
débobiner .... T 3
déboguer .... T 3
déboiser .... T 3
déboîter .... I/T 3
déboîter (se) 86 3
débonder .... T 3
déborder .... I/T 3
déborder (se) 84 3
débosseler .... T 12
débotter .... T 3
déboucher .... I/T 3

266

Liste des verbes

déboucler	T 3	
débouler	I/T 3	
déboulonner	T 3	
débouquer	I 3	
débourber	T 3	
débourrer	I/T 3	
débourser	T 3	
déboussoler	T 3	
débouter	T 3	
déboutonner	T 3	
déboutonner (se)	84 3	
débrailler (se)	84 3	
débrancher	T 3	
débrayer	I/T 16	
débrider	T 3	
débrocher	T 3	
débronzer	I 3	
débrouiller	T 3	
débrouiller (se)	84 3	
débroussailler	T 3	
débucher	I/T 3	
débudgétiser	T 3	
débureaucratiser	T 3	
débusquer	T 3	
débuter	I/T 3	
décacheter	T 14	
décadenasser	T 3	
décaféiner	T 3	
décaisser	T 3	
décalaminer	T 3	
décalcifier	T 4	
décalcifier (se)	84 4	
décaler	T 3	
décaler (se)	84 3	
décalotter	T 3	
décalquer	T 3	
décamper	I 3	
décaniller	I 3	
décanter	I/T 3	
décanter (se)	84 3	
décapeler	T 12	
décaper	T 3	
décapitaliser	T 3	
décapiter	T 3	
décapoter	T 3	

décapsuler	T 3	
décapuchonner	T 3	
décarbonater	T 3	
décarburer	T 3	
décarcasser (se)	84 3	
décarreler	T 12	
décarreler (se)	84 12	
décarrer	I 3	
décatir	T 20	
décatir (se)	84 20	
décauser	T 3	
décavaillonner	T 3	
décaver	T 3	
décéder	I, E 9	
déceler	T 13	
décélérer	I 9	
décentraliser	T 3	
décentrer	T 3	
décentrer (se)	84 3	
décercler	T 3	
décérébrer	T 9	
décerner	T 3	
décerveler	T 12	
décevoir	T 36	
déchaîner	T 3	
déchaîner (se)	84 3	
déchanter	I 3	
décharger	I/T 7	
décharger (se)	84 7	
décharner	T 3	
déchaumer	T 3	
déchausser	I/T 3	
déchausser (se)	84 3	
déchiffonner	T 3	
déchiffrer	T 3	
déchiqueter	T 14	
déchirer	T 3	
déchirer (se)	86 3	
déchlorurer	T 3	
déchoir	I, D 51	
déchristianiser	T 3	
décider	T/Ti 3	
décider (se)	84 3	
décimaliser	T 3	
décimer	T 3	

décintrer	T 3	
déclamer	I/T 3	
déclarer	T 3	
déclarer (se)	84 3	
déclasser	T 3	
déclassifier	T 3	
déclaveter	T 14	
déclencher	T 3	
déclencher (se)	84 3	
décléricaliser	T 3	
décliner	I/T 3	
décliner (se)	84 3	
décliqueter	T 14	
décloisonner	T 3	
déclore	T, D 81	
déclouer	T 3	
décocher	T 3	
décoder	T 3	
décoffrer	T 3	
décoiffer	T 3	
décoiffer (se)	84 3	
décoincer	T 6	
décolérer	I 9	
décollectiviser	T 3	
décoller	I/T 3	
décoller (se)	84 3	
décolleter	T 14	
décoloniser	T 3	
décolorer	T 3	
décommander	T 3	
décommander (se)	84 3	
décompenser	I 3	
décomplexer	T 3	
décomposer	T 3	
décomposer (se)	84 3	
décompresser	I/T 3	
décomprimer	T 3	
décompter	I/T 3	
déconcentrer	T 3	
déconcentrer (se)	84 3	
déconcerter	T 3	
déconditionner	T 3	
déconfire	T 72	
décongeler	T 13	
décongestionner	T 3	

Liste des verbes

déconnecter	T 3
déconnecter (se)	84 3
déconner	I 3
déconseiller	T 3
déconsidérer	T 9
déconsigner	T 3
déconstruire	T 78
décontaminer	T 3
décontenancer	T 6
décontenancer (se)	84 6
décontextualiser	T 3
décontracter	T 3
décontracter (se)	84 3
déconventionner	T 3
décorder	T 3
décorder (se)	84 3
décorer	T 3
décorner	T 3
décortiquer	T 3
découcher	I 3
découdre	T 58
découler	I 3
découper	T 3
découper (se)	86 3
découpler	T 3
décourager	T 7
décourager (se)	84 7
découronner	T 3
découvrir	I/T 29
découvrir (se)	86 29
décramponner	T 3
décrasser	T 3
décrédibiliser	T 3
décrêper	T 3
décrépir	T 20
décréter	T 9
décreuser	T 3
décrier	T 4
décrire	T 76
décrisper	T 3
décrocher	I/T 3
décrocher (se)	84 3
décroiser	T 3
décroître	I 66
décrotter	T 3

décroûter	T 3
décruer	T 3
décruser	T 3
décrypter	T 3
décuivrer	T 3
déculasser	T 3
déculotter	T 3
déculotter (se)	84 3
déculpabiliser	T 3
décupler	I/T 3
décuver	T 3
dédaigner	T/Ti 3
dédicacer	T 6
dédier	T 4
dédifférencier (se)	84 4
dédire	T 73
dédire (se)	84 73
dédommager	T 7
dédommager (se)	84 7
dédorer	T 3
dédouaner	T 3
dédouaner (se)	84 3
dédoubler	T 3
dédoubler (se)	84 3
dédramatiser	T 3
déduire	T 78
défaillir	I 31
défaire	T 82
défaire (se)	84 82
défalquer	T 3
défarder	T 3
défatiguer	T 8
défatiguer (se)	84 8
défaufiler	T 3
défausser	T 3
défausser (se)	84 3
défavoriser	T 3
déféminiser	T 3
défendre	T 52
défendre (se)	84 52
défenestrer	T 3
défenestrer (se)	84 3
déféquer	I/T 9
déférer	T/Ti 9
déferler	I/T 3

déferrer	T 3
défeuiller	T 3
défeutrer	T 3
défibrer	T 3
défibriliser	T 3
déficeler	T 12
défier	T 4
défier (se)	84 4
défigurer	T 3
défiler	I/T 3
défiler (se)	84 3
définir	T 20
définir (se)	84 20
défiscaliser	T 3
déflagrer	I 3
défléchir	T 20
défleurir	I/T 20
défloquer	T 3
déflorer	T 3
défolier	T 4
défoncer	T 6
défoncer (se)	84 6
déforcer	T 6
déforester	T 3
déformer	T 3
défouler	T 3
défouler (se)	84 3
défourailler	T 3
défourner	T 3
défraîchir	T 20
défrayer	T 16
défricher	T 3
défriper	T 3
défriser	T 3
défroisser	T 3
défroncer	T 6
défroquer	T 3
défroquer (se)	84 3
défruiter	T 3
dégager	I/T 7
dégager (se)	84 7
dégainer	T 3
déganter	T 3
dégarnir	T 20
dégarnir (se)	84 20

Liste des verbes

6 000 verbes classés de A à Z

Liste des verbes

démettre	T 63	
démettre (se)	84 63	
démeubler	T 3	
demeurer	I, A/E 3	
démieller	T 3	
démilitariser	T 3	
déminer	T 3	
déminéraliser	T 3	
démissionner	I/T 3	
démobiliser	T 3	
démobiliser (se)	84 3	
démocratiser	T 3	
démocratiser (se)	84 3	
démoder (se)	84 3	
démoduler	T 3	
démolir	T 20	
démonétiser	T 3	
démonter	T 3	
démonter (se)	84 3	
démontrer	T 3	
démoraliser	T 3	
démoraliser (se)	84 3	
démordre	Ti 52	
démotiver	T 3	
démoucheter	T 14	
démouler	T 3	
démoustiquer	T 3	
démultiplier	T 4	
démunir	T 20	
démunir (se)	84 20	
démurer	T 3	
démuseler	T 12	
démutiser	T 3	
démyéliniser	T 3	
démystifier	T 4	
démythifier	T 4	
dénasaliser	T 3	
dénationaliser	T 3	
dénatter	T 3	
dénaturaliser	T 3	
dénaturer	T 3	
dénaturer (se)	84 3	
dénazifier	T 4	
dénébuler	T 3	
déneiger	T 7	

dénerver	T 3	
déniaiser	T 3	
dénicher	I/T 3	
dénicotiniser	T 3	
dénier	T 4	
dénigrer	T 3	
dénitrifier	T 4	
déniveler	T 12	
dénombrer	T 3	
dénommer	T 3	
dénoncer	T 6	
dénoncer (se)	84 6	
dénoter	T 3	
dénouer	T 3	
dénouer (se)	84 3	
dénoyauter	T 3	
densifier	T 4	
denteler	T 12	
dénucléariser	T 3	
dénuder	T 3	
dénuder (se)	84 3	
dénuer (se)	84 3	
dépailler	T 3	
dépalisser	T 3	
dépanner	T 3	
dépaqueter	T 14	
déparaffiner	T 3	
déparasiter	T 3	
dépareiller	T 3	
déparer	T 3	
déparier	T 4	
déparler	I 3	
départager	T 7	
départementaliser	T 3	
départir	T 22	
départir (se)	84 22	
dépasser	I/T 3	
dépasser (se)	84 3	
dépassionner	T 3	
dépatouiller (se)	84 3	
dépaver	T 3	
dépayser	T 3	
dépecer	T 11	
dépêcher	T 3	
dépêcher (se)	84 3	

dépeigner	T 3	
dépeindre	T 55	
dépelotonner	T 3	
dépénaliser	T 3	
dépendre	Ti 52	
dépenser	T 3	
dépenser (se)	84 3	
dépérir	I 20	
dépersonnaliser	T 3	
dépêtrer	T 3	
dépêtrer (se)	84 3	
dépeupler	T 3	
dépeupler (se)	84 3	
déphaser	T 3	
déphosphorer	T 3	
dépiauter	T 3	
dépierrer	T 3	
dépigmenter	T 3	
dépiler	T 3	
dépiquer	T 3	
dépister	T 3	
dépister (se)	84 3	
dépiter	T 3	
déplacer	T 6	
déplacer (se)	86 6	
déplafonner	T 3	
déplaire	Ti 68	
déplaire (se)	85 68	
déplanter	T 3	
déplâtrer	T 3	
déplier	T 4	
déplier (se)	84 4	
déplisser	T 3	
déplisser (se)	84 3	
déplomber	T 3	
déplorer	T 3	
déployer	T 18	
déployer (se)	84 18	
déplumer	T 3	
déplumer (se)	84 3	
dépoétiser	T 3	
dépointer	T 3	
dépoitrailler	T 3	
dépolariser	I/T 3	
dépolir	T 20	

Liste des verbes

dépolir (se) 84 20
dépolitiser .... T 3
dépolluer .... T 3
dépolymériser .... T 3
déporter .... T 3
déporter (se) 84 3
déposer .... T 3
déposer (se) 84 3
déposséder .... T 9
dépoter .... I/T 3
dépoudrer .... T 3
dépouiller .... T 3
dépouiller (se) 84 3
dépourvoir .... T 39
dépourvoir (se) 84 39
dépoussiérer .... T 9
dépraver .... T 3
déprécier .... T 4
déprécier (se) 84 4
déprendre (se) 84 53
dépressuriser .... T 3
déprimer .... I/T 3
dépriser .... T 3
déprogrammer .... T 3
dépuceler .... T 12
dépulper .... T 3
dépurer .... T 3
députer .... T 3
déqualifier .... T 4
déquiller .... T 3
déraciner .... T 3
dérader .... I 3
dérager .... I 7
dérailler .... I 3
déraisonner .... I 3
déramer .... T 3
déranger .... T 7
déranger (se) 84 7
déraper .... I 3
déraser .... T 3
dératiser .... T 3
dérayer .... T 16
déréaliser .... T 3
déréférencer .... T 6
déréglementer .... T 3

dérégler .... T 9
dérégler (se) 84 9
déréguler .... T 3
dérembourser .... T 3
déresponsabiliser .... T 3
dérider .... T 3
dérider (se) 84 3
dériver .... I/T/Ti 3
dériveter .... T 14
dérober .... T 3
dérober (se) 84 3
dérocher .... I/T 3
déroger .... Ti 7
dérougir .... I 20
dérouiller .... I/T 3
dérouiller (se) 84 3
dérouler .... T 3
dérouler (se) 84 3
dérouter .... T 3
dérouter (se) 84 3
désabonner .... T 3
désabonner (se) 84 3
désabuser .... T 3
désaccentuer .... T 3
désacclimater .... T 3
désaccorder .... T 3
désaccorder (se) 84 3
désaccoupler .... T 3
désaccoutumer .... T 3
désaccoutumer (se) .. 84 3
désacidifier .... T 4
désacraliser .... T 3
désactiver .... T 3
désadapter .... T 3
désaérer .... T 9
désaffecter .... T 3
désaffectionner (se) .. 84 3
désaffilier .... T 4
désagrafer .... T 3
désagréger .... T 10
désagréger (se) 84 10
désaimanter .... T 3
désaisonnaliser .... T 3
désajuster .... T 3
désaliéner .... T 9

désaligner .... T 3
désalper .... T 3
désaltérer .... T 9
désaltérer (se) 84 9
désambiguïser .... T 3
désamianter .... T 3
désamidonner .... T 3
désaminer .... T 3
désamorcer .... T 6
désannexer .... T 3
désaper .... T 3
désapparier .... T 4
désappointer .... T 3
désapprendre .... T 53
désapprouver .... T 3
désapprovisionner .... T 3
désarçonner .... T 3
désargenter .... T 3
désarmer .... I/T 3
désarrimer .... T 3
désarticuler .... T 3
désarticuler (se) 84 3
désassembler .... T 3
désassimiler .... T 3
désassortir .... T 20
désatelliser .... T 3
désatomiser .... T 3
désavantager .... T 7
désavouer .... T 3
désaxer .... T 3
desceller .... T 3
desceller (se) 84 3
descendre ...... I/T, A/E 52
déscolariser .... T 3
déséchouer .... T 3
désectoriser .... T 3
désembobiner .... T 3
désembourber .... T 3
désembourgeoiser ...... T 3
désembouteiller .... T 3
désembuer .... T 3
désemmancher .... T 3
désemparer .... T 3
désemplir .... I 20
désemplir (se) 84 20

Liste des verbes

désencadrer .... T 3
désenchaîner .... T 3
désenchanter .... T 3
désenclaver .... T 3
désencombrer .... T 3
désencrasser .... T 3
désendetter (se) 84 3
désénerver .... T 3
désenfler .... I 3
désenfumer .... T 3
désengager .... T 7
désengluer .... T 3
désengorger .... T 7
désengourdir .... T 20
désengrener .... T 11
désenivrer .... T 3
désennuyer .... T 17
désenrayer .... T 16
désensabler .... T 3
désensibiliser .... T 3
désensorceler .... T 12
désentoiler .... T 3
désentortiller .... T 3
désentraver .... T 3
désenvaser .... T 3
désenvenimer .... T 3
désenverguer .... T 8
désenvoûter .... T 3
désépaissir .... T 20
déséquilibrer .... T 3
déséquiper .... T 3
déserter .... I/T 3
désertifier (se) 84 4
désespérer .... T 9
désespérer (se) 84 9
désétatiser .... T 3
désexciter .... T 3
désexualiser .... T 3
déshabiller .... T 3
déshabiller (se) 84 3
déshabituer .... T 3
déshabituer (se) 84 3
désherber .... T 3
déshériter .... T 3
déshonorer .... T 3

déshonorer (se) 84 3
déshuiler .... T 3
déshumaniser .... T 3
déshumaniser (se) 84 3
déshydrater .... T 3
déshydrater (se) 84 3
déshydrogéner .... T 9
déshypothéquer .... T 3
désigner .... T 3
désillusionner .... T 3
désincarcérer .... T 9
désincarner .... T 3
désincarner (se) 84 3
désincorporer .... T 3
désincruster .... T 3
désindexer .... T 3
désindustrialiser .... T 3
désinfecter .... T 3
désinformer .... T 3
désinhiber .... T 3
désinsectiser .... T 3
désintégrer .... T 9
désintégrer (se) 84 9
désintéresser .... T 3
désintéresser (se) 84 3
désintoxiquer .... T 3
désintoxiquer (se) 84 3
désinvestir .... T 20
désirer .... T 3
désister (se) 84 3
désobéir .... Ti 20
désobliger .... T 7
désobstruer .... T 3
désocialiser .... T 3
désodoriser .... T 3
désoler .... T 3
désoler (se) 84 3
désolidariser .... T 3
désolidariser (se) 84 3
désoperculer .... T 3
désopiler (se) 84 3
désorbiter .... T 3
désorganiser .... T 3
désorienter .... T 3
désosser .... T 3

désoxyder .... T 3
désoxygéner .... T 9
desquamer .... I/T 3
dessabler .... T 3
dessaisir .... T 20
dessaisir (se) 84 20
dessaler .... I/T 3
dessangler .... T 3
dessaouler .... I/T 3
dessaper .... T 3
dessécher .... T 9
dessécher (se) 84 9
desseller .... T 3
desserrer .... T 3
dessertir .... T 20
desservir .... T 22
dessiller .... T 3
dessiner .... T 3
dessiner (se) 84 3
dessoler .... T 3
dessouder .... T 3
dessouder (se) 84 3
dessoûler .... I/T 3
dessuinter .... T 3
déstabiliser .... T 3
déstaliniser .... T 3
destiner .... T 3
destiner (se) 84 3
destituer .... T 3
déstocker .... I/T 3
déstresser .... I/T 3
déstructurer .... T 3
désulfurer .... T 3
désunir .... T 20
désunir (se) 84 20
désynchroniser .... T 3
désyndicaliser .... T 3
désyndicaliser (se) 84 3
détacher .... T 3
détacher (se) 84 3
détailler .... T 3
détaler .... I 3
détapisser .... T 3
détartrer .... T 3
détaxer .... T 3

Liste des verbes

détecter .... T 3
déteindre .... I/T 55
dételer .... I/T 12
détendre .... T 52
détendre (se) 84 52
détenir .... T 27
déterger .... T 7
détériorer .... T 3
détériorer (se) 84 3
déterminer .... T 3
déterminer (se) 84 3
déterrer .... T 3
détester .... T 3
détirer .... T 3
détirer (se) 84 3
détoner .... I 3
détonner .... I 3
détordre .... T 52
détortiller .... T 3
détourer .... T 3
détourner .... T 3
détourner (se) 84 3
détracter .... T 3
détraquer .... T 3
détraquer (se) 84 3
détremper .... T 3
détricoter .... T 3
détromper .... T 3
détromper (se) 84 3
détrôner .... T 3
détroquer .... T 3
détrousser .... T 3
détruire .... T 78
détruire (se) 86 78
dévaler .... I/T 3
dévaliser .... T 3
dévaloriser .... T 3
dévaloriser (se) 84 3
dévaluer .... T 3
dévaluer (se) 84 3
devancer .... T 6
dévaser .... T 3
dévaster .... T 3
développer .... T 3
développer (se) 84 3

devenir .... I, E 27
déventer .... T 3
dévergonder (se) 84 3
déverguer .... T 8
dévernir .... T 20
déverrouiller .... T 3
déverser .... T 3
déverser (se) 84 3
dévêtir .... T 23
dévêtir (se) 84 23
dévider .... T 3
dévider (se) 84 3
dévier .... I/T 4
deviner .... T 3
deviner (se) 84 3
dévirer .... T 3
dévirginiser .... T 3
déviriliser .... T 3
dévisager .... T 7
dévisager (se) 84 7
deviser .... I/T 3
dévisser .... I/T 3
dévisser (se) 84 3
dévitaliser .... T 3
dévitrifier .... T 4
dévoiler .... T 3
dévoiler (se) 84 3
devoir .... T 43
devoir (se) 84 43
dévolter .... T 3
dévorer .... T 3
dévorer (se) 84 3
dévouer .... T 3
dévouer (se) 84 3
dévoyer .... T 18
dévoyer (se) 84 18
dézinguer .... T 3
diaboliser .... T 3
diagnostiquer .... T 3
dialoguer .... I/T 8
dialyser .... T 3
diamanter .... T 3
diaphragmer .... I/T 3
diaprer .... T 3
dicter .... T 3

diéser .... T 9
diffamer .... T 3
différencier .... T 4
différencier (se) 84 4
différentier .... T 4
différer .... I/T 9
diffracter .... T 3
diffuser .... I/T 3
diffuser (se) 84 3
digérer .... T 9
digérer (se) 84 9
digitaliser .... T 3
digresser .... I 3
dilacérer .... T 9
dilapider .... T 3
dilater .... T 3
dilater (se) 84 3
diligenter .... T 3
diluer .... T 3
diluer (se) 84 3
dimensionner .... T 3
dimensionner (se) 84 3
diminuer .... I/T 3
diminuer (se) 84 3
dîner .... I 3
dinguer .... I 8
diphtonguer .... T 8
diplômer .... T 3
dire .... T 73
dire (se) 86 73
diriger .... T 7
diriger (se) 84 7
discerner .... T 3
discipliner .... T 3
discontinuer .... I 3
disconvenir .... Ti 27
discorder .... I 3
discourir .... I 25
discréditer .... T 3
discriminer .... T 3
disculper .... T 3
disculper (se) 84 3
discutailler .... I 3
discuter .... I/T/Ti 3
discuter (se) 84 3

6 000 verbes classés de A à Z

Liste des verbes

disgracier .... T 4
disjoindre .... T 56
disjoindre (se) 84 56
disjoncter .... I 3
disloquer .... T 3
disloquer (se) 84 3
disparaître .... I 64
dispatcher .... T 3
dispenser .... T 3
dispenser (se) 84 3
disperser .... T 3
disperser (se) 84 3
disposer .... I/T/Ti 3
disposer (se) 84 3
disputailler .... I 3
disputer .... T 3
disputer (se) 86 3
disqualifier .... T 4
disqualifier (se) 84 4
disséminer .... T 3
disséminer (se) 84 3
disséquer .... T 9
disserter .... I 3
dissimuler .... T 3
dissimuler (se) 84 3
dissiper .... T 3
dissocier .... T 4
dissocier (se) 84 4
dissoner .... I 3
dissoudre .... T 57
dissoudre (se) 84 57
dissuader .... T 3
distancer .... T 6
distancier (se) 84 4
distendre .... T 52
distendre (se) 84 52
distiller .... I/T 3
distinguer .... T 8
distinguer (se) 84 8
distordre .... T 52
distraire .... T 69
distraire (se) 84 69
distribuer .... T 3
divaguer .... I 8
diverger .... I 7

diversifier .... T 4
divertir .... T 20
divertir (se) 84 20
diviniser .... T 3
diviser .... T 3
diviser (se) 84 3
divorcer .... I 6
divulguer .... T 8
divulguer (se) 84 8
documenter .... T 3
documenter (se) 84 3
dodeliner .... I 3
dogmatiser .... I 3
doigter .... T 3
doler .... T 3
domestiquer .... T 3
domicilier .... T 4
dominer .... I/T 3
dominer (se) 84 3
dompter .... T 3
donner .... I/T 3
donner (se) 86 3
doper .... T 3
doper (se) 84 3
dorer .... T 3
dorer (se) 86 3
dorloter .... T 3
dorloter (se) 84 3
dormir .... I 22
doser .... T 3
doter .... T 3
doter (se) 84 3
double-cliquer .... I 3
doubler .... I/T 3
doubler (se) 84 3
doublonner .... I 3
doucher .... T 3
doucher (se) 84 3
doucir .... T 20
douer .... T 3
douiller .... I 3
douter .... T 3
douter (se) 84 3
dragéifier .... T 4
drageonner .... I 3

draguer .... T 8
drainer .... T 3
dramatiser .... T 3
draper .... T 3
draper (se) 84 3
drayer .... T 16
dresser .... T 3
dresser (se) 84 3
dribbler .... I 3
driver .... I/T 3
droguer .... T 8
droguer (se) 84 8
droper .... I/T 3
drosser .... T 3
duper .... T 3
dupliquer .... T 3
durcir .... I/T 20
durer .... I 3
duveter (se) 84 14
dynamiser .... T 3
dynamiter .... T 3

ébahir .... T 20
ébahir (s') 84 20
ébarber .... T 3
ébattre (s') 84 62
ébaucher .... T 3
ébaucher (s') 84 3
ébaudir .... T 20
ébaudir (s') 84 20
éberluer .... T 3
éblouir .... T 20
éborgner .... T 3
ébouillanter .... T 3
ébouillanter (s') 84 3
ébouler .... T 3
ébouler (s') 84 3
ébourgeonner .... T 3
ébouriffer .... T 3
ébourrer .... T 3
ébouter .... T 3

Liste des verbes

ébrancher	T 3	
ébranler	T 3	
ébranler (s')	84 3	
ébraser	T 3	
ébrécher	T 9	
ébrécher (s')	84 9	
ébrouer (s')	84 3	
ébruiter	T 3	
ébruiter (s')	84 3	
écacher	T 3	
écailler	T 3	
écailler (s')	84 3	
écaler	T 3	
écaler (s')	84 3	
écanguer	T 8	
écarquiller	T 3	
écarteler	T 13	
écarter	T 3	
écarter (s')	84 3	
échafauder	I/T 3	
échalasser	T 3	
échancrer	T 3	
échanger	T 7	
échantillonner	T 3	
échapper	I/T 3	
échapper (s')	84 3	
échardonner	T 3	
écharner	T 3	
écharper	T 3	
échauder	T 3	
échauder (s')	84 3	
échauffer	T 3	
échauffer (s')	84 3	
échelonner	T 3	
échelonner (s')	84 3	
écheniller	T 3	
écheveler	T 12	
échiner (s')	84 3	
échoir	I/Ti, E, D 51	
échopper	T 3	
échouer	I/T 3	
échouer (s')	84 3	
écimer	T 3	
éclabousser	T 3	
éclaircir	T 20	

éclaircir (s')	84 20	
éclairer	T 3	
éclairer (s')	84 3	
éclater	I/T 3	
éclater (s')	84 3	
éclipser	T 3	
éclipser (s')	84 3	
éclisser	T 3	
éclore	I, D 81	
écluser	T 3	
écobuer	T 3	
écœurer	T 3	
écœurer (s')	84 3	
éconduire	T 78	
économiser	T 3	
écoper	I/T 3	
écorcer	T 6	
écorcher	T 3	
écorner	T 3	
écornifler	T 3	
écosser	T 3	
écouler	T 3	
écouler (s')	84 3	
écourter	T 3	
écouter	T 3	
écouter (s')	84 3	
écouvillonner	T 3	
écrabouiller	T 3	
écraser	I/T 3	
écraser (s')	84 3	
écrémer	T 9	
écrêter	T 3	
écrier (s')	84 4	
écrire	I/T 76	
écrire (s')	86 76	
écrivailler	I 3	
écrouer	T 3	
écrouir	T 20	
écrouler (s')	84 3	
écroûter	T 3	
écuisser	T 3	
écumer	I/T 3	
écurer	T 3	
écussonner	T 3	
édenter	T 3	

édicter	T 3	
édifier	T 4	
éditer	T 3	
éditionner	T 3	
édulcorer	T 3	
éduquer	T 3	
éfaufiler	T 3	
effacer	T 6	
effacer (s')	84 6	
effarer	T 3	
effaroucher	T 3	
effaroucher (s')	84 3	
effectuer	T 3	
effectuer (s')	84 3	
efféminer	T 3	
effeuiller	T 3	
effiler	T 3	
effiler (s')	84 3	
effilocher	T 3	
effilocher (s')	84 3	
effleurer	T 3	
effleurir	I 20	
effondrer	T 3	
effondrer (s')	84 3	
efforcer (s')	84 6	
effranger	T 7	
effranger (s')	84 7	
effrayer	T 16	
effrayer (s')	84 16	
effriter	T 3	
effriter (s')	84 3	
égailler (s')	84 3	
égaler	T 3	
égaliser	T 3	
égarer	T 3	
égarer (s')	84 3	
égayer	T 16	
égayer (s')	84 16	
égorger	T 7	
égorger (s')	84 7	
égosiller (s')	84 3	
égoutter	T 3	
égoutter (s')	84 3	
égrainer	T 3	
égrainer (s')	84 3	

Liste des verbes

égrapper	T 3
égratigner	T 3
égratigner (s')	86 3
égrener	T 11
égrener (s')	84 11
égriser	T 3
égruger	T 7
égueuler	T 3
éjaculer	T 3
éjecter	T 3
élaborer	T 3
élaborer (s')	84 3
élaguer	T 8
élancer	I 6
élancer (s')	84 6
élargir	T 20
élargir (s')	84 20
électrifier	T 4
électriser	T 3
électrocuter	T 3
électrocuter (s')	84 3
électrolyser	T 3
élégir	T 20
élever	T 11
élever (s')	84 11
élider	T 3
élider (s')	84 3
élimer	T 3
élimer (s')	84 3
éliminer	T 3
éliminer (s')	84 3
élinguer	T 8
élire	T 75
éloigner	T 3
éloigner (s')	84 3
élonger	T 7
élucider	T 3
élucubrer	T 3
éluder	T 3
éluer	T 3
émacier	T 4
émacier (s')	84 4
émailler	T 3
émanciper	T 3
émanciper (s')	84 3

émaner	I 3
émarger	T 7
émasculer	T 3
emballer	T 3
emballer (s')	84 3
embarbouiller	T 3
embarbouiller (s')	84 3
embarquer	I/T 3
embarquer (s')	84 3
embarrasser	T 3
embarrasser (s')	84 3
embarrer	T 3
embarrer (s')	84 3
embastiller	T 3
embaucher	T 3
embaucher (s')	84 3
embaumer	I/T 3
embellir	I/T 20
embellir (s')	84 20
emberlificoter	T 3
emberlificoter (s')	84 3
embêter	T 3
embêter (s')	84 3
emblaver	T 3
embobeliner	T 3
embobiner	T 3
emboîter	T 3
emboîter (s')	84 3
embosser	T 3
embosser (s')	84 3
emboucher	T 3
embouquer	T 3
embourber	T 3
embourber (s')	84 3
embourgeoiser	T 3
embourgeoiser (s')	84 3
embouteiller	T 3
embouter	T 3
emboutir	T 20
embrancher	T 3
embrancher (s')	84 3
embraquer	T 3
embraser	T 3
embraser (s')	84 3
embrasser	T 3

embrasser (s')	84 3
embrayer	I/T 16
embrever	T 11
embrigader	T 3
embrigader (s')	84 3
embringuer	T 8
embrocher	T 3
embroncher	T 3
embrouiller	T 3
embrouiller (s')	84 3
embroussailler	T 3
embrumer	T 3
embuer	T 3
embusquer	T 3
embusquer (s')	84 3
émécher	T 3
émerger	I 7
émeriser	T 3
émerveiller	T 3
émerveiller (s')	84 3
émettre	T 63
émietter	T 3
émietter (s')	84 3
émigrer	I 3
émincer	T 6
emmagasiner	T 3
emmailloter	T 3
emmancher	T 3
emmancher (s')	84 3
emmêler	T 3
emmêler (s')	86 3
emménager	I 7
emmener	T 11
emmerder	T 3
emmerder (s')	84 3
emmieller	T 3
emmitoufler	T 3
emmitoufler (s')	84 3
emmouscailler	T 3
emmurer	T 3
émonder	T 3
émorfiler	T 3
émotionner	T 3
émotter	T 3
émoudre	T 59

Liste des verbes

émousser	T **3**	
émousser (s')	**84** **3**	
émoustiller	T **3**	
émouvoir	T **48**	
émouvoir (s')	**84** **48**	
empailler	T **3**	
empaler	T **3**	
empaler (s')	**84** **3**	
empanner	I **3**	
empapilloter	T **3**	
empaqueter	T **14**	
emparer (s')	**84** **3**	
empâter	T **3**	
empâter (s')	**84** **3**	
empatter	T **3**	
empaumer	T **3**	
empêcher	T **3**	
empêcher (s')	**84** **3**	
empenner	T **3**	
emperler	T **3**	
empeser	T **11**	
empester	I/T **3**	
empêtrer	T **3**	
empierrer	T **3**	
empiéter	I **9**	
empiffrer (s')	**84** **3**	
empiler	T **3**	
empiler (s')	**84** **3**	
empirer	I **3**	
emplafonner	T **3**	
emplâtrer	T **3**	
emplir	T **20**	
emplir (s')	**84** **20**	
employer	T **18**	
employer (s')	**84** **18**	
empocher	T **3**	
empoigner	T **3**	
empoigner (s')	**84** **3**	
empoisonner	T **3**	
empoisonner (s')	**84** **3**	
empoissonner	T **3**	
emporter	T **3**	
emporter (s')	**84** **3**	
empoter	T **3**	
empourprer	T **3**	

empourprer (s')	**84** **3**	
empoussiérer	T **9**	
empoussiérer (s')	**84** **9**	
empreindre	T **55**	
empreindre (s')	**84** **55**	
empresser (s')	**84** **3**	
emprésurer	T **3**	
emprisonner	T **3**	
emprunter	T **3**	
empuantir	T **20**	
émulsifier	T **4**	
émulsionner	T **3**	
énamourer (s')	**84** **3**	
encabaner	T **3**	
encadrer	T **3**	
encager	T **7**	
encagouler	T **3**	
encaisser	T **3**	
encanailler (s')	**84** **3**	
encapuchonner	T **3**	
encaquer	T **3**	
encarter	T **3**	
encaserner	T **3**	
encasteler (s')	**84** **13**	
encastrer	T **3**	
encastrer (s')	**84** **3**	
encaustiquer	T **3**	
encaver	T **3**	
enceindre	T **55**	
encenser	I/T **3**	
encercler	T **3**	
enchaîner	I/T **3**	
enchaîner (s')	**84** **3**	
enchanter	T **3**	
enchanter (s')	**84** **3**	
enchâsser	T **3**	
enchatonner	T **3**	
enchausser	T **3**	
enchemiser	T **3**	
enchérir	I **20**	
enchevaucher	T **3**	
enchevêtrer	T **3**	
enchevêtrer (s')	**84** **3**	
enclaver	T **3**	
enclencher	T **3**	

enclencher (s')	**84** **3**	
encliqueter	T **14**	
enclore	T, D **81**	
enclouer	T **3**	
encocher	T **3**	
encoder	T **3**	
encoller	T **3**	
encombrer	T **3**	
encombrer (s')	**84** **3**	
encorder (s')	**84** **3**	
encorner	T **3**	
encourager	T **7**	
encourir	T **25**	
encrasser	T **3**	
encrasser (s')	**84** **3**	
encrer	T **3**	
encroûter	T **3**	
encroûter (s')	**84** **3**	
encuver	T **3**	
endetter	T **3**	
endetter (s')	**84** **3**	
endeuiller	T **3**	
endêver	I, Ip **3**	
endiabler	I/T **3**	
endiguer	T **8**	
endimancher (s')	**84** **3**	
endoctriner	T **3**	
endolorir	T **20**	
endommager	T **7**	
endormir	T **22**	
endormir (s')	**84** **22**	
endosser	T **3**	
enduire	T **78**	
enduire (s')	**86** **78**	
endurcir	T **20**	
endurcir (s')	**84** **20**	
endurer	T **3**	
énerver	T **3**	
énerver (s')	**84** **3**	
enfaîter	T **3**	
enfanter	T **3**	
enfariner	T **3**	
enfermer	T **3**	
enfermer (s')	**84** **3**	
enferrer	T **3**	

6 000 verbes classés de A à Z

Liste des verbes

enferrer (s')	84 3	
enfieller	T 3	
enfiévrer	T 9	
enfiévrer (s')	84 9	
enfiler	T 3	
enfiler (s')	86 3	
enflammer	T 3	
enflammer (s')	84 3	
enfler	T 3	
enfler (s')	84 3	
enfleurer	T 3	
enfoncer	I/T 6	
enfoncer (s')	86 6	
enfouir	T 20	
enfouir (s')	84 20	
enfourcher	T 3	
enfourner	T 3	
enfreindre	T 55	
enfuir (s')	84 33	
enfumer	T 3	
enfumer (s')	84 3	
enfûter	T 3	
engager	T 7	
engager (s')	84 7	
engainer	T 3	
engazonner	T 3	
engendrer	T 3	
englober	T 3	
engloutir	T 20	
engloutir (s')	84 20	
engluer	T 3	
engluer (s')	84 3	
engober	T 3	
engommer	T 3	
engoncer	T 6	
engorger	T 7	
engorger (s')	84 7	
engouer (s')	84 3	
engouffrer	T 3	
engouffrer (s')	84 3	
engourdir	T 20	
engourdir (s')	84 20	
engraisser	I/T 3	
engraisser (s')	84 3	
engranger	T 7	

engraver	T 3	
engrener	T 11	
engrosser	T 3	
engueuler	T 3	
engueuler (s')	84 3	
enguirlander	T 3	
enhardir	T 20	
enhardir (s')	84 20	
enherber	T 3	
enivrer	T 3	
enivrer (s')	86 3	
enjamber	I/T 3	
enjoindre	T 56	
enjôler	T 3	
enjoliver	T 3	
enjoliver (s')	84 3	
enkyster (s')	84 3	
enlacer	T 6	
enlacer (s')	84 6	
enlaidir	I/T 20	
enlaidir (s')	86 20	
enlever	T 11	
enlever (s')	86 11	
enliasser	T 3	
enlier	T 4	
enliser	T 3	
enliser (s')	84 3	
enluminer	T 3	
ennoblir	T 20	
ennuager	T 7	
ennuager (s')	84 7	
ennuyer	T 17	
ennuyer (s')	84 17	
énoncer	T 6	
énoncer (s')	84 6	
enorgueillir	T 20	
enorgueillir (s')	84 20	
énouer	T 3	
enquérir (s')	84 28	
enquêter	I 3	
enquiquiner	T 3	
enquiquiner (s')	84 3	
enraciner	T 3	
enraciner (s')	84 3	
enrager	I 7	

enrayer	T 16	
enrayer (s')	84 16	
enrégimenter	T 3	
enregistrer	T 3	
enrésiner	T 3	
enrhumer	T 3	
enrhumer (s')	84 3	
enrichir	T 20	
enrichir (s')	84 20	
enrober	T 3	
enrober (s')	84 3	
enrocher	T 3	
enrôler	T 3	
enrôler (s')	84 3	
enrouer	T 3	
enrouer (s')	84 3	
enrouler	T 3	
enrouler (s')	86 3	
enrubanner	T 3	
ensabler	T 3	
ensabler (s')	84 3	
ensacher	T 3	
ensanglanter	T 3	
ensauvager	T 7	
ensauvager (s')	84 7	
enseigner	T 3	
ensemencer	T 6	
enserrer	T 3	
ensevelir	T 20	
ensevelir (s')	84 20	
ensiler	T 3	
ensoleiller	T 3	
ensorceler	T 12	
ensuivre (s')	D 84 70	
entabler	T 3	
entabler (s')	84 3	
entacher	T 3	
entailler	T 3	
entailler (s')	86 3	
entamer	T 3	
entartrer	T 3	
entasser	T 3	
entasser (s')	84 3	
entendre	T 52	
entendre (s')	86 52	

Liste des verbes

enténébrer	T 9	entretailler (s')	84 3	épaufrer	T 3
enter	T 3	entretenir	T 27	épauler	T 3
entériner	T 3	entretenir (s')	84 27	épauler (s')	84 3
enterrer	T 3	entretoiser	T 3	épeler	T 12
enterrer (s')	84 3	entretuer (s')	D 84 3	épeler (s')	84 12
entêter	T 3	entrevoir	T 37	épépiner	T 3
entêter (s')	84 3	entrevoir (s')	84 37	éperonner	T 3
enthousiasmer	T 3	entrevoûter	T 3	épeurer	T 3
enthousiasmer (s')	84 3	entrouvrir	T 29	épicer	T 6
enticher (s')	84 3	entrouvrir (s')	84 29	épier	T 4
entoiler	T 3	entuber	T 3	épierrer	T 3
entôler	T 3	énucléer	T 5	épiler	T 3
entonner	T 3	énumérer	T 9	épiloguer	I 8
entortiller	T 3	envahir	T 20	épincer	T 6
entortiller (s')	86 3	envaser	T 3	épinceter	T 14
entourer	T 3	envaser (s')	84 3	épiner	T 3
entourer (s')	84 3	envelopper	T 3	épingler	T 3
entraider (s')	D 84 3	envelopper (s')	84 3	épisser	T 3
entraîner	T 3	envenimer	T 3	éployer	T 18
entraîner (s')	84 3	envenimer (s')	84 3	éployer (s')	84 18
entrapercevoir	T 36	enverguer	T 8	éplucher	T 3
entrapercevoir (s')	84 36	envier	T 4	épointer	T 3
entraver	T 3	environner	T 3	éponger	T 7
entrebâiller	T 3	environner (s')	84 3	éponger (s')	86 7
entrechoquer	T 3	envisager	T 7	épontiller	T 3
entrechoquer (s')	84 3	envoiler (s')	84 3	épouiller	T 3
entrecouper	T 3	envoler (s')	84 3	époumoner (s')	84 3
entrecouper (s')	84 3	envoûter	T 3	épouser	T 3
entrecroiser	T 3	**envoyer**	T 19	épousseter	T 14
entrecroiser (s')	84 3	envoyer (s')	86 19	époustoufler	T 3
entredéchirer (s')	D 84 3	épaissir	I/T 20	époutir	T 20
entredétruire (s')	84 78	épaissir (s')	84 20	épouvanter	T 3
entredévorer (s')	D 84 3	épamprer	T 3	épouvanter (s')	84 3
entrégorger (s')	84 7	épancher	T 3	éprendre (s')	84 53
entrelacer	T 6	épancher (s')	84 3	éprouver	T 3
entrelacer (s')	84 6	épandre	T 52	éprouver (s')	84 3
entrelarder	T 3	épandre (s')	84 52	épucer	T 6
entremêler	T 3	épanneler	T 12	épuiser	T 3
entremêler (s')	84 3	épanouir	T 20	épuiser (s')	84 3
entremettre (s')	84 63	épanouir (s')	84 20	épurer	T 3
entrenuire (s')	85 78	épargner	T 3	équarrir	T 20
entreposer	T 3	épargner (s')	86 3	équerrer	T 3
entreprendre	T 53	éparpiller	T 3	équeuter	T 3
entrer	I/T, A/E 3	éparpiller (s')	84 3	équilibrer	T 3
entreregarder (s')	D 84 3	épater	T 3	équilibrer (s')	84 3

6 000 verbes classés de A à Z

Liste des verbes

équiper .... T 3
équiper (s') 84 3
équivaloir .... Ti 46
éradiquer .... T 3
érafler .... T 3
érafler (s') 86 3
érailler .... T 3
éreinter .... T 3
éreinter (s') 84 3
ergoter .... I 3
ériger .... T 7
ériger (s') 84 7
éroder .... T 3
éroder (s') 84 3
érotiser .... T 3
errer .... I 3
éructer .... I/T 3
esbigner (s') 84 3
esbroufer .... T 3
escalader .... T 3
escamoter .... T 3
esclaffer (s') 84 3
esclavager .... T 7
escompter .... T 3
escorter .... T 3
escrimer (s') 84 3
escroquer .... T 3
espacer .... T 6
espacer (s') 84 6
espérer .... T 9
espionner .... T 3
esquicher .... T 3
esquinter .... T 3
esquinter (s') 86 3
esquisser .... T 3
esquisser (s') 84 3
esquiver .... T 3
esquiver (s') 84 3
essaimer .... I 3
essarter .... T 3
essayer .... I/T 16
essayer (s') 84 16
essorer .... T 3
essorer (s') 84 3
essoriller .... T 3

essoucher .... T 3
essouffler .... T 3
essouffler (s') 84 3
essuyer .... T 17
essuyer (s') 86 17
estamper .... T 3
estampiller .... T 3
ester .... I, D 3
estérifier .... T 4
estimer .... T 3
estimer (s') 84 3
estiver .... T 3
estomaquer .... T 3
estomper .... T 3
estomper (s') 84 3
estoquer .... T 3
estourbir .... T 20
estrapasser .... T 3
estropier .... T 4
établir .... T 20
établir (s') 84 20
étager .... T 7
étager (s') 84 7
étalager .... T 7
étaler .... T 3
étaler (s') 84 3
étalinguer .... T 8
étalonner .... T 3
étamer .... T 3
étamper .... T 3
étancher .... T 3
étançonner .... T 3
étarquer .... T 3
étatiser .... T 3
étayer .... T 16
étayer (s') 84 16
éteindre .... T 55
éteindre (s') 84 55
étendre .... T 52
étendre (s') 84 52
éterniser .... T 3
éterniser (s') 84 3
éternuer .... I 3
étêter .... T 3
éthérifier .... T 4

éthériser .... T 3
ethniciser .... T 3
étinceler .... I 12
étioler .... T 3
étioler (s') 84 3
étiqueter .... T 14
étirer .... T 3
étirer (s') 84 3
étoffer .... T 3
étoffer (s') 84 3
étoiler .... T 3
étoiler (s') 84 3
étonner .... T 3
étonner (s') 84 3
étouffer .... I/T 3
étouffer (s') 84 3
étouper .... T 3
étourdir .... T 20
étourdir (s') 84 20
étrangler .... T 3
étrangler (s') 84 3
être .... I 2
étrécir .... T 20
étreindre .... T 55
étreindre (s') 84 55
étrenner .... T 3
étrésillonner .... T 3
étriller .... T 3
étriper .... T 3
étriper (s') 84 3
étriquer .... T 3
étronçonner .... T 3
étudier .... I/T 4
étudier (s') 84 4
étuver .... T 3
euphoriser .... T 3
européaniser .... T 3
euthanasier .... T 3
évacuer .... T 3
évader (s') 84 3
évaluer .... T 3
évangéliser .... T 3
évanouir (s') 84 20
évaporer .... T 3
évaporer (s') 84 3

Liste des verbes

évaser .... T 3
évaser (s') 84 3
éveiller .... T 3
éveiller (s') 84 3
éventer .... T 3
éventer (s') 84 3
éventrer .... T 3
évertuer (s') 84 3
évider .... T 3
évincer .... T 6
éviscérer .... T 9
éviter .... I/T 3
éviter (s') .... D 86 3
évoluer .... I 3
évoquer .... T 3
exacerber .... T 3
exacerber (s') 84 3
exagérer .... T 9
exagérer (s') 86 9
exalter .... T 3
exalter (s') 84 3
examiner .... T 3
examiner (s') 84 3
exaspérer .... T 9
exaspérer (s') 84 9
exaucer .... T 6
excaver .... T 3
excéder .... T 9
exceller .... I 3
excentrer .... T 3
excepter .... T 3
exciper .... Ti 3
exciser .... T 3
exciter .... T 3
exciter (s') 84 3
exclamer (s') 84 3
exclure .... T 80
exclure (s') 84 80
excommunier .... T 4
excorier .... T 4
excréter .... T 9
excursionner .... T 3
excuser .... T 3
excuser (s') 84 3
exécrer .... T 9

exécuter .... T 3
exécuter (s') 84 3
exemplifier .... T 4
exempter .... T 3
exercer .... T 6
exercer (s') 84 6
exfolier .... T 4
exfolier (s') 84 4
exhaler .... T 3
exhaler (s') 84 3
exhausser .... T 3
exhéréder .... T 9
exhiber .... T 3
exhiber (s') 84 3
exhorter .... T 3
exhumer .... T 3
exiger .... T 7
exiler .... T 3
exiler (s') 84 3
exister .... I 3
exonder (s') 84 3
exonérer .... T 9
exorciser .... T 3
expatrier .... T 4
expatrier (s') 84 4
expectorer .... T 3
expédier .... T 4
expérimenter .... T 3
expertiser .... T 3
expier .... T 4
expirer .... I/T 3
expliciter .... T 3
expliquer .... T 3
expliquer (s') 84 3
exploiter .... I/T 3
explorer .... T 3
exploser .... I 3
exporter .... T 3
exposer .... T 3
exposer (s') 84 3
exprimer .... T 3
exprimer (s') 84 3
exproprier .... T 4
expulser .... T 3
expurger .... T 7

exsuder .... I/T 3
extasier (s') 84 4
exténuer .... T 3
exténuer (s') 84 3
extérioriser .... T 3
extérioriser (s') 84 3
exterminer .... T 3
externaliser .... T 3
externer .... T 3
extirper .... T 3
extirper (s') 84 3
extorquer .... T 3
extrader .... T 3
extraire .... T 69
extraire (s') 84 69
extrapoler .... T 3
extravaguer .... I 8
extravaser (s') 84 3
extuber .... T 3
exulcérer .... T 9
exulter .... I 3

fabriquer .... T 3
fabuler .... T 3
facetter .... T 3
fâcher .... T 3
fâcher (se) 84 3
faciliter .... T 3
façonner .... T 3
factoriser .... T 3
facturer .... T 3
fader .... T 3
fagoter .... T 3
fagoter (se) 84 3
faiblir .... I 20
failler (se) 84 3
faillir .... I 32
fainéanter .... I 3
faire .... T 82
faire (se) 85 82
faisander .... T 3

6 000 verbes classés de A à Z

Liste des verbes

faisander (se) **84** **3**
falloir .... T, Ip **49**
falloir (se) .... Ip **85** **49**
falsifier .... T **4**
familiariser .... T **3**
familiariser (se) **84** **3**
fanatiser .... T **3**
fanatiser (se) **84** **3**
faner .... T **3**
faner (se) **84** **3**
fanfaronner .... I **3**
fantasmer .... I **3**
farcir .... T **20**
farcir (se) **86** **20**
farder .... T **3**
farder (se) **86** **3**
farfouiller .... I **3**
fariner .... I/T **3**
farter .... T **3**
fasciner .... T **3**
fasciser .... T **3**
faseiller .... I **3**
faseyer .... I **3**
fatiguer .... I/T **8**
fatiguer (se) **84** **8**
faucarder .... T **3**
faucher .... T **3**
faucher (se) **84** **3**
faufiler .... T **3**
faufiler (se) **84** **3**
fausser .... T **3**
fauter .... I **3**
favoriser .... T **3**
faxer .... T **3**
fayot(t)er .... I **3**
féconder .... T **3**
féculer .... T **3**
fédéraliser .... T **3**
fédéraliser (se) **84** **3**
fédérer .... T **9**
fédérer (se) **84** **9**
feindre .... T **55**
feinter .... I/T **3**
fêler .... T **3**
fêler (se) **84** **3**

féliciter .... T **3**
féliciter (se) **84** **3**
féminiser .... T **3**
féminiser (se) **84** **3**
fendiller .... T **3**
fendiller (se) **84** **3**
fendre .... T **52**
fendre (se) **86** **52**
fenêtrer .... T **3**
ferler .... T **3**
fermenter .... I **3**
fermer .... I/T **3**
fermer (se) **86** **3**
ferrailler .... I/T **3**
ferrer .... T **3**
ferrouter .... T **3**
fertiliser .... T **3**
fesser .... T **3**
festonner .... T **3**
festoyer .... I **18**
festoyer (se) **84** **18**
fêter .... T **3**
feuiller .... I/T **3**
feuilleter .... T **14**
feuler .... I **3**
feutrer .... I/T **3**
feutrer (se) **84** **3**
fiabiliser .... T **3**
fiancer .... T **6**
fiancer (se) **84** **6**
ficeler .... T **12**
ficher .... T **3**
ficher (se) **86** **3**
fidéliser .... T **3**
fienter .... I **3**
fier (se) **84** **4**
figer .... T **7**
figer (se) **84** **7**
fignoler .... T **3**
figurer .... I/T **3**
figurer (se) **84** **3**
filer .... I/T **3**
filer (se) **86** **3**
fileter .... T **15**
filialiser .... T **3**

filigraner .... T **3**
filmer .... T **3**
filmer (se) **84** **3**
filocher .... T **3**
filouter .... I/T **3**
filtrer .... I/T **3**
finaliser .... T **3**
financer .... T **6**
financer (se) **84** **6**
financiariser .... T **3**
finasser .... I **3**
finir .... I/T **20**
finir (se) .... D **84** **20**
fiscaliser .... T **3**
fissurer .... T **3**
fixer .... T **3**
fixer (se) **86** **3**
flageller .... T **3**
flageller (se) **84** **3**
flageoler .... I **3**
flagorner .... T **3**
flairer .... T **3**
flamber .... I/T **3**
flamboyer .... I **18**
flancher .... I **3**
flâner .... I **3**
flanquer .... T **3**
flanquer (se) **86** **3**
flasher .... I/T **3**
flatter .... T **3**
flatter (se) **84** **3**
flécher .... T **9**
fléchir .... I/T **20**
fléchir (se) **84** **20**
flemmarder .... I **3**
flétrir .... T **20**
flétrir (se) **84** **20**
fleurer .... I/T **3**
fleurir .... I/T **20**
fleurir (se) **84** **20**
flexibiliser .... T **3**
flinguer .... I/T **8**
flipper .... I **3**
fliquer .... T **3**
flirter .... I **3**

Liste des verbes

floconner .... I 3
floculer .... I 3
floquer .... T 3
flotter .... I/T 3
flouer .... T 3
fluctuer .... I 3
fluer .... I 3
fluidifier .... T 4
flûter .... I/T 3
focaliser .... I/T 3
foirer .... I 3
foisonner .... I 3
folâtrer .... I 3
folioter .... T 3
folkloriser .... T 3
fomenter .... T 3
foncer .... I/T 6
fonctionnaliser .... T 3
fonctionnariser .... T 3
fonctionner .... I 3
fonder .... T 3
fonder (se) 84 3
fondre .... I/T 52
fondre (se) 84 52
forcer .... I/T 6
forcer (se) 84 6
forcir .... I 20
forclore .... T, D 81
forer .... T 3
forfaire .... I/T/Ti, D 82
forfaitiser .... T 3
forger .... T 7
forger (se) 86 7
forjeter .... I/T 14
forjeter (se) 84 14
forlonger .... T 7
formaliser .... T 3
formaliser (se) 84 3
formater .... T 3
formater (se) 84 3
former .... T 3
former (se) 84 3
formuler .... T 3
forniquer .... I 3
fortifier .... T 4

fortifier (se) 86 4
fossiliser .... T 3
fossiliser (se) 84 3
fouailler .... T 3
foudroyer .... T 18
fouetter .... I/T 3
fouetter (se) 84 3
fouger .... I 7
fouiller .... I/T 3
fouiller (se) 84 3
fouiner .... I 3
fouir .... T 20
fouler .... T 3
fouler (se) 86 3
fourbir .... T 20
fourcher .... I/T 3
fourgonner .... I 3
fourguer .... T 8
fourmiller .... I 3
fournir .... T 20
fournir (se) 86 20
fourrager .... I/T 7
fourrer .... T 3
fourrer (se) 86 3
fourvoyer .... T 18
fourvoyer (se) 84 18
foutre .... T, D 62
foutre (se) .... D 84 62
fracasser .... T 3
fracasser (se) 84 3
fractionner .... T 3
fractionner (se) 84 3
fracturer .... T 3
fracturer (se) 86 3
fragiliser .... T 3
fragmenter .... T 3
fragmenter (se) 84 3
fraîchir .... I 20
fraiser .... T 3
framboiser .... T 3
franchir .... T 20
franchiser .... T 3
franciser .... T 3
franger .... T 7
frapper .... I/T 3

frapper (se) 86 3
fraterniser .... I 3
frauder .... I/T 3
frayer .... I/T 16
frayer (se) 86 16
fredonner .... I/T 3
frégater .... T 3
freiner .... I/T 3
frelater .... T 3
frémir .... I 20
fréquenter .... T 3
fréquenter (se) 84 3
fréter .... T 9
frétiller .... I 3
fretter .... T 3
fricasser .... T 3
fricoter .... I/T 3
frictionner .... T 3
frictionner (se) 86 3
frigorifier .... T 4
frimer .... I 3
fringuer .... I/T 8
fringuer (se) 84 8
friper .... T 3
friper (se) 84 3
frire .... I/T, D 72
friser .... I/T 3
frisotter .... Ti 3
frissonner .... I 3
friter (se) 84 3
fritter .... T 3
froisser .... T 3
froisser (se) 86 3
frôler .... T 3
frôler (se) 84 3
froncer .... T 6
fronder .... I/T 3
frotter .... I/T 3
frotter (se) 86 3
frouer .... I 3
froufrouter .... I 3
fructifier .... I 4
frustrer .... T 3
fuguer .... I 8
fuir .... I/T 33

6 000 verbes classés de A à Z

Liste des verbes

fuir (se) **84** **33**
fulgurer .... I **3**
fulminer .... I/T **3**
fumer .... I/T **3**
fumiger .... T **7**
fureter .... I **15**
fuseler .... T **12**
fuser .... I **3**
fusiller .... T **3**
fusionner .... T **3**
fustiger .... T **7**

G

gabarier .... T **4**
gâcher .... T **3**
gadgétiser .... T **3**
gaffer .... T **3**
gager .... T **7**
gagner .... I/T **3**
gagner (se) **84** **3**
gainer .... T **3**
galber .... T **3**
galéjer .... I **9**
galérer .... I **9**
galocher .... I **3**
galonner .... T **3**
galoper .... I **3**
galvaniser .... T **3**
galvauder .... T **3**
galvauder (se) **84** **3**
gambader .... I **3**
gamberger .... I **7**
gambiller .... I **3**
gangrener .... T **11**
gangréner .... T **9**
gangréner (se) **84** **9**
ganser .... T **3**
ganter .... I/T **3**
garantir .... T **20**
garder .... T **3**
garder (se) **86** **3**
garer .... T **3**

garer (se) **84** **3**
gargariser (se) **84** **3**
gargouiller .... I **3**
garnir .... T **20**
garnir (se) **84** **20**
garrotter .... T **3**
gaspiller .... T **3**
gâter .... T **3**
gâter (se) **84** **3**
gâtifier .... I **4**
gauchir .... I/T **20**
gauchir (se) **84** **20**
gaufrer .... T **3**
gauler .... T **3**
gausser (se) **84** **3**
gaver .... T **3**
gaver (se) **84** **3**
gazéifier .... T **4**
gazer .... T **3**
gazonner .... I/T **3**
gazouiller .... I **3**
geindre .... I **55**
geler .... I/T **13**
geler (se) **86** **13**
gélifier .... T **4**
gélifier (se) **84** **4**
gémir .... I **20**
gemmer .... T **3**
gendarmer (se) **84** **3**
gêner .... T **3**
gêner (se) **84** **3**
généraliser .... T **3**
généraliser (se) **84** **3**
générer .... T **9**
gerber .... T **3**
gercer .... I/T **6**
gercer (se) **84** **6**
gérer .... T **9**
gérer (se) **84** **9**
germaniser .... T **3**
germaniser (se) **84** **3**
germer .... I **3**
gésir .... I, D **34**
gesticuler .... I **3**
gicler .... I **3**

gifler .... T **3**
gifler (se) **84** **3**
gigoter .... I **3**
gîter .... I **3**
givrer .... T **3**
glacer .... T **6**
glacer (se) **84** **6**
glairer .... T **3**
glaiser .... T **3**
glander .... I **3**
glandouiller .... I **3**
glaner .... T **3**
glapir .... I **20**
glatir .... I **20**
glavioter .... I **3**
gléner .... T **9**
glisser .... I/T **3**
glisser (se) **86** **3**
globaliser .... T **3**
glorifier .... T **4**
glorifier (se) **84** **4**
gloser .... T/Ti **3**
glouglouter .... I **3**
glousser .... I **3**
glycériner .... T **3**
gober .... T **3**
goberger (se) **84** **7**
godailler .... I **3**
goder .... I **3**
godiller .... I **3**
godronner .... T **3**
goinfrer .... I **3**
goinfrer (se) **84** **3**
gominer (se) **84** **3**
gommer .... T **3**
gondoler .... I **3**
gondoler (se) **84** **3**
gonfler .... I/T **3**
gonfler (se) **84** **3**
gorger .... T **7**
gorger (se) **84** **7**
gouacher .... T **3**
gouailler .... I **3**
goudronner .... T **3**
gouger .... T **7**

goujonner	T 3
goupiller	T 3
goupiller (se)	84 3
gourer (se)	84 3
gourmander	T 3
goûter	I/T/Ti 3
goutter	I 3
gouverner	T 3
gouverner (se)	84 3
gracier	T 4
graduer	T 3
graffiter	T 3
grailler	I/T 3
graillonner	I 3
grainer	I 3
graisser	I/T 3
grammaticaliser	T 3
grandir	I/T 20
grandir (se)	84 20
graniter	T 3
granuler	T 3
graphiter	T 3
grappiller	I/T 3
grasseyer	I 3
graticuler	T 3
gratifier	T 4
gratifier (se)	84 4
gratiner	I/T 3
gratouiller	T 3
gratter	I/T 3
gratter (se)	86 3
graver	T 3
graver (se)	84 3
gravillonner	T 3
gravir	T 20
graviter	I 3
gréer	T 5
greffer	T 3
greffer (se)	84 3
grêler	I/T, Ip 3
grelotter	I 3
grenailler	T 3
greneler	T 12
grenouiller	I 3
grésiller	I 3

grever	T 11
gribouiller	I/T 3
griffer	T 3
griffonner	T 3
grigner	I 3
grignoter	T 3
grillager	T 7
griller	I/T 3
griller (se)	84 3
grimacer	I 6
grimer	T 3
grimer (se)	86 3
grimper	I/T 3
grincer	I 6
grincher	T 3
gripper	I 3
gripper (se)	84 3
grisailler	I/T 3
griser	T 3
griser (se)	84 3
grisoller	I 3
grisonner	I 3
griveler	I/T 12
grognasser	I 3
grogner	I 3
grognonner	I 3
grommeler	I/T 12
gronder	I/T 3
grossir	I/T 20
grouiller	I 3
grouiller (se)	84 3
grouper	T 3
grouper (se)	84 3
gruger	I/T 7
grumeler (se)	84 12
guéer	T 5
guérir	I/T 20
guérir (se)	84 20
guerroyer	I 18
guêtrer	T 3
guêtrer (se)	84 3
guetter	T 3
gueuler	I/T 3
gueuletonner	I 3
guider	T 3

guigner	T 3
guillemeter	T 14
guillocher	T 3
guillotiner	T 3
guincher	I 3
guinder	T 3
guiper	T 3

habiliter	T, J' 3
habiller	T, J' 3
habiller (s')	84 3
habiter	I/T, J' 3
habituer	T, J' 3
habituer (s')	84 3
hâbler	I, JE 3
hacher	T, JE 3
hachurer	T, JE 3
haïr	T, JE 21
halener	T, JE 11
haler	T, JE 3
hâler	T, JE 3
haleter	I, JE 15
halluciner	I, J' 3
hameçonner	T, J' 3
hancher	I/T, JE 3
hancher (se)	84 3
handicaper	T, JE 3
hannetonner	I/T, J' 3
hanter	T, JE 3
happer	T, JE 3
haranguer	T, JE 8
harasser	T, JE 3
harceler	T, JE 13
harmoniser	T, J' 3
harmoniser (s')	84 3
harnacher	T, JE 3
harponner	T, JE 3
hasarder	T, JE 3
hasarder (se)	84 3
hâter	T, JE 3
hâter (se)	84 3

6 000 verbes classés de A à Z

haubaner	T, JE **3**
hausser	T, JE **3**
hausser (se)	**84** **3**
haver	T, JE **3**
héberger	T, J' **7**
hébéter	T, J' **9**
hébraïser	T, J' **3**
héler	T, JE **9**
hélitreuiller	T, J' **3**
helléniser	T, J' **3**
helléniser (s')	**84** **3**
hennir	I, JE **20**
herbager	T, J' **7**
herboriser	I, J' **3**
hercher	I, JE **3**
hérisser	T, JE **3**
hérisser (se)	**84** **3**
hériter	I/T/Ti, J' **3**
herser	T, JE **3**
hésiter	I, J' **3**
heurter	T/Ti, JE **3**
heurter (se)	**84** **3**
hiberner	I, J' **3**
hiérarchiser	T, JE **3**
hisser	T, JE **3**
hisser (se)	**84** **3**
historier	T, J' **4**
hiverner	I/T, J' **3**
hocher	T, JE **3**
homogénéifier	T, J' **4**
homologuer	T, J' **8**
hongrer	T, JE **3**
hongroyer	T, JE **18**
honnir	T, JE **20**
honorer	T, J' **3**
honorer (s')	**84** **3**
hoqueter	I, JE **14**
horodater	T, J' **3**
horrifier	T, J' **4**
horripiler	T, J' **3**
hospitaliser	T, J' **3**
houblonner	T, JE **3**
houpper	T, JE **3**
hourder	T, JE **3**
hourdir	T, JE **20**

houspiller	T, JE **3**
housser	T, J' **3**
hucher	T, JE **3**
huer	I/T, JE **3**
huiler	T, J' **3**
hululer	I, JE **3**
humaniser	T, J' **3**
humaniser (s')	**84** **3**
humecter	T, J' **3**
humecter (s')	**86** **3**
humer	T, JE **3**
humidifier	T, J' **4**
humidifier (s')	**84** **4**
humilier	T, J' **4**
humilier (s')	**84** **4**
hurler	I/T, JE **3**
hybrider	T, J' **3**
hybrider (s')	**84** **3**
hydrater	T, J' **3**
hydrater (s')	**86** **3**
hydrofuger	T, J' **7**
hydrogéner	T, J' **9**
hydrolyser	T, J' **3**
hypertrophier	T, J' **4**
hypertrophier (s')	**84** **4**
hypnotiser	T, J' **3**
hypnotiser (s')	**84** **3**
hypothéquer	T, J' **9**

idéaliser	T **3**
idéaliser (s')	**84** **3**
identifier	T **4**
identifier (s')	**84** **4**
idolâtrer	T **3**
ignifuger	T **7**
ignorer	T **3**
ignorer (s')	**84** **3**
illuminer	T **3**
illuminer (s')	**84** **3**
illusionner	T **3**
illusionner (s')	**84** **3**

illustrer	T **3**
illustrer (s')	**84** **3**
imaginer	T **3**
imaginer (s')	**86** **3**
imbiber	T **3**
imbiber (s')	**84** **3**
imbriquer	T **3**
imbriquer (s')	**84** **3**
imiter	T **3**
immatriculer	T **3**
immerger	T **7**
immerger (s')	**84** **7**
immigrer	I **3**
immiscer (s')	**84** **6**
immobiliser	T **3**
immobiliser (s')	**84** **3**
immoler	T **3**
immoler (s')	**84** **3**
immortaliser	T **3**
immortaliser (s')	**84** **3**
immuniser	T **3**
impartir	T **20**
impatienter	T **3**
impatienter (s')	**84** **3**
impatroniser	T **3**
impatroniser (s')	**84** **3**
imperméabiliser	T **3**
imperméabiliser (s')	**84** **3**
impétrer	T **9**
implanter	T **3**
implanter (s')	**84** **3**
implémenter	T **3**
impliquer	T **3**
impliquer (s')	**84** **3**
implorer	T **3**
imploser	T **3**
importer	I/Ti **3**
importer (s')	**84** **3**
importuner	T **3**
imposer	T **3**
imposer (s')	**86** **3**
imprégner	T **9**
imprégner (s')	**84** **9**
impressionner	T **3**
imprimer	T **3**

Liste des verbes

imprimer (s') 84 3
improviser .... T 3
improviser (s') 86 3
impulser .... T 3
imputer .... T/Ti 3
inactiver .... T 3
inaugurer .... T 3
incarcérer .... T 9
incarner .... T 3
incendier .... T 4
incinérer .... T 9
inciser .... T 3
inciter .... T 3
incliner .... T/Ti 3
incliner (s') 84 3
inclure .... T 80
incomber .... Ti 3
incommoder .... T 3
incorporer .... T 3
incorporer (s') 84 3
incriminer .... T 3
incruster .... T 3
incruster (s') 84 3
incuber .... T 3
inculper .... T 3
inculquer .... T 3
incurver .... T 3
incurver (s') 84 3
indemniser .... T 3
indemniser (s') 84 3
indexer .... T 3
indifférer .... T 9
indifférer (s') 84 9
indigner .... T 3
indigner (s') 84 3
indiquer .... T 3
indisposer .... T 3
individualiser .... T 3
individualiser (s') 84 3
induire .... T 78
indurer .... T 3
industrialiser .... T 3
industrialiser (s') 84 3
infantiliser .... T 3
infatuer .... T 3

infatuer (s') 84 3
infecter .... T 3
infecter (s') 84 3
inféoder .... T 3
inféoder (s') 84 3
inférer .... T 9
inférioriser .... T 3
infester .... T 3
infibuler .... T 3
infiltrer .... T 3
infiltrer (s') 84 3
infirmer .... T 3
infléchir .... T 20
infléchir (s') 84 20
infliger .... T 7
infliger (s') 86 7
influencer .... T 6
influer .... I 3
informatiser .... T 3
informer .... I/T 3
informer (s') 84 3
infuser .... T 3
ingénier (s') 84 4
ingérer .... T 9
ingérer (s') 84 9
ingurgiter .... T 3
inhaler .... T 3
inhiber .... T 3
inhumer .... T 3
initialiser .... T 3
initialiser (s') 84 3
initier .... T 4
initier (s') 84 4
injecter .... T 3
injecter (s') 86 3
injurier .... T 4
innerver .... T 3
innocenter .... T 3
innocenter (s') 84 3
innover .... I 3
inoculer .... T 3
inoculer (s') 86 3
inonder .... T 3
inquiéter .... T 9
inquiéter (s') 84 9

inscrire .... T 76
inscrire (s') 84 76
insculper .... T 3
inséminer .... T 3
insensibiliser .... T 3
insérer .... T 9
insérer (s') 84 9
insinuer .... T 3
insinuer (s') 84 3
insister .... I 3
insoler .... T 3
insolubiliser .... T 3
insonoriser .... T 3
inspecter .... T 3
inspirer .... T 3
inspirer (s') 84 3
installer .... T 3
installer (s') 84 3
instaurer .... T 3
instiguer .... T 8
instiller .... T 3
instituer .... T 3
instituer (s') 84 3
institutionnaliser .... T 3
institutionnaliser (s') ... 84 3
instruire .... T 78
instruire (s') 84 78
instrumentaliser .... T 3
instrumenter .... T 3
insuffler .... T 3
insulter .... T 3
insulter (s') .... D 84 3
insupporter .... T 3
insurger (s') 84 7
intailler .... T 3
intégrer .... T 9
intégrer (s') 84 9
intellectualiser .... T 3
intensifier .... T 4
intensifier (s') 84 4
intenter .... T 3
intercaler .... T 3
intercaler (s') 84 3
intercéder .... I 9
intercepter .... T 3

6 000 verbes classés de A à Z

Liste des verbes

interclasser .... T **3**
interconnecter .... T **3**
interdire .... T **73**
interdire (s') **86** **73**
intéresser .... T **3**
intéresser (s') **84** **3**
interférer .... I **9**
interfolier .... T **4**
intérioriser .... T **3**
interjeter .... T **14**
interligner .... T **3**
interloquer .... T **3**
internationaliser .... T **3**
internationaliser (s') ... **84** **3**
interner .... T **3**
interpeller .... T **3**
interpénétrer (s') **84** **9**
interpoler .... T **3**
interposer .... T **3**
interposer (s') **84** **3**
interpréter .... T **9**
interpréter (s') **84** **9**
interroger .... T **7**
interroger (s') **84** **7**
interrompre .... T **60**
interrompre (s') **84** **60**
intervenir .... I, E **27**
intervertir .... T **20**
interviewer .... T **3**
intimer .... T **3**
intimider .... T **3**
intituler .... T **3**
intituler (s') **84** **3**
intoxiquer .... T **3**
intoxiquer (s') **84** **3**
intriguer .... I/T **8**
intriquer .... T **3**
introduire .... T **78**
introduire (s') **84** **78**
introniser .... T **3**
intuber .... T **3**
invaginer .... I **3**
invaginer (s') **84** **3**
invalider .... T **3**
invectiver .... I/T **3**

inventer .... T **3**
inventer (s') **86** **3**
inventorier .... T **4**
inverser .... T **3**
inverser (s') **84** **3**
invertir .... T **20**
investiguer .... T **8**
investiguer (s') **84** **8**
investir .... I/T **20**
investir (s') **84** **20**
inviter .... T **3**
inviter (s') .... D **84** **3**
invoquer .... T **3**
ioder .... T **3**
iodler .... I **3**
ioniser .... T **3**
iriser .... T **3**
iriser (s') **84** **3**
ironiser .... I **3**
irradier .... I/T **4**
irradier (s') **84** **4**
irriguer .... T **8**
irriter .... T **3**
irriter (s') **84** **3**
islamiser .... T **3**
islamiser (s') **84** **3**
isoler .... T **3**
isoler (s') **84** **3**
italianiser .... T **3**
italianiser (s') **84** **3**
itérer .... T **9**
ixer .... T **3**

jabler .... T **3**
jaboter .... I/T **3**
jacasser .... I **3**
jacter .... I **3**
jaillir .... I **20**
jalonner .... T **3**
jalouser .... T **3**
jalouser (se) **84** **3**

japoniser .... T **3**
japper .... I **3**
jardiner .... I/T **3**
jargonner .... I **3**
jaser .... I **3**
jasper .... T **3**
jaspiner .... I **3**
jauger .... I/T **7**
jaunir .... I/T **20**
javeler .... T **12**
javelliser .... T **3**
jeter .... T **14**
jeter (se) **86** **14**
jeûner .... I **3**
jobarder .... T **3**
jodler .... I **3**
jogger .... I **3**
joindre .... I/T **56**
joindre (se) **84** **56**
jointer .... T **3**
jointoyer .... T **18**
joncher .... T **3**
jongler .... I **3**
jouer .... I/T **3**
jouer (se) **84** **3**
jouir .... I/Ti **20**
jouter .... I **3**
jouxter .... T **3**
jubiler .... I **3**
jucher .... I/T **3**
jucher (se) **84** **3**
judaïser .... I/T **3**
judaïser (se) **84** **3**
judiciariser .... T **3**
juger .... T/Ti **7**
juger (se) **84** **7**
juguler .... T **3**
jumeler .... T **12**
juponner .... T **3**
jurer .... I/T **3**
jurer (se) **86** **3**
justifier .... T **4**
justifier (se) **84** **4**
juter .... I **3**
juxtaposer .... T **3**

Liste des verbes

kératiniser (se) 84 3
kidnapper .... T 3
kif(f)er .... I/T 3
kilométrer .... T 9
klaxonner .... I 3

labelliser .... T 3
labelliser (se) 84 3
labialiser .... T 3
labourer .... T 3
lacer .... T 6
lacérer .... T 9
lâcher .... I/T 3
lâcher (se) 84 3
laïciser .... T 3
laïciser (se) 84 3
lainer .... T 3
laisser .... T 3
laisser (se) 86 3
laitonner .... T 3
laïusser .... I 3
lambiner .... I 3
lambrisser .... T 3
lamenter (se) 84 3
lamer .... T 3
laminer .... T 3
lamper .... T 3
lancer .... T 6
lancer (se) 86 6
lanciner .... I/T 3
langer .... T 7
langueyer .... T 3
languir .... I 20
languir (se) 84 20
lanterner .... I 3
laper .... T 3
lapider .... T 3
lapidifier .... T 4
lapidifier (se) 84 4

lapiner .... I 3
laquer .... T 3
larder .... T 3
larguer .... T 8
larmoyer .... I 18
lasériser .... T 3
lasser .... T 3
lasser (se) 84 3
latiniser .... T 3
latter .... T 3
laver .... T 3
laver (se) 86 3
layer .... T 16
lécher .... T 9
lécher (se) 86 9
légaliser .... T 3
légender .... T 3
légiférer .... I 9
légitimer .... T 3
léguer .... T 9
lemmatiser .... T 3
lénifier .... T 4
léser .... T 9
lésiner .... I 3
lessiver .... T 3
lester .... T 3
lester (se) 84 3
leurrer .... T 3
leurrer (se) 84 3
lever .... I/T 11
lever (se) 84 11
léviger .... T 7
léviter .... I 3
lexicaliser (se) 84 3
lézarder .... I/T 3
liaisonner .... T 3
libeller .... T 3
libéraliser .... T 3
libéraliser (se) 84 3
libérer .... T 9
libérer (se) 84 9
licencier .... T 4
liciter .... T 3
lier .... T 4
lier (se) 84 4

lifter .... T 3
ligaturer .... T 3
ligner .... T 3
lignifier (se) 84 4
ligoter .... T 3
liguer .... T 8
liguer (se) 84 8
limer .... T 3
limer (se) 86 3
limiter .... T 3
limiter (se) 84 3
limoger .... T 7
liquéfier .... T 4
liquéfier (se) 84 4
liquider .... T 3
lire .... T 75
lire (se) 84 75
liserer .... T 11
lisérer .... T 9
lisser .... T 3
lister .... T 3
liter .... T 3
lithographier .... T 4
livrer .... T 3
livrer (se) 84 3
lober .... I/T 3
lobotomiser .... T 3
localiser .... T 3
localiser (se) 84 3
locher .... I/T 3
lockouter .... T 3
lofer .... I 3
loger .... I/T 7
loger (se) 84 7
longer .... T 7
loquer .... T 3
lorgner .... T 3
lotionner .... T 3
lotir .... T 20
louanger .... T 7
loucher .... I 3
louer .... T 3
louer (se) 84 3
loufer .... I 3
louper .... T 3

6 000 verbes classés de A à Z

Liste des verbes

lourder	T 3	mailler (se)	84 3	marginer	T 3
lourer	T 3	maintenir	T 27	margoter	I 3
louveter	I 14	maintenir (se)	84 27	marier	T 4
louvoyer	I 18	maîtriser	T 3	marier (se)	84 4
lover	T 3	maîtriser (se)	84 3	mariner	I/T 3
lover (se)	84 3	majorer	T 3	marivauder	I 3
lubrifier	T 4	malaxer	T 3	marmiter	T 3
luger	I 7	malmener	T 11	marmonner	T 3
luire	I 78	malter	T 3	marmoriser	T 3
luncher	I 3	maltraiter	T 3	marner	I 3
lustrer	T 3	manager	T 7	maronner	I 3
luter	T 3	manchonner	T 3	maroquiner	T 3
lutiner	T 3	mandater	T 3	maroufler	T 3
lutter	I 3	mander	T 3	marquer	I/T 3
luxer	T 3	mangeotter	T 3	marquer (se)	84 3
luxer (se)	86 3	**manger**	I/T 7	marqueter	T 14
lyncher	T 3	manier	T 4	marrer (se)	84 3
lyophiliser	T 3	manier (se)	84 4	marronner	I 3
		manifester	I/T 3	marsouiner	I 3
		manifester (se)	84 3	marteler	T 13
		manigancer	T 6	martyriser	T 3
		manipuler	T 3	masculiniser	T 3
macadamiser	T 3	manœuvrer	I/T 3	masquer	T 3
macérer	I/T 9	manœuvrer (se)	84 3	massacrer	T 3
mâcher	T 3	manquer	I/T/Ti 3	massacrer (se)	84 3
machiner	T 3	manquer (se)	84 3	masser	T 3
mâchonner	T 3	mansarder	T 3	masser (se)	86 3
mâchouiller	T 3	manucurer	T 3	massicoter	T 3
mâchurer	T 3	manufacturer	T 3	mastiquer	T 3
macler	I/T 3	manutentionner	T 3	masturber	T 3
maçonner	T 3	mapper	T 3	masturber (se)	86 3
maculer	T 3	maquer (se)	84 3	matcher	I/T 3
madériser	T 3	maquetter	T 3	matelasser	T 3
madériser (se)	84 3	maquignonner	T 3	matelasser (se)	84 3
maganer	T 3	maquiller	T 3	mater	I/T 3
maganer (se)	84 3	maquiller (se)	86 3	mâter	T 3
magasiner	I 3	marabouter	T 3	matérialiser	T 3
magner (se)	84 3	marauder	I 3	matérialiser (se)	84 3
magnétiser	T 3	marbrer	T 3	materner	T 3
magnétoscoper	T 3	marchander	T 3	matir	T 20
magnifier	T 4	marcher	I 3	matraquer	T 3
magouiller	I 3	marcotter	T 3	matricer	T 6
maigrir	I/T 20	margauder	I 3	maturer	I 3
mailler	I/T 3	marger	I/T 7	**maudire**	T 74
		marginaliser	T 3	maudire (se)	84 74

290

Liste des verbes

maugréer .... I 5
maximaliser .... T 3
maximiser .... T 3
mazouter .... I/T 3
mécaniser .... T 3
mécher .... T 9
méconduire (se) 84 78
méconnaître .... T 64
mécontenter .... T 3
médailler .... T 3
médiatiser .... T 3
médicaliser .... T 3
médire .... Ti 73
méditer .... I/T/Ti 3
méduser .... T 3
méfier (se) 84 4
mégir .... T 20
mégisser .... T 3
mégoter .... I 3
méjuger .... T 7
mélanger .... T 7
mélanger (se) 86 7
mêler .... T 3
mêler (se) 84 3
mémoriser .... T 3
menacer .... T 6
ménager .... T 7
ménager (se) 86 7
mendier .... I/T 4
mendigoter .... I/T 3
mener .... I/T 11
menotter .... T 3
mensualiser .... T 3
mentionner .... T 3
mentir .... I 22
mentir (se) 85 22
menuiser .... T 3
méprendre (se) 84 53
mépriser .... T 3
mépriser (se) 84 3
mercantiliser .... T 3
merceriser .... T 3
merder .... I 3
merdoyer .... I 18
meringuer .... T 8

mériter .... T 3
mésallier (se) 84 4
mésestimer .... T 3
messeoir .... I, D 40
mesurer .... I/T 3
mesurer (se) 84 3
mésuser .... Ti 3
métalliser .... T 3
métamorphiser .... T 3
métamorphoser .... T 3
métamorphoser (se) .. 84 3
métaphoriser .... T 3
métastaser .... I/T 3
météoriser .... T 3
métisser .... T 3
métrer .... T 9
mettre .... T 63
mettre (se) 86 63
meubler .... T 3
meubler (se) 86 3
meugler .... I 3
meuler .... T 3
meurtrir .... T 20
miauler .... I 3
michetonner .... I 3
microfilmer .... T 3
microminiaturiser .... T 3
mignoter .... T 3
mignoter (se) 84 3
migrer .... I 3
mijoter .... I/T 3
mijoter (se) 86 3
militariser .... T 3
militariser (se) 84 3
militer .... I 3
millésimer .... T 3
mimer .... T 3
minauder .... I 3
mincir .... I 20
miner .... T 3
miner (se) 86 3
minéraliser .... T 3
miniaturiser .... T 3
minimiser .... T 3
minorer .... T 3

minuter .... T 3
mirer .... T 3
mirer (se) 84 3
miroiter .... I 3
miser .... T 3
misérer .... I 9
missionner .... T 3
miter (se) 84 3
mithridatiser .... T 3
mitiger .... T 7
mitonner .... I/T 3
mitrailler .... T 3
mixer .... T 3
mobiliser .... T 3
modeler .... T 13
modeler (se) 84 13
modéliser .... T 3
modérer .... T 9
modérer (se) 84 9
moderniser .... T 3
modifier .... T 4
modifier (se) 84 4
moduler .... T 3
moirer .... T 3
moisir .... I/T 20
moissonner .... T 3
moitir .... T 20
molester .... T 3
moleter .... T 14
mollarder .... I 3
mollir .... I 20
momifier .... T 4
momifier (se) 84 4
monder .... T 3
mondialiser .... T 3
monétiser .... T 3
monitorer .... T 3
monnayer .... T 16
monologuer .... I 8
monopoliser .... T 3
monter .... I/T, A/E 3
monter (se) 86 3
montrer .... T 3
montrer (se) 86 3
moquer .... T 3

6 000 verbes classés de A à Z

Liste des verbes

moquer (se) 84 3
moquetter .... T 3
moraliser .... I/T 3
morceler .... T 12
mordancer .... T 6
mordiller .... I/T 3
mordiller (se) 86 3
mordorer .... T 3
mordre .... I/T/Ti 52
mordre (se) 86 52
morfaler .... I 3
morfaler (se) 84 3
morfler .... I 3
morfondre (se) 84 52
morigéner .... T 9
mortaiser .... T 3
mortifier .... T 4
mortifier (se) 84 4
motionner .... I 3
motiver .... T 3
motoriser .... T 3
motter (se) 84 3
moucharder .... I/T 3
moucher .... T 3
moucher (se) 86 3
moucheronner .... I 3
moucheter .... T 14
moudre .... T 59
moufter .... I 3
mouiller .... I/T 3
mouiller (se) 86 3
mouler .... T 3
mouler (se) 84 3
mouliner .... T 3
moulurer .... T 3
mourir .... I, E 26
mourir (se) .... D 26
mousser .... I 3
moutonner .... I 3
moutonner (se) 84 3
mouvoir .... T 48
mouvoir (se) 84 48
moyenner .... I 3
mucher .... T 3
muer .... I 3

mugir .... I 20
multiplexer .... T 3
multiplier .... T 4
multiplier (se) 84 4
municipaliser .... T 3
munir .... T 20
munir (se) 84 20
murer .... T 3
murer (se) 84 3
mûrir .... I/T 20
murmurer .... I/T 3
musarder .... I 3
muscler .... T 3
museler .... T 12
muser .... I 3
musiquer .... I/T 3
musser .... T 3
muter .... I/T 3
mutiler .... T 3
mutiler (se) 86 3
mutiner (se) 84 3
mutualiser .... T 3
mystifier .... T 4
mythifier .... T 4

nacrer .... T 3
nager .... I/T 7
naître .... I, E 65
nanifier .... T 4
nanifier (se) 84 4
naniser .... T 3
nantir .... T 20
nantir (se) 84 20
napper .... T 3
narguer .... T 8
narrer .... T 3
nasaliser .... T 3
nasiller .... I 3
nationaliser .... T 3
natter .... T 3
naturaliser .... T 3

naufrager .... I 7
naviguer .... I 8
navrer .... T 3
nazifier .... T 4
néantiser .... T 3
néantiser (se) 84 3
nébuliser .... T 3
nécessiter .... T 3
nécroser .... T 3
nécroser (se) 84 3
négliger .... T 7
négliger (se) 84 7
négocier .... I/T 4
négocier (se) 84 4
neigeoter .... I, Ip 3
neiger .... I, Ip 7
néologiser .... I 3
nervurer .... T 3
nettoyer .... T 18
neutraliser .... T 3
neutraliser (se) 84 3
nicher .... I 3
nicher (se) 84 3
nickeler .... T 12
nider (se) 84 3
nidifier .... I 4
nieller .... T 3
nier .... T 4
nimber .... T 3
nimber (se) 84 3
nipper .... T 3
nipper (se) 84 3
nitrater .... T 3
nitrer .... T 3
nitrifier .... T 4
nitrifier (se) 84 4
nitrurer .... T 3
niveler .... T 12
nobéliser .... T 3
nocer .... I 6
noircir .... I/T 20
noircir (se) 86 20
noliser .... T 3
nomadiser .... I 3
nombrer .... T 3

Liste des verbes

nominaliser .... T 3
nominer .... T 3
nominer (se) 84 3
nommer .... T 3
nordir .... I 20
normaliser .... T 3
normaliser (se) 84 3
normer .... T 3
noter .... T 3
notifier .... T 4
nouer .... T 3
nouer (se) 86 3
nourrir .... T 20
nourrir (se) 84 20
novéliser .... T 3
nover .... T 3
noyauter .... T 3
noyer .... T 18
noyer (se) 84 18
nuancer .... T 6
nucléariser .... T 3
nuire .... Ti 78
nuire (se) 85 78
numériser .... T 3
numéroter .... I/T 3

obéir .... Ti 20
obérer .... T 9
obérer (s') 84 9
objecter .... T 3
objectiver .... T 3
objurguer .... I 8
obliger .... T 7
obliger (s') 84 7
obliquer .... I 3
oblitérer .... T 9
obnubiler .... T 3
obombrer .... T 3
obscurcir .... T 20
obscurcir (s') 84 20
obséder .... T 9

observer .... T 3
observer (s') 84 3
obstiner (s') 84 3
obstruer .... T 3
obtempérer .... Ti 9
obtenir .... T 27
obtenir (s') 84 27
obturer .... T 3
obvenir .... I, E 27
obvier .... Ti 4
occasionner .... T 3
occidentaliser .... T 3
occidentaliser (s') 84 3
occlure .... T 80
occulter .... T 3
occuper .... T 3
occuper (s') 84 3
ocrer .... T 3
octavier .... I/T 4
octroyer .... T 18
octroyer (s') 86 18
œilletonner .... T 3
œuvrer .... I 3
offenser .... T 3
offenser (s') 84 3
officialiser .... T 3
officier .... I 4
offrir .... T 29
offrir (s') 86 29
offusquer .... T 3
offusquer (s') 84 3
oindre .... T 56
oiseler .... T 12
ombrager .... T 7
ombrer .... T 3
omettre .... T 63
ondoyer .... I 18
onduler .... I/T 3
opacifier .... T 4
opaliser .... Ti 3
opérer .... I/T 9
opérer (s') 84 9
opiner .... I/Ti 3
opiniâtrer (s') 84 3
opposer .... T 3

opposer (s') 84 3
oppresser .... T 3
opprimer .... T 3
opter .... I 3
optimaliser .... T 3
optimiser .... T 3
oraliser .... T 3
orbiter .... I 3
orchestrer .... T 3
ordonnancer .... T 6
ordonner .... T 3
ordonner (s') 84 3
organiser .... T 3
organiser (s') 84 3
orienter .... T 3
orienter (s') 84 3
ornementer .... T 3
orner .... T 3
orthographier .... T 4
osciller .... I 3
oser .... T 3
ossifier .... T 4
ostraciser .... T 3
ôter .... T 3
ôter (s') 86 3
ouater .... T 3
ouatiner .... T 3
oublier .... T 4
oublier (s') 84 4
ouiller .... T 3
ouïr .... T 35
ourdir .... T 20
ourler .... T 3
outiller .... T 3
outrager .... T 7
outrepasser .... T 3
outrer .... T 3
ouvrager .... T 7
ouvrer .... T 3
ouvrir .... I/T 29
ouvrir (s') 86 29
ovaliser .... T 3
ovationner .... T 3
ovuler .... I 3
oxyder .... T 3

6 000 verbes classés de A à Z

Liste des verbes

oxyder (s') 84 3
oxygéner .... T 9
oxygéner (s') 86 9
ozoniser .... T 3

pacager .... I/T 7
pacifier .... T 4
pacquer .... T 3
pacser (se) 84 3
pactiser .... I 3
paganiser .... T 3
pagayer .... I 16
pageoter (se) 84 3
pager (se) 84 7
paginer .... T 3
paillassonner .... T 3
pailler .... T 3
pailleter .... T 14
paître .... I/T, D 64
palabrer .... I 3
palanquer .... T 3
palataliser .... T 3
palettiser .... T 3
pâlir .... I 20
palissader .... T 3
palisser .... T 3
pallier .... T 4
palper .... T 3
palpiter .... I 3
pâmer (se) 84 3
panacher .... T 3
panacher (se) 84 3
paner .... T 3
panifier .... T 4
paniquer .... I/T 3
panneauter .... I 3
panoramiquer .... I 3
panser .... T 3
panser (se) 86 3
panteler .... I 12
pantoufler .... I 3

papillonner .... I 3
papilloter .... I 3
papoter .... I 3
papouiller .... T 3
parachever .... T 11
parachuter .... T 3
parader .... I 3
parafer .... T 3
paraffiner .... T 3
paraître .... I, A/E 64
paralyser .... T 3
paramétrer .... T 3
parangonner .... T 3
parapher .... T 3
paraphraser .... T 3
parasiter .... T 3
parcelliser .... T 3
parcheminer .... T 3
parcourir .... T 25
pardonner .... T/Ti 3
pardonner (se) 86 3
parer .... T/Ti 3
parer (se) 84 3
paresser .... I 3
parfaire .... T 82
parfiler .... T 3
parfondre .... T 52
parfumer .... T 3
parfumer (se) 86 3
parier .... T 4
parjurer (se) 84 3
parlementer .... I 3
parler .... I/T/Ti 3
parler (se) 85 3
parlot(t)er .... I 3
parodier .... T 4
parquer .... T 3
parqueter .... T 14
parrainer .... T 3
parsemer .... T 11
partager .... T 7
partager (se) 86 7
participer .... Ti 3
particulariser .... T 3
particulariser (se) 84 3

partir .... I, E 22
parvenir .... Ti, E 27
passementer .... T 3
passepoiler .... T 3
passer .... I/T, A/E 3
passer (se) 86 3
passionner .... T 3
passionner (se) 84 3
pasteuriser .... T 3
pasticher .... T 3
patauger .... I 7
patenter .... T 3
patienter .... I 3
patiner .... I/T 3
pâtir .... I 20
pâtisser .... I 3
patouiller .... T 3
patronner .... T 3
patrouiller .... I 3
pâturer .... I/T 3
paumer .... T 3
paumer (se) 84 3
paupériser .... T 3
paupériser (se) 84 3
pauser .... T 3
pavaner (se) 84 3
paver .... T 3
pavoiser .... T 3
payer .... I/T 16
payer (se) 86 16
peaufiner .... T 3
pécher .... I 9
pêcher .... T 3
pédaler .... I 3
peigner .... T 3
peigner (se) 86 3
peindre .... T 55
peindre (se) 86 55
peiner .... I/T 3
peinturer .... T 3
peinturlurer .... T 3
peler .... I/T 13
pelleter .... T 14
peloter .... T 3
pelotonner .... T 3

Liste des verbes

pelotonner (se)	84 3	
pelucher	I 3	
pénaliser	T 3	
pénaliser (se)	84 3	
pencher	I/T 3	
pencher (se)	84 3	
pendiller	I 3	
pendouiller	I 3	
pendre	I/T 52	
pendre (se)	84 52	
penduler	I 3	
pénétrer	I/T 9	
pénétrer (se)	84 9	
penser	I/T/Ti 3	
pensionner	T 3	
pépier	I 4	
percer	I/T 6	
percevoir	T 36	
percher	I/T 3	
percher (se)	84 3	
percuter	I/T 3	
perdre	T 52	
perdre (se)	84 52	
perdurer	I 3	
pérenniser	T 3	
perfectionner	T 3	
perfectionner (se)	84 3	
perforer	T 3	
perforer (se)	86 3	
perfuser	T 3	
péricliter	I 3	
périmer (se)	84 3	
périphraser	I 3	
périr	I 20	
perler	I 3	
permettre	T 63	
permettre (se)	86 63	
permuter	I/T 3	
pérorer	I 3	
peroxyder	T 3	
perpétrer	T 9	
perpétuer	T 3	
perpétuer (se)	84 3	
perquisitionner	I/T 3	
persécuter	T 3	

persévérer	I 9	
persifler	T 3	
persister	I 3	
personnaliser	T 3	
personnifier	T 4	
persuader	T 3	
persuader (se)	84 3	
perturber	T 3	
pervertir	T 20	
pervertir (se)	84 20	
pervibrer	T 3	
peser	I/T/Ti 11	
peser (se)	84 11	
pester	I 3	
pétarader	I 3	
péter	I/T 9	
péter (se)	86 9	
pétiller	I 3	
petit-déjeuner	I 3	
pétitionner	I 3	
pétocher	I 3	
pétrifier	T 4	
pétrifier (se)	84 4	
pétrir	T 20	
pétuner	I 3	
peupler	T 3	
peupler (se)	84 3	
phagocyter	T 3	
philosopher	I 3	
phonétiser	T 3	
phosphater	T 3	
phosphorer	I 3	
photocomposer	T 3	
photocopier	T 4	
photographier	T 4	
photographier (se)	84 4	
phraser	I 3	
piaffer	I 3	
piailler	I 3	
pianoter	I/T 3	
piauler	I 3	
picoler	I 3	
picorer	I/T 3	
picoter	T 3	
piéger	T 10	

piéter	I 9	
piéter (se)	84 9	
piétiner	I/T 3	
pieuter (se)	84 3	
pifer	T 3	
pigeonner	T 3	
piger	I/T 7	
pigmenter	T 3	
pignocher	I 3	
piler	I/T 3	
piller	T 3	
pilonner	T 3	
piloter	T 3	
pimenter	T 3	
pinailler	I 3	
pincer	T 6	
pincer (se)	86 6	
pinter	I 3	
pinter (se)	84 3	
piocher	T 3	
pioncer	I 6	
piper	T 3	
pique-niquer	I 3	
piquer	I/T 3	
piquer (se)	86 3	
piqueter	I/T 14	
pirater	I/T 3	
pirouetter	I 3	
pisser	I/T 3	
pissoter	I 3	
pister	T 3	
pistonner	T 3	
pitonner	I/T 3	
pivoter	I 3	
placarder	T 3	
placardiser	T 3	
placer	T 6	
placer (se)	84 6	
plafonner	I/T 3	
plagier	T 4	
plaider	I/T 3	
plaindre	T 54	
plaindre (se)	84 54	
plaire	I/Ti 68	
plaire (se)	85 68	

6 000 verbes classés de A à Z

plaisanter	I/T **3**	
planchéier	T **4**	
plancher	I **3**	
planer	I/T **3**	
planétariser	T **3**	
planifier	T **4**	
planquer	I/T **3**	
planquer (se)	**84** **3**	
planter	T **3**	
planter (se)	**86** **3**	
plaquer	T **3**	
plasmifier	T **4**	
plastifier	T **4**	
plastiquer	T **3**	
plastronner	I/T **3**	
platiner	T **3**	
plâtrer	T **3**	
plébisciter	T **3**	
pleurer	I/T **3**	
pleurnicher	I **3**	
pleuvasser	I, Ip **3**	
pleuviner	I, Ip **3**	
pleuvioter	I, Ip **3**	
pleuvoir	I/T, D **50**	
pleuvoter	I, Ip **3**	
plier	I/T **4**	
plier (se)	**84** **4**	
plisser	I/T **3**	
plisser (se)	**84** **3**	
plomber	T **3**	
plomber (se)	**84** **3**	
plonger	I/T **7**	
plonger (se)	**84** **7**	
ployer	I/T **18**	
plumer	T **3**	
plumer (se)	**84** **3**	
pluraliser	T **3**	
pocher	I/T **3**	
poêler	T **3**	
poétiser	T **3**	
pogner	T **3**	
poignarder	T **3**	
poiler (se)	**84** **3**	
poinçonner	T **3**	
poindre	I/T, D **56**	

pointer	I/T **3**	
pointer (se)	**84** **3**	
pointiller	T **3**	
poireauter	I **3**	
poisser	T **3**	
poivrer	T **3**	
poivrer (se)	**84** **3**	
polariser	T **3**	
polariser (se)	**84** **3**	
poldériser	T **3**	
polémiquer	I **3**	
policer	T **6**	
polir	T **20**	
polir (se)	**86** **20**	
polissonner	I **3**	
politiquer	I **3**	
politiser	T **3**	
polluer	T **3**	
polycopier	T **4**	
polymériser	I/T **3**	
pommader	T **3**	
pommeler (se)	**84** **12**	
pommer	I **3**	
pomper	T **3**	
pomponner	T **3**	
poncer	T **6**	
ponctionner	T **3**	
ponctuer	T **3**	
pondérer	T **9**	
pondre	T **52**	
ponter	I/T **3**	
pontifier	I **4**	
populariser	T **3**	
poquer	I **3**	
porter	I/T/Ti **3**	
porter (se)	**84** **3**	
portraiturer	T **3**	
poser	I/T **3**	
poser (se)	**84** **3**	
positionner	T **3**	
positionner (se)	**84** **3**	
positiver	I/T **3**	
posséder	T **9**	
posséder (se)	**84** **9**	
postdater	T **3**	

poster	T **3**	
poster (se)	**84** **3**	
postillonner	I **3**	
postposer	T **3**	
postsonoriser	T **3**	
postsynchroniser	T **3**	
postuler	I/T **3**	
potasser	T **3**	
potentialiser	T **3**	
potiner	I **3**	
poudrer	I/T **3**	
poudrer (se)	**86** **3**	
poudroyer	I **18**	
pouffer	I **3**	
pouliner	I **3**	
pouponner	I/T **3**	
pourchasser	T **3**	
pourfendre	T **52**	
pourlécher	T **9**	
pourlécher (se)	**86** **9**	
pourrir	I/T **20**	
pourrir (se)	**86** **20**	
poursuivre	T **70**	
poursuivre (se)	**84** **70**	
pourvoir	T/Ti **39**	
pourvoir (se)	**84** **39**	
pousser	I/T **3**	
pousser (se)	**84** **3**	
poutser	T **3**	
pouvoir	T **44**	
pouvoir (se)	D **84** **44**	
praliner	T **3**	
pratiquer	T **3**	
pratiquer (se)	**84** **3**	
préacheter	T **15**	
préaviser	T **3**	
précariser	T **3**	
précautionner (se)	**84** **3**	
précéder	I/T **9**	
préchauffer	T **3**	
prêcher	I/T **3**	
précipiter	T **3**	
précipiter (se)	**84** **3**	
préciser	T **3**	
préciser (se)	**84** **3**	

Liste des verbes

précompter	T 3	
préconiser	T 3	
précuire	T 78	
prédestiner	T 3	
prédéterminer	T 3	
prédiquer	T 3	
prédire	T 73	
prédisposer	Ti 3	
prédominer	I 3	
préempter	T 3	
préétablir	T 20	
préexister	Ti 3	
préfabriquer	T 3	
préfacer	T 6	
préférer	T 9	
préfigurer	T 3	
préfinancer	T 6	
préfixer	T 3	
préformer	T 3	
préjudicier	I 4	
préjuger	T/Ti 7	
prélasser (se)	84 3	
prélever	T 11	
préluder	Ti 3	
préméditer	T 3	
prémunir	T 20	
prémunir (se)	84 20	
prendre	I/T 53	
prendre (se)	86 53	
prénommer	T 3	
prénommer (se)	84 3	
préoccuper	T 3	
préoccuper (se)	84 3	
préparer	T 3	
préparer (se)	86 3	
prépayer	T 16	
préposer	T 3	
prépositionner	T 3	
prépositionner (se)	84 3	
prérecruter	T 3	
prérégler	T 9	
présager	T 7	
prescrire	T 76	
prescrire (se)	86 76	
présélectionner	T 3	

présenter	T 3	
présenter (se)	84 3	
préserver	T 3	
préserver (se)	84 3	
présidentialiser	T 3	
présider	T/Ti 3	
présonoriser	T 3	
pressentir	T 22	
presser	I/T 3	
presser (se)	84 3	
pressurer	T 3	
pressuriser	T 3	
présumer	T/Ti 3	
présupposer	T 3	
présurer	T 3	
prétendre	T/Ti 52	
prêter	I/T/Ti 3	
prêter (se)	86 3	
prétexter	T 3	
prévaloir	I 47	
prévaloir (se)	84 47	
prévariquer	I 3	
prévenir	T 27	
prévoir	T 38	
prier	I/T 4	
primer	T/Ti 3	
priser	T 3	
privatiser	T 3	
priver	T 3	
priver (se)	84 3	
privilégier	T 4	
procéder	I/Ti 9	
processionner	I 3	
proclamer	T 3	
proclamer (se)	84 3	
procréer	T 5	
procurer	T 3	
procurer (se)	86 3	
prodiguer	T 8	
produire	T 78	
produire (se)	84 78	
profaner	T 3	
proférer	T 9	
professer	T 3	
professionnaliser	T 3	

profiler	T 3	
profiler (se)	84 3	
profiter	I/Ti 3	
programmer	T 3	
progresser	I 3	
prohiber	T 3	
projeter	T 14	
projeter (se)	84 14	
prolétariser	T 3	
proliférer	I 9	
prolonger	T 7	
prolonger (se)	84 7	
promener	T 11	
promener (se)	84 11	
promettre	I/T 63	
promettre (se)	85 63	
promotionner	T 3	
promouvoir	T 48	
promulguer	T 8	
prôner	T 3	
pronominaliser	T 3	
prononcer	T 6	
prononcer (se)	84 6	
pronostiquer	T 3	
propager	T 7	
propager (se)	84 7	
prophétiser	T 3	
proportionner	T 3	
proportionner (se)	84 3	
proposer	T 3	
proposer (se)	86 3	
propulser	T 3	
propulser (se)	84 3	
proroger	T 7	
proscrire	T 76	
prosodier	T 4	
prospecter	T 3	
prospérer	I 9	
prosterner	T 3	
prosterner (se)	84 3	
prostituer	T 3	
prostituer (se)	84 3	
protéger	T 10	
protester	I/T/Ti 3	
prouver	T 3	

6 000 verbes classés de A à Z

Liste des verbes

provenir .... I, E **27**
proverbialiser .... T **3**
provigner .... T **3**
provisionner .... T **3**
provoquer .... T **3**
psalmodier .... I/T **4**
psychanalyser .... T **3**
psychiatriser .... T **3**
publier .... T **4**
puddler .... T **3**
puer .... I/T **3**
puiser .... T **3**
pulluler .... I **3**
pulser .... I/T **3**
pulvériser .... T **3**
punaiser .... T **3**
punir .... T **20**
purger .... T **7**
purifier .... T **4**
purifier (se) 86 **4**
putréfier .... T **4**
putréfier (se) 84 **4**
pyramider .... I **3**
pyrograver .... T **3**

Q

quadriller .... T **3**
quadrupler .... I/T **3**
qualifier .... T **4**
qualifier (se) 84 **4**
quantifier .... T **4**
quémander .... T **3**
quereller .... T **3**
quereller (se) 84 **3**
quérir .... T, D **28**
questionner .... T **3**
questionner (se) 84 **3**
quêter .... T **3**
queuter .... I **3**
quintoyer .... I **18**
quintupler .... I/T **3**

quitter .... T **3**
quitter (se) .... D 84 **3**

R

rabâcher .... T **3**
rabaisser .... T **3**
rabaisser (se) 84 **3**
rabattre .... T **62**
rabattre (se) 84 **62**
rabibocher .... T **3**
rabioter .... I/T **3**
rabonnir .... I/T **20**
raboter .... T **3**
rabougrir (se) 84 **20**
rabouter .... T **3**
rabrouer .... T **3**
raccommoder .... T **3**
raccommoder (se) 84 **3**
raccompagner .... T **3**
raccorder .... T **3**
raccorder (se) 84 **3**
raccourcir .... I/T **20**
raccourcir (se) 86 **20**
raccrocher .... I/T **3**
raccrocher (se) 84 **3**
racheter .... T **15**
racheter (se) 86 **15**
raciner .... T **3**
racketter .... T **3**
racler .... T **3**
racler (se) 86 **3**
racoler .... T **3**
raconter .... T **3**
raconter (se) 86 **3**
racornir .... T **20**
racornir (se) 84 **20**
rader .... T **3**
radicaliser .... T **3**
radicaliser (se) 84 **3**
radier .... T **4**
radier (se) 84 **4**
radiner .... I **3**

radiobaliser .... T **3**
radiodiffuser .... T **3**
radiographier .... T **4**
radioguider .... T **3**
radioscoper .... T **3**
radoter .... I/T **3**
radouber .... T **3**
radoucir .... T **20**
radoucir (se) 84 **20**
raffermir .... T **20**
raffermir (se) 84 **20**
raffiner .... I/T **3**
raffoler .... Ti **3**
raffûter .... T **3**
rafistoler .... T **3**
rafler .... T **3**
rafraîchir .... I/T **20**
rafraîchir (se) 86 **20**
ragaillardir .... T **20**
rager .... I **7**
ragréer .... T **5**
raguer .... I **8**
raguer (se) 84 **8**
raidir .... I/T **20**
raidir (se) 84 **20**
railler .... I/T **3**
railler (se) 84 **3**
rainer .... T **3**
rainurer .... T **3**
raire .... I, D **69**
raisonner .... I/T **3**
raisonner (se) 84 **3**
rajeunir .... I/T **20**
rajeunir (se) 84 **20**
rajouter .... T **3**
rajuster .... T **3**
ralentir .... I/T **20**
ralentir (se) 84 **20**
râler .... I **3**
ralinguer .... I **8**
rallier .... T **4**
rallier (se) 84 **4**
rallonger .... I/T **7**
rallonger (se) 84 **7**
rallumer .... T **3**

Liste des verbes

rallumer (se)	86 3
ramager	I/T 7
ramasser	T 3
ramasser (se)	84 3
ramender	T 3
ramener	T 11
ramener (se)	84 11
ramer	I/T 3
rameuter	T 3
ramifier (se)	84 4
ramollir	T 20
ramollir (se)	84 20
ramoner	T 3
ramper	I 3
rancarder	T 3
rancir	I 20
rançonner	T 3
randomiser	T 3
randonner	I 3
ranger	T 7
ranger (se)	84 7
ranimer	T 3
ranimer (se)	84 3
rapapilloter	T 3
rapatrier	T 4
rapatrier (se)	84 4
râper	T 3
rapetasser	T 3
rapetisser	I/T 3
rapetisser (se)	84 3
rapiécer	T 9
rapiner	I/T 3
raplatir	T 20
rappareiller	T 3
rapparier	T 4
rappeler	T 12
rappeler (se)	84 12
rappliquer	T 3
rapporter	T 3
rapporter (se)	84 3
rapprocher	T 3
rapprocher (se)	84 3
raquer	I/T 3
raréfier	T 4
raréfier (se)	84 4

raser	T 3
raser (se)	86 3
rassasier	T 4
rassasier (se)	84 4
rassembler	T 3
rassembler (se)	84 3
rasseoir	T 40
rasseoir (se)	84 40
rasséréner	T 9
rasséréner (se)	84 9
rassir	I 20
rassir (se)	84 20
rassurer	T 3
rassurer (se)	84 3
ratatiner	T 3
ratatiner (se)	84 3
râteler	T 12
rater	I/T 3
ratiboiser	T 3
ratifier	T 4
ratiner	T 3
ratiociner	I 3
rationaliser	T 3
rationner	T 3
rationner (se)	84 3
ratisser	T 3
ratonner	T 3
rattacher	T 3
rattacher (se)	84 3
rattraper	T 3
rattraper (se)	84 3
raturer	T 3
ravager	T 7
ravaler	T 3
ravaler (se)	84 3
ravauder	T 3
ravigoter	T 3
raviner	T 3
ravir	T 20
raviser (se)	84 3
ravitailler	T 3
ravitailler (se)	84 3
raviver	T 3
raviver (se)	84 3
rayer	T 16

rayer (se)	84 16
rayonner	I 3
razzier	T 4
ré(é)crire	T 76
réabonner	T 3
réabonner (se)	84 3
réabsorber	T 3
réaccoutumer (se)	84 3
réactiver	T 3
réactualiser	T 3
réadapter	T 3
réadapter (se)	84 3
réadmettre	T 63
réaffirmer	T 3
réaffirmer (se)	84 3
réagir	I 20
réaléser	T 9
réaligner	T 3
réaliser	T 3
réaliser (se)	84 3
réaménager	T 7
réamorcer	T 6
réanimer	T 3
réapparaître	I 64
réapprendre	T 53
réapproprier (se)	86 3
réapprovisionner	T 3
réapprovisionner (se)	84 3
réargenter	T 3
réargenter (se)	84 3
réarmer	I/T 3
réarmer (se)	84 3
réarranger	T 7
réarranger (se)	84 7
réassigner	T 3
réassortir	T 20
réassurer	T 3
réassurer (se)	86 3
rebaisser	I 3
rebaisser (se)	84 3
rebander	T 3
rebaptiser	T 3
rebâtir	T 20
rebattre	T 62
rebeller (se)	84 3

Liste des verbes

rebiffer (se) 84 3
rebiquer .... I 3
reblanchir .... T 20
reboiser .... T 3
rebondir .... I 20
reborder .... T 3
reboucher .... T 3
reboucher (se) 84 3
rebouter .... T 3
reboutonner .... T 3
reboutonner (se) 84 3
rebroder .... T 3
rebrousser .... T 3
rebuter .... T 3
rebuter (se) 84 3
recacheter .... T 14
recadrer .... T 3
recalcifier .... T 4
recaler .... T 3
recapitaliser .... T 3
récapituler .... T 3
recarreler .... T 12
recaser .... T 3
recaser (se) 84 3
recauser .... I 3
recaver (se) 84 3
recéder .... T 9
receler .... I/T 13
recéler .... I/T 9
recenser .... T 3
recentrer .... T 3
receper .... T 11
recéper .... T 9
réceptionner .... T 3
recevoir .... T 36
recevoir (se) 84 36
réchampir .... T 20
rechanger .... T 7
rechanter .... T 3
rechaper .... T 3
réchapper .... I 3
recharger .... T 7
rechasser .... I/T 3
réchauffer .... T 3
réchauffer (se) 86 3

rechausser .... T 3
rechausser (se) 84 3
rechercher .... T 3
rechigner .... Ti 3
rechristianiser .... T 3
rechuter .... I 3
récidiver .... I 3
réciter .... T 3
réclamer .... T 3
réclamer (se) 84 3
reclasser .... T 3
reclasser (se) 84 3
recoiffer .... T 3
recoiffer (se) 84 3
récoler .... T 3
recoller .... I/T 3
recoller (se) 84 3
récolter .... T 3
recombiner .... T 3
recommander .... T 3
recommander (se) 84 3
recommencer .... T 6
récompenser .... T 3
récompenser (se) 84 3
recomposer .... T 3
recomposer (se) 86 3
recompter .... T 3
réconcilier .... T 4
réconcilier (se) 84 4
recondamner .... T 3
reconduire .... T 78
reconfigurer .... T 3
réconforter .... T 3
réconforter (se) 84 3
reconnaître .... T 64
reconnaître (se) 86 64
reconnecter .... T 3
reconnecter (se) 84 3
reconquérir .... T 28
reconsidérer .... T 9
reconsolider .... T 3
reconstituer .... T 3
reconstituer (se) 86 3
reconstruire .... T 78
reconstruire (se) 86 78

reconvertir .... T 20
reconvertir (se) 84 20
recopier .... T 4
recorder .... T 3
recorriger .... T 7
recoucher .... T 3
recoucher (se) 84 3
recoudre .... T 58
recoudre (se) 86 58
recouper .... T 3
recouper (se) 84 3
recourber .... T 3
recourber (se) 84 3
recourir .... I/Ti 25
recouvrer .... T 3
recouvrir .... T 29
recouvrir (se) 84 29
recracher .... I/T 3
recracher (se) 84 3
recréer .... T 5
récréer .... T 5
récréer (se) 84 5
recrépir .... T 20
recreuser .... T 3
récrier (se) 84 4
récriminer .... I 3
recristalliser .... T 3
recroqueviller .... T 3
recroqueviller (se) 84 3
recruter .... T 3
recruter (se) 84 3
rectifier .... T 4
recueillir .... T 30
recueillir (se) 84 30
recuire .... T 78
reculer .... I/T 3
reculer (se) 84 3
reculotter .... T 3
reculotter (se) 84 3
récupérer .... I/T 9
récurer .... T 3
récuser .... T 3
récuser (se) 84 3
recycler .... T 3
recycler (se) 84 3

300

Liste des verbes

redécouvrir	T 29	
redéfinir	T 20	
redemander	T 3	
redémarrer	I/T 3	
redéployer	T 18	
redéployer (se)	84 18	
redescendre	I/T, A/E 52	
redevenir	I, E 27	
redevoir	T 43	
rediffuser	T 3	
rédiger	T 7	
rédimer	T 3	
rédimer (se)	84 3	
redire	T 73	
redire (se)	86 73	
rediscuter	T 3	
redistribuer	T 3	
redonner	T 3	
redonner (se)	86 3	
redorer	T 3	
redoubler	I/T/Ti 3	
redouter	T 3	
redresser	I/T 3	
redresser (se)	84 3	
réduire	T 78	
réduire (se)	84 78	
rééchelonner	T 3	
réécouter	T 3	
réédifier	T 4	
rééditer	T 3	
rééduquer	T 3	
réélire	T 75	
réemballer	T 3	
réembarquer	I/T 3	
réembaucher	T 3	
réemployer	T 18	
réemprunter	T 3	
r(é)enfiler	T 3	
r(é)engager	T 7	
r(é)engager (se)	84 7	
réensemencer	T 6	
réentendre	T 52	
rééquilibrer	T 3	
réer	I 5	
réescompter	T 3	

r(é)essayer	T 16	
réétudier	T 4	
réévaluer	T 3	
réexaminer	T 3	
réexpédier	T 4	
réexporter	T 3	
refaire	T 82	
refaire (se)	86 82	
refendre	T 52	
référencer	T 6	
référer	Ti 9	
référer (se)	84 9	
refermer	T 3	
refermer (se)	84 3	
refiler	T 3	
réfléchir	I/T 20	
réfléchir (se)	84 20	
refléter	T 9	
refléter (se)	84 9	
refleurir	I/T 20	
refluer	I 3	
refonder	T 3	
refondre	T 52	
reformater	T 3	
réformer	T 3	
réformer (se)	84 3	
reformuler	T 3	
refouiller	T 3	
refouler	I/T 3	
refourguer	T 3	
réfracter	T 3	
refréner	T 9	
réfréner	T 9	
réfrigérer	T 9	
refroidir	I/T 20	
refroidir (se)	84 20	
réfugier (se)	84 4	
refuser	I/T 3	
refuser (se)	86 3	
réfuter	T 3	
regagner	T 3	
régaler	I/T 3	
régaler (se)	84 3	
regarder	T/Ti 3	
regarder (se)	86 3	

regarnir	T 20	
régater	I 3	
regeler	I/T, Ip 13	
régénérer	T 9	
régenter	T 3	
regimber	I 3	
regimber (se)	84 3	
régionaliser	T 3	
régir	T 20	
réglementer	T 3	
régler	T 9	
régler (se)	84 9	
régner	I 9	
regonfler	I/T 3	
regonfler (se)	84 3	
regorger	I/Ti 7	
regratter	T 3	
regratter (se)	86 3	
regréer	T 5	
regreffer	T 3	
régresser	I 3	
regretter	T 3	
regrimper	I 3	
regrossir	I 20	
regrouper	T 3	
regrouper (se)	84 3	
régulariser	T 3	
réguler	T 3	
régurgiter	T 3	
réhabiliter	T 3	
réhabiliter (se)	84 3	
réhabituer	T 3	
réhabituer (se)	84 3	
rehausser	T 3	
rehausser (se)	84 3	
réhydrater	T 3	
réhydrater (se)	86 3	
réifier	T 4	
réimperméabiliser	T 3	
réimplanter	T 3	
réimporter	T 3	
réimposer	T 3	
réimprimer	T 3	
réincarcérer	T 9	
réincarcérer (se)	84 9	

6 000 verbes classés de A à Z

Liste des verbes

réincarner (se) 84 3
réincorporer .... T 3
réinfecter .... T 3
réinfecter (se) 84 3
réinjecter .... T 3
réinjecter (se) 86 3
réinscrire .... T 76
réinscrire (se) 84 76
réinsérer .... T 9
réinsérer (se) 84 9
réinstaller .... T 3
réinstaller (se) 84 3
réintégrer .... T 9
réintégrer (se) 84 9
réinterpréter .... T 9
réintroduire .... T 78
réinventer .... T 3
réinvestir .... T 20
réinvestir (se) 84 20
réinviter .... T 3
réitérer .... T 9
réitérer (se) 84 9
rejaillir .... I 20
rejeter .... I/T 14
rejeter (se) 84 14
rejoindre .... T 56
rejoindre (se) 84 56
rejointoyer .... T 18
rejouer .... I/T 3
réjouir .... T 20
réjouir (se) 84 20
relâcher .... I/T 3
relâcher (se) 84 3
relaisser (se) 84 3
relancer .... T 6
relater .... T 3
relativiser .... T 3
relaver .... T 3
relaxer .... T 3
relaxer (se) 84 3
relayer .... T 16
relayer (se) 84 16
reléguer .... T 9
relever .... T/Ti 11
relever (se) 84 11

relier .... T 4
relire .... T 75
relire (se) 84 75
relocaliser .... T 3
reloger .... T 7
reloger (se) 84 7
relooker .... T 3
relouer .... T 3
reluire .... I 78
reluquer .... T 3
remâcher .... T 3
remanger .... T 7
remanier .... T 4
remaquiller .... T 3
remaquiller (se) 86 3
remarcher .... I 3
remarier .... T 4
remarier (se) 84 4
remarquer .... T 3
remarquer (se) 84 3
remastériser .... T 3
remastiquer .... T 3
remballer .... T 3
rembarquer .... I/T 3
rembarquer (se) 84 3
rembarrer .... T 3
rembaucher .... T 3
remblayer .... T 16
rembobiner .... T 3
remboîter .... T 3
rembourrer .... T 3
rembourser .... T 3
rembrunir (se) 84 20
rembucher .... T 3
remédier .... Ti 4
remembrer .... T 3
remémorer .... T 3
remémorer (se) 86 3
remercier .... T 4
remettre .... T 63
remettre (se) 86 63
remeubler .... T 3
remeubler (se) 84 3
remilitariser .... T 3
remilitariser (se) 84 3

remiser .... T 3
remiser (se) 84 3
remmailler .... T 3
remmailloter .... T 3
remmancher .... T 3
remmener .... T 11
remodeler .... T 13
remonter .... I/T, A/E 3
remonter (se) 86 3
remontrer .... T 3
remordre .... T 52
remorquer .... T 3
remoudre .... T 59
remouiller .... I/T 3
remouiller (se) 86 3
rempailler .... T 3
rempaqueter .... T 14
rempiéter .... T 9
rempiler .... I 3
remplacer .... T 6
remplir .... T 20
remplir (se) 86 20
remployer .... T 18
remployer (se) 84 18
remplumer .... T 3
remplumer (se) 84 3
rempocher .... T 3
rempoissonner .... T 3
remporter .... T 3
rempoter .... T 3
remprunter .... T 3
remuer .... I/T 3
remuer (se) 86 3
rémunérer .... T 9
renâcler .... I 3
renaître .... I/Ti, D 65
renauder .... I 3
rencaisser .... T 3
rencarder .... T 3
renchaîner .... T 3
renchérir .... I/T 20
rencogner .... T 3
rencogner (se) 84 3
rencontrer .... T 3
rencontrer (se) 84 3

302

Liste des verbes

Liste des verbes

réquisitionner	T	3
resaler	T	3
resalir	T	20
resalir (se)	84	20
rescinder	T	3
resemer	T	11
réséquer	T	9
réserver	T	3
réserver (se)	86	3
résider	I	3
résigner	T	3
résigner (se)	86	3
résilier	T	4
résiner	T	3
résister	Ti	3
résonner	I	3
résorber	T	3
résorber (se)	84	3
résoudre	T	57
résoudre (se)	84	57
respectabiliser	T	3
respecter	T	3
respecter (se)	84	3
respirer	I/T	3
resplendir	I	20
responsabiliser	T	3
resquiller	I/T	3
ressaigner	I	3
ressaisir	T	20
ressaisir (se)	84	20
ressasser	T	3
ressauter	I/T	3
ressembler	Ti	3
ressembler (se)	85	3
ressemeler	T	12
ressemer	T	11
ressentir	T	22
ressentir (se)	84	22
resserrer	T	3
resserrer (se)	84	3
resservir	I/T	22
resservir (se)	86	22
ressortir	Ti, E	20
ressortir	I/T, A/E	22
ressouder	T	3

ressourcer (se)	84	6
ressouvenir (se)	84	27
ressuer	I	3
ressurgir	I	20
ressusciter	I/T	3
ressuyer	I/T	17
restaurer	T	3
restaurer (se)	84	3
rester	I, E	3
restituer	T	3
restreindre	T	55
restreindre (se)	84	55
restructurer	T	3
restructurer (se)	84	3
résulter	I, A/E, Ip	3
résumer	T	3
résumer (se)	84	3
resurgir	I	20
rétablir	T	20
rétablir (se)	84	20
retailler	T	3
rétamer	T	3
rétamer (se)	84	3
retaper	T	3
retaper (se)	86	3
retapisser	T	3
retarder	I/T	3
retâter	T/Ti	3
reteindre	T	55
retéléphoner	Ti	3
retendre	T	52
retenir	T	27
retenir (se)	84	27
retenter	T	3
retentir	I	20
retercer	T	6
retirer	T	3
retirer (se)	86	3
retisser	T	3
retomber	I, E	3
retondre	T	52
retoquer	T	3
retordre	T	52
rétorquer	T	3
retoucher	T	3

retourner	I/T, A/E	3
retourner (se)	84	3
retracer	T	6
rétracter	T	3
rétracter (se)	84	3
retraduire	T	78
retraiter	T	3
retrancher	T	3
retrancher (se)	84	3
retranscrire	T	76
retransmettre	T	63
retravailler	I/T/Ti	3
retraverser	T	3
rétrécir	I/T	20
rétrécir (se)	84	20
rétreindre	T	55
retremper	T	3
retremper (se)	86	3
rétribuer	T	3
rétroagir	I	20
rétrocéder	T	9
rétrograder	I/T	3
retrousser	T	3
retrousser (se)	86	3
retrouver	T	3
retrouver (se)	86	3
retuber	T	3
réunifier	T	4
réunir	T	20
réunir (se)	84	20
réussir	I/T	20
réutiliser	T	3
revacciner	T	3
revaloir	T	46
revaloriser	T	3
revancher (se)	84	3
revasculariser	T	3
rêvasser	I	3
réveiller	T	3
réveiller (se)	84	3
réveillonner	I	3
révéler	T	9
révéler (se)	84	9
revendiquer	T	3
revendre	T	52

Liste des verbes

revenir	I, E **27**
rêver	I/T/Ti **3**
réverbérer	T **9**
réverbérer (se)	**84** **9**
reverdir	I/T **20**
révérer	T **9**
revernir	T **20**
reverser	T **3**
revêtir	T **23**
revigorer	T **3**
revirer	I **3**
réviser	T **3**
revisiter	T **3**
revisser	T **3**
revitaliser	T **3**
revivifier	T **4**
revivre	I/T **71**
revoir	T **37**
revoir (se)	**84** **37**
revoler	I/T **3**
révolter	T **3**
révolter (se)	**84** **3**
révolutionner	T **3**
révolvériser	T **3**
révoquer	T **3**
revoter	I/T **3**
revouloir	T **45**
révulser	T **3**
rewriter	T **3**
rhabiller	T **3**
rhabiller (se)	**84** **3**
rhumer	T **3**
ricaner	I **3**
ricocher	I **3**
rider	T **3**
rider (se)	**84** **3**
ridiculiser	T **3**
ridiculiser (se)	**84** **3**
rifler	T **3**
rigidifier	T **4**
rigidifier (se)	**84** **4**
rigoler	I **3**
rimailler	I **3**
rimer	I/T **3**
rincer	T **6**

rincer (se)	**86** **6**
ringardiser	T **3**
ripailler	I **3**
riper	I/T **3**
ripoliner	T **3**
riposter	I **3**
rire	I/Ti **77**
rire (se)	**85** **77**
risquer	T **3**
risquer (se)	**84** **3**
rissoler	I/T **3**
ristourner	T **3**
ritualiser	T **3**
rivaliser	I **3**
river	T **3**
riveter	T **14**
rober	T **3**
robotiser	T **3**
rocher	I **3**
rôdailler	I **3**
roder	T **3**
rôder	I **3**
rogner	I/T **3**
rognonner	I **3**
roidir	T **20**
roidir (se)	**84** **20**
romancer	T **6**
romaniser	I/T **3**
romaniser (se)	**84** **3**
rompre	I/T **60**
rompre (se)	**86** **60**
ronchonner	I **3**
ronéoter	T **3**
ronéotyper	T **3**
ronfler	I **3**
ronger	T **7**
ronger (se)	**86** **7**
ronronner	I **3**
roquer	I **3**
roser	T **3**
rosir	I/T **20**
rosser	T **3**
roter	I **3**
rôtir	I/T **20**
rôtir (se)	**86** **20**

roucouler	I/T **3**
rouer	T **3**
rougeoyer	I **18**
rougir	I/T **20**
rouiller	I/T **3**
rouiller (se)	**84** **3**
rouir	T **20**
rouler	I/T **3**
rouler (se)	**86** **3**
roulotter	T **3**
roupiller	I **3**
rouscailler	I **3**
rouspéter	I **9**
roussir	I/T **20**
router	T **3**
rouvrir	I/T **29**
rouvrir (se)	**86** **29**
rucher	T **3**
rudoyer	T **18**
ruer	I **3**
ruer (se)	**84** **3**
rugir	I/T **20**
ruiner	T **3**
ruiner (se)	**86** **3**
ruisseler	I **12**
ruminer	T **3**
rupiner	I **3**
ruser	I **3**
rustiquer	T **3**
rutiler	I **3**
rythmer	T **3**

S

sabler	T **3**
sablonner	T **3**
saborder	T **3**
saborder (se)	**84** **3**
saboter	T **3**
sabrer	T **3**
saccader	T **3**
saccager	T **7**
saccharifier	T **4**
sacquer	T **3**

6 000 verbes classés de A à Z

Liste des verbes

sacraliser	T 3	saucissonner	I/T 3	seconder	T 3
sacrer	I/T 3	saumurer	T 3	secouer	T 3
sacrer (se)	84 3	sauner	T 3	secouer (se)	86 3
sacrifier	T/Ti 4	saupoudrer	T 3	secourir	T 25
sacrifier (se)	84 4	saurer	T 3	sécréter	T 9
safraner	T 3	saurir	T 20	sectionner	T 3
saigner	I/T 3	sauter	I/T 3	sectoriser	T 3
saigner (se)	84 3	sautiller	I 3	séculariser	T 3
saillir	T, D 20	sauvegarder	T 3	sécuriser	T 3
saillir	I, D 31	sauver	T 3	sédentariser	T 3
saisir	T 20	sauver (se)	84 3	sédentariser (se)	84 3
saisir (se)	84 20	savater	T 3	sédimenter	I 3
saisonner	I 3	**savoir**	T 42	séduire	T 78
salarier	T 4	savoir (se)	84 42	segmenter	T 3
saler	T 3	savonner	T 3	ségréguer	T 9
salifier	T 4	savonner (se)	86 3	séjourner	I 3
saliniser (se)	84 3	savourer	T 3	sélecter	T 3
salir	T 20	scalper	T 3	sélectionner	T 3
salir (se)	86 20	scandaliser	T 3	seller	T 3
saliver	I 3	scandaliser (se)	84 3	sembler	I 3
salpêtrer	T 3	scander	T 3	semer	T 11
saluer	T 3	scanner	T 3	semoncer	T 6
saluer (se)	84 3	scarifier	T 4	sensibiliser	T 3
sanctifier	T 4	sceller	T 3	sentir	I/T 22
sanctifier (se)	84 4	scénariser	T 3	sentir (se)	84 22
sanctionner	T 3	schématiser	T 3	seoir	I, D 40
sanctuariser	T 3	schlinguer	I 8	séparer	T 3
sandwicher	T 3	schlitter	T 3	séparer (se)	84 3
sangler	T 3	scier	T 4	septupler	I/T 3
sangler (se)	84 3	scinder	T 3	séquencer	T 6
sangloter	I 3	scinder (se)	84 3	séquestrer	T 3
saouler	T 3	scintiller	I 3	sérancer	T 6
saouler (se)	84 3	scléroser	T 3	serfouir	T 20
saper	T 3	scléroser (se)	84 3	sérier	T 4
saponifier	T 4	scolariser	T 3	sérigraphier	T 4
saquer	T 3	scorer	I 3	seriner	T 3
sarcler	T 3	scotcher	T 3	seringuer	T 8
sasser	T 3	scotomiser	T 3	sermonner	T 3
satelliser	T 3	scratcher	I 3	serpenter	I 3
satiner	T 3	scratcher (se)	84 3	serrer	T 3
satiriser	T 3	scribouiller	T 3	serrer (se)	86 3
satisfaire	T/Ti 82	scruter	T 3	sertir	T 20
satisfaire (se)	84 82	sculpter	T 3	servir	T/Ti 22
saturer	I/T 3	sécher	I/T 9	servir (se)	86 22
saucer	T 6	sécher (se)	86 9	sévir	I 20

Liste des verbes

sevrer .... T **11**
sextupler .... T **3**
shampooiner .... T **3**
shampooiner (se) **84** **3**
shampouiner .... T **3**
shampouiner (se) **84** **3**
shooter .... I **3**
shooter (se) **84** **3**
shunter .... T **3**
sidérer .... T **9**
siéger .... I **10**
siffler .... I/T **3**
siffloter .... I/T **3**
sigler .... T **3**
signaler .... T **3**
signaler (se) **84** **3**
signaliser .... T **3**
signer .... I/T **3**
signer (se) **84** **3**
signifier .... T **4**
silhouetter .... T **3**
sillonner .... T **3**
similiser .... T **3**
simplifier .... T **4**
simplifier (se) **86** **4**
simuler .... T **3**
singer .... T **7**
singulariser .... T **3**
singulariser (se) **84** **3**
siniser .... T **3**
sinuer .... I **3**
siphonner .... T **3**
siroter .... T **3**
situer .... T **3**
situer (se) **84** **3**
skier .... I **4**
slalomer .... I **3**
slaviser .... T **3**
slicer .... T **6**
smasher .... I **3**
sniffer .... T **3**
snober .... T **3**
socialiser .... T **3**
sodomiser .... T **3**
soigner .... T **3**

soigner (se) **84** **3**
solariser .... T **3**
solder .... T **3**
solder (se) **84** **3**
solenniser .... T **3**
solfier .... T **4**
solidariser .... T **3**
solidariser (se) **84** **3**
solidifier .... T **4**
solidifier (se) **84** **4**
soliloquer .... I **3**
solliciter .... T **3**
solubiliser .... T **3**
solutionner .... T **3**
somatiser .... T **3**
sombrer .... I **3**
sommeiller .... I **3**
sommer .... T **3**
somnoler .... I **3**
sonder .... T **3**
songer .... Ti **7**
sonnailler .... I **3**
sonner .... I/T **3**
sonner (se) **84** **3**
sonoriser .... T **3**
sophistiquer .... T **3**
sortir .... I/T, A/E **22**
sortir (se) **84** **22**
soucier .... T **4**
soucier (se) **84** **4**
souder .... T **3**
souder (se) **84** **3**
soudoyer .... T **18**
souffler .... I/T **3**
souffleter .... T **14**
souffrir .... I/T **29**
souffrir (se) **84** **29**
soufrer .... T **3**
souhaiter .... T **3**
souiller .... T **3**
soulager .... T **7**
soulager (se) **84** **7**
soûler .... T **3**
soûler (se) **86** **3**
soulever .... T **11**

soulever (se) **84** **11**
souligner .... T **3**
soumettre .... T **63**
soumettre (se) **84** **63**
soumissionner .... T **3**
soupçonner .... T **3**
souper .... I **3**
soupeser .... T **11**
soupirer .... I/T **3**
souquer .... I/T **3**
sourciller .... I **3**
sourdre .... I, D **52**
sourire .... I **77**
sourire (se) **85** **77**
sous-alimenter .... T **3**
sous-alimenter (se) .. **84** **3**
sous-employer .... T **18**
sous-entendre .... T **52**
sous-estimer .... T **3**
sous-estimer (se) **84** **3**
sous-évaluer .... T **3**
sous-évaluer (se) **84** **3**
sous-exposer .... T **3**
sous-investir .... I **20**
sous-louer .... T **3**
sous-payer .... T **16**
sous-tendre .... T **52**
sous-titrer .... T **3**
sous-toiler .... T **3**
sous-traiter .... I/T **3**
sous-utiliser .... T **3**
sous-virer .... I **3**
souscrire .... T **76**
soustraire .... T **69**
soustraire (se) **84** **69**
soutacher .... T **3**
soutenir .... T **27**
soutenir (se) **84** **27**
soutirer .... T **3**
souvenir (se) **84** **27**
soviétiser .... T **3**
spatialiser .... T **3**
spécialiser .... T **3**
spécialiser (se) **84** **3**
spécifier .... T **4**

6 000 verbes classés de A à Z

Liste des verbes

spéculer	I 3	
speeder	I 3	
spiritualiser	T 3	
spolier	T 4	
sponsoriser	T 3	
sporuler	I 3	
sprinter	I 3	
squatter	T 3	
squeezer	T 3	
stabiliser	T 3	
stabiliser (se)	84 3	
staffer	T 3	
stagner	I 3	
standardiser	T 3	
stariser	T 3	
stationner	I 3	
statuer	I 3	
statufier	T 4	
statufier (se)	84 4	
sténographier	T 4	
sténotyper	T 3	
stéréotyper	T 3	
stérer	T 9	
stériliser	T 3	
stigmatiser	T 3	
stimuler	T 3	
stipendier	T 4	
stipuler	T 3	
stocker	T 3	
stopper	I/T 3	
stranguler	T 3	
stratifier	T 4	
stresser	T 3	
stresser (se)	84 3	
striduler	I 3	
strier	T 4	
structurer	T 3	
structurer (se)	84 3	
stupéfier	T 4	
stuquer	T 3	
styler	T 3	
styliser	T 3	
subdéléguer	T 9	
subdiviser	T 3	
subir	T 20	

subjuguer	T 8	
sublimer	T 3	
submerger	T 7	
subodorer	T 3	
subordonner	T 3	
suborner	T 3	
subroger	T 7	
subsister	I 3	
substantifier	T 4	
substantiver	T 3	
substituer	T 3	
substituer (se)	84 3	
subsumer	T 3	
subtiliser	I/T 3	
subvenir	Ti 27	
subventionner	T 3	
subvertir	T 20	
succéder	Ti 9	
succéder (se)	85 9	
succomber	I/Ti 3	
sucer	T 6	
sucer (se)	86 6	
suçoter	T 3	
sucrer	T 3	
sucrer (se)	84 3	
suer	I/T 3	
suffire	Ti 72	
suffire (se)	85 72	
suffixer	T 3	
suffoquer	I/T 3	
suggérer	T 9	
suggestionner	T 3	
suicider (se)	84 3	
suiffer	T 3	
suinter	I 3	
suivre	I/T 70	
suivre (se)	84 70	
sulfater	T 3	
sulfiter	T 3	
sulfurer	T 3	
superposer	T 3	
superposer (se)	84 3	
superviser	T 3	
supplanter	T 3	
suppléer	T/Ti 5	

supplémenter	T 3	
supplicier	T 4	
supplier	T 4	
supporter	T 3	
supporter (se)	84 3	
supposer	T 3	
supprimer	T 3	
supprimer (se)	84 3	
suppurer	I 3	
supputer	T 3	
surabonder	I 3	
surajouter	T 3	
surajouter (se)	84 3	
suralimenter	T 3	
suralimenter (se)	84 3	
surarmer	T 3	
surbaisser	T 3	
surcharger	T 7	
surchauffer	T 3	
surclasser	T 3	
surcomprimer	T 3	
surcontrer	T 3	
surcoter	T 3	
surcouper	T 3	
surdéterminer	T 3	
surdimensionner	T 3	
surélever	T 11	
surenchérir	I 20	
surendetter	T 3	
surentraîner	T 3	
suréquiper	T 3	
surestimer	T 3	
surestimer (se)	84 3	
surévaluer	T 3	
surévaluer (se)	84 3	
surexciter	T 3	
surexploiter	T 3	
surexposer	T 3	
surexposer (se)	84 3	
surfacer	Ti 6	
surfacturer	T 3	
surfaire	T 82	
surfer	I 3	
surfiler	T 3	
surgeler	T 13	

Liste des verbes

surgeonner .... I 3
surgir .... I 20
surglacer .... T 6
surhausser .... T 3
surimposer .... T 3
suriner .... T 3
surinfecter (se) 84 3
surinvestir .... I 20
surir .... I 20
surjeter .... T 14
surjouer .... T 3
surligner .... T 3
surmédicaliser .... T 3
surmener .... T 11
surmener (se) 84 11
surmonter .... T 3
surmultiplier .... T 4
surnager .... I 7
surnommer .... T 3
suroxyder .... T 3
surpasser .... T 3
surpasser (se) 84 3
surpayer .... T 16
surpiquer .... T 3
surplomber .... T 3
surprendre .... T 53
surprendre (se) 84 53
surproduire .... T 78
surprotéger .... T 7
sursaturer .... T 3
sursauter .... I 3
sursemer .... T 11
surseoir .... Ti 41
surtaxer .... T 3
surtitrer .... T 3
survaloriser .... T 3
surveiller .... T 3
surveiller (se) 84 3
survenir .... I, E 27
survirer .... I 3
survivre .... I/Ti 71
survoler .... T 3
survolter .... T 3
susciter .... T 3
suspecter .... T 3

suspendre .... T 52
suspendre (se) 84 52
sustenter .... T 3
sustenter (se) 84 3
susurrer .... I/T 3
suturer .... T 3
swinguer .... I 8
syllaber .... T 3
symboliser .... T 3
sympathiser .... I 3
synchroniser .... T 3
syncoper .... I/T 3
syndicaliser .... T 3
syndiquer .... T 3
syndiquer (se) 84 3
synthétiser .... T 3
syntoniser .... T 3
systématiser .... T 3

tabasser .... T 3
tabasser (se) .... D 84 3
tabler .... Ti 3
tabuler .... I/T 3
tacher .... T 3
tacher (se) 84 3
tâcher .... T 3
tacheter .... T 14
tacler .... T 3
taguer .... I/T 8
taillader .... T 3
tailler .... I/T 3
tailler (se) 86 3
taire .... T 68
taire (se) 84 68
taler .... T 3
taller .... I 3
talocher .... T 3
talonner .... T 3
talquer .... T 3
tambouriner .... I/T 3
tamiser .... T 3
tamponner .... T 3

tamponner (se) 84 3
tancer .... T 6
tanguer .... I 8
taniser .... T 3
tanner .... T 3
tapager .... I 7
taper .... I/T 3
taper (se) 86 3
tapiner .... I 3
tapir (se) 84 20
tapisser .... T 3
tapoter .... T 3
taquer .... T 3
taquiner .... T 3
taquiner (se) 84 3
tarabiscoter .... T 3
tarabuster .... T 3
tarauder .... T 3
tarder .... I 3
tarer .... T 3
targuer (se) 84 8
tarifer .... T 3
tarifier .... T 4
tarir .... I/T 20
tarir (se) 84 20
tartiner .... T 3
tartir .... I 20
tasser .... T 3
tasser (se) 84 3
tâter .... T/Ti 3
tâter (se) 86 3
tatillonner .... I 3
tâtonner .... T 3
tatouer .... T 3
taveler .... T 12
taveler (se) 84 12
taxer .... T 3
tayloriser .... T 3
tchatcher .... I 3
techniciser .... T 3
technocratiser .... T 3
technocratiser (se) 84 3
teiller .... T 3
teindre .... T 55
teindre (se) 86 55

6 000 verbes classés de A à Z

Liste des verbes

teinter	T	3
teinter (se)	86	3
télécharger	T	7
télécommander	T	3
télécopier	T	4
télédiffuser	T	3
télégraphier	T	4
téléguider	T	3
télépayer	T	16
téléphoner	T/Ti	3
téléphoner (se)	85	3
télescoper	T	3
télescoper (se)	84	3
télétransmettre	T	63
télétravailler	I	3
téléviser	T	3
témoigner	T/Ti	3
tempérer	T	9
tempêter	I	3
temporiser	I	3
tenailler	T	3
tendre	T/Ti	52
tendre (se)	86	52
tenir	I/T/Ti	27
tenir (se)	84	27
tenonner	T	3
ténoriser	I	3
tenter	T	3
tercer	T	6
tergiverser	I	3
terminer	T	3
terminer (se)	84	3
ternir	T	20
ternir (se)	84	20
terrasser	T	3
terreauter	T	3
terrer	T	3
terrer (se)	84	3
terrifier	T	4
terroriser	T	3
tester	I/T	3
tétaniser	T	3
téter	T	9
texturer	T	3
théâtraliser	T	3

thématiser	T	3
théoriser	T	3
thésauriser	T	3
tiédir	I/T	20
tiller	T	3
tilter	I	3
timbrer	T	3
tinter	I/T	3
tintinnabuler	I	3
tiquer	I	3
tirailler	T	3
tire-bouchonner	I	3
tirer	I/T/Ti	3
tirer (se)	86	3
tisonner	T	3
tisser	T	3
titiller	T	3
titrer	T	3
titriser	T	3
tituber	I	3
titulariser	T	3
toiler	T	3
toiletter	T	3
toiletter (se)	84	3
toiser	T	3
tolérer	T	9
tomber	I/T, A/E	3
tomer	T	3
tondre	T	52
tonifier	T	4
tonitruer	I	3
tonner	I, Ip	3
tonsurer	T	3
tontiner	T	3
toper	I	3
toquer	I	3
toquer (se)	84	3
torcher	T	3
torcher (se)	86	3
torchonner	T	3
tordre	T	52
tordre (se)	86	52
toréer	I	5
torpiller	T	3
torréfier	T	4

torsader	T	3
tortiller	T	3
tortiller (se)	84	3
torturer	T	3
torturer (se)	86	3
tosser	I	3
totaliser	T	3
toucher	I/T/Ti	3
toucher (se)	86	3
touer	T	3
touiller	T	3
toupiller	I	3
toupiner	I	3
tourber	I	3
tourbillonner	I	3
tourmenter	T	3
tourmenter (se)	84	3
tournailler	I	3
tournasser	T	3
tournebouler	T	3
tourner	I/T	3
tourner (se)	86	3
tournicoter	I	3
tournoyer	I	18
tousser	I	3
toussoter	I	3
trabouler	I	3
tracasser	T	3
tracasser (se)	84	3
tracer	I/T	6
tracter	I/T	3
traduire	T	78
traduire (se)	84	78
traficoter	I	3
trafiquer	T/Ti	3
trahir	T	20
trahir (se)	84	20
traînailler	I	3
traînasser	I	3
traîner	I/T	3
traîner (se)	84	3
traire	T	69
traiter	T/Ti	3
traiter (se)	84	3
tramer	T	3

Liste des verbes

tramer (se) 84 3	travestir (se) 84 20	tronçonner .... T 3
trancher .... I/T 3	trébucher .... I/T 3	trôner .... I 3
tranquilliser .... T 3	tréfiler .... T 3	tronquer .... T 3
tranquilliser (se) 84 3	treillager .... T 7	tropicaliser .... T 3
transbahuter .... T 3	treillisser .... T 3	troquer .... T 3
transborder .... T 3	trémater .... I 3	trotter .... I 3
transcender .... T 3	trembler .... I 3	trotter (se) 84 3
transcoder .... T 3	trembloter .... I 3	trottiner .... I 3
transcrire .... T 76	trémousser (se) 84 3	troubler .... T 3
transférer .... T 9	tremper .... I/T 3	troubler (se) 84 3
transfigurer .... T 3	tremper (se) 86 3	trouer .... T 3
transfiler .... T 3	trépaner .... T 3	trouer (se) 86 3
transformer .... T 3	trépasser .... I 3	trousser .... T 3
transformer (se) 84 3	trépider .... I 3	trousser (se) 84 3
transfuser .... T 3	trépigner .... I 3	trouver .... T/Ti 3
transgresser .... T 3	tressaillir .... I 31	trouver (se) 86 3
transhumer .... I/T 3	tressauter .... I 3	truander .... I/T 3
transiger .... I 7	tresser .... T 3	trucider .... T 3
transir .... T 20	treuiller .... T 3	truffer .... T 3
transistoriser .... T 3	trévirer .... T 3	truquer .... I/T 3
transiter .... I/T 3	trianguler .... T 3	trusquiner .... T 3
translater .... T 3	triballer .... T 3	truster .... T 3
transmettre .... T 63	tricher .... I 3	tuber .... T 3
transmettre (se) 86 63	tricoter .... I/T 3	tuer .... T 3
transmigrer .... I 3	trier .... T 4	tuer (se) 84 3
transmuer .... T 3	trifouiller .... I 3	tuméfier .... T 4
transmuter .... T 3	triller .... I/T 3	tuméfier (se) 84 4
transparaître .... I 64	trimarder .... I 3	turbiner .... I/T 3
transpercer .... T 6	trimbaler .... T 3	turlupiner .... T 3
transpirer .... I 3	trimbaler (se) 86 3	turluter .... I 3
transplanter .... T 3	trimer .... I 3	tuteurer .... T 3
transplanter (se) 84 3	tringler .... T 3	tutorer .... T 3
transporter .... T 3	trinquer .... I 3	tutoyer .... T 18
transporter (se) 84 3	triompher .... I/Ti 3	tutoyer (se) 84 18
transposer .... T 3	tripatouiller .... T 3	tuyauter .... T 3
transsuder .... I/T 3	tripler .... I/T 3	twister .... I 3
transvaser .... T 3	tripoter .... I/T 3	typer .... T 3
transvider .... T 3	triquer .... T 3	tyranniser .... T 3
traquer .... T 3	trisser .... I/T 3	
traumatiser .... T 3	trisser (se) 84 3	
travailler .... I/T/Ti 3	triturer .... T 3	
travailler (se) 84 3	triturer (se) 86 3	
travailloter .... I 3	tromper .... T 3	ulcérer .... T 9
traverser .... T 3	tromper (se) 84 3	ulcérer (s') 84 9
travestir .... T 20	trompeter .... I/T 14	ululer .... I 3

Liste des verbes

unifier .... T 4
unifier (s') 84 4
uniformiser .... T 3
unir .... T 20
unir (s') 84 20
universaliser .... T 3
universaliser (s') 84 3
urbaniser .... T 3
urbaniser (s') 84 3
urger .... I, Ip 7
uriner .... I 3
user .... T/Ti 3
user (s') 84 3
usiner .... T 3
usurper .... T 3
utiliser .... T 3

vacciner .... T 3
vaciller .... I 3
vadrouiller .... I 3
vadrouiller (se) 84 3
vagabonder .... I 3
vagir .... I 20
vaguer .... I 8
vaincre .... T 61
vaincre (se) 84 61
valdinguer .... I 8
valider .... T 3
valoir .... I/T 46
valoir (se) 84 46
valoriser .... T 3
valoriser (se) 84 3
valser .... I 3
vamper .... T 3
vampiriser .... T 3
vandaliser .... T 3
vanner .... I/T 3
vanter .... T 3
vanter (se) 84 3
vaporiser .... T 3
vaquer .... I/Ti 3

varapper .... I 3
varier .... I/T 4
varloper .... T 3
vasectomiser .... T 3
vaseliner .... T 3
vaser .... I, Ip 3
vasouiller .... I 3
vassaliser .... T 3
vaticiner .... I 3
vautrer (se) 84 3
végéter .... I 9
véhiculer .... T 3
veiller .... I/T/Ti 3
veiner .... T 3
vêler .... I 3
velouter .... T 3
vendanger .... T 7
vendre .... T 52
vendre (se) 84 52
vénérer .... T 9
venger .... T 7
venger (se) 84 7
venir .... I, E 27
venter .... I, Ip 3
ventiler .... T 3
verbaliser .... I/T 3
verdir .... I/T 20
verdoyer .... I 18
verglacer .... I, Ip 6
vérifier .... T 4
vérifier (se) 84 4
vermiller .... I 3
vernir .... T 20
vernisser .... T 3
verrouiller .... T 3
verrouiller (se) 84 3
verser .... I/T 3
verser (se) 86 3
versifier .... T 4
vesser .... I 3
vétiller .... I 3
vêtir .... T 23
vêtir (se) 84 23
vexer .... T 3
vexer (se) 84 3

viabiliser .... T 3
viander .... I 3
viander (se) 84 3
vibrer .... I/T 3
vibrionner .... I 3
vicier .... T 4
victimiser .... T 3
vidanger .... T 7
vider .... T 3
vider (se) 84 3
vieillir .... I/T 20
vieillir (se) 84 20
vieller .... I 3
vilipender .... T 3
villégiaturer .... I 3
vinaigrer .... T 3
viner .... T 3
vinifier .... T 4
violacer .... T 6
violacer (se) 84 6
violenter .... T 3
violer .... T 3
violoner .... I 3
virer .... I/T/Ti 3
virevolter .... I 3
viriliser .... T 3
viroler .... T 3
viser .... T/Ti 3
visionner .... T 3
visiter .... T 3
visser .... T 3
visualiser .... T 3
vitrer .... T 3
vitrifier .... T 4
vitrioler .... T 3
vitupérer .... I/T 9
vivifier .... T 4
vivoter .... I 3
vivre .... I/T 71
vocaliser .... T 3
vociférer .... I/T 9
voguer .... I 8
voiler .... T 3
voiler (se) 86 3
voir .... T/Ti 37

312

Liste des verbes

voir (se) 86 37
voisiner .... I 3
voiturer .... T 3
volatiliser .... T 3
volatiliser (se) 84 3
voler .... I/T 3
voleter .... I 14
voliger .... T 7
volleyer .... I 3
volter .... I 3
voltiger .... I 7
vomir .... T 20
voter .... I/T 3
vouer .... T 3
vouer (se) 86 3
vouloir .... T/Ti 45
vouloir (se) 84 45
voussoyer .... T 18

voussoyer (se) 84 18
voûter .... T 3
voûter (se) 84 3
vouvoyer .... T 18
vouvoyer (se) 84 18
voyager .... I 7
vriller .... I/T 3
vrombir .... I 20
vulcaniser .... T 3
vulgariser .... T 3

warranter .... T 3

yoyot(t)er .... I 3

zapper .... I/T 3
zébrer .... T 9
zester .... T 3
zézayer .... I 16
ziber .... T 3
zieuter .... I/T 3
zigouiller .... T 3
zigzaguer .... I 8
zinguer .... T 8
zinzinuler .... I 3
zipper .... T 3
zoner .... I/T 3
zoomer .... I 3
zouker .... I 3
zozoter .... I 3

313

INDEX DES NOTIONS CLÉS

Index des notions clés

Index des notions clés

Index des notions clés

Index des notions clés

Q R

Index des notions clés

Index des notions clés

Alphabet phonétique

12 voyelles

[a]	ami ; mat	[ɔ]	sort ; donner
[ɑ]	mât ; bas	[ø]	bleu ; nœud
[e]	café ; parler	[œ]	beurre ; œuf
[ɛ]	mère ; belle ; fête	[ə]	chemin ; revoir
[i]	ici ; pli	[u]	fou ; goût
[o]	sot ; eau ; rôle	[y]	user ; mûr

4 voyelles nasales

[ɑ̃]	blanc ; vendre	[œ̃]	brun ; parfum
[ɛ̃]	fin ; plein ; pain	[ɔ̃]	monde ; sombre

3 semi-consonnes (ou semi-voyelles)

[j]	yaourt ; rail ; rien	[ɥ]	nuit ; lui
[w]	oui ; rouage		

17 consonnes

[b]	barbe ; table	[R]	rare ; pour
[k]	cave ; marquer ; ski	[s]	sur ; trace ; leçon
[d]	dur ; sud	[t]	tous ; retard
[f]	feu ; photo	[v]	vivre ; wagon
[g]	gant ; vague	[z]	rose ; zéro
[l]	lune ; rouler ; ville	[ʃ]	chat ; riche
[m]	main ; permis	[ʒ]	jeton ; manger
[n]	navire ; farine	[ɲ]	vigne ; agneau
[p]	poule ; taper		

Remarque : les deux phonèmes [ɛ̃] et [œ̃] tendent à être confondus dans beaucoup de régions.

Achevé d'imprimer en juin 2021 en Espagne par Unigraf
Dépôt légal : juillet 2021 - Édition 01
21/1136/4